JN000196

教養としてのデジタル講義

今こそ知っておくべき「デジタル社会」の基礎知識

Blown To Bits
Your Life, Liberty, and Happiness After the Digital Explosion
Second Edition

著　ハル・アベルソン
ケン・リーディン
ハリー・ルイス
ウェンディ・セルツァー
翻訳　尼丁千津子
解説　村井純

日経BP

Blown To Bits
Your Life, Liberty, and Happiness
After the Digital Explosion
Second Edition
By Hal Abelson, Ken Ledeen, Harry Lewis, Wendy Seltzer

Authorized translation from the English language edition, entitled BLOWN TO BITS:
YOUR LIFE, LIBERTY, AND HAPPINESS AFTER THE DIGITAL EXPLOSION, 2nd Edition,
by HAL ABELSON, KEN LEDEEN, HARRY LEWIS, WENDY SELTZER,
published by Pearson Education, Inc,

世界の変化を再び目にするであろう、私たちの子どもアマンダ、
ジェニファー、ジョシュア、エラへ、アニー、そしてエリザベスへ。
次の変化は、私たちの想像もつかないようなものだろう。

その変化のなかを生きていく、私たちの孫
コナー、ローリー、アビゲール、キャメロン、ジュリエット、
ロバート、アレクサンドラ、そしてステラへ。

そして、私たちがもっと深く考えるための刺激を、
常に与えてくれる学生たちへ。

はじめに

10年以上前に私たちがこの本を書こうとしたわけは、デジタル革命によって人々の暮らしのほぼすべての面が根底から変わりつつあった当時、社会が賢い選択をするためには、デジタル技術の基本的な原理と、人間社会でのその応用を理解しなければならないということに気づいたからだ。あの頃は、コンピューターの仕組みについて書かれた本はあっても、そうした社会の観点から分析した本はまだなかった。

本書（訳注：原著の第1版のこと）は世に出て10年以上も経つが、その間意外にも色あせずに社会で通用してきた。とはいえ、テクノロジーの絶え間ない進歩とその幅広い応用によって、この第2版を出す必要に迫られた。それに、ぜひ取り上げたい新たな題材もいくつかある。

プライバシーに対するテクノロジーの影響（あるいはそれによるプライバシーの欠如）がますます大きくなっていることは、誰にとっても何の驚きでもないはずだ。本書が出た当初はまだ生まれたばかりだった顔認識技術は、今やいたるところで利用されている。携帯電話のアプリは、私たちの一挙一動を追跡している。話者認識ソフトウェアは、政府でも営利目的の民間の組織でも一般的に使われている（第2章「白日のもとに晒される――失われたプライバシー、捨て去られたプライバシー」参照）。

人工知能（AI）は、今ではごく普通に応用されている。もう音楽CDをずらりと大事に並べておく必要もない（もはやCDが何だったかをすっかり忘れてしまった方もいるかもしれないが）。手持ちの機器に、聴きたい曲名を告げればいいだけだ。あるいは、「Siri、ウォルサム市のホーム・デポに着いたとき、電球を買い忘れないよう念押ししてくれ」といったこともできる。自動AIアシスタントは、テレビのリモコンや冷蔵庫にも組み込まれている（第９章「次の未開拓分野へ――AIと将来のデジタル化された世界」参照）。

2008年、フェイスブックは友達とつながれることで人気を集めていて、ツイッターは始まったばかりだった。今日では、この二つをはじめとするソーシャルメディアプラットフォームは、社会に対する反乱の助長、選挙への介入、政治家に演説や主張を行う場を与えるといった、社会に対する重大な影響力を持つまでとなっている（第３章「あなたのプライバシーを所有しているのは誰？――個人情報の商業化」参照）。

2020年の新型コロナウイルスの世界的な大流行によって、デジタル革命の意味やその影響力の大きさがこれほどまで世間の脚光を浴びるようになるとは、誰も予測できなかった。ほんの数週間で、幼稚園から大学院にいたる教育機関は「バーチャル」になった。6歳の子どもが、ビデオ会議を完璧にこなせるようになったのだ。また、オンライン注文が、日常のニーズを満たすための主な手段となった。そして、テレワークは当たり前になったが、これは10年前には想像もつかなかったことだし、そのさらに10年前には到底不可能なことだった。

そこで、デジタルの世界が「どういうものか」、そして「その仕組みとは」をそれぞれ深く理解することが、この革命が続いている世界での賢い選択につながるのではないかと、私たち筆者は期待も込めて考えた。

毎日何十億もの写真、ニュース、歌、レントゲン写真、テレビ番組、通話、電子メールが「ビット（bit）」、すなわち０と１の組み合わせで表された数として世界じゅうに拡散される。電話帳、新聞、

CD、手書きの手紙、それにプライバシーは、すべてデジタル以前の時代の遺物だ。

私たちはこのデジタル情報の爆発から逃れることはできないし、逃れたいと思う者もまずいない。それによってもたらされる数々の恩恵が、あまりにも魅惑的だからだ。デジタル技術は、比類なき革新、協力、娯楽、民主主義への参加を可能にした。

だが、それと同時に、その驚くべき技術によって、私たちの生活の細部までもがますます多くのデジタルデータとして捉えられるようになり、その結果、何世紀にもわたって私たちが抱いてきたプライバシー、個人情報、表現の自由、個人の管理に対する考えが打ち砕かれている。

あなたの膨大な個人情報を見る人を、あなたは管理できるのだろうか？　ありとあらゆるプライバシーが失われているように思える現在、何かを秘密にすることはできるのだろうか？　ラジオやテレビと同様に、インターネットも検閲されるべきだろうか？　あなたが何かを検索したとき、どんな結果を見せるかを誰が判断しているのだろう？　情報の源（それに誤情報の源も）が無限に存在しているデジタル「エコーチェンバー」（訳注：自分の考えや主張を反映、強化する情報や意見しか入ってこない状況）に住んでいる私たちは、何が「真実」なのかどうすればわかるのだろうか？　デジタルの世界には、言論の自由はまだあるのだろうか？　こうしたことに関する政府や企業の方針に対して、あなたには発言権があるのだろうか？　人工知能が普及しているこの社会において、機械がなぜそういう行動を取ったのかを、私たちはどのようにして知ることができるのだろう？　ごく一部の有力な企業が、私たちが何を知るか、私たちがどのように世界を捉えるかに対して影響を及ぼしているのだろうか？　私たちは、すでに何かに支配されてしまっているのだろうか？

本書『教養としてのデジタル講義』は、興味深い現実の事例を通じてこれらの疑問への大胆な答えを提示しながら、このデジタルの世界であなたを導くための指南書だ。変容したこの世界の可能性と潜在的な危険を把握することは、誰にとっても極めて重要な知見となるはずだ。

本書は、デジタル爆発が人間にもたらしかねない結果への警鐘である。

第1章 デジタル爆発

起きている理由と問題点は何か？

この本は、コンピューターについて語るものではない。あなたと私の人生について、語るものだ。私たちを支えてきた土台の根本的な変化について語る本でもある。そうした変化が起きていることは、みな知っている。それが毎日のように周りで起きているのを、みな目にしている。私たちみなが、それをもっとよく理解しなければならないのだ。

デジタル爆発は、あらゆるものを変えている。本書では「何が起きているのか」に加えて「どういうふうに起きているのか」も取り上げる。テクノロジー自体、つまり、それがなぜこれほど多くの驚きをつくりだせるのかということと、それがなぜ私たちの期待どおりにはたらかないことがしばしばあるのかという点についても解説する。また、本書は、情報爆発が破壊しているものについても、語っている。それは具体的には、「私たちのプライバシー」「個人情報」「私たち自身の人生を管理しているのは誰なのか」に対する、古くからの考え方だ。さらに、本書は、「私たちはどのようにして現状に辿り着いたのか」「私たちが失いつつあるものは何か」「社会の手で、正しい状態に戻せる望みがまだ残されているものは何か」についても、語っている。

デジタル爆発は、数々のチャンスもリスクも生み出している。どちらの場合も10年後にはその多くが何らかのかたちで落ち着いて、消え去っているだろう。政府、企業といった権力はこの混乱を巧みに利用しているが、私たちの大半はそれが起きていることすらわかっていない。それでも、その結果にはみな影響を受ける。本書は科学、歴史、法律、政治の枠を超えた警鐘だ。あなたの未来をかたちづくっているものはデジタルであり、あなたはそれについて理解しなければならないのだ。

この本では、私たちが日々耳にしたり目にしたりする出来事についても語っている。それらの「ストーリー」はデジタル技術が私たちの生活に及ぼしている、重大だがたいていの場合思いもよらなかった影響に関するものだ。まずは、ニコレット・バーチュリの事例から見ていこう。

ニコレットはなぜ自分が採用されなかったのか、まったく見当がつかなかった。大学3年生で成績評価値(GPA)が3.5と優秀な彼女は、投資銀行の面接試験の準備をしっかり行ってきたし、面接中には手応えも感じていた。顔を上げて微笑みを絶やさず、自信を持って話した。だが、面接後の銀行からの連絡は、いいものではなかった。ニコレットは採用試験の次の段階には進めなかったのだ。[原注1]

ニコレットは自分が何をやらかしてしまったのか知りたかったが、彼女が不採用になった理由を誰も説明できなかった。というのも、実際のところ誰にもわからなかったからだ。彼女を面接したのは、ハイアービューが開発したAIソフトウェアを利用した、仕事への適性を評価するコンピューターだった。このソフトウェアがニコレットを不採用にしたのは、必要とされる何らかの資格を彼女が持っていなかったからといった理由ではなかった。どうやらこのソフトウェアは、ニコレットが応募した職種にふさわしい人材に共通しているパターンを検知することができて、彼女を観察した結果それが見いだせなかったというわけらしかった。「必要な3年間の経験」や「特定の資格」がないといった理由で採用されないのは、まだ納得がいく。だが、今回の件はそれとはわけが違う。しかも、ソフトウェアが何を求めているのかについての説明がまったくないということが、薄気味悪さに拍車をかけている。さらに、たとえハイアービューが、同社が特許を持つソフトウェアのアルゴリズムを公開するのを厭わなかったとしても（そんなことはまずないが）、ソフトウェアによる説明自体が不可能かもしれないのだ。

採用する側の企業は、この新しい技術を歓迎している。人間が面接するよりも、費用が安くて効率的だからだ。実際、こうした技術を提供している多くの開発企業のひとつにすぎないハイアービューだけでも、そのソフトウェアで1000万回以上の面接が行われている。一方、応募者の多くは、こうした自動採用アシスタントを好まない。それは機械に評価されるのが非人間的に思えるから、というだけではない。それでも、この技術を提供している企業の多くは、それを利用することでより多くの人が面接を受けられるようになるし、しかも人間の面接官が抱いているバイアスに応募者が影響される恐れもなくなる、と反論している。つまり、この技術は新たな機会を広げるものであって、制限するものではないということだ。とはいうものの、それは本当に正しいのだろうか？

自動化された一次面接に対する生理的な嫌悪の主な理由が、「自分の人生にとって極めて重大な判断を、コンピューターにしてほしくない」であるとは思えない。今日では、そういった判断の多くがコンピューターによって行われているからだ。たとえば、現在の航空機や放射線治療機器は、主に自動化されたシステムによって稼働している。乳房のレントゲン写真で乳癌を発見する精度は、経験を積んだ放射線科医よりも今やコンピューターのほうがはるかに高い[原注2]。そんな場合、機械よりも信頼性の低い人間による診断のほうを希望するだろうか？　だが、ハイアービューのソフトウェアによる評価は、それとは性質が異なる。このプログラムは、ニコレットの人間性について判断を下した。「この人物は同行が採用すべきタイプの人材ではない」という結果は、採用すべきタイプの人材がどんな人物で、ニコレットには何が欠けていたのかといった点について、彼女をはじめ誰にも説明することなく出されたものだ。

今では多くのシステムが、ほかの領域でも人間の代わりに同様の判断を行っている。裁判官は刑事被告人が出廷してこない可能性を見極めるために、コンピューターに判断を仰ぐ。採用の事例と同様に、コンピューターは被告人と、過去の逮捕者のなかで公判前に拘留されずにすんだ者たちとを比較することで判断を下す。[原注3]不動産業者はどの入居希望者が家賃を滞納する恐れがあるかを判断するために、コンピューターを利用する。[原注4]

こうしたシステムの大半は特許が取られていて、しかも開発した企業はその仕組みを公開する義務はない。そして、彼らは「結局のところ、人間の面接官は公平な判断の模範的な基準にはならないのだから」と主張する。面接官たちはあらゆる種類の嘆かわしいバイアスを抱いたり差別したりしがちではないか、と。たしかに、そうした議論を受けて、楽器演奏者のオーディションは最近では演奏者の姿が聞き手に見えないかたちで行われることが多い。姿が見えていたときは、女性は男性よりも一貫して厳しく審査されていたからだ。[原注5]ハイアービューの主張は、面接で見て取れた応募者の資質を実際の社員の資質と比べ合わせることで、採用の過程での最も当てにならない要因を除外できるというものだ。要は、人間の採用担当者こそが「究極のブラックボックス」であると、ハイアービューは訴えているのだ。もしかしたら、そうなのかもしれない。だが、「応募者を銀行の最も優秀な現従業員の経歴や人物像と比較する」というハイアービューの言葉には引っかかる。その銀行が現在擁するすべての人材の採用に影響を及ぼしたあらゆる偏見を、今ではこのソフトウェアが自動的にただなぞっているだけ、ということもありえるのではないだろうか?

この事例がとりわけ注目に値するのは、ニコレットが機械によって適性がないと判断されたということのみならず、人事部長、それどころかプログラマーさえも、どんな基準で判断すべきかをハイアービューのこのソフトウェアに教えていないという点だ。実は、ソフトウェア自体がすべて決めている。ソフトウェアは現在働いている従業員の映像を見て、自分で独自の基準をつくりあげたのだ。

ニコレットが応募した職で不採用になったこの事例は、まさに私たち筆者が「ビットストーリー（bits story）」と呼んでいるものだ。つまり、これは単なる就職活動の話ではない。これは何兆にもおよぶ、とにかく膨大な個数の０と１を収集、記憶、分析、伝送、使用する話なのだ。こうした事例を慎重に見ていくと、背後にあるテクノロジーのみならず、予想される結果やリスクも把握できる。

「アルゴリズムの透明性」とは、人はコンピューターが自分についてどのようにして判断を下しているのかを知るべきだという考え方だ。電子プライバシー情報センター（EPIC）はこの原則について、「国民はアルゴリズムによる誤りを修正したり、アルゴリズムによって下された判断に異議を唱えたりできるよう、自身の生活に影響を及ぼすデータ処理について知る権利がある」と説明している。[原注6]

ニコレットのコンピューターから電話線やケーブル、そしておそらく数種類の電波を通じてハイアービューのコンピューターへ流れた「ビット」は、彼女の人物像を表したものだ。それらのビットはハイアービューのプログラムによって再度組み立てられ、調べるために分解され、分析された。そして、ほかの人物の映像を表す何兆にもおよぶ、とにかく膨大な数のビットと何らかの方法で比較され、その結果「採用過程の次の段階に進む」を意味する「イエス」か、「すぐさま不採用とする」である「ノー」のどちらかひとつのビットが出力された。ニコレットの場合、そのビットは０で、しかも銀行からの返事はただそれだけだったのだ。一方、ハイアービューは、失敗に終わったこのニコレットの面接のビットをすべて保管した。そもそも、この面接試験を受けるためには、そこで生じる彼女の権利をすべてハイアービュー側に譲り渡さなければならなかったのだ。

新しいテクノロジーはプライバシー、通信手段、刑法の基準を変化させ、思いがけないかたちで私たちに影響を及ぼしてくる。ニコレットの話は彼女自身にとっては重要なものだが、実際には誰もが対象となりうる何千ものビットストーリーのひとつにすぎない。数年前なら起こるはずがなかったデータの流れの予期せぬ結果に、私たちは日々直面している。

この本を読み終えたとき、あなたは、これまでとは異なる視点から世界を見ることができるようになるはずだ。友人の話やニュース放送を聞いたあなたは、たとえそこでデジタルについて何も触れられていなくても、「これはまさにビットストーリーだ」と心のなかで唱えるはずだ。物体の動きや生身の人間の行動は、表面的なものにすぎない。実際に何が起きているのかを把握するためには仮想世界、つまり人生の出来事を方向づけているビットの神秘的な流れを見なければならないのだ。

本書は、この新たな世界へあなたを導く手引きになるはずだ。

ビット、そしてその他もろもろの爆発

世界はいきなり変化した。ほぼすべてのものが、どこかのコンピューターに保存されている。たとえば、公判記録、食料品店での購入品、大事な家族写真、ハリウッド映画の貴重な傑作、つまらないテレビ番組。コンピューターには現在は有用ではないが、いつか役に立つかもしれないと誰かが思っているものも多く保管されている。そして、それらはみな０と１のみ、つまり「ビット」で表現されている。それらのビットは家庭のコンピューター、あるいは大企業や

政府機関のデータセンター内の「ディスク」にしまわれている。それらのディスクの多くはもはや回転する円盤状のものではなく、歴史的な理由で「ディスク」と呼ばれている、異なる種類のストレージ媒体だ。最近のディスクの大半は「クラウド」のなかだ。これはアマゾンといった大企業が所有していて、何かを保管する場所を必要とする人々に貸し出しているディスクのしゃれた名前と思えばいい。こうしたディスクは大量のビットを記憶できるため、どれを残しておきたいかあれこれ考えて選ぶ必要もない。

「ビット（bit）」は「２進数（binary digit）」を簡略化した表現だ。２進法は0、1、2、3、4、5、6、7、8、9を使う10進法とは異なり、0と1のみ使用する。1679年、ゴットフリート・ヴィルヘルム・ライプニッツによって、２進表記法の考え方が初めて明確に示された。

あまりに多くのデジタル情報、誤情報、データ、がらくたがため込まれているため、その大半は決して人間の目に触れることはなく、コンピューターが利用するだけだ。そして、コンピューターはこれらの大量のビットから意味を引き出す（ときには犯罪の解決につながるようなパターンを発見する、病気を診断する、役立つ提案をするなど）のが、ますますうまくなっていて、ほかの人にはわからないだろうと思っていた自分自身に関することまで明らかにされる場合もある。

2013年にアメリカ政府の極秘文書を大量に漏洩したエドワード・スノーデンの事例も、ビットストーリーだ。スノーデンはそれらの文書を、ノートパソコンに入れて国外に持ち出した。そのわずか数年前だったら、何百キロもの紙の書類を運ばなければならなかっただろう。スノーデンが暴露したのはすべて政府の電子監視に関する文書で、それによってプライバシーと安全とのあいだのトレードオフに対する根本的な疑問が投げかけられた。

2019年にボーイング737MAXが運航停止になった事例は、単なる航空機の話ではない。これもビットストーリーだ。737MAXでは以前の737シリーズのエンジンの位置が変更されたため機体の重量配分が変わったが、センサーデータを処理して機体の動きを自動的に制御するよう開発されたソフトウェアは、目的どおりに機能しなかった。[原注7]

だが、ビットストーリーは世界的に重要な出来事に限られているわけではなく、普段の生活でも日々起きている。市民ランナーのロージー・スピンクスが経験した気味の悪い話は、ビットストーリーだ。スピンクスはスマートフォンのアプリで、自身が走ったコースやタイムを記録していた。とはいえ、アプリのいわゆる「プライバシー強化（エンハンスドプライバシー）」設定はオンにしていたので、自分がどの辺りを走っているかは特定されないと思っていた。だが、海外旅行中のランニング練習に対して見知らぬ人々が「いいね！」し始めたことで、この設定の本当の意味は、「リーダーボードに掲載されると自分のランニングに関する情報が不特定多数の男性に知られる、『プライバシー拡張（エンハンスドプライバシー）』」であることに彼女はようやく気づいた。このフィットネス用アプリはソーシャルネットワーク用アプリでもあり、ロージーのデータは商用化されていたのだった。[原注8]

何かがコンピューターにひとたび取り込まれると、それは即座に複製されて世界じゅうに広まる可能性がある。100万個もの完璧な複製をつくるのには一瞬しかかからない。そうした複製には、私たちが世界じゅうのすべての人に見てもらいたいと思っているものもあれば、そもそも複製するつもりなどまったくなかったものまである。

デジタル爆発は、かつての印刷と同じくらい世界を変えている。そして、そうした変化のなかには私たちに不意打ちを食らわせて、世界の仕組みに対する私たちの考えを粉々に吹き飛ばしてしまうものもある。

デジタル爆発は有益なもの、楽しいもの、あるいは理想の世界にさえ思えるかもしれない。おばあちゃんに子どもの写真を郵送する代わりに、インスタグラムで写真を共有する。すると、おばあちゃんのみならず、おばあちゃんの友人といったほかの人も写真を見ることができる。私たちはそうした恩恵を享受しているが、それに伴うリスクはどういったものだろうか？　たしかに、それらの写真は可愛いし何の害も与えないだろう。だが、観光客が旅行先で撮った写真の背景に、たまたまあなたが写っていたとしたら。たとえば、あなたがそこで食事をしていることを、誰も知らないレストランで。もし、その観光客が写真をアップロードして一般に公開したら、あなたがどこにいて、それがいつのことだったのかが世界じゅうの知るところとなる。顔認識はわずか数年前まではコンピューターの手に負えなかったが、現在では見知らぬ観光客の写真にあなたの名前をタグづけできるほど技術が向上している。対策や法律によって禁じられれば、実際にはそうしたことは起こらないかもしれないが、技術的な制約はもはや存在しない。群衆のそれぞれの顔を自動的に認識することはすでに解決された課題であり、それを可能にするソフトフェアは民衆の抗議行動を阻止したり、国民の行動を日常的に把握したりするために、中国などの権威主義国家で利用されている。また、この技術はアメリカでも使われている。クリアビューAIという小さな企業は、フェイスブックをはじめとするソーシャルメディアで集められた何十億枚ものラベルつき写真によって、突如として多くの法執行機関や、セキュリティを重視する民間企業にまでも重宝がられるようになった[原注9]。しかも、フェイスブックといった企業が集めた膨大な写真データベースの適切な利用範囲の限界に進んで挑戦しようとしている、利益のためにリスクを厭わないこの新興企業にとって、こうした技術開発は決して難しいものでさえなかったのだ。

家族写真の話題から離れる前に一言。それらの写真がみな紙焼きで、何十年も残り続けてきた時代をあなたも覚えているだろうか？だが、今ではもうそんなことはない。デジタル画像は驚くほど便利だが、その便利さゆえ手元にかたちとして残らない。将来あなたの孫がデジタル画像の詰まった箱をあなたのベッドの下から発見する、というようにはできないのだ。そうした家族の思い出であるデータはすべて将来、どこにあるかわからなくなってしまうかもしれない。デジタルの世界では、ほぼすべてのものによい面と悪い面がある。

データは漏洩する。クレジットカードの記録はデータウェアハウスに厳重に保管されるべきものだが、個人情報泥棒によって盗み出されてしまう。あるいは、単に見返り欲しさに自ら情報を差し出すこともある。そうすることで、たとえば世界じゅうどこへも無料で電話がかけられる。そのサービスを提供している企業のコンピューターに記録された、あなたの通話内容に即した商品の宣伝を見せられるのが気にならなければ。あなたがどんなレストランによく行っているかをグーグルに知らせるために位置追跡をオンにしておけば、グーグルはあなたが気に入るかもしれないレストランを薦めてくれるだろう。あるいは食事をすると、美味しかったかどうかグーグルが尋ねてくる（それを自動的に判断できるようなソフトウェアは、さすがにまだ開発されていない）。あなたの答えはすぐさまデータとして取り込まれ、グーグルがあなたやほかの人に店を推薦するために利用される（その途中で少し儲けるためにも）。

だが、これらは今日起こっていることのごく一部にすぎない。爆発とそれによる社会の混乱は、まだ始まったばかりなのだ。

私たちは、アメリカ議会図書館にある全書籍内のありとあらゆる言葉の何十億倍もの情報を、何とスマートフォンの容量だけで記憶できる世界にすでに住んでいる。ひとりの人間の一生をつぶさに記録できる量のビデオが、毎日ユーチューブにアップロードされている。こうした爆発的な進化は、まだ続いている。私たちは毎年、前年よりも多くの情報の保管や素早い伝送、さらにはそれらの情報を用いたはるかに創意あふれる工夫ができるようになっている。今や冷蔵庫や掃除機までもがデータを作成するなか、データ作成量の増加率は想像もつかないほどになっている。この世で生まれたデータの大半は、前年中につくられたものだ。しかも、来年もその次の年でも、同じことが言えるはずだ。

毎年つくられているディスクストレージの数は、あなたをはじめ地球上のすべての人間の情報を数秒ごとにそれぞれ1ページずつ記録できるほど膨大である。大昔の自身の発言によって政治家候補が墓穴を掘ることになる場合もあれば、手早く書きとめられた手紙が伝記作家にとって重要な発見になることもある。すべての人間が生涯に発した言葉や書いた言葉をひとつ残らず記録できると、どんなことになるのだろう。それを実現するための技術的な障害は、すでに取り除かれている。そのすべてを記憶するために十分な容量が、確保されているからだ。ユーチューブでは、毎分500時間の動画がアップロードされているそうだ[原注10]。こうした状況に、何らかの社会的な障壁が立ちはだかるべきだろうか？

現在では物事の仕組みが以前に比べて改善されたようにも思える一方で、改悪されたようにも感じられる。今や、「公記録」は文字どおり極めて公然性の高いものになっている。あなたがテネシー州ナッシュビルで雇われる前に、雇用主はあなたがテキサス州ラボックで10年前に左折禁止違反で捕まったかどうかを知ることができる。「封印された公判記録」という古い概念は、情報が複製、分類され、そして果てしなく拡散され続ける世界では、ほぼ幻想だ。ヨーロッパでは、どんなに小さな若気の過ちでもその責めを生涯抱えるかもしれない人々の救済を目的とした「忘れられる権利」が、人権のひとつとして新たに加えられた。だが、言論の自由に重きを置いているアメリカでは、この相反する二つの権利の衝突は避けられない。ビットワールドでは、大西洋をマイクロ秒単位でまたぐことができるのだ。

アメリカ国民は何百ものテレビやラジオ局、何百万ものウェブサイトといった多様な情報源を好み、より権力的な情報の押しつけには不快感を示しながら対応してきた。一方、中国の状況は逆だ。テクノロジーの進歩によって、政府は国民の行動をより細かく監視したり、彼らが入手できる情報をより厳しく管理したりできるようになった。

ビットの「コウアン」

ビットは奇妙な振る舞いをする。ほぼ瞬時に移動できるし、保管場所をほとんど取らない。しかも、ビットをわかりやすく説明するには、物理的なメタファーを使うしかない。それはたとえば、ビットを「爆発するダイナマイト」や「流れている水」に例えるといったことだ。さらには、「2台のコンピューターが、あるビットにつ

クロード・シャノン

Reused with permission of Nokia Corporation and AT&T Archives.

クロード・シャノン（1916-2001）は、誰もが認める情報通信理論の考案者だ。第二次世界大戦後のベル研究所勤務時代にシャノンが執筆した論文「通信の数学的理論」はその後のデジタル技術の発展の大半を予見していて、大きな影響をもたらした。1948年に発表されたこの論文で、「ビットは情報の自然単位である」という今では一般的な認識が生まれ、「ビット」という言葉が初めて使われた。

いて合意する」や「窃盗用の道具を使ってビットを盗む者」といったような、社会的なメタファーを使って説明することもある。正しいメタファーを選ぶことも大事だが、メタファーには限界があることをわかっておくのも重要だ。不適切なメタファーが誤解を生む恐れは、適切なメタファーが理解を促す可能性と同じくらい大きいからだ。

ここでビットについての七つの真実を提示したい。私たちがこれを「コウアン（公案）」と呼んでいるのは、それらは瞑想や悟りにつながる禅問答のような矛盾をはらんでいるからだ。次に示す公案は、極度の単純化であり、極度の一般化でもある。発展しつつあるが、まだはっきりとは姿を現していない世界を描いたものだ。だが、現時点においても、これらの公案は私たちが普段思っている以上に真実を突いている。以下で挙げる基本的な考え方は、デジタル爆発についての事例で繰り返し登場する。

公案１－すべてはビットである

あなたのコンピューターやスマートフォン（実はこれもコンピューターにほかならない）は、なかに写真、手紙、歌、映画が入っていると、あなたを上手に錯覚させている。実際に含まれているのは、あなたには見えないかたちで組み合わされた大量のビットだ。あなたのコンピューターはただビットだけを保管するようにできていて、ファイルやフォルダー、さまざまな種類のデータは、コンピュータープログラマーがつくりあげた幻想にすぎない。あなたが送った写真つきのメッセージがインターネットを流れていくとき、それを処理するコンピューターはどれも、自身が扱っているその情報の一部は文字データで一部は画像データであることなどまったくわかっていない。また、通話もビットにすぎず、それが競争の創出を促した。つまり、従来の電話会社に加えて、携帯電話会社、ケーブルテレビ会社、IP電話サービス会社は、ビットをやりとりすればそれぞれのあいだでの通話を実現できるというわけだ。インターネットはあくまでビットを扱うようにつくられたものであり、ソフトウェア開発者が考案した電子メールや添付ファイルを処理するようにできていない。私たちはそうしたメールやファイルといった、より直感的に理解できる概念がなければやっていけないが、それらは見せかけにすぎない。表面下にあるすべては、ビットなのだ。

この公案は、あなたが思っている以上に大きな意味を持っている。その例として、全米妊娠中絶権擁護連盟（NARAL）と携帯電話会社ベライゾン・ワイヤレスの一件を見てみよう。NARALは、会員通知用のテキストメッセージグループ作成を申請した。だが、ベライゾンは「送られるメッセージに『論争を呼ぶ、または不適切なもの』が含まれる恐れがある」という理由で許可しなかった[原注11]。同社は政治家候補のテキストメッセージ通知グループは許可するのに、論争の的になりそうな政治的主張を訴える団体に対しては認めなかったのだ。もし、NARALが電話の設置やフリーダイヤルの番号を希望したのであれば、ベライゾンは受け入れるしかなかった。なぜなら、電話会社は「特定顧客に限定しない一般通信事業者」と以前から決められているからだ。鉄道会社同様、電話会社は提供するサービスを望む顧客を選別することを法律で禁じられている。ビットワールドでは、テキストメッセージと無線通話に違いはない。どちらも、電波によって空中を移動するビットである。一方、法律はテクノロジーに追いついていない。法のもとではそれぞれのビットが必ずしも同じ扱いを受けているわけではなく、音声のビットに関する一般通信事業者への法律は、テキストメッセージのビットには適用されないのだ。

ベライゾンはNARALの件では一転して申請を許可したが、それでも決して方針を改めたわけではなかった。つまり、電話会社は誰のテキストメッセージを配信するかを決めるにあたって、利益を最大化できそうなどんな手段を取ってもいいというわけだ。しかしながら、デジタルの電波で送られるテキストメッセージ、通話をはじめとするどんなビット同士も、技術面では実際に区別できない。

独占性と競合性

経済学者がビットについて説明するなら「何の操作もされていない限り、非独占的（数人がひとたび手に入れたら、ほかの人に渡らないようにするのは難しい）で非競合的（私から誰かの手に渡っても、私の手持ちが減るわけではない）となるもの」と語るだろう。アイデアの性質について書かれた手紙のなかで、トーマス・ジェファーソンはこの二つの特性について次のように的確に表現している。「もし、創造主がほかのどんなものよりも独占的でない何かをつくられたとしたら、それは『アイデア』というものだ。アイデアは思考力のはたらきによって生まれるものであり、個人が好きなだけ自分のなかに秘めておける。だが、いったん公にされるとあらゆる人の手に渡り、しかも受け取った人は捨て去ることはできない。さらに、アイデアには『誰もが全体を抱いているため、所有している大きさに差はない』という不思議な特徴もあるのだ」[原注12]

公案２－完璧が当たり前

人間は間違えるものだ。古代の写字室や中世の修道院でこつこつと写本がつくられていた当時は、どの本にも写し間違いがつきものだった。コンピューターやネットワークでは、そういったことは起こらない。どんな複製も完璧だ。あなたが友人に電子メールで写真を送ったら、友人が受け取った写真が元のものよりもぼやけていることはない。友人の手元にある複製版は、見た目にはわからない細かいレベルまで元の写真と一致している。

当然ながら、コンピューターだって不調なときもある。ネットワークで、障害が発生することもある。電源が落ちてバッテリーバックアップがなければ、何もできなくなる。つまり、「完璧に複製できるのが当たり前」という言葉は、「相対的に正しい」にすぎない。

デジタルコピーが完璧だという状態は、それが多少なりともやりとりできる範囲内でのみ成立するからだ。それにもちろん、分量の大きなメッセージ内のひとつのビットが正しく複製されずに届く可能性も、理論上ではある。とはいえ、あなたの足元で火山が噴火して、あなたがそのメッセージ自体を受け取れない可能性だってある。ひとつのビットにエラーが生じている確率は大規模な自然災害が起きる確率よりも低いゆえ、実用面では支障なしと考えていいだろう。

ネットワークはビットをある場所から別の場所へ、ただ送っているわけではない。伝送中のビットにエラーが発生していないかどうかを確認し、もし生じているようなら訂正または再送信する。こうしたエラー検出訂正の仕組みのおかげで、電子メール内の一文字が不正確な状態で送られるといったエラーが実際に起こる可能性は、極めて小さくなった。どれくらい低いかというと、そんなエラーよりも自身のコンピューターに隕石が当たる可能性を心配するほうがいいくらいだ。しかも、隕石が当たる可能性自体、たとえ狙って落ちてきたとしても、そもそもないに等しい。

第6章「崩れるバランス」で取り上げているように、完璧な複製が作成可能になった結果、法律が大きく変わることになった。音楽がオーディオテープで出回っていた頃、ティーンエイジャーたちは曲をダビングしても訴えられなかった。なぜなら、そうした複製版は市販のものよりも音質が劣ったし、それに複製版をさらにダビングしたものはますます音が劣化していたからだ。今日音楽配信サービスを利用する人が増えているのは、入手できる曲の「複製版」が完璧だからだ。それは原盤や市販のものと差がわからないほど音質が優れているというよりも、「原盤や市販のもの」と「複製版」を区別するのが無意味なほど同一のものなのだ。「知的所有権」における「デジタルディスラプション（訳注：デジタル技術の進歩によって既存のものが破壊され、新たなものが生まれる現象）」は、今なお進行中で結果は見えていない。ビットの性質はまことに不思議なものだ。私がひとたび公開すると、誰もが手にしている。しかも、私があなたにビットを手渡しても、私の手元の数は減らないのだ。

公案3－十分あるのに欠けている

今日における全世界でのデータ保管量は膨大だが、二年後には倍増すると見込まれている。けれども、逆説的ではあるが、情報爆発とはオンライン化されていない情報の損失という意味でもあるのだ。

次の例は、私たち筆者のひとりが、何十年も通っていた病院で新たな医師に診察してもらったときの話である。医師は血液化学検査の細かい表を見せながら彼に説明した。その表は彼の自宅にある家庭用医療機器から病院のコンピューターに送られたデータに基づいていて、五年前ならどんな専門家さえ医師に提供できなかったほどの情報量だった。次に彼は、ストレステストを受けたことがあるか、あるとしたら結果はどうだったかと医師に尋ねられた。彼は、テストの記録はすべてカルテに残っているはずだと答えた。だが、一連の記録は「紙カルテ」に記入されていたため、この医師がすぐに入手できない状態だった。結局、データが入っていなかったコンピューターの記憶装置の代役を務めたのは、彼の頭のなかの乏しい記憶だった。デジタル化されていない古いデータは、まったく存在していないようなものだ。

あるいは、たとえ何らかの形式でデジタル化された情報でも、それを読み取れる機器がなければ何の役にも立たない。情報ストレージ工学の急速な進歩によって、使われなくなった旧式の機器に保管されたデータは、実質的には存在しないものとなっていった。たとえば、11世紀にイギリスで作成された『ドゥームズデイ・ブック』（**図1.1**）をデジタル化した20世紀の「アップデート版」は、元の本のわずか60分の1の年月を経ただけで使いものにならなくなっ

図1.1　1086年に作成された世界初の土地台帳『ドゥームズデイ・ブック』。編纂900周年を記念してつくられたデジタル版は、15年後には読み取れなくなってしまった[原注13]

てしまった。

さらなる例は、第４章「ゲートキーパー」内でも取り上げている「検索」だ。グーグルといった検索エンジンは、当初は限られた人が特殊な目的で利用する興味深い便利な機能という位置づけだった。ワールド・ワイド・ウェブ（訳注：ウェブともいう）の発展とオンライン情報の爆発に伴い、多くの人は情報を探すときに文献に当たったり友人に尋ねたりするよりも先に、まず検索エンジンに頼るようになった。企業にとって、検索結果の上位に示されるかどうかが死活問題になった。私たち消費者は探していたウェブサイトが結果の１、２ページ目に出てこないと、競合他社の商品を買いかねないからだ。また、私たちはインターネットの情報源ですぐに検索できない出来事は、起こらなかったと思いがちだ。つまり、検索結果が「すぐに」出てこないものは、存在すらしないに等しいのだ。

しかも、情報のなかには正しくないものもある。事実をやりとりしたり保管したりするための仕組みはすべて、偽情報に対しても有効だ。醜さや残酷さは、美しさや優しさと同じくらい容易にビットとして捉えることができる。誰もが「編集者」を必要としない「出版者」になれる社会では、情報の市場経済学は変化する。間違った情報、デマ、くだらない情報が、真実や美を駆逐してしまいかねない。権威主義的な社会のほうが、情報の自由という自らの原則が損なわれるのを恐れる自由社会よりも、ビットの流れをより効果的に管理できるのかもしれない。

公案4－処理能力が力となる

通常、コンピューターの速度は、足し算といった基本的な演算処理を1秒間に何回行えるかで測定される。1940年代初期の最も速いコンピューターの1秒間の処理数は、およそ5回だった。今日の最速のコンピューターでは、毎秒約1兆回だ。パソコンを求める人々は、今は速いとされている機種が2、3年後には遅いと感じられるようになってしまうことは覚悟のうえで購入している。

少なくともここ30年間で、プロセッサーの速度は指数関数的に増加した。そうして、コンピューターの速度は2、3年ごとに倍増した。こうした増加は、「ムーアの法則」（コラム参照）の結果のひとつだ。

2001年以降、プロセッサーの速度はムーアの法則には従わなくなった。増加がほぼ止まってしまったのだ。とはいえ、コンピューターの速度も向上しなくなったというわけではない。新たに設計された半導体チップのなかには、与えられた処理を分散、並行して行えるよう、ひ

ムーアの法則

インテルの創業者ゴードン・ムーアは、「集積回路の実装密度は2年ごとに倍増する」と唱えた。この経験則は、「ムーアの法則」と呼ばれている。当然ながら、これは万有引力の法則のような自然の法則ではない。ムーアの法則とは、技術の進歩に対する経験的観測であり、技術者に対して革新しつづけるよう促す挑戦でもある。1965年、ムーアは「この指数関数的な成長は当面続くだろう」と予測した[原注14]。その後、実際に40年以上も続いたこの進歩は、技術の偉大さを示す一例となった。歴史上、これほどの成長率を維持しつづけた取り組みは、ほかに類を見ない。

とつの半導体チップに複数のプロセッサーが搭載されているものもある。設計面でのこうした革新によって、プロセッサー自体の速度を向上し続けるのと同じ効果をもたらすことができる。さらに、コンピューターを高速化する技術の向上は、低価格化にもつながるのだ。

処理能力の急速な向上によって、研究開発の成果がいち早く消費財として世に出ることになる。10年前はまだ「理論的には可能」なものだったロボット掃除機や自動で駐車できる自動車は、今日ではすでに一般向け製品になった。人間にしかこなせないと思われていた作業を行う技術は、もはや企業や大学の研究室での研究プロジェクトの対象となるどころか、すでに一般向け製品に組み込まれている。顔認識や音声認識は、今現在すでに活用されている。電話はかけてきた人物を特定できるし、監視カメラは人間によるモニターを必要としない。力はビットのみならず、ビットを使って何かを行う能力からも得られるのだ。

公案5－同じに見えてもまったく新たなものになるかもしれない

爆発的な増加は、一定の速さで倍増するという指数関数的な伸びを示す。もし、あなたの普通預金口座の年利が100パーセントだとしたら、10年後には預金額は1000倍以上に、そして20年後には100万倍を超えるだろう。もう少し現実的な年利5パーセントの場合でも同じ金額に到達するが、速度は14倍遅くなる。感染症の初期段階では各感染者がそれぞれ数名に移すため、指数関数的に流行が拡大していく。

何かが指数関数的に大きくなっているときは、何も変わっていないように見える時期が長く続くことがある。継続的な観察を怠ると、目を離した隙に何か激しいことが突発的に起きたように思えてしまう。

本格的な流行時にはどんなに猛威を振るう感染症でも、初期段階では見過ごされてしまうのはそういうわけだ。たとえば、ひとりの病人が健常者２名に病気を移し、翌日その２名がそれぞれほかの２名に移し、その翌日にこの４名がそれぞれ別の２名に移すといった事態が起きたとする。１日の新たな感染者数は２名から４名、そして８名へと増えていく。１週間後には１日に 128 名が新たに感染し、しかもその倍の数の病人がこの時点でいるにもかかわらず、1000 万の人口のなかでは誰も気に留めない。２週間経っても、感染者は 1000 人中３人いるかいないか程度だ。だが、もう１週間後には人口の４割が感染していて、社会は混乱を極めることになる。2019 年から 2020 年にかけて、世界のなかで新型コロナウイルスの感染拡大に早急に対応しなかった国が多い地域は、これとほぼ同じ傾向を辿った。この感染症が武漢で発生した当時は、感染者数は３日ごとに倍増していた。[原注15]

指数関数的な拡大は、実際には滑らかで安定した動きをするものだ。ただし、変化が目立たない段階から非常に目立つ段階までの移行期間が極めて短いという特徴がある。どんな指数関数的拡大も、世界の様相をそれまでとはまったく違うものに突然変えてしまいかねない。その段階を超えると、単に「量的」に思えた変化の「質的」な面も見えてくることもある。

指数関数的な拡大があまりに何の前触れもなしに急激に爆発するように思えるもうひとつの要因は、それに対応するための準備期間があまりに少ないからだ。先ほどの仮想の感染症の例では、３週間ほど過ぎた時点で感染者が人口を埋め尽くすことになる。では、感染者数がまだその半分だったのは、どの時点だったのだろう？　答えは「１週間半前」ではない。正解は、「上回った日の前日」だ。仮にワクチンの開発、接種に１週間かかるとしよう。その場合、この感染症が認識されたのが発生から１週間半後だったとしても、大惨事を防ぐための十分な時間があったはずだ。とはいえ、そうした対策を取るには、1000万人のうちのわずか2000人しかかかっていないこの病気が、まん延する恐れのある感染症だと見抜く力が必要だ。

情報にまつわる事例のなかには、気づかれなかった変化が混乱を極めるほどの爆発につながっていった話がたくさんある。ほかの人よりも少しでも早くこの爆発に気づける洞察力がある者は、莫大な利益を手に入れられる。一方、動くのが若干遅すぎた者にとっては、対応しようとしたときにはもう手遅れだ。一例として、デジタル写真業界での出来事を取り上げよう。

1983年のクリスマス商戦では、IBM(アイビーエム) PCやApple II(アップル ツー)などの手持ちのパソコンにつなげられるデジタルカメラが投入されていた。その可能性は企業の秘密の研究室に隠されていたわけではなく、誰の目にも留まるように大々的に宣伝された。だが、それでもデジタルカメラは普及しなかった。価格面でも実用面でも、無理があったのだ。カメラはポケットに入れるにはあまりにかさばりすぎたし、それにデジタルメモリーは画像をいくつも保存するには容量があまりに小さすぎた。それから14年経っても、フィルムカメラ産業は好調を保ち続けていた。1997年初め、コダックの四半期利益は22パーセント増加し、株価は最高値を記録した。当時の新聞記事では、「フィルムと印画紙の売り上げが順調であるのに加えて、映画フィルム部門も好調だった」と解説されている[原注16]。同社は8年ぶりに増配した。だが、2007年にはデジタルメモリー市場は巨大化し、デジタルプロセッサーは高速、小型化していた。しかも、どちらも価格が下がっていた。その結果、カメラは小さなコンピューターと化した。かつてカメラの代名詞だったコダックは、見る影もなくなっていた。同社は従業員を3万人にまで削減すると発表した。これは好調だった1980年代の従業員数の、わずか5分の1だ[原注17]。さらに、

2018年には5400人にまで減らされた。仕事の9割は、ビットによって奪われたのだ。ムーアの法則によって進むスピードは、コダックよりもずっと速かったということである。

急速に変わっていくビットの世界では、たとえかすかな変化でも、それに気づいて対応することは決して無駄にならない。

公案6－何ひとつとして消え去らない

25,000,000,000,000,000,000

これは業界が推定した、2019年につくられて保管されたビットの数だ。「ディスク」の容量も「ムーアの法則のディスク版」というべき法則に従っていて、2、3年ごとに倍増してきた。実際にはこれよりもはるかに多くのデータがありとあらゆる種類の機器によって生成されたが、保管はされなかった。

今日の金融業界では監査や汚職事件捜査で参考にするために、膨大なデータを保持するよう連邦法で義務づけられている。ほかにも、企業の多くが経済競争力を高めるために、集めたデータをすべて保存しつつ、持っていて役立ちそうな新たなデータの収集にも乗り出している。ウォルマートの店舗で一日に行われる何千万件もの取引のデータ（日時、購入された商品、店舗、価格、購入者、「クレジットカード」「デビットカード」「現金」「ギフトカード」といった支払方法）は、すべて保存されている。こうしたデータはサプライチェーン計画にとって極めて重要なため、店はお金を払ってでも客からさらに集めようとする。これがスーパーマーケットなどで行われている、ポイントサービスといった「お得意様プログラム」の真の狙いだ。店は「いつも利用していることへの感謝の印として、割引サービスをしてくれている」と買い物客に思わせながら、実際は客の購買パターン情報にお金を出しているのだ。客側にとって、これはある種の「プライバシー確保税」を払うか否かと考えるべきものかもしれない。つまり、スーパーで自身がどんな食品、酒類、医薬品を購入したかといった情報を公にしてもかまわないなら割引サービス価格で買い、もし自分の購入履歴を公にしたくないならサービスを断って割高な支払いをするということだ。

巨大データベースは、自分に関するデータがどう扱われるのかについての私たちの予想を超えていく。ホテルに滞在するというわかりやすい例で見てみよう。チェックイン後にあなたに手渡されるのは、金属製の鍵ではなくキーカードだ。ちなみに、あなた自身のスマートフォンがルームキー代わりになるという、一歩進んだシステムを導入しているホテルもある。キーカードは即座に無効化できるため、紛失してもすぐに報告すれば、鍵をなくしたことで生じる大きなリスクをもはや心配せずにすむ。その一方で、ホテルはあなたが部屋に入ったり、ジムやビジネスセンターを利用したり、門限時間後に裏口から戻ってきたりした回数や時間を秒単位まで正確に記録したデータを手にしている。さらには、あなたが部屋につけたカクテルやステーキの数、いつどの部屋に内線電話をかけたか、ホテルの売店で部屋づけにして購入したタンポンや便秘薬のブランドも、そのデータベースから調べられる。これらのデータは、何十億ビット分ものほかのデータと統合、分析され、ホテル以外にレストランやフィットネスセンターも所有している親会社へ移転されるかもしれない。あるいは、紛失されたり盗まれたり、裁判で証拠として提出されたりする可能性もある。

情報が保管しやすくなったことで、より多くの情報を求められるようになった。以前の出生証明書には、子どもと両親の名前、出生地、生年月日、両親の職業に関する情報しか記載されていなかった。今日の電子出生記録には母親が妊娠中に接種したアルコールとタバコの量、性器ヘルペスをはじめとする母親の既往歴、両親の社会保障番号まで記入されている。そうしたデータが研究、調査に使われる可能性も十分あるし、悪用されたり予想外の最悪な事態でデータが失われてしまったりする恐れも大きい。

しかも、これらのデータは削除の方針が打ち出されないかぎり、永久保存される。少なくとも当面のあいだは、データは残り続ける。さらに、データベースは「保護のためのバックアップ」や「有益な分析を進めるための共有」といった理由で意図的に複製されるため、たとえ私たちがデータの永久的な消去を望んでも、それが確実に実現できるかどうかはまったくわからない。インターネットは何百万台もの相互接続したコンピューターで構築されているため、データがいったん外部に出てしまうと取り返しがつかなくなる。個人情報窃盗の被害者は、偽情報を記録から削除するよう日々依頼しなければならないという苦痛を抱えている。そうした情報をすべて消し去るのは、不可能に思えるほど至難の業だ。

公案7―ビットの動きは思考より速い

インターネットは、パソコンよりも前から存在している。現在のインターネットをひとつにまとめている光ファイバー通信ケーブルよりも古くからあるのだ。1970年頃に開始された当初はARPANET（アーパネット）と呼ばれていたインターネットは、ごく少数の大学と軍のコンピューターをつなぐためにつくられた。それが何千万台ものコンピューターをつないで、情報を瞬時に世界じゅうに送り出すものになるとは、当時は誰ひとり想像していなかった（それどころか、そんなにもたくさんのコンピューターが存在するようになることさえ誰にも予想できなかった）。コンピューター同士を結びつけるゲートウェイの設計を担当していた技術者さえ、コンピューターネットワークという発想について「技術的には簡単なもので問題なく実現できると思うが、なぜこんなものが必要なのか理解できない」という感想を当時は抱いていたと語っている[原注18]。処理能力や記憶容量と連動して、インターネット網も「接続されているコンピューターの数」「データが宇宙から地球へ、サービスプロバイダーから各家庭へという長距離で伝送される速さ」という点で、指数関数的に拡大していった。

インターネットによって、企業の業務運営方法は劇的に変化した。カスタマーサービスの電話受付業務が今日インドにアウトソーシングされているのは、人件費の安さだけが理由ではない。インドでは人件費は昔からずっと安かったが、以前は国際電話料金が高かった。今日、航空券の予約や女性用下着の返品のためにかけた電話がインドで対応されるのは、あなたの声を表すビットをインドに送るのに今や時間もお金もほとんどかからないからだ。より専門的な業務でも、同じ方法が使われている。あなたがアイオワ州の地元の病院でレントゲン検査を受けたとき、その写真を読影する放射線科医は地球の裏側にいるかもしれない。デジタル化されたレントゲン写真は、実物の写真が病院内の別の階へ運ばれるよりも速く、地球を一周して戻ってくることができる。あなたがファストフード店のドライブスルーでした注文を受けているのは、別の州にいる担当者かもしれない。遠方の彼女が注文内容を入力して、それがあなたの数メートル先にある調理場のコンピューター画面に表示されるシステムになっているとは、あなたは夢にも思っていないはずだ。このように各業界や企業は、従業員はあちこち動かさずに業務のほうをビットとして送って与える手法を編み出そうとしている。そうした進歩が世界経済を大きく変えている。

情報が瞬時に伝送されるビットワールドでは、距離がどれだけ離れているかはまったく関係ないようだ。その結果、驚くべきことが起きたりもする。私たち筆者のひとりはアメリカのある大学の学部長を務めていた当時、娘を亡くすという衝撃を受けながらお悔やみを読んでいる父親を見守った。こうした出来事は悲しいが、決して珍しいことではない。だが、このときの展開はあまりにも意外性に満ちていた。父親も娘も同じマサチューセッツ州にいたにもかかわらず、父親は自分の娘が亡くなったことを地球の裏側から届いたこのお悔やみで知ったのだった。たとえどんなに個人的な知らせでも、いったん外部に出てしまうとビットワールドで急速に駆け巡る。

あらゆる人が常につながるようになると、人々はかつてなかった行動を思いついて実行する。まれな病気に悩む人や、特異的なことへの興味によって触発された人は、おそらく直接会うことはないであろう遠い海の向こう側の人々と、キーボードを叩くだけで自身の経験を分かち合うことができる。そして、共通の目的で団結した人々は、不満や怒りを示すための運動を組織する。香港のデジタル技術に精通した若者たちが、2014年の民主化を求める抗議運動でその卓越した能力を発揮したように。だが、抗議者たちが交換し合ったビットがひとたび官憲の手に渡ると、それは彼らに対する不利な証拠へと化す。2019年の香港抗議デモでは、主催者たちはフェイスブックの利用を断念し、より使い勝手の悪い暗号化されたテキストメッセージアプリを使った。そして、政府の監視用顔認識システムを混乱させるよう、フェイスマスクをつけていた。[原注19]

一方、政府は監視がうまくいかなければ、インターネット接続を切断してしまえばいいだけだ。実際、インドではイスラム教徒が人口の大半を占めるジャンム・カシミール州で2019年にこの措置が取られ、「公共の安全」という理由のもと7カ月間インターネットが利用できなくなった。[原注20]この年には、同様のインターネット遮断がイラン、コンゴ、バングラデシュをはじめ10カ国以上で起きている。[原注21]ちなみにアメリカでは1934年通信法第706条によって、「戦争状態あるいは戦争の脅威に直面している状態の場合、有線通信施設を閉鎖できる」という権限が大統領に与えられている。非常に強力な権限ではあるが、これまでのところインターネットの掌握のために行使されたことはない。

膨大な量の情報を瞬時にやりとりできるこの状況は、「『サイバースペース』という場所が存在する」といった誤解を生み出した。サイバースペースとは、世界じゅうの人々が同じ小さな町の住人のようにつながり合える、国境のない世界のことだ。だが、この概念に対して、世界じゅうの法廷が断固として異議を唱えてきた。国や州の境界線は今なお重視されている。しかも、非常に。イギリスでオンライン購入された本の場合、出版社と著者はそれぞれの国ではなくイギリスの名誉毀損法で裁かれる。イギリスの法律のもとでは、被告人が無実を証明しなければならない。それに対してアメリカでは、原告側が被告人の罪を証明しなければならない。デジタル情報の爆発とその世界じゅうへの広まりにとって非常に不都合なのは、たとえ情報が法的に保護されているところでさえ、入手しづらくなるかもしれないという点だ（この件については第7章「それはインターネットでは口にできない」で改めて取り上げる）。「忘れられる権利」に関する法律によって、過去の悪行を電子記録から消去するよう求めた人物が在住する国のみならず、いたるところでの情報の消滅が義務づけられるかもしれない。そんな法律は法的強制力がなさそうだが、情報を利用可能にする企業（グーグルなど）では国際的に業務が行われているため、どこかの法に触れた場合は、法律違反や無視が行われた法的権限管轄内にいる従業員がいつ何どきでも嫌がらせをされたり逮捕されたりする恐れがある。同様に、出版業界もビット化された。以前は、表現を規制するスピーチコード（訳注：言葉遣いに関する明示的あるいは暗示的な規約）が厳しい国向けに、本の削除版や新聞の編集版を出すことができた。だが今日では、ビットはあまりうるさくない地域からより批判が厳しい地域へと、いともたやすく流れていける。どこかで訴訟騒ぎになりかねない情報をすべて割愛した編集版を一種類のみつくって、それを全世界向けに売り出すほうが、問題を起こさずにすみそうだ。

善と悪、希望と危機

デジタル爆発で多くのものが容易に手に入るようになった結果、誰が何を手に入れてどう利用するかについて私たちみなが関わることになった。テクノロジーの提供方法や使い方、そしてデジタル情報の果てしない広がりがもたらす結果は、もはや技術者だけの手に委ねられているものではない。政府、企業、大学をはじめ、そのほかの社会的機関もみなそれぞれの意見がある。また、それらの機関が責任を担う対象となる一般市民も、各機関の判断に影響を与えるだろう。官庁や議会、タウンミーティング、警察署、銀行や保険会社の支店や営業所、チェーン店やドラッグストアの商品部といったところでは、毎年重要な選択が行われている。私たちはみな、話し合いや理解のレベル向上に役立てる。テクノロジーに関する判断が、間違いなく倫理規範の観点に基づいて下せるよう協力できる。

基本的な倫理を二つ提示したい。ひとつ目は、情報技術(IT)はもともと善でも悪でもないということ。つまり、よいことのためにも悪いことのためにも、あるいは私たちを解放するためにも束縛するためにも使うことができる。二つ目は、新たなテクノロジーは社会の変化をもたらすが、その変化にはリスクとチャンスの両方がつきものだということ。テクノロジーが善用されるか、悪用されるか。私たちが、テクノロジーによりもたらされるリスクの犠牲になるか、それとも与えられたチャンスを活かして成功するかどうか。それらについて私たちみな、そしてあらゆる公的機関や民間組織が口を出す権利を持っている。

テクノロジーは善でも悪でもない

どんなテクノロジーも、よいことにも悪いことにも利用できる。特にデジタル技術は、「善であると同時に悪」を実現できる。他分野の例として、核反応は電力、そして大量破壊兵器もつくることができる。この二つの用途は核心となる理論は共通しているとはいえ、それ以外の技術は大きく異なるものだ。だが、デジタル爆発後の世界ではそうはいかない。

自分が書いたメッセージはどんな「盗聴者」にも解読できないとあなたが自信を持って友人に電子メールを送れる暗号化技術と同じものによって、テロリストたちも秘密裏に攻撃を計画できる。辺ぴな場所の貧しい学生に教材を広く円滑に配布できるインターネット技術と同じものによって、大規模な著作権侵害を起こすこともできる。あなたのスナップ写真を「映えさせる」ための写真編集ツールは、起訴を免れようとする児童ポルノ製作者も活用しているのだ。

こうしたテクノロジーは、個人に対する監視、行動追跡、情報入手の制御にも利用できる。検索エンジンは偏りのない結果を返す必要はない。ウェブブラウザーのユーザーの多くは、訪れたサイトで自身の振る舞いが保存されていることに気づいていない。たとえばネットの衣料品店や本屋の商品一覧、医薬品を販売しているサイト、避妊や薬物の過剰摂取に関する助言を行う相談サイトを閲覧していたあなたがいつどんな内容にアクセスしていたか、正確に記録されているはずだ。こうした情報はマーケティングといった侵略的だが比較的安全な目的のみならず、ブラックリスト掲載や恐喝といった、より問題のある目的でも大いに利用できる。

テクノロジーがもたらす結果の倫理性や道徳性を確認しつつ経済的成長を高めるための鍵は、「テクノロジーの創造を禁止したり制限したりする」ことなく「その利用を規制する」ことだ。

情報収集を行っていることを公にするよう義務づけたり、利用してもいいデータを制限したりしている規制はごくわずかだ。米国愛国者法をはじめとする連邦法によって、政府機関は潜在的なテロリストによる「不審な活動」の形跡を探すため、さらには調査過程でより軽度の犯罪も突き止めるために、無害のものが大半のデータを徹底的に調べられる広範囲の権限を与えられている。ワールド・ワイド・ウェブがすでに何百万もの世帯に入り込んでいるにもかかわらず、それを統治するための規則や規定は西部開拓時代の辺境の無法な町のものと大差ないのだ。

新たなテクノロジーはリスクもチャンスももたらす

何百万件もの野球の統計データを誰でも分析できるようにするための大容量のストレージ媒体は、機密情報にアクセスできる人なら誰でもその安全性を脅かせる。インターネットで空中写真を閲覧できる技術によって、犯罪者は高級住宅への侵入窃盗を計画しやすくなるが、高度なテクノロジーに詳しい警察は、そういった検索クエリ（訳注：検索時に入力したワード）の記録が犯罪の解決にも利用できることをわかっている。

フェイスブックやツイッターといったソーシャルネットワーク用のツールは、その創業者たちを非常に裕福にし、さらには何千もの新たな友情、結婚などの期待に満ちた関係を成立させた。だが、こうしたつながりが予想外の結果を招く場合もある。あるイギリス女性は、フェイスブックに婚約者の妻を友達として薦められたことによって、彼が既婚者だったことを知った[原注22]。また、2019年には、マサチューセッツ州のある大学生が、その多くが悪質な嫌がらせと思われる4万7000通ものメッセージをガールフレンドから2カ月にわたって送りつけられたことが原因で、立体駐車場の4階から飛び降り自殺した。彼女は過失致死罪で起訴されたが、これは運転中に携帯メールを打っていてこの男性をはねてしまった場合と同じ罪だ[原注23]。

表現の自由が法的権利として深く根づいている国においては、インターネットにまつわる悪事のうち、どれを犯罪とみなしてどれをそこまでいかない過ちとみなすべきなのだろう？

広大なデータネットワークによって、仕事がある場所に人を送り込むのではなく、人がいるところに仕事を移せるようになった。その結果、こうしたテクノロジーを活用できる起業家にとっては絶好のビジネスチャンスが訪れ、世界じゅうに新たな企業が生まれた一方で、アウトソーシングによって失われた仕事もある。

自身の職場やほかの機関に変化をもたらすために私たち誰もができるのは、何らかの新しい技術革新のリスクについて、適時に問いを投げかけることだ。あるいは、数年前にはまったく不可能と思われたあることが、近い将来できるようになる可能性があると指摘することだ。

本書が案内するデジタル世界の状況視察ではまず、デジタル爆発で粉々になってしまった社会構造であるプライバシーを掘り下げる。私たちはいつでもどこでも情報が得られることの恩恵を享受しながらも、かつてプライバシーに与えられていた保護を失った喪失感も抱いている。しかも、その穴を何で埋めていいのかわからない。私たちについての情報がいたるところに広まると、テクノロジーの善と悪、それがもたらす希望と危機は、混沌と化す。このプライバシー喪失後（ポストプライバシー）の世界では、私たちは真っ昼間の太陽の強い日差しに晒されている。なのに、それが奇妙にも心地よく思えるときさえあるのだ。

第2章
白日のもとに晒される
失われたプライバシー、捨て去られたプライバシー

1984年がやってきた。なかなかいいじゃないか

2018年春、コンサート会場のローズボウルスタジアムを満員にしたファンたちの前に、テイラー・スウィフトがスモークのなかから登場して、アルバム『レピュテーション』のヒット曲を歌った。一部のファンは好きなアーティストの舞台裏の姿に少しでも触れたいという思いから、入場直後やコンサートの合間にビデオブースを訪れては、設置されたビデオキオスク端末で昔のコンサートやリハーサル風景のビデオを観ていた。ブースの利用者が知らなかったのは、彼らもまたビデオで見られていたという事実だ。ブース内に設置されたカメラが捉えてナッシュビルの「司令所」へ送られた利用者たちの映像は、顔認識ソフトウェアにスキャン、照合され、過去にスウィフトにストーカー行為をした人物のデータベースと一致するものがないか調べられたとされている[原注1]。これらの映像は保管されているのか、それとも安全に消去されたのだろうか？　それはわからない。私たちを日々捉えているカメラがほかにも何台あるのか、わからないのと同じように。スウィフトの事例のような顔認識用のカメラは、競技場、コンサートホールといった娯楽施設の入り口に設置されているのが見かけられている。その存在については、一般人には伏せられていることが大半だ。さらには、そういった映像などの入手されたデータがどのように利用、保管、共有されるのかに

ついての方針も。

ジョージ・オーウェルの『一九八四年』（2009年、早川書房）は、1948年に出版された。以後数十年のあいだに、この作品は「常に監視される世界」「プライバシーと自由なき社会」の代名詞となった。

> ……あちこちに貼られたポスター以外は、まるで何の色味もないようだ。見通しのよいどんな場所からも、黒い口髭を蓄えた顔が見下ろしていた。すぐ向かいの家にも貼られている。そのポスターには、「ビッグブラザーはあなたを見ている[原注2]」という一文も入れられていた。

本物の1984年は何十年も前にやってきて去っていった。「ビッグブラザーの双方向テレスクリーン」は、今日では素人向けのおもちゃレベルといえるものだろう。オーウェルは、ロンドンのいたるところにカメラがあると想像した。現在のこの都市には、少なくとも5000万台のカメラが設置されている。イギリス全国には、10人に１台の監視カメラがあるという[原注3]。平均的なロンドン市民は、建物の壁面や電信柱に取りつけられた「電子の目」によって、１日およそ100枚の写真を撮影されている。

とはいえ、デジタルの世界にはオーウェルの想像を超えたことがたくさんある。カメラが今日の追跡技術の主流では決してないことは、オーウェルは予測できなかった。データ収集手段はほかにも数多くあり、そうして生成されたデータは保管、分析される。携帯電話会社はあなたがかけた番号のみならず、あなたが電話を持ち歩いた場所まで把握している。クレジットカード会社はあなたがお金を使った場所のみならず、何に使ったかまでわかっている。なじみの銀行が取引の電子記録を保管してくれるのは、あなたの預金口座の残高を正確に保つためのみならず、あなたが大金を引き出したときに政府に報告しなければならないからだ。レストランやお店に行くと、あなたの位置を密かに追跡していたアプリがそこでの感想を尋ねてくる。あなたの回答を、お薦めを行う「レコメンデーションエンジン」に取り込んで保管するために。

デジタル爆発によって、「着ている服」「使っている石鹸」「いつも歩く通り」「運転する車」「その車でどこに行くか」の記録といった、私たちの日常についてのビットがばらまかれた。しかもオーウェルのビッグブラザーの場合は、カメラはあっても、ビットをつなぎ合わせて全貌を明らかにしたり、発見するのが極めて難しいものを探し当てたりするための検索エンジンは持っていなかった。私たちはどこに行っても「デジタルの足跡（フットプリント）」を残すことになり、驚異的な処理能力を備えたコンピューターがそれらの痕跡から私たちの行動を再現する。コンピューターはそうした手掛かりを再び組み立てて、「どういう人物なのか」「何をしているのか」「それをどこでしているのか」「その件について誰と話し合っているのか」も含めた私たちの全体像をつくりだす。

だが、こんなことではオーウェルは驚かなかったかもしれない。もし、彼が将来の電子機器の小型化を知っていたら、驚くほど多岐にわたる追跡技術が編み出されることを予測しただろう。とはいえ、『一九八四年』の世界と今日の実世界には、もっと根本的な違いがある。それは、常時接続されているこの世界に、私たちが心を奪われてしまったという点だ。私たちは効率のよさ、便利さ、そしてわずかな値引きと引き換えに、自身のプライバシーの喪失を受け入れている。

この10年間で、意識は変化した。ピュー研究所が行った2007年のインターネットプロジェクト調査では、インターネットユーザーの6割が「自分についての情報がオンライン上でどれほど入手可能でも気にならない」と回答した。だが、2018年の調査では割合は逆転した。6割以上が「自分のプライバシーを守るために、今まで以上に対処したい」と答え、「自身について収集されている情報に対して、自分は『うまくコントロール』できている」と回答したのはわずか9パーセントにすぎなかった[原注4]。私たちは個人情報を自らの手で管理できなくなっていることについて不安を強めてはいるが、自分たちにできることは大してなさそうだとも感じている。

ビットの世界では、ビッグブラザーは大きくなっているし、小さくもなっている。アメリカや中国といったテクノロジーが発達している国は、私たちを監視する能力をかつてないほど高めていて、しかも私たちが望んでいる以上にその能力を頻繁に発揮している。企業もそうだ。いたるところから集めたデータを活用するために立ち上げた事業の大半は、私たちに直接マーケティングすることを狙ったものだ。さらに、こうした商業データは、政府が官民連携の監視体制をとって活用しようとするほどの情報の宝庫になる。

自分自身やお互いの動向をチェックしている私たちもまた、この監視ネットワークの一部だ。私たちはわかっていてアプリに自身の行動を追跡させているし、小型のAIアシスタントに会話を聞かせている。気分の変化や友人たちとのおしゃべりも記録していれば、友人や見知らぬ人々の写真も撮る。成人の10人に7人は、ソーシャルネットワークのウェブサイトでプロフィールを作成したことがある。とはいえ、そのなかの大半の人は、そこに載せるデータの扱いに自身が関与できる度合いに不満を抱いている[原注5]。

デジタルの世界の恩恵と引き換えにプライバシーを手放すつもりはないという声が高まるといった、プライバシーに関する流れが変化している兆しも見受けられる。監督機関は私たちを守る新たな策を打ち出しているし（といっても、その大半は政府の監視に対するものではないが）、企業はプライバシーを目玉としたマーケティングを行っている。

小さくまとめられたビット——スノーデンファイル

2013年6月に香港のザ・ミラホテルのロビーでジャーナリストたちと落ち合う約束をした29歳のエドワード・スノーデンは、「ルービックキューブを持った男を探してくれ」と告げた[原注6]。指示に従ってついに会合に成功したジャーナリストたちは、アメリカ政府が大規模に行っていた通信監視活動を示す機密文書やパワーポイントのプレゼンテーション資料を大量に入手した。それは彼らにとって、新聞の第一面を何度も飾れるほど貴重なものだった。国家安全保障局でシステム管理を行っていたスノーデンは、その立場を利用して何ギガバイト分もの書類を抜き出し、ルービックキューブの色のステッカーよりも小さなマイクロSDカードへコピーしていた。

スノーデンの暴露はたちまち一連の記事となり、2013年の『ニューヨーク・タイムズ』『ワシントン・ポスト』『ガーディアン』各紙の第一面に掲載された[原注7]。記事のなかではNSAが広範囲にわたる通信監視活動に関与していて、しかも外国人やテロリストの疑いのある人物のみならず、法を順守しているアメリカ国民も対象となっていたことも示されていた。ヤフーメールやグーグルサーチといった何十もある人気のサービスを利用すると、監視対象にされていたことも。アメリカの憲法や法律がアメリカ国民と「外国の者」を明確に区別していて、自国民に対する政府の監視活動の権限を制限しているにもかかわらず、ビットにはそうした区別がないゆえに、結果的にアメリカ国民も同じ扱いを受けるはめになったというわけだ。

2001年9月11日のアメリカ同時多発テロ事件後、連邦議会は監視の権限を強化するための新たな法律を次々に成立させた。なかでも米国愛国者法は、通信記録の開示を裁判所の令状なしに求められる国家安全保障書簡の発行や、テロ活動関与の疑いのある外国人に対する令状なしの盗聴を行う権限を与えている。さらに、外国諜報活動情報に基づいて国民の情報をいつ何時でも収集できる権限の強化を、監視の「重大な目的」のためとして認めている。当時、この法によって監視に対する司法の抑制と均衡が排除されると市民権団体が懸念を示したが[原注8]、法案は98票対1票で上院を通過した。こうした新たな権限をNSAがいかに強引に行使していたかが、スノーデンの文書から見て取れる。

NSAは電子通信の特徴をうまく利用した。人気の高い電話、電子メール、検索、保管サービスは一部の企業に集中しているため、それらの企業ネットワークを「盗聴」することで重大な動きを捉えられた。インターネットが世界じゅうにつながっていることから、その一部であるネットワークのわずか数カ所でこうした盗聴を行えば、全世界を監視できた。ベライゾンに「業務記録」を一度要請すれば、何百万ものアメリカ国民の通話記録を収集できた[原注9]。監視プログラム「アップストリーム（Upstream）」によって、主要な国内光ファイバー通信ケーブルネットワークを経由するありとあらゆる情報がすべて記録された。こうした極秘の無令状データ収集ツールには、「エックスキースコア（XKeyscore）」[原注10]や「エゴティスティカルジラフ（EgotisticalGiraffe）」[原注11]などもある。

これらのプログラムを擁護するアメリカ政府高官たちは、「収集していたのはメタデータであって、通信内容ではない」と主張している。つまり、封筒や住所の情報は集めたが、なかの手紙は対象外だったということだ。それでも、通信による人々のつながりを示すネットワーク自体からも、極めて多くの情報を入手できる。NSA長官と中央情報局（CIA）長官を歴任したマイケル・ヘイデン空軍大将は、「我々はメタデータに基づいて、人を亡きものにする」と語っている[原注12]。同じく内部告発を行った元NSA職員のウィリアム・ビニーは、プライバシーを保護した状態で調査できるプログラムの採用を

NSAに却下されたことで辞職した。

私たちの「指紋」や「足跡」の残り方はもちろん以前と異なるが、それは変化の一部にすぎない。納税記録、ホテルの予約記録、長距離電話の請求書といったかたちで、私たちは情報の手掛かりを常に残してきた。たしかに、今日のそうした足跡は、かつてないほどはっきりと完璧に残る。だが、ほかにも変化したものがある。コンピューターの処理能力を活用することで、データ同士を関連づけ、点を結び、ピースをつなぎ合わせ、そのままだと何の意味もなかった断片からまとまりのある詳細な図を描けるようになったことだ。デジタル爆発とは、何かをばらばらに吹き飛ばすだけではない。原子爆弾の核で起きている爆発のように、なかの物を圧縮する場合もある。詳細を集め、点を結び、パズルのピースを組み合わせれば、はっきりした全体像が現れるのだ。

コンピューターは、人間の目で調べるにはあまりに膨大で退屈なデータベースを分類できる。わずかな数だけ集めてもどれも何も明かしてくれない小さな点を、何百万個も組み合わせて色彩豊かな点描画を生み出せる。連邦裁判所が不正事件の裁判時に入手したエンロンの電子メールを公開すると、コンピューター科学者たちは誰が誰にメールをしているのかというパターンのデータだけから、エンロン従業員内でのサブコミュニティや、陰謀計画らしきものを直ちに割り出した（**図2.1** 参照）。同様のクラスタリングのアルゴリズムは、通話パターンに対しても威力を発揮する。たとえ交わされた内容がわからなくても、誰が誰に電話したかや電子メールを送ったかという情報から、多くのことが見て取れる。とりわけ、そのやりとりが行われた日時がわかっていて、ほかの出来事が起きた日時と関連づけられるのなら。

スノーデンとNSAの事例は、二つのビットストーリーが同時に起きたものだ。デジタル通信でやりとりが行われたからこそ、NSA

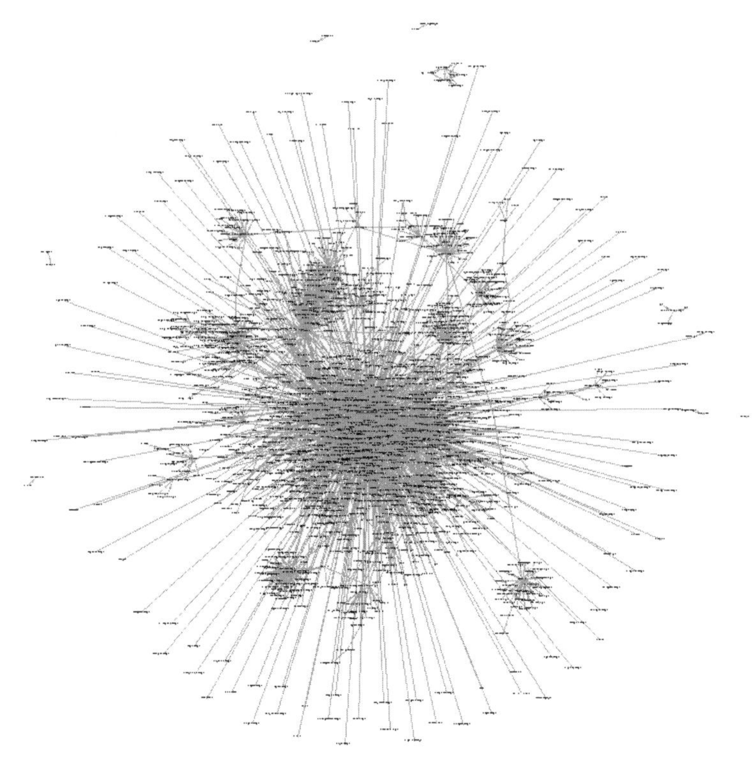

Source: Enron, Jeffrey Heer, Figure 3 from http://jheer.org/enron/v1/

図 2.1 エンロンの電子メール利用者のクラスターを表した図。どの従業員がほかのどの従業員と頻繁にやりとりをしているかが示されている。はっきりと描かれている「丸い塊」は、共謀したグループを表している可能性がある

はほんの数カ所で何百万件もの通話や電子メールから膨大な情報を手に入れられた。もし、私たちが今もなお普通の電話や手紙でやりとりしていたら、到底不可能だった。一方、あらゆる文書のコピーを試みたスノーデンは、書類棚何千台分もの情報をポケットのなかに収めることができた。

このような政府の指示による監視に直面した場合、私たちはどうすればいいだろう？　スノーデンは自身が情報を明らかにすることが、こうしたプログラムに対する訴訟を行ったり、NSA での利用を阻止するよう議員への世間の圧力を高めたりするために役立つと

考えて暴露を選んだ。メモリーカードに収められた文書というパンドラの箱をすべて開けて去っていったスノーデンが私たちに残してくれたのは、「数学だって捨てたもんじゃない」という希望の種だった。NSAには世界最高レベルの暗号研究者や暗号解読者が在籍していてもおかしくないが、そんな彼らに対しても暗号化に関する数学の基礎的な理論は今なお効力があることがわかったからだ。スノーデンの暴露以降、インターネットやウェブサイトの基本的なプロトコル[原注13]や、それを利用して実行されるアプリケーションでの暗号化の利用が劇的に増加した[原注14]。エンドツーエンド暗号化（訳注：送信者と受信者しか復号できない暗号化技術）のおかげで、私たちは暗号化されていないデータ通信に対する広範囲の監視で暴かれたプライバシーの一部を取り戻すことができた。

「プライバシーの合理的な期待」——テクノロジーと憲法修正第4条

テクノロジーの変化とプライバシーの関係は、過去にも緊張状態が高まった事例がある。電話の盗聴が争点となった事件が連邦最高裁判所で初めて扱われた1928年、当時は大統領のデスクにはまだ電話機は置かれていなかったが、闇酒の密売人たち（これは禁酒法時代の話だ）はすでにその技術を利用していたため、警察による盗聴が行われていた[原注15]。酒の密造者たちは、自身の電話回線が盗聴されていた（自宅や事務所の外の電話線に盗聴器用のワニ口クリップがつけられていた）と申し立てた。だが、当時はハイテク機器だった電話に対する連邦最高裁判所内の大半の見方は、物理的な不法侵入や家屋侵入といった従来の枠で捉えて判断したものだった。連邦最高裁判所は「不法侵入行為が存在していないことから『捜索』や『押収』は行われておらず、ゆえに令状は必要ない」との判決を下し、次のように意見した。

自宅の外にある回線を通じてかなり遠くにいる者に自身の考えを伝える音声を送ることが目的で、回線でつながっている電話機を自宅に設置する者は、憲法修正第４条の保護下にはないというのが合理的な見方である。本件において、送られていた音声を傍受した者は、会話を行っていた当事者のどちらの家にもいなかった。

これに同意しなかったブランダイス判事は、以下のような反対意見を書き記した。

電話回線が盗聴された場合、電話を利用している双方のプライバシーが侵害されていて、両者で交わされた会話はたとえ適切、極秘、特権的なものであっても、内容にかかわらずすべて聞かれている恐れがある。また、ある人物の電話を盗聴するということは、その人がかける、あるいはその人にかける可能性のある、ほかのすべての人物の電話を盗聴することにもなるのだ。

とはいえブランダイス判事の意見は少数派であり、その後何十年にもわたって、令状なしの盗聴は合法とされた。

この「オルムステッド vs. アメリカ合衆国」事件における連邦最高裁判所の判決によって電話でのやりとりが警察の監視対象にされやすくなったが、それと同時に、通話におけるプライバシーの喪失が世間に広く認識されるようになった。犯罪者、裁判官、そして世間一般も、自分たちの会話が盗聴される恐れがあると知った。さらに、電話機自体がますます普及するにつれて、この法的基準に対する反響が高まっていった。州は憲法では保護されない問題を州法で守るために、盗聴法を成立させた。そして 1934 年、連邦議会は通信法第 605 条に通信の傍受を禁止する項目を含めた。

チャールズ・カッツが公衆電話からの自身の（不法賭博に関する）会話を盗聴されたと連邦最高裁判所で訴えた1967年には、時代、テクノロジー、法的規範がすべて一変していた。合法的、非合法的なビジネスのみならず、個人的で親密なやりとりにおいても電話はもはや日常生活の一部になっていた。世間にも裁判官自身にも、この電話というテクノロジーに対する各自の見解を持てるほどの経験があった。「公衆電話ボックスは憲法で保護された場所かどうか」という問いを再び投げかけられた連邦最高裁判所は、質問の前提そのものが間違っていると指摘した。重要なのは人が憲法で保護されるかどうかであって場所ではない、と。つまり、今日における通話は、たとえガラスの壁で囲われた「公衆の」電話ボックスという比較的公共性が高い場所で行われた場合でも、より手厚く保護されなければならないということだ。カッツに対する盗聴が違法であるとの判決に同意したハーラン判事は、憲法修正第４条のプライバシーの保護の対象になるかどうかの判断基準を次のように示した。「二つの必要条件がある。ひとつ目はその人物がプライバシーの事実上の（主観的な）期待を示していること。そして、二つ目はその期待を社会が『合理的』と認識するつもりがあることだ」[原注16]

何はなくとも位置情報

ナビゲーションシステムが搭載された車を購入すれば、その車は宇宙にある人工衛星からの正確な位置情報の信号を受信する。全地球測位システム（GPS）は、人工衛星の位置とその情報を受信した時刻に基づいて、位置を計算する。地上からの高度およそ２万キロで地球の周りを回り続ける24個の人工衛星によって、あなたの車は約８メートルの精度で自分の位置を割り出せる。しかも、大半の新車に標準機能として搭載されるほど、低価格で。かつては軍事機密だったものが、今日ではどんなスマートフォンにも無料でついているのだ。

もし、あなたがGPS機能の搭載された携帯電話を持っていて、しかも、そう望むなら、人々はあなたがいる場所を見つけることができる。あなたが借りたGPS機能搭載のレンタカーに無線送信機がついていたら、あなたが望もうが望むまいが、乗っている車の位置が知られてしまう。カーリース会社は差し押さえ屋を現場に送り込むことなく遠隔操作だけで車を差し押さえられるよう、エンジンを始動できなくする自動イモビライザーといったトランスポンダーを車に取りつけている。リース料の支払いが遅れている契約者は、ある日突然出社時や帰宅時に車が使えなくなっている恐れがある。

GPSを使えば、地球上のどこにいても自分の現在位置がわかる。あるいは、格安の携帯電話ですら簡易的な測位システムとして利用できる。携帯電話会社がサービスを提供しているカバーエリア内であなたが移動している場合、あなたの電話は信号を送って接続状態を確認しながら、ひとつの基地局の範囲からほかの基地局の範囲へと移動している。これらの信号を用いた三角測量を利用すれば、あなたの位置を特定できる。この方法で割り出された位置はGPSを用いたものよりも精度は落ちる（とはいえ数百メートルから数キロ程度の誤差だが）が、それによってとにかくいつでもあなたの行動パターンを把握したり、「いつ、どこで、どのカメラで撮影されたか」という特定情報を写真に埋め込んだりできることには変わりない。

ティモシー・カーペンターは自身の携帯電話から送られたビットによって悪事がばれたが、法律によって二度目の機会を与えられた。デトロイト都市圏でラジオシャックの店舗やTモバイルショップが強盗に襲われた一連の事件で、4人の男が2011年4月に逮捕された[原注17]。そのなかの1名は自供し、共犯者の携帯電話番号を連邦捜査局（FBI）に教えた。さらに、自分の電話から最近かけた番号情報を警察が集めるのを許可した。それらの証拠に基づき、検察は自供者がかけた番号に関する情報、および通話先の携帯電話位置履歴の開示を携帯電話会社に求める命令書を入手した。その結果、四つの事件すべてにおいて、ティモシー・カーペンターの名前で登録された携帯電話が、店が襲われた時間帯にいつも付近にあったことを突き止めた。カーペンターは起訴され、裁判が始まると、彼が強盗事件の首謀者だったと数名の共犯者が証言した。携帯電話位置情報データの証拠に基づいて、カーペンターは懲役100年を超える判決を受けた。

カーペンターは、事件を連邦最高裁判所に上告した。携帯電話位置情報の利用は相当な理由に基づいた令状がある場合のみ行える「捜査」に相当するものであって[原注18]、携帯電話会社の記録を入手するために検察が用いた単なる命令書では行えるべきものではない、というのが彼の言い分だった。

2018年、連邦最高裁判所はカーペンターに同意した。その理由は、「携帯電話の位置情報は『詳細で、広範囲にわたり、苦労せずにまとめられた』もので、これは『長期的なデジタルの痕跡』に相当する。それゆえ、個人は『自身の位置履歴情報は、捜査令状なしに公開してもいいものではない』というプライバシーの合理的な期待を抱いて然るべき」というものだった。要は、私たちが「詳細な位置情報発信機」を持ち歩いていたり、その機器を使いこなすために第三者に私たちの位置が示されていたりしているからといって、警察がそれらの位置履歴を自動的に入手してもいいわけではないということだ。以前のカッツの判決時と同様に、連邦最高裁判所は「新たなテクノロジーの力によって、警察と一般市民のバランスが覆されてはならない」との見解を示した。たとえビットによって私たちのあらゆる行動の足跡が残されても、警察がそれを見るには司法による監視を意味する捜査令状が必要なのだ。

法律家と科学技術者のあいだで、それぞれの専門領域のバランスについて議論がなされている。スノーデンによる暴露以降、両者ともに「政府による自らの権限のチェック機能を信用してもいいかどうか」「中立的な立場の裁判官に捜査令状を申請した場合のみ入手できるはずの記録が、無令状で引き渡されたり大量に集められたりしていないかどうか」について疑問を抱いてきた。暗号名「プリズム(PRISM)」という、広範囲を対象とした極秘データ収集プログラムの存在をエドワード・スノーデンが明らかにした2013年以降、NSAは「たとえ記録がいったんデータバンクに集められたとしても、検索されないかぎりは実質的に『収集された』とは言えない」と主張した。だが、会話の中身は暗号化できても、デジタルの足跡のメタデータを隠すのはずっと難しい（最もお薦めの方法は、トーアプロジェクトのオニオンルーティング＝https://www.torproject.org)。効果を発揮するには公にしなければならない活動や、自身の秘密を守ってくれるかどうか必ずしも信用できない相手とのやりとりに依存する活動でのプライバシーを守るためには、法律や社会規範の力が必要である。

ブラックボックスはもはや航空機だけのものではない

2007年4月12日、それはニュージャージー州知事ジョン・コーザインが、何かと話題の多いラジオパーソナリティのドン・アイマスと、ラトガース大学女子バスケットボールチームとの話し合いの仲立ちをするために州知事公邸へ戻る途中のことだった。[原注19]

知事の運転手を務める34歳の州警察官ロバート・ラシンスキーは、ガーデン・ステート・パークウェイで北に向かっていた。ところが、ほかの車を避けようとして進路からはずれ、知事車のシボレー・サバーバンを転覆させてしまった。シートベルトをしていなかったコーザイン知事は、肋骨12本、大腿骨、鎖骨、胸骨を折る怪我をした。

正確に何が起きたのかについては、詳しいことははっきりしていなかった。ラシンスキー警察官は取り調べで、車のスピードがどれくらいだったかよく覚えていないと答えた。だが、実際にはこれは判明している。ラシンスキーは時速65マイル（時速約105キロ）制限の区間で、時速91マイル（時速約146キロ）も出していた。とはいえ、周辺で警察がスピードガンで計測していたわけでもなければ、ラシンスキーが出していた速度をメーターで観察していた人物がいたわけでもなかった。衝撃を受けた瞬間の正確な速度が判明しているのは、この車にはアメリカ国内のほかの3000万台の車と同様に、「ブラックボックス」が搭載されていたからだ。「イベントデータレコーダー」と呼ばれているこの装置は、衝突事故の直前に起きていたことの一部始終を捉えていた。すなわち、EDRは航空機墜落事故で回収されるブラックボックスの自動車版であるといえよう。

EDRは1995年頃から車に搭載されるようになり、今日ではほぼすべての車種につけられている。もしあなたが事故に遭ったら、おそらくあなたの保険会社はEDRのデータを取得する権利があるはずだ。それでいて、EDRの存在はほとんど知られていない。より高い保険料を払うよりもリアルタイムのデータを提供するほうがいいのではないかと、保険会社から提案されないかぎり知るきっかけはほとんどないからだろう。

EDRは速度、制動時間、方向指示灯の状態、シートベルトといった、事故の再検証、責任の明確化、無実の証明に必要な情報を記録する。貨物鉄道会社CSXは、車との衝突事故の際に車が線路で止まっていた事実がEDRによって判明したため、車の乗員の死亡に対して法的責任がまったくないことが認められた。警察がEDRのデータを入手する場合は捜査令状をとるのが一般的だが、常にそうするわけではない。事件によっては、とらなくてもいい場合もある。2003年10月18日、ニューヨーク州警察のロバート・フロスト警察官は、ロバート・クリストマンが歩行者をはねて死亡させた事故現場で車からデータをダウンロードした。このEDRのデータによって、クリストマンは時速30マイル（時速約48キロ）制限の道路を時速38マイル（時速約61キロ）で走行していたことが明らかになった。裁判でこのデータが示されると、クリストマンは「警察がデータを入手する前に許可を求められたこともなければ、捜査令状もとられていなかったため、自身の憲法修正第4条の権利を州に侵害された」と申し立てた。だが、ニューヨーク州の裁判所は、そうした手続きは必要ないという判決を出した。「車からビットを持ち出すのは家から何かを持ち出すのとは同じではないので、捜査令状は不要」という理由だった。[原注20]

位置を追う

グーグル、またはフェイスブックにおける自分の位置履歴をダウンロードして、それがどんな軌跡を描いているかを見てみよう。そこに示されている状況で、不安になるものはあるだろうか（不安になって当然なもの、あるいは別に気にしなくていいもの）？　説明に苦労しそうなものはあるだろうか？　それらのアカウントの設定を、初期状態から変更したことがあるだろうか？　あるいは変更するべきだろうか？

ビットは私たちの日常生活に深く関わっている。**デジタルの足跡を残さないようにするのは、地面に触れないように歩こうとするのと同じくらい難しい**し、たとえ歩かずに生活したとしてもその一方で何の疑いも抱かずに指紋を残してしまうのだ。

時間を節約する——道路通行料自動徴収システムとナンバープレート読み取り装置

有料道路や有料の橋を利用して通勤している人にとって、リスクとリターンなど計算するまでもない。「時は金なり」だし、しかも車内で待つ時間は不安やイライラの種となる。もし、通行料が自動的に徴収されるトランスポンダーを導入するという選択肢があるなら、たとえ装置を利用するために事前に数ドルのチャージが必要でも、通勤者の多くは手に入れるはずだ。現金で支払うために並んでいる車の脇を走り抜けていくのはストレスから解放されるのみならず、ドライバーにある種の満ち足りた幸福感さえもたらしてくれる。

車のフロントガラスの内側に取りつけるトランスポンダーは、バッテリーで駆動する無線自動識別（RFID）用の装置で、車が1、2メートル離れたセンサーの横をスイスイ通りすぎているときに、そのセンサーに情報を送る。このセンサーは、以前は有人の料金所ブースがあった支払い用の車線に設置できる。あるいは、車道の頭上にある門型の標識柱にも取りつけられるので、ドライバーは車線変更をしたり減速したりしなくてもよくなる。では、起こりうる弊害は何だろう？　それは言うまでもなく、車がセンサーを通過したという事実を州が記録していることだ。それが、通行料が正確に引き落とされるための仕組みなのだから。しかも、残高が少なくなるとドライバーのクレジットカードから自動的にチャージされるサービスが利用できれば、さらに便利になる。車で移動する際の支払いで、小銭を探すどころか何もしなくてもよくなるのだ。

たとえばマサチューセッツ州の有料道路の場合、月々の明細書にはあなたがいつどこでこの有料道路に乗ったかが、秒単位まできっちりと示されている。さらに、何キロ走ってどこで降りたのかも。おまけに、有料道路での総走行距離まで教えてくれて、これはマサチューセッツ州の有料道路で燃料を消費すると特定の燃料税が還付される同州のドライバーにとって、役に立つサービスだ。もちろん、州はあなたがこの有料道路を降りた時間も秒単位まで把握しているので、引き算と割り算を一度ずつ行えばあなたがスピード違反をしていたかどうかを州所有のコンピューターが割り出せることは、別に博士号がなくても見当がつく。つまり技術的には、州が超過分に基づいたスピード違反の罰金を明細書の一番下に記載して、通行料のチャージ分とともにあなたのクレジットカードに請求するのはしごく簡単だ。だが、このやり方はいくら便利でもちょっとやりすぎではないかと懸念しているのか、どの州も実施していない。少なくとも、今のところは。

だが、通行料自動徴収トランスポンダーは現在すでに、離婚や子どもの監護権に関する訴訟といった、本来の用途以外で利用されている。「あなたは、例の女性の自宅から８キロ以内に足を踏み入れたことがないと？　本当に？　では、なぜその付近の高速出口で何度も降りているのでしょうか？」というように。あるいは、「子どもたちにとって、自分のほうが親権を持つ親としてよりふさわしい」とあなたが主張しても、そうではないことが事実からわかる場合もある。「『わたしはいつも５時に帰宅して、毎晩必ず子どもたちと夕食をとります』と言う男性のイージーパス(E-ZPass)（訳注：一部の州で使われている通行料自動徴収システムの名称）の記録を召喚すると、何と有料の橋を毎晩８時半に渡っている、というようなことがあります」と、ある弁護士も指摘している。こうした記録は、家族法に関する訴訟で何百回も召喚されている。また、仕事をしていたと主張した従業員の車が実際には職場から離れた場所にあったことを証明するといった、雇用に関する訴訟でも使われてきた。

とはいえ、私たちの大半は自分の配偶者や上司を裏切ろうとは考えていないので、少なくとも節約できた時間と比べたら、この程度のプライバシーの損失など失ったうちに入らない。そして当然ながら、もしも実際に裏切っているのであれば、大慌てで行動しなければならなくなるので、移動時間を数分でも短縮できるのならプライバシーを多少リスクに晒すのはしかたがないと思うはずだ！

2017年、マサチューセッツ州では有料道路の料金所に係員を置かなくなった。ドライバーは車にトランスポンダーを設置すれば多少の割引を受けられるが、もしつけていなくても心配無用だ。「私たちはあなたに請求します」と、州が高速道路沿いの情報掲示板に告知しているのだから。今や現金払い用の車線は廃止されている。代わりに、門型の標識柱に取りつけられたトランスポンダー用のアンテナと自動ナンバープレート読み取り装置で、通過するあらゆる自動車やトラックが記録されている。個人情報を伏せておきたいのなら、一般道を通るしかない。

ナンバープレートはあなたが思う以上に雄弁だ

2018年6月、カリフォルニア南部でショッピングモールを運営しているアーバイン・カンパニーが、モールの駐車場に入ってくる車のナンバープレートの番号を収集していたことが判明した。モールを利用していた14歳のゾーイ・ウィートクロフトがアーバインの「プライバシーポリシー」（訳注：プライバシーに関する方針）をさらに詳しく調べたところ、同社はナンバープレートの情報を集めていたのみならず、データベース化して警察とも共有し、移民関税捜査局（ICE）の捜査官もアクセスできるようにしていたことがわかった[原注21]。この事実が明るみに出ると、アーバインとデータベース会社のビジラントは、両社の方針は実際にはより限定された狭い範囲を対象としたものだと釈明した。とはいえ、モールに買い物に行った客が、自分が監視対象になっているのかどうかを知るすべは与えられなかった。

自動ナンバープレート認識は、カメラ、ソフトウェア、ネットワーク機能の低価格化と高性能化によって実現した、大規模な監視用の技術だ。自動カメラがナンバープレートの写真を撮り、プレートの番号をテキスト形式の文字に変換し、各写真に時間・日付・GPSから得た位置情報を付加してから、保管のために伝送する。このデータの流れでは、たとえば指名手配犯や盗難車の捜索時にリアルタイムで検索要求できるし、あるいは買い物客の人口動態や特定の買い物客の移動パターンを明確にするために後日情報検索することも可能だ。

緩いフィットビットは船を沈没させる？

健康づくりやスポーツを行った際の記録を地図上に表すなどの機能を持つアプリ「ストラバ」は、ユーザーであるスポーツ愛好家や競技者のGPS搭載スマートフォン、ウォッチ、フィットビットと連携して、毎回のランニング、自転車のルートといった運動時の情報を記録する。そして、こうして集めた10億件以上の活動記録のデータをまとめ、地図上で色分けした「ヒートマップ」として可視化する。ストラバ社のスタッフチームが、ハワイの海で行われたアイアンマントライアスロンでの水泳や、カナダのブリティッシュコロンビア州ウィスラーでのマウンテンバイキングといった、スポーツを楽しむユーザーの様子をブログで大きく取り上げていたのと時を同じくして、アフガニスタンの米軍基地らしき輪郭がストラバのヒートマップに表示されているのに気づいたある研究者は、ツイッターにそのスクリーンショットを投稿して「データ共有機能は、オフにすることもできる」とユーザーたちに再確認を促した[原注22]。ストラバの最高経営責任者(CEO)はこの件に関するブログでの釈明のなかで、プライバシー設定の方法について説明するとともに、「機密性が高いかもしれないデータ」への対応に軍や政府と協力して取り組むと約束した[原注23]。

たしかに、「公にできない場所にいる兵士は、位置報告機能をオフにすべきだ」という意見はもっともだが、それをオフにするためには自分の機器やアプリにそうした機能がついているとわかっていて、しかもそれがどんな影響を及ぼすかを把握していなければならない。だが、もしかしたら、ストラバのヒートマップは私たちが足跡を残している場所のなかで、最もよく見えて最も設定が変更しやすい唯一のところかもしれない。携帯電話は最寄りの基地局に信号を送るなかで、地図上に位置情報の履歴を作成している。アクセス数の多いウェブサイトは、閲覧者のIPアドレスを記録している（それを利用して、サイトの運営者は閲覧者の位置情報を取得できる）。あるいは、携帯アプリの多くはターゲティング広告で利用するために位置情報を収集している。個々のデータポイントは害がなさそうだが、時間をかけてさまざまな場所で集められたそれらの点の集合体は、私たちの行動パターンや家での暮らしを詳細に描き出せる。それに、極秘の軍事戦略さえも。

海外、そしてアメリカのビッグブラザー

現在においては、ビッグブラザーは本当に見ている。しかも、デジタル爆発のおかげで、彼の仕事はずいぶんやりやすくなった。社会統制の一手段として古くから個人を追跡してきた中国では、深圳の何百万もの住人に、所持者の名前と住所以外にもはるかに多くの情報が記録された、身分証カードが発行されている。『ニューヨーク・タイムズ』の記事によると[原注24]、このカードには所持者の職歴、学歴、宗教、出身民族、逮捕歴、医療保険への加入の有無、大家の電話番号、妊娠出産歴といったものも記録されているそうだ。犯罪対策とうたわれているこの新たな技術（開発したのはアメリカの企業だ）は、街頭での抗議活動や、官憲に怪しいとみなされた個人の活動に対処するうえで役立つだろう。従来、こうした類の記録管理は地方自治体の役目だったが、国が繁栄してその国民が大いに移動するにつれて国家レベルの取り組みとなり、しかも自動化されつつある。この技術によって、国民すべての居場所を把握しやすくなり、政府はその利点を大いに活用している。少数民族ウイグル族がとり

わけ厳しく監視されている新疆ウイグル自治区では、スマートフォンを使わなくなったり正面玄関から入るのを避けたりしている人物を知らせるアプリが警察で利用されている。ウイグル族は漢民族（この地域以外の中国で大多数を占める民族）ならフリーパスが認められている検問所で強制的に調べられ、その際顔認識が使われている。中国の追跡システムは、いたるところにカメラが設置されているイギリスの監視カメラシステムよりもはるかに細かく、かつ広範囲に及んでいる。

身分証明書なしに国民を識別する

世界的なテロの時代において、民主主義国家が自国を守るためにデジタル監視技術に依存するようになったことで、個人の自由という伝統とのあいだで激しい論争が巻き起こっている。アメリカでは国民識別カードという発想に対しては、普段は個人の自由を守るための発言を積極的にしない団体も、自由至上主義に則って激しく反応する。2005年に成立した「正当な身分証明法（リアルID法）」のもとでは、各州はそれまでのような独自の基準ではなく、連邦統一基準に沿った運転免許証を発行するよう求められている。この法は連邦議会で即座に可決されたにもかかわらず、少なくとも18の州が反対している。こうした抵抗によって、統一基準の導入計画が何度も後ろ倒しになった。リアルID法成立から13年後の2018年の時点では、37州しかこの法の基準を満たしていなかった。そして2019年にはついに、「今後新たな延長措置は行われないため、2020年10月以降、連邦政府機関が行う本人確認ではリアルID法に準拠した身分証明書しか認められない」との通告が各州に出された。ところが、新型コロナウイルス感染症（COVID-19）の世界的流行によって、導入はまたしても延期された。だが、たとえこの法が完全に実施されたとしても、「リアルID」は犯罪と戦ってテロ行為を防止する使命を担う者たちが理想とする「真の国民ID」には遠く及ばないだろう。

国民識別カードの議論がいまだ続いているアメリカでは、FBIが開発を進めている新たな技術によって、議論自体が意味のないものになりつつある。もし、政府がアメリカ国民の生体認証データ（指紋、目の虹彩、声、歩き方、顔つき、傷跡、耳たぶのかたちの詳細な記録）を十分集めることができれば、身分証明書を持ち歩く必要が一切なくなるからだ。公共の場所で歩いている人のこうした数種類の情報を収集し、データベースで調べ、点をつないでいくと、大当たり！　その人物の名前がコンピューターの画面に現れる。生体認証データの組み合わせによって人物が完璧に特定できるため、誰も身分証明書を携帯しなくてもいいのだ。

まあ、現段階ではまだ不十分だが、技術は向上している。しかも、データはすでに集められていて、ウエストバージニア州クラークスバーグにあるFBI刑事司法情報サービスデータベースの、データボルトに保管済みだ。FBIはおよそ7500万組の指紋がすでに登録されているこのデータベースを利用して、毎日10万件もの照合を行っている。連邦政府機関、州、地域の90万人の法執行官や警察官は誰でも、FBIに指紋を送って特定を依頼できる。もし、照合で一致するものがあれば、犯罪歴データベース内のその人物の情報にアクセスできる。

とはいえ、指紋データを集めるのは簡単ではない。現在、その大半は逮捕者から取得したものだ。このプロジェクトの目標は身元がわかる情報をほぼすべての人から、しかもなるべく対象の手をわずらわせずに入手することだ。たとえば旅行者に対して、空港の保安検査場から搭乗ゲートに入るときに鮮明な「スナップ写真」が撮影されることを知らせる簡単な説明を出すのもひとつの方法だ。そうすれば、旅行者は空港で何が行われるかがわかるので、（出かけずに）拒否するという選択ができる。この点について、ある電子識別研究者は「それが極めて重要です。本人が選択したということが。『ええ、私はこの場所で身元確認をしてもらいたいのです』と本人に判断してもらうことが大事なのです」と指摘している[原注25]。このプロジェクトにおいては、集められるすべてのデータは少なくともある意味自発的に提供されるため、リアル ID 法で議論の対象となっている問題点は払しょくされる。

一方、テクノロジー発展の中心地であるカリフォルニア州サンフランシスコでは、警察による顔認識技術の利用を禁止するという逆の動きが起きた[原注26]。これは、「この技術はバイアスがかかっている」「透明性に欠ける」「政府に乱用される」といった市民の懸念の声に、市の管理委員会が耳を傾けたからだ。とはいえ、民間企業ではデータに基づいた身元確認技術が大いに利用されている。パトロンスキャン（PatronScan）は、同社がバーで身分証明書を読み取って作成したデータベースには、200 都市にわたる 6000 万件以上の識別用データが保管されているとうたっている。同社のシステムはバーの来店者が法律で飲酒が認められた年齢かどうかのみならず、店に「不品行」とみなされたブラックリスト客に該当していないかどうかも確認している[原注27]。

ビッグな兄弟による友好的な協力

実のところビッグブラザーは二人いて、しかもしょっちゅう協力し合っている。私たちはおおむね、二人が見てくれていてよかったと感じている（見られているという事実に、少しでも気づいていたらの話だが）。だが、ほんのときたま、二人の協調関係に不安を抱くこともある。

ひとり目のビッグブラザーは、オーウェルの小説と同じく「政府」だ。もうひとりのビッグブラザーとは、私たちの多くにとってなじみのない、ある業界のことだ。そこでは、金融関連などの日々電子的に行われている何十億件もの個人取引データが収集、統合、分析、報告されている。当然ながら、商業データ収集会社はスパイ行為をしながら仕事をしているわけではなく、扱われているどんなデータも不正に取得されたものではない。とはいえ、こうした企業が私たちに関する情報を大量に持っているのは事実だし、彼らが把握していることはほかの企業や政府にとって極めて重要なものになりうるのだ。

プライバシーにとっての新たな脅威は、コンピューターは何十億個もの一見つまらなそうなデータの欠片から、重要な情報を取り出せるという点だ。それは採鉱技術の向上によって、低品位の鉱石から貴金属を取り出すのが採算面でも実現可能になったのとよく似ている。コンピューターはとてつもない数のデータベースを互いに関連づけ、政府のデータを個人や商業データとつなぎ合わせることで、何百万人分もの包括的なデジタル人物調査書を作成できる。巨大な容量のデータストレージと強大な処理能力によって、創意工夫よりはむしろ力ずくの総当たりでデータ同士を結びつけることができる。しかも、コンピューターはデータ内の極めてかすかな痕跡さえも見つけられる。それらの痕跡は「テロリストへの送金の追跡」や「保険料率の設定」といった場合や、あるいは「新しいベビーシッターが性犯罪者ではないことの確認」などのもっと個人的な状況で、手掛かりや証拠として役立つかもしれないものだ。

こうした背景を踏まえて、政府とデータ収集会社の事例を見ていこう。

アクシオムは、アメリカ最大の顧客データ収集会社だ。業務内容は、世界じゅうのカード処理端末機で読み取られたカードの取引データを集めることだ。同社が2018年に収集したデータは、1000億件以上の取引に相当する[原注28]。アクシオムは金融活動に関する自社の膨大なデータを、クレジットカード会社、銀行、保険会社といった、人々のお金の使い方についての情報を必要とする業界に提供している。そして当然ながら、テロとの戦いが始まると国防総省もアクシオムのデータや、同社の情報収集と分析方法に興味を抱くようになった。テロリストへの資金の流れを追跡できれば、テロリストを発見して一部の攻撃を未然に防ぐのに役立つからだ。

チョイスポイントもまた、アメリカの主要なデータ収集会社だ。同社が抱える10万以上のクライアントからは、採用候補者の適任審査や被保険者のリスク審査での協力、といった依頼が持ち込まれる。

アクシオムとチョイスポイントは扱うデータの規模において、従来のデータ分析会社とは一線を画している。変化したのはテクノロジーよりもむしろ加工できるデータが著しく増加したことだと第1章で指摘したとおり、量的な差は質的な効果をもたらす。40年前のクレジットカードには、磁気ストライプはついていなかった。カードによる支払いの処理は機械的なものだった。カードの表面に浮き出た数字が転写されたカーボン紙伝票の1枚は客への控えとなり、一番上の伝票はカード発行会社に送られる。今日、あなたが自身のキャピタル・ワンカードで支払いをすると、その情報のビットはキャピタル・ワンのみならず、アクシオムをはじめとするデータ収集会社にも即座に送られる。このように、膨大な量の商業データ（クレジットカードの取引データ以外にも、通話記録、乗り物の切符購入、銀行取引といったデータも含まれる）を念入りに検索、調査できるこうした能力は、同じようなものが新たな何かを生み出せることを示すさらなる例だ。

もちろん、プライバシーを保護する法律はある。銀行やデータ収集会社が、あなたの金融データをウェブサイトで公開するのは違法だ。だが、プライバシーは法的にはまだ確立されていない領域のため、民間企業や政府の利害と不明瞭な予想外のかたちでつながっていることもある。

プライバシー法が大きく前進するきっかけをつくったのは、リチャード・ニクソン大統領である。ニクソンは一般的には「大統領権力の甚だしい濫用」とみなされるやり方で、大統領の権限を利用しては反対派の情報を集めていた（当時の大統領顧問の言葉によれば、「我々の政敵を失脚させるために、国として使えるどんな手も利用」していた）。ニクソンがとった策のひとつは、「敵対者リスト」に入っている人物の納税申告書を内国歳入庁（IRS）に審査させることだった。このリストには、国会議員、ジャーナリスト、民主党への大口献金者も含まれていた。この目的のためにIRSを利用するのは言語道断だったが、違法ではなかった。そのため、連邦議会では以降それを禁じる動きが起きた。

1974年プライバシー法は、犯罪捜査以外において、連邦政府が国民の個人情報を集めてもいい場合や方法についての幅広い指針を定めたものだ。政府は集めたい情報の内容と理由を公示しなければならず、しかも集めたデータは説明した用途以外には利用できない。

このプライバシー法によって、政府は個人情報を集める手段や、記録された内容の利用方法を制限されている。具体的には、「どの政府機関も、該当する記録に関連している個人の文書による申請に応じる場合や文書による事前承諾があった場合を除き、記録システム内のいかなる記録も、どんな通信手段を使おうとも第三者や他機関に公表してはならない。ただし、（略）」と記されている。もし、たとえほかの政府機関に対してでさえ、政府が情報を不適切なかたちで流した場合、その被害に遭った国民は民事裁判所に損害賠償訴訟を起こすことができる。このプライバシー法による保護は広範囲にわたって徹底しているように見えるが、実際にはそこまでではない。たとえば裁判所がそうでないように、すべての官庁が「政府

（行政）機関」というわけではない。政府機関は集めた情報の用途を公示するようこの法で定められているが、メディアがたまたま報じたということでもないかぎり国民の目に触れることはないであろう連邦官報で、ひっそりと告示するのも可能だ。さらに、「ただし」に続く条項で、大幅な適用除外項目が定められている。たとえば、この法は「統計、記録保管、または史料目的」「民法または刑法における法の執行のための活動」「議会による調査」「情報自由法による有効な請求」での情報開示には適用されない。

こうした適用除外項目が定められてはいたが、この法によって政府の対応は大きく変わった。そして、その四半世紀後、アメリカ同時多発テロ事件が起きた。捜査が行われるなか、つながると手掛かりになりそうな点のいかに多くがそれぞれ異なる政府機関の管理下にあるかが明らかになるにつれて、「法執行機関は、こうなることはわかっていたはずだ」という声がひっきりなしにあがった。「捜査を行っている各組織が連絡を密に取り合っていれば、防げた話だ。点を結べたはずだ」と。だが、それは無理だったのだ。理由のひとつは、プライバシー法によって政府機関同士でのデータ移転が制限されていたことだ。早急の対策が必要だった。政府機関間での情報のやりとりの問題を緩和するために国土安全保障省が設置されたが、政府のこの組織再編は始まりにすぎなかった。

ワールドトレードセンターへの攻撃からわずか数カ月後の2002年1月、国防高等研究計画局（DARPA）は情報認知局（IAO）を設置した。その使命は次のようなものだった。

> 先制攻撃、国の安全を守る警告、国の安全を守る意思決定に役立つ全情報認知を会得して非対称脅威に対抗するための、情報技術、部品や試作品、閉ループ制御、情報システムを、構想、開発、応用、統合、実演、転移すること。アメリカが直面している最も深刻な非

対称脅威はテロ行為であり、これは特定や特徴づけが難しい闇のネットワークで緩やかに組織された人々の集まりによって実行されるという類の脅威である。情報認知局は、そうしたネットワークの目的や企みを把握し、その脅威を崩壊させて除去する好機をつくりだす可能性を秘めたテクノロジーの開発を計画している。この計画を効果的かつ効率的に実行するには、混沌としたデータを知識と実用的な選択肢へと変換するための情報の共有、共同作業、そして理論の構築を促進しなければならない。

ジョン・ポインデクスター海軍中将が指揮したこの取り組みは、その後「全情報認知(TIA)」と呼ばれるようになる。巨大なデータレポジトリ(訳注:データやプログラムなどを一元的に保管管理しているデータベース)を擁する民間企業が増えてきたことで、プライバシー法の禁止事項に抵触せずにすむ便利な手段が浮上した。1974年プライバシー法により、国防総省はIRSからデータを入手できない。だが、「政府は集めるのを禁じられたデータとまったく同じものを、民間のデータ収集会社から買える」のだ！ 2002年5月のポインデクスター海軍中将への電子メールで、ダグ・ダイアー中佐はアクシオムとの交渉を次のように報告している。

アクシオムのジェニファー・バレットは弁護士で、社の最高個人情報責任者です。議会公聴会で証言したこともあり、協力を申し出てくれました。彼女の主な助言のひとつは、「世間はビッグブラザーや、広い範囲を網羅したデータベースには抗議するが、誰もが納得できる特定の目的に関連したデータの利用には同意する」でした。つまり、どんな目的にも使える膨大なデータを入手するよりも、まずは「攻撃を防ぐためにテロリストを追跡する」という目標から始めて、そのためにどんなデータが必要かを特定するほうがいいかと

> 思われます（必要なものすべてを洗い出すのは無理ですが、まずは我々が持っているテロリストのデータやソフトウェアのフォーマットに基づいて考えればいいかもしれません）。この助言から、すでにいろいろな案が浮かんでいます。
>
> 最終的には、我が国は全世界または国外の特定地域を網羅している、巨大な商取引データベースが必要になるかもしれません。この情報には経済的効用があるため、諸外国が関心を持つことについての理由を二つ示せます。アクシオムは、この巨大規模のデータベースを構築できます。

この件を2002年10月にいち早く報じたのは、『ニューヨーク・タイムズ』だった。ポインデクスターは演説内で、「政府は、『政府機関同士を隔てている煙突のパイプ』を取り除かなければならない。そして、どれもそれ自体は何の意味もなさない欠片を何百万も集めて全体像を描くための、より優れた手法に到達しなければならない」と釈明した。同紙が掲載した記事に対して、電子プライバシー情報センター（EPIC）や市民的自由主義者たちが次々に反応した。2003年、連邦議会は情報認知局への資金提供を打ち切った。だが、それは情報認知局の構想の終わりではなかった。

TIAを実現するための鍵は、データマイニングだった。それは、テロリストといった望ましくない人物の特定に結びつきそうな、異なるデータレポジトリ間のつながり、パターン、「シグネチャー」（訳注：目印となる情報）を見つけることだ。政府監査院（GAO）のデータマイニングに関する報告書（GAO-04-548）には、128の政府機関での調査結果が掲載されている[原注29]。そこで行われた199件の異なるデータマイニングのうち、122件で個人情報が利用されていた。

情報認知局とTIAはそれぞれ閉鎖、中止されたが、国土安全保障省のプロジェクト「アドバイス（ADVISE）」は存続し、大規模なプロファイリングシステムの開発が続けられた。だが結局、連邦議会はこのプロジェクトのプライバシーに関する問題も再確認するよう求めた。国土安全保障省のリチャード・スキナー監察長官が2007年6月の報告書（OIG-07-56）で「プロジェクトの責任者たちは3件の新たな構想を試験的に実施する前に、プライバシーの影響について検討しなかった」と指摘した数週間後に、プロジェクトは打ち切られた。だが、アドバイスは当時国土安全保障省で進められていた10件を超えるデータマイニングプロジェクトのひとつにすぎなかった。

プライバシーに関する同様の懸念によって、国防総省のタロン（TALON）データベースプロジェクトも中止された。このプロジェクトではより規模の大きな国内スパイ防止活動プログラムの一部として、防衛施設にとっての脅威になりかねない疑惑に関する報告をまとめたデータベースづくりが進められていた。

このようにプライバシーに対する懸念が指摘されていたにもかかわらず、エドワード・スノーデンが暴露したとおり、実際には数多くの監視やデータマイニングのプロジェクトが秘密裏に行われていた。

政府がプロジェクトを立ち上げると、メディアや市民権団体がプライバシーに関する大きな懸念を表明し、プロジェクトが中止され、そして代わりに新たなプロジェクトが始まる。これが延々と繰り返されていて、終わりがない。自身の私生活が政府に監視されているのでないかという疑惑をアメリカ国民がずっと抱いてきたにもかかわらず、こうした堂々巡りが続くのは、アメリカ国民の自身の安全に対する懸念と、国民を守るために利用可能な最善のテクノロジーを活用しなければならないという政府関係者の責任感によって生じた、ほぼ必然的な結果なのだ。民間企業のデータベースには、政府が関心を抱く人々についての最良の情報がたいてい含まれている。

データ収集、データ漏洩

データの保管は安い価格で実現できるが、安全を確保するのは難しい。このデジタル時代に嫌になるほどよく起こる問題のひとつは、データ漏洩だ。顧客データベースが流出すると、事件の対応策がとられるまでユーザーアカウントやクレジットカードが不正利用される。多くの州で施行されているデータ漏洩通知法によって、現在では多少なりとも透明性が確保されている。さらに同法は、集団訴訟を避けたい企業に、保管していたデータの整理や削除を奨励する役割も担っている。

データ漏洩事件は数多く起きてきたが、なかでも大きな注目を浴びたのはエキファックスと連邦人事管理局（OPM）の事例だ。大手信用情報会社のひとつであるエキファックスは、クレジットカードによる支払歴の記録を保管している。もしあなたが車や住宅ローンを組もうとしたら、貸し手はあなたの信用スコアをエキファックスに確認するだろう。2017年9月、エキファックスは、データ漏洩によってアメリカの成人人口の半数以上に相当する1億4700万人分もの個人情報（氏名、生年月日、社会保障番号、現住所といった、なりすまし犯罪や詐欺に利用される恐れがある情報）が流出したと発表した。[原注30] 連邦取引委員会（FTC）は、「エキファックスはアクセスコントロールの脆弱性を指摘されてもデータベースソフトウェアを更新しなかったなど、ネットワーク上の基本的な安全対策を怠っていた」との申し立てを行った。エキファックスは「消費者のデータ保護の観点から、『適切な物理的、技術的、および手順上での安全対策』を確実に実行する」というプライバシーポリシーを掲げていたにもかかわらず、こうした事件を起こしてしまった。エキファックスは連邦取引委員会の申し立てを受けて、最低5億7500万ドル、その後の状況によっては最大7億ドルを支払うことに同意した。合意の一部として、被害に遭った消費者は自身の信用報告書が悪用されていないかどうかがわかる監視サービスを無料で受けられることになった。だが、今後データベースには自分の情報を含めないでほしいという同社への訴えに対しては、「このデータ収集を拒否することはできない」という回答がなされるだけだった。[原注31]

連邦人事管理局はアメリカ政府の人事部門として、身元確認、素性調査、指紋といった機微な情報を大量に収集している。[原注32] 2014年、それらの記録のうち2100万件以上が、同局のデータストア（**訳注：データが蓄積されているファイルなどを指す**）への不正アクセスによって流出した。通常、クレジットカードが盗まれた場合は、新しいカードを発行してもらえる。社会保障番号が盗まれた場合は、信用報告書の監視サービスを利用する手がある。だが、指紋一式を新たに発行してもらうことはできないのだ。

新たに集められた加工できるデータの膨大さ（それに加えて、過去のデータの拡散と結びつき）は、デジタル爆発によってプライバシーが大きく打ち砕かれた話を語るうえで重要だ。だが、デジタル爆発というテクノロジーにまつわるこの話で同じく重要なのは、それらの大量のデータがどのようにしてまとめられているかだ。

ストレージ容量、処理速度、通信速度などの指数関数的な増加によって、決まりきっていたものが何か新しいものへと変化した。不注意、愚行、好奇心、悪意、窃盗は今に始まったことではない。一国のほぼすべての人の機微なデータがノートパソコンに収まってしまうという事実が、新しいのだ。インターネットという干し草の山から１本の針を探せる能力が、新しいのだ。あるいは、かつてはアルバカーキやアトランタの政府機関のファイル用引き出しに保管されていた「公表ずみ」データに、アルジェリアから電子的にアクセスできて、それらのデータを簡単につなぎ合わせられること。これもまさに新しいことだ。

研修、法律、ソフトウェアはどれも役に立つ。だが実のところ、社会全体で見れば、私たちはデジタル爆発がもたらしたこうした影響への対応のしかたを、本当はよくわかっていない。このテクノロジー革命は、かつては当然だと思われていたものの変化に対する社会の適応能力を上回っている。

公開されている情報からさえ、機密が明らかになってしまうこともある。マサチューセッツ州では、団体保険委員会（GIC）が州公務員の医療保険手続きを担っている。ある加入者の保険料が翌年大幅に上がった場合、GIC はその人物が受けたすべての治療に関する詳細情報を請求した。それには正当な理由があった。どんな種類の医療費も、驚くほどの勢いで上昇している。そして、州には公益のため、税金の使い道を把握する責任があった。GIC は患者の名前を知るつもりはなかったし、個人を追跡する気もなかった。ましてや、「自分が追跡されている」と加入者たちに思われたくなかった。たしかに、個人の通院記録を追跡するのは違法となる。

そのため、GIC のデータには氏名も、住所も、社会保障番号も、電話番号も含まれていなかった。たとえば、GIC 事務所の好奇心旺盛な若手職員が、特定の病気にかかっていたり症状を訴えたりしている加入者は誰なのかを突き止めようとしても、「一意の識別子」となりうる情報は一切なかったのだ。これは正式な専門用語では、データは「非特定化された」といい、つまり、身元がわかる情報は消去されているという意味である。データには性別、生年月日、郵便番号といった医療保険請求を行った加入者の基本情報や、病院で診察を受けた理由についての情報は含まれていた。こうした情報を集めるのは、特定の人物に異議を申し立てるためではなく、パターンを見つけるためだ。たとえば、ウースターのトラック運転手に腰痛が多ければ、その地域の公務労働者に重い荷物の持ち上げ方についての詳しい研修が必要なのかもしれない、と。多くの州が、州の公務労働者に関する非特定化されたデータでほぼ同様の分析を行っている。

ところで、こうしたデータセット（訳注：データの集合）は保険委員会のみならず、マサチューセッツ州の公衆衛生や医療産業を研究している者たちにとっても貴重だった。たとえば、学術研究者は、大量に保管されているこうした医療データを疫学研究に利用できる。GIC は、すべてのデータは非特定化されているので第三者が見ても害はないだろうと考えた。このデータがとても優れているのは事実だから、民間企業（健康管理分野の企業など）はお金を払ってでも手に入れたいと思うはずだ、と。そうして、GIC はこのデータを企業に売るようになった。この判断によって、納税者たちは二重に得するかもしれなかった。データの販売は州の新たな収入源になるだろうし、しかも長期的に見れば、医療産業関連企業はより多くの情報を入手したことで、より効率的に経営されるようになると思われるからだ。

だが、本当のところ、このデータはどれくらい非特定化されているといえるのだろうか？

ラタニア・スウィーニーは当時マサチューセッツ工科大学の研究者だった（その後カーネギーメロン大学教授、さらにのちにハーバード大学教授に就任している）。スウィーニーは、非特定化データを入手した者が記録を「再特定化」して、特定の州公務員の健康問題を知るのはどれくらい難しいのだろうかと考えた。たとえば、州知事の場合はどうだろう。

ウェルド知事は、当時マサチューセッツ州ケンブリッジに住んでいた。ほかの多くの地方自治体と同じく、ケンブリッジでは有権者名簿が 15 ドルで一般購入できた（候補者や政治団体は無料）。特定の地区については、わずか 75 セントでリストが入手できた。スウィーニーは、数ドル支払ってケンブリッジの有権者名簿を手に入れた。ほかの人もみな同じように購入できる。

ケンブリッジの有権者名簿によると、同市でウェルド知事と同じ生年月日の人物はわずか6人しかおらず、そのうち男性なのはたった3人、さらにウェルド知事と同じ5桁の郵便番号区域に住んでいるのはひとりしかいなかった。スウィーニーはこの要素（生年月日、性別、郵便番号）の組み合わせを利用することで、知事の診療記録を特定できる。さらに、職員がデータをわかりやすく整理していたため、それによって知事の家族の診療記録も特定できた。こうした種類の再特定化は容易だ。実際ケンブリッジの場合、生年月日だけあれば人口の1割以上の人物を十分特定できる。全国的なレベルでは、性別、郵便番号、生年月日さえあれば、アメリカの人口の87パーセントを一意に識別できるのだ。

しかも、GICのデータセットには性別、郵便番号、生年月日以外の情報も多数含まれていた。そのため、1997年にこのデータを入手した58名の誰もが、その気になればデータベース内の13万5000人をひとり残らず特定できたことになる。「患者に対する守秘義務が守れません」と、マサチューセッツ医学会会長のジョセフ・ヘイマン医師は苦言を呈した。「すべてが公になってしまっています」[原注33]

こうした事例を読んで、「関係者を首にするべきだ！」と叫ぶのは簡単だ。だが、仮に誰かが間違いを犯したとしても、それが誰なのかを突き止めるのは実際にはかなり難しい。あらゆる企業や団体にとって医療費が多額の支出であることを考えれば、こうした情報を集めたのが正しかったのは言うまでもない。GICは、データを公開する前に非特定化に真摯に取り組んだ。GICはほかの州機関にデータを公開するべきではなかった、という意見もあるだろう。それでもデータは貴重な資源であり、どこかの部門がひとたび集めたのであれば、それを公益のために使いたいという州政府の意向はまったくそのとおりだ。そういった共有を禁じるのは、「政府の各部門は、暖房用の灯油をそれぞれ個別に購入するべきだ」と言っているようなものだ。外部の企業へデータを販売することに異議を唱える人もいるだろう。だが、それはあくまで結果を見てのことだ。もし、データがより綿密に非特定化されていたら、データの発売を決断した人は政府の支出を抑えるのに貢献したという理由で表彰されていたかもしれない。

あるいは、有権者名簿が簡単に手に入ることが間違いなのかもしれない。だが、誰に選挙権があって、実際に誰が投票したのかを国民が知ることができるようにするのは、我が国の開かれた選挙制度に深く根づいた伝統である。しかも、有権者名簿はアメリカの人口に関する公開データのひとつにすぎない。マサチューセッツ州ミドルセックス郡に居住している、21歳のハワイ先住民男性は何人いるだろう？　2000年の時点では4人だ。アメリカ国勢調査のデータは誰でも閲覧できるし、ある人物の全体像で欠落している部分を埋めるのに役立つ場合もある。factfinder.census.gov（訳注：すでに閉じられていて、data.census.govに行くよう表示される）で調べてみればいい。

過ちの原因は、実際はそうではなかったのにGICのデータが完全に非特定化されていると思い込んだことだ。とはいえ、こんなにも多くの加工できるデータが入手可能で、しかも点をつなぐために必要なコンピューターの処理能力がこんなにも高いと、データベースを完全に匿名化するにはどれだけの情報を捨て去らなければならないのかを見極めるのは非常に難しい。データを、より大きな単位にまとめてしまうのも一案だ。たとえば、9桁の郵便番号区域単位よりも、5桁の郵便番号区域単位でデータを公開するほうが明らかにされる情報量が少なくてすむ。だが、データが粗くなればなるほど、そもそもそのデータが公開された理由である貴重な情報が取り出せなくなってしまう。

モノのインターネット

プライバシー意識の高い人でさえ便利さやわずかな節約と引き換えに自身のプライバシーを放棄してしまうことには、すでに触れた。この姿勢が最も顕著に表れているのは、「モノのインターネット（IoT）」と呼ばれている、電気のスイッチ、冷蔵庫、玄関のチャイムなどのネットワーク化においてだ。ところが、触れるモノすべて（そしてもはや触れなくてもいいようになったモノすべて）をインターネットにつなげたことで私たちが犠牲にしたのは、プライバシーだけではないことが判明した。ネットワーク上のすべてのモノのセキュリティまで侵害されてしまう恐れがあるのだ。

2016年10月21日、アメリカ東海岸の住民たちは、朝起きるとインターネットが大規模な攻撃に晒されていることに気づいた。ツイッター、ネットフリックス、ギットハブ、レディットといった仕事や娯楽で人気のウェブサイトにアクセスできなくなってしまったのだ。[原注34]結局、主要なインターネットサービスが、インターネット上のどこかほかの場所にある大量の機器に攻撃されていることが判明した。これらの機器があまりに多くのリクエストを一斉に送ったため、インターネットの通信管理インフラの主要部であるネームサーバー（訳注：DNSサーバーともいう）が負荷に耐えられなくなった。悪意のあるリクエストに返答しようとして、正規のユーザーに返答できなくなってしまったのだ。ネームサーバーから指示が得られないため、リクエストを行ったコンピューターはウェブサイトが探せなくなった。そうしてサービス自体は正常に機能していたにもかかわらず、ユーザーにとってツイッターは「ダウン」してしまったのだった。

事態を調査した研究者や技術者たちは、それらのリクエストはベビーモニター、電球の照明、ルーターといった、インターネットにつながった大量の「スマート」家電から送られていたことを突き止めた。そうした家電の持ち主たちはこの攻撃を意図的に行ったわけではなく、それどころかほとんどの人は気づいてさえいなかった。これらの機器は悪意のあるソフトウェアに感染して、「『ミライ』ボットネット」に組み込まれてしまったのだった。家庭用のインターネット接続で稼働していた、コンピューター処理能力が低いこれらの一連の機器が大量に合わさると、世界的なインターネットサービスを中断させられるほど巨大な力となる。一般的にマルウェアと呼ばれるこの悪意あるソフトウェアは、セキュリティ上のよくありがちな問題点（管理者権限のパスワードが初期のままで変更されていない、インターネットに直接つながっている機器のソフトウェアがパッチも当てられていなければ更新もされていないなど）につけこんでひとつの機器を感染させると、自身を複製してほかの機器も感染させる（この感染拡大機能を持つプログラムをワームという）。ひとたびインストールされると、マルウェアは各機器を指示待ち状態の「ボット」にしてしまうのだ。

> 残念ながら、この類の集団攻撃は「分散型サービス妨害攻撃（DDoS）」という名称と頭字語がつけられるほど一般的なものとなった。

上述の10月21日、ボットネットを制御するサーバーがドメイン名のリクエストを急速に一斉送信するよう大群に指示を出した結果、ウェブで公開されているネームサーバーへの通信量が限界を超えてしまった。そのなかには、大手ドメインネームシステム（DNS）サービスプロバイダーであるダイン（Dyn）のサーバーも含まれていた。ダインの報告によると、この攻撃では推定10万台もの悪意のある、または感染した端末機器から、通常量の10倍から20倍のリクエストが送られてきたという[原注35]。こうしたリクエストが、アクセスできない本物のエンドユーザーの再試行と合わさってダインの防御能力を圧倒したため、同社のサーバーは正規のリクエストに返答できなくなってしまったのだった。

最新の変化は？　規模、制御、接続性、そして相互運用性

モノのインターネットは、インターネットを介してコンピューターとデータがビットでつながっているのと同じくらい、物質的な世界をつなげることを期待させてくれる。それは、インターネットにつながっている汎用コンピューターを、冷蔵庫といったそれまでは「スマートではなかった」機器に組み込むことを意味する場合もある。「スマート冷蔵庫」は牛乳が切れそうだとあなたに知らせてくれるのみならず、あなたの行きつけのスーパーに連絡して配達を頼み、あなたのクレジットカードで支払うことまでできるかもしれない。別の機器にとっては、「スマート」とは遠隔でセンサー（周りの環境を見たり、聞いたり、感知できる機器）を読み取ったりアクチュエーター（ドライヤーを切るといった、何かを行う機器）を制御したりするためのインターフェイスを擁することを意味している場合もある。たとえばスマートサーモスタットは、誰かが部屋に入ったときに動作感知装置からの信号を受けて暖房やクーラーがつくように設定できる。こうしたモノのつながりによって、自動化された工場やサプライチェーン、スマートホームやスマートシティ、自動運転車の普及、といった構想が実現されるだろう。

センサー、アクチュエーター、半導体チップの価格が下がると、普及数が伸びる。また、そうした価格低下は価値連鎖の川下へ伝播する。半導体チップが高価だったころは、航空機といった高額な機械にしか利用できないのが当然だったが、今や玄関のチャイムにまで使われている。低価格帯のスマートフォンさえ、今や家電ネットワークの中枢を担えるほど「スマート」だ。かつては工場のみで導入できて専門家にしか扱えなかった高性能の機器が、今日では一般

人でも手に入るようになった。ときに、スマート機器は購入者が把握しているよりもずっと多くのことができる能力を備えている場合もある。というのも、マーケティング上の理由から、機能が絞り込まれていることもあるからだ。それと同時に、安全性や信頼性といったあまり売りにならない要素は、軽んじられることが多い。そして、この誤った優先順位づけに対して、メーカーは「機器の小型化と低電力化を実現し続けなければならないため」と言い訳しようとする。

電球の照明やサーモスタットはたいてい「設定したら、そのまま放置」される。つまり、機器がひとたび正常に機能したらユーザーはそれを家電と認識し、セキュリティ状況の確認やソフトウェアの更新が必要な小型コンピューターだとはほとんど思わなくなる。それに加えて、そうした機器の安売り店は、それらを継続的なサポートが不要な売りっぱなしの商品とみなす場合もあり、それゆえユーザーがソフトウェアの更新を希望しても、あきらめざるをえない恐れもある。ほかの選択肢としては、それぞれの機器のサポートを管理会社に任せる方法もあるが、これは金銭面でも顧客プライバシーの面でもより大きな犠牲を払うことになるかもしれない。照明の明るさや室温の好み、ましてやベビーモニターからの音声や映像を、そういったデータをどこに保管してどんな用途で利用しているのか想像もつかない企業と共有したくない人だっているはずだ。

IoT 機器の大半は常にオンの状態で、ユーザーが部屋の照明スイッチを入れる瞬間を待っている。それらの機器は、悪意によって書かれたプログラムであるマルウェアの開発者からすれば、うってつけの乗っ取り対象だ。極めて狡猾な類のマルウェアは乗っ取った機器の通常の機能に干渉しようとせず、むしろ見つからないようにじっと潜んで「攻撃」の指示を待つようにできている。

「1対1」の脅威 vs.「1対多数」の脅威

一軒の家にだけスマート冷蔵庫がある場合、その振る舞いを重要だと思い関心を抱くのはごく一握りの人だけだ[原注36]。攻撃者ができるのは、4リットル近い容器入りの牛乳を全部腐らせてキッチンを大変な状態にする、牛乳の代わりにキャビアを注文して銀行口座をすっからかんにしてしまう（注文の金額に適切な上限が設定されていなければ）、はたまた電源をショートさせて家全体を停電させてしまうといった家のなかだけに問題を起こすために冷蔵庫を使う、くらいのレベルだろう。だが、スマート冷蔵庫が何台もあれば、それらを利用して近隣一帯を超えた範囲にまで被害を及ぼせる。前述のとおり、DDoS攻撃の最初のDは「分散」を意味している。何千台もの分散されている機器が攻撃を繰り返すことによる累積的な影響は、計り知れないものもある。「サービス妨害」には、何通りものやり方がある。それは「サービスを求める一見正常なリクエストに見えるものを、大量に送りつける」「返答までに異常に時間がかかるリクエストを行う」「送り先のサーバーを停止させたり故障させたりするような、不正な形式のリクエストを送る」といったものだ。たとえば、ある町のすべての高校生が金曜日の昼休みに地元のピザ屋に一斉に電話をして、トッピングを全部乗せたピザ一切れの値段を尋ねたら、いったいどうなるのだろう？　おそらく、本当にピザを1枚注文したい客は、何度か電話してもずっと話中なのであきらめるはずだ。

モノのインターネットを「インターネット」たらしめるのは、インターネットのプロトコル、特殊目的のワイファイ（Wi-Fi）またはブルートゥース対応の通信規格といった、機器が互いに、そして制御を行う機器とやりとりできるようにする標準プロトコルだ。標準インターフェイスによって、ユーザーは複数の機器をまとめられる。たとえば、すでに設定された照明システムに新たな照明をもうひとつ加えるとか、スマート冷蔵庫に冷凍庫をつけたすとかだ。ベビーモニターの開発者は、接続性のある機器なら新たな音声や映像を祖父母とも共有できるし、子どもの世話をする人が家の敷地内のとても離れた場所にいても子どもの様子が窺えると考えたはずだ。冷蔵庫が天気予報を調べて、気温が26度を超えたらアイスクリームを注文することも、機器の接続性によって実現できる。接続性によってソフトウェアが更新されたり、新たなやりとりの可能性が生まれたりするため、機器は時とともによりスマートになれる。ただし、無防備な接続性は、「ミライ」ワームのようなマルウェアに侵入する余地を与えてしまう。さらに、共通のインターフェイスと基本ソフトウェアは、マルウェア開発者に「いったん侵入すれば、どこでも実行できる」ようにさせてしまう恐れがある。

ダインのサーバーをダウンさせた攻撃から1年以上経った2017年12月、3人の男が「ミライ」のソフトウェアを開発したことと、コンピューター不正行為の容疑を認めた。そのひとりであるパラス・ジハはニュージャージー州のラトガース大学でコンピューター科学を学ぶ学部生で、ほかのふたりはジハの友人仲間だった。3人の答弁によると、初めて攻撃したのは人気ゲーム『マインクラフト』のオンラインゲームサーバーだった。サーバーに負荷をかけて、ゲームを有利に進めようとしたのが動機だったそうだ。その後、ジハはコンピューターを保護するサービスを提供する会社を立ち上げ、ちゃんとお金をかけてDDoS攻撃への対処をするべきだとラトガース大学をあざける裏で、同大学を攻撃していた。ジハと2名の共犯者はダインやインターネット全体に障害を発生させる意図は必ずしもなかったかもしれないが、彼らが「ミライ」のソフトウェアのソースコードをオンラインで公開後、ほかの者たちがこのマルウェアを修正、更新して、新たな対象を攻撃した。

IoTセキュリティの責任を負っているのは誰？

電気自動車「テスラモデル３」の『コンシューマー・レポート』による初回調査結果では、ブレーキ性能に厳しい評価が与えられた。[原注37]評価担当者は「テスラモデル３の時速60マイル（時速約97キロ）からのブレーキ停止距離は152フィート（約46メートル）で、これは我々が同時期に調査したほかのどの車よりも、はるかに悪い結果だった」と記事内で指摘した。

すると、この車のメーカーであるテスラは『コンシューマー・レポート』が発売された１週間後、販売ずみのものも含めたアメリカ全国のテスラ車のソフトウェアを無線ネットワークで更新した。そして、同車のブレーキ停止距離が19フィート（約６メートル）改善され、他社の性能と引けを取らなくなったため、調査結果を上方修正するよう『コンシューマー・レポート』に求めた。[原注38]そのときテスラは、「モデル３のアンチロック・ブレーキ・システム（ABS）を制御するソフトウェアを更新した」と同誌に語っている。

だが、テスラが無線ネットワークでのソフトウェア更新で車両の性能を向上させたのは、今回が初めてではなかった。ハリケーン「イルマ」がフロリダに向かって北上していたとき、テスラは同社の車の持ち主がより遠くへ避難できるよう、ハリケーンの進路内の地域を走るテスラ車のソフトウェアによる走行距離制限を解除した。[原注39]どちらの事例も、ソフトウェアとハードウェアの曖昧な境界線と、どこからどこまでがひとつの製品なのかがはっきりしなくなった状況を示している。いずれもテスラ車のハード面の仕様が遠隔操作によるソフトウェアの更新で変えられたが、もしかしたら車の持ち主は変更自体に気づいてすらいなかったかもしれないし、その変更を受け入れるか拒否するかを選択する機会も与えられていなかったかもしれない。一度の充電でより長く走れるようになる変更を断る持ち主はまずいないだろうが（「イルマ」で避難する必要のない人々にとっては、この仕様のアップグレードは通常非常に高くつく)、ブレーキを確実にかける性能を高めることによってほかの性能が落ちる場合はどうだろうか？　ブレーキ性能の改善後、走りが遅くなったと感じた持ち主もいた。もし、公共の安全はスピードを犠牲にしなければ実現できないとしたらどうだろう？　車の持ち主には更新を拒否するという選択が与えられるのだろうか？

運転は、乗っている車の周囲に対して問題を起こす。運転しているテスラ車が止まるのが間に合わない場合、危険な目に遭うのはドライバーだけではない。付近を走っている車のほうが、ずっと危ない思いをする。そうした危険性を減らして道路をより安全にするために、自動車には安全基準や検査要求事項を満たすことが求められている。同様に、ソフトウェアとハードウェアのユーザーに対しても更新を義務づける、という手があるのではないだろうか。つまり、あなたが使用している、ソフトウェアによって稼働する製品がほかの人に危害を及ぼす恐れがあり、それよりも安全な代替手段が見つかったら、たとえソフトウェアを更新することで何らかの不便さや犠牲が生じるとしても、あなたは更新を行わなければならない、ということだ。しかも、自動車のように明らかに危険度が高く高価な製品だけに、こうした注意を義務づければいいというわけではない。「ミライ」ボットネットに乗っ取られた、インターネットと接続している機器のなかには安いおもちゃもあった。すでに会社をたたんだメーカーもあるかもしれない。こうした義務を課すことは、何かを所有するという意味を変えるのだろうか？

ブルース・シュナイアーはモノのインターネットを、世界じゅうにセンサーやアクチュエーターを張り巡らせた「世界規模のロボット」と称している[原注40]。このロボットが危害をもたらす恐れ（そして実際に問題を起こした件数）が増えるにつれて、規制と法的責任を求める声が強くなるとシュナイアーは予測している。テクノロジーをつくりだしている者たちが安全策も用意しないかぎり、機器の接続や使用を禁じたり使用における大幅な制約を定めたりするといった、厳格な政策や規制で対応せざるをえなくなるだろう。そして、さらに憂慮すべきなのは、接続性の仕組みや目的についての説明責任を問わない規制のせいで、私たちが守られなくなる恐れが出てくることだ。

スマートシティの効率性、個人の選択、プライバシー、システム上のリスクについて

ニューヨークのアパート住まいのある年配男性は、アプリで作動させる「スマートロック」を家主が建物の正面玄関に導入して以来、ほとんど自宅に監禁されているようなものだと不満を述べた。93歳のトニー・ミシャークは片方の目が見えず、鍵を開けるためのスマートフォンアプリが使えなかった。トニーの妻メアリー・ベス・マッケンジーは、アパートの管理側やこのスマートロックのシステムを運営している企業ラッチに、自身の入出記録を把握されることに反対した。このアプリにおけるラッチのプライバシーポリシーには、正面玄関扉の開閉記録や画像を建物の管理側に提供するのみならず、入居者のGPS位置情報も収集してそれを同社がマーケティング目的で利用できるとされていたからだ（その後、方針は変更された）。マッケンジーが普通の鍵の使用を求めると、家主は一笑して、アプリの代わりとなるスマートカードしかくれようとしなかった。そのため、マッケンジーとミシャークをはじめとするアパートの住人たちは、アプリの代わりに普通の鍵を使う権利を勝ち取るために、家主を訴えざるをえなかった。[原注41]

住人たちは正面玄関のデジタル化に対して、さまざまな不満を抱いていた。ある住人にとっては、これまで使っていた普通の鍵が新しいアプリになって使い勝手が変わったことが問題だった。別の住

人は、アパートへの自身の入退出（もしかしたら旅行で留守にしていたことさえ）が、事実をそこまで正確に記憶できないであろう人間のドアマンによってではなく、自分たちが見ることすらできない企業のデータベースに機械的に記録、蓄積されてしまうという不安から、プライバシーの侵害を懸念した。たとえば、今後各戸の玄関にスマートロックを設置すれば、留守時に鍵をドアマットの下に置いておかなくても訪問客や管理人を入室させられる、といったこのシステムの新たな便利さの可能性をもってしても、「『自己情報コントロール』を失った（loss of control）」ことに対する住人たちの不満は補えなかった。

こうした「スマート」な建物を桁違いのレベルにまで増やしていくと、ネットワークでつながったセンサーが大量に埋め込まれた「スマートシティ」ができあがる。そこではたとえば、効率性を高めるために信号機が車やバスの流れと連動している。あるいは、電力の需要に円滑に対応できるよう、電力計が送配電網とリアルタイムでやりとりしている。

トロント市は、工業地域だった沿岸部を「インターネットを基盤にして再開発」する計画を立てた。新しいキーサイド地区は、トロント市と、グーグルの親会社アルファベット傘下のサイドウォークラボとの提携による「スマートシティ」に生まれ変わることになった。両者によって輝かしい未来への構想が進められるなか、計画担当者たちはプロジェクト発表後の反発の大きさにとまどっていた。世間はプライバシー、セキュリティ、「自己情報コントロールを失う」問題に対して、不満の声をあげた。デジタルインフラによって生じるデータは、誰が閲覧できるのか？　それらのデータに基づいた判断を下せるのは誰なのか？　だが残念ながら、私たちがその答えを知る術はない。というのも、トロントとグーグルは2020年5月に同プロジェクトを打ち切ったからだ。この決定の理由は新型コロナウイルスの世界的な大流行というものだったが、プライバシー擁護派は自分たちの手柄だと主張した。

> プロジェクトの反対派のひとりは、「これはカナダの民主主義、公民権、そしてデジタル面での権利を守るために戦った、責任ある市民の大勝利です。トロントは、『監視資本主義』における最も不穏な実験が計画された都市として歴史に残るでしょう」と、ベストセラーになったビジネス書のタイトルを引用しながら語った。[原注42]

相互接続は、プライバシーやセキュリティ面で新たな懸念をもたらす。あなたが遠方に出かけていることを、電気の使用パターンの変化を観察することで把握できるのは誰なのか？　あなたの家に訪問客がいるときや、あなたがシャワーを浴びているのを知りえるのは誰なのか？　家のなかの電化製品が稼働しているかどうかのシグネチャーを確認することで、観察者はあなたが朝何時にコーヒーメーカーをオンにしたか、夕方の何時にテレビをつけてニュースを見たかまでもわかるのだ。

分析に必要なビットの流れ、ストレージ容量、処理能力の向上はどれも、政府や企業の支配力に対する個人の不利な立場をますます悪くしている。その支配を一部でも取り戻して、「自治領域」を築くための方法のひとつがプライバシーだ。オーウェルが描いたロンドンでは、テレスクリーンの監視から逃れられたのは、オブライエンをはじめとする党中枢の党員たちだけだった。現在のところ、個人は数理的な保護と法的な保護を組み合わせることで、ビッグブラザーの監視の目から逃れられる。少なくとも大部分の時間は。

第3章
あなたのプライバシーを所有しているのは誰？
個人情報の商業化

自分を野菜にたとえると？

アレクサンドル・コーガンが「これがあなたのデジタル生活」というクイズアプリをフェイスブック上で公開しても、とりわけ不審に思われることはなかった。クイズアプリはユーザーに参加を促してマーケティングデータを集めるという、フェイスブックでのマーケティングの主要な手段だからだ。こうした魅力的、誘惑的、なおかつ極めて効果的なアプリは、クイズマーケティング用のツール開発という副次産業や、その専門家を丸々生み出した。

フェイスブックユーザーのなかの約27万人が、コーガンのアプリをインストールして性格診断テストを受けた。一連の過程のなかで、アプリがユーザーのフェイスブック仲間に通知して、ゲームに参加するよう招待できる仕組みになっていた。コーガンの表向きの目的は、「感情を伝えるために絵文字がどのように使われているか」という研究用の学術調査だった。だが、集めた大量のデータの実際の使い道は、それとはまったく違っていた。コーガンのアプリを通じて、ケンブリッジ・アナリティカという企業が5000万人分ものデータを手に入れていた。同社はそれらの情報を、ドナルド・トランプ大統領候補の選挙運動での対象者に合わせたデジタル広告と資金集め、投票行動の操作、テレビ広告の対象市場の特定、さらにはトランプの遊説スケジュール計画にまでも利用するのに協力した。ケンブリッジ・アナリティカは、同社の「サイコグラフィックス統計分析データ（訳注：個人の性格、心理、価値観、興味、行動などに関する研究）」が、投票しそうな人や、彼らにどんな広告を送ればトランプに投票するよう揺り動かせるのかを特定するために役立つと主張した。[原注1]

とはいえ、30万件近いアプリのダウンロードが、なぜ5000万人分ものデータ流出につながったのだろうか？　それは、フェイスブックアプリのプライバシーポリシーが、欠点だらけだったからだ。このアプリをインストールした27万人のそれぞれが、平均200人の友達とフェイスブックでつながっていた。「これがあなたのデジタル生活」では、クイズの答えよりむしろ回答者が「いいね！」をしたページの履歴に基づいて診断されていた。クイズはあくまで、ユーザーとそのフェイスブック仲間が何に「いいね！」をしたのかを調べるための口実にすぎなかった。2015年の時点では、フェイスブックはこの手のデータのかき集めを認めていた。ただし、同社はコーガンが個人データをケンブリッジ・アナリティカと共有したことは、アプリプログラムの利用規約違反に当たると指摘している。

あなたのプライバシーは、あなた自身のものではない。たとえあなたが「これがあなたのデジタル生活」をインストールしなかったとしても、あなたの友達の誰もが（あるいは彼らがインストールしたアプリが）「あなたの」データを漏らしていたかもしれない。もちろん、似たようなことが非デジタルの世界でも起きる場合がある（「二人のうちのどちらかが死人だったら、秘密は守られる」という古いことわざからもそれがわかる）。だが、あなたもインターネットの外の世界でのほうが、そうしたことに対する勘がもっとよくはたらくのではないだろうか。噂好きの近所の人に何かを話すと、のちにスーパーでその話題について赤の他人から根掘り葉掘り尋ねられる恐れがあることは、あなたも承知しているはずだ。一方、オンラインの世界では、フェイスブックでユーザーが簡単なプライバシー設定を行えるようになるまで長い時間がかかったし、しかもケンブリッジ・アナリティカのスキャンダルが明るみに出てようやく、フェイスブックはアプリがソーシャルグラフ（訳注：ユーザー間の結びつき）を横断して、友達仲間のネットワーク情報をガンガン集めるのを禁じたのだった。

私をひとりで放っておいて

１世紀以上前、テクノロジーとメディアが個人のプライバシーに与える影響について、二人の弁護士が警鐘を鳴らした。

> 早撮り写真や新聞社は、家庭での私的な生活という聖域を侵害している。さらに、いくつもの機械装置が「クローゼットで囁かれたことが、屋上で声高に唱えられるようになるだろう」という予測を実現してしまう恐れがある。

この主張は1890年発行の『ハーバード・ロー・レビュー』に掲載されたプライバシーに関する論文の一節で、著者はボストンの弁護士サミュエル・ウォーレンと、同じ法律事務所の共同経営者で、のちに連邦最高裁判所判事になったルイス・ブランダイス（すでに取り上げたとおり、「オルムステッド vs. アメリカ合衆国」事件でプライバシーを擁護するために判決に異議を唱えた）である。[原注2]

> ゴシップはもはや暇人や悪人の話の種ではなくなり、特ダネへの執着と厚かましさでもって行われる商売と化した。好色な趣味を満足させるために、性的な関係を詳しく報じる記事が、毎日のように

> 新聞で大きく掲載されている。暇な者たちの好奇心を満たすために、新聞の記事という記事がくだらないゴシップで溢れていて、それらは家庭での私的な生活へ踏み込まなければ手に入らないものばかりだ。

つまり、新しいテクノロジーによって、二人が上で指摘したごみくずのような記事が簡単に出回るようになり、すると供給が需要を生み出した。ウォーレンとブランダイスは、こういった隠し撮り写真やゴシップ欄は、単に悪趣味というだけではなく悪だと指摘した。そして、今日の無分別なリアリティーテレビ番組を批評する人々さながら、「ああいったものが広められているせいで、社会は急速に悪化している」と激しい怒りを表した。

> 明らかにたわいないゴシップでさえ、大勢に向かってしつこく言いふらされると、邪悪の種となりかねない。それは矮小化と堕落を引き起こす。矮小化とは、物事の相対的な重要性を反転させることで、人々の思考を狭め、大望を小さくしてしまうことだ。個人的な事柄に関するゴシップが活字という威厳をまとって、地域社会が本当に関心を抱くべき物事を報じるための紙面を埋めつくすようになると、無教養、無分別な者たちがいとも簡単にそれらの記事の相対的な重要性を誤解してしまう。内容がわかりやすく、近所の人々の不幸や不運だけでは満足し切れないという人間の弱みに訴えてくるこうした記事が、ほかのことにもっと活かせるはずの脳の興味を奪ったとしても誰も驚かないはずだ。つまらないものは、思考の頑強さと感情の繊細さを一瞬にして破壊する。その破滅的な影響下では、どんな情熱も花開かず、どんな寛大さも失われてしまうのだ。

ウォーレンとブランダイスが気づいた問題は、そういったプライバシーの侵害が一体なぜ違法とされるべきかを説明するのが難しいという点だった。個々の裁判事件に対しては、それぞれの場合において理にかなった意見を述べられるが、個々の裁判での法的判断を社会全般には当てはめられない。真実ではない悪意あるゴシップを記事にするという名誉棄損に対しては、裁判所は当然ながら法的措置を適用したが、では、真実である悪意あるゴシップについてはどうなるのだろう？　ほかの裁判では、個人の私信を掲載したことに対して罰則が科せられたが、それはあくまで物件法に基づいたものだ。つまり、個人の手紙のなかの言葉が盗まれたというよりも、個人の馬が盗まれた事態と同じ扱いだ。この二つを同じものとみなすのも、正しくないように思える。そして、ウォーレンとブランダイスは、そういった二つを同一視する論理では問題の核心を突くことはできないと結論づけた。あなたの何か私的な事柄が新聞や雑誌に載るということは、あなたの何かを盗まれたということであり、あなたは窃盗の被害者だ。だが、盗まれたものはあなた個人としてのアイデンティティの一部なのだ。ウォーレンとブランダイスは、プライバシーとは実は権利であると指摘した。「ひとりで放っておいてもらうという個人の一般的な権利」なのだと。それまでもずっと、発想自体は法的な判断がなされる際に背景にあったこの権利は、今や新たなテクノロジーによって危機に至らしめられていた。ウォーレンとブランダイスはこの新たな権利について明確に述べるなかで、自分たちはそれを個人のアイデンティティの尊厳である「不可侵の人格性」の原則の基本に据えると主張した。

プライバシーと自由

プライバシーとはひとりで放っておいてもらう権利であるというウォーレンとブランダイスの主張は大きな影響を及ぼしたが、それで一件落着というわけにはいかなかった。20世紀を通じて、人々を「ひとりで放っておかない」ためのもっともな理由がとにかく多かったし、それに人々が「ひとりで放っておいてほしくない」と感じる場合もあまりに多かったからだ。しかも、アメリカでは、憲法修正第１条で保障された権利（訳注：表現、報道、宗教などの自由）がプライバシーの権利と緊張関係にあった。原則として、政府は私が真実を語るのを止めることができない。より具体的には、政府は私があなたの私生活について合法的に調べ上げたことを語るのを止められない。それでも、ウォーレンとブランダイスの定義は長いあいだ十分うまく機能していた。その理由を、ロバート・ファノは次のように述べている。「長いあいだ、テクノロジーの進歩の速度は、新たなテクノロジーを悪用せずにどう有効活用すべきかを社会が実践的に学べるほど十分緩やかだったし、しかも社会がたいていそのバランスを維持できていたからだ[原注3]」。だが、1950年代末になると、コンピューターと通信の両分野でのエレクトロニクス技術の発展によって、バランスが崩れてしまった。監視技術があまりに急速に発達したため、社会が現実的な方法では適応できなくなってしまったのだ。

その結果として行われたのが、ニューヨーク市弁護士会によるプライバシーに関する画期的な研究であり、その成果は1967年に出版されたアラン・ウェスティンの著書 *Privacy and Freedom*（プライバシーと自由）にまとめられている[原注4]（急速なテクノロジーの変化による社会不均衡についてのファノの解説は、ウェスティンの著書を再考察したものだ）。ウェスティンは、ある極めて重要な転換を提案した。

ブランダイスとウォーレンは、プライバシーの喪失を「肉体的な損傷だけによる苦しみよりもずっと重い、精神的な苦痛と極度の不安」を引き起こしかねないほど深刻な、ある種の人身傷害とみなしていた。そして、「個人は自身の作為と不作為にのみ責任があるゆえ、それぞれが自身を守ることに責任を持つべきだ」と論じた。とはいえ、プライバシーの侵害に抵抗するための武器は、法律が与えなければならないとも主張した。

ウェスティンは、ブランダイスとウォーレンのこの提言は、ほかの個人の言論の自由や社会における合法的なデータ収集活動に対してはあまりに絶対的だと感じていた。保護は必ずしも防御用の盾によらなくても、どの個人情報が利用されてもいいかという判断を委ねられることでも得られるのではないだろうか。「プライバシーとは」とウェスティンは記した。「個人、団体、機関が自身の情報をいつ、どのように、どの程度まで他者に伝えるかを、自身で決められるよう求める権利だ」。さらに、ウェスティンは次のように提言した。

> 必要なのは、官民の関連機関が、個人情報の取得あるいは新たな機器による監視と、プライバシーの権利を比較する際に適用できる確定基準が定められた、合理的かつ体系的な比較検討方法である。そうした方法における基本的な手順の案を、次に挙げる。監視を行う必要性の重要度を調べる。必要性を満たす代替手段がないかを検討する。監視用の機器にどの程度の信頼性が必要かを検討する。監視に対する真の同意が得られたのかを確認する。もし監視が認められた場合、それに対する規制と制限の余地がどの程度あるのか検討する。[原注5]

つまり、たとえ政府あるいはほかの相手側があなたについて何かを知りえる正当な理由があったとしても、あなたは自身のプライバシーの権利によって、先方がその情報をどう利用するかを制限できる可能性がある。

より微妙な意味合いを持つこのプライバシーの考え方は、社会においてプライバシーが果たす重要な役割から生じた。プライバシーとは、ウォーレンとブランダイスが定義したような「社会から遠ざかるための権利」ではない。プライバシーとは社会をうまく機能させるための権利なのだ。

ファノは、プライバシーには三つの社会的役割があると指摘している。ひとつ目は「自身の人格に関するプライバシーを維持する権利を、自己保存権の一部とみなすこと」。これはつまり、社会での自身の最終的な立場に長く続く影響がないかぎり、自身の若気の過ちや個人的な対立を自分の胸に秘めておける権利のことだ。二つ目は、プライバシーは、誰もが永久に満足できる社会規範など存在しないという仮定と、そして実際に**社会の発展には社会実験が必要という仮定に基づいて社会が認めた、社会を支配する規範から逸脱する手段である**ということ。そして三つ目は、プライバシーは各人の思考力の発達に必要不可欠だということ。プライバシーによって個人は社会から一時的に逃れて、自身の考えを世間に公にする前に内輪だけで共有して検討できる。

哲学者のヘレン・ニッセンバウムも、同様にプライバシーを社会的存在と位置づけ、「『文脈的整合性（contextual integrity）』としてのプライバシー」を論じている[原注6]。プライバシーはデータの流れと、情報が生まれて共有された状況における規範や期待との釣り合いに依存している。フェイスブックがあなたの療法士やその患者を友達としてあなたに薦めてくるのは、文脈の無視だ。オンライン空間では、文脈を増やす機会がある。あなたもインスタグラムのフィードでは、教室にいるときとは別の人格になれるのだ。だが、オンライン空間では、文脈が崩壊する恐れもある。ステイシー・スナイダーは、マイスペースがあったはるか昔にまさにそれを経験した。ただ友人たちに見せるつもりで「酔っぱらいの海賊」というタイトルをつけた自分の写真を投稿したスナイダーは、教職の資格を取りそびれるはめになった[原注7]。

デジタル技術の爆発的な発展によって、「どこまでが個人に属するのか」に対する私たちの意識が急速な変化についていけなくなり、「どこまでが個人に属するべきなのか」へと発想を転換させざるをえなくなった。その結果、プライバシーは侵害されやすくなり、しかもその件数はますます増える恐れがある。たしかに、10年前なら衝撃を受けたようなプライバシーの侵害に対しても、私たちがもはや瞬きひとつしないのは驚くべきことだ。秘密保持のための技術分野とは異なり、この変化を起こした技術的な成果、つまりプライバシーを粉々にするほどの飛躍的な発展はひとつもない。ただ、いくつかの最先端技術が着実に進歩して、ついに転換点を越えたというわけだ。

センサー機器は低価格化、高性能化、小型化が進んだ。超小型カメラ、GPS装置、それにマイクはスパイ博物館に展示されている道具ではなく、日常的に持ち歩くほどありふれたものになった。そういったものが消費者向けの便利な製品と化したとたん、私たちはそれらが監視機器として使われていることについて、前ほど不安に思わなくなっているようだ。そして、プライバシーとその価値についての統合理論を考え出そうとするよりも、そうした物が氾濫しているなかで感じた不安と後悔をつなぎ合わせてつぎはぎのプライバシーをつくっている。自宅や友人宅に自分自身がスパイを持ち込み、プライバシーを賑やかな楽しさや便利さと引き換えてしまう私たちにとって、プライバシーについて考えるのは極めて難しくなっている。

スナップ写真を撮るから笑って！

ビッグブラザーは大量のカメラを擁していたし、今日のロンドン市も同様だ。だが、いつでもどこでも写真を撮影できる手軽さだけで言えば、普通の人々が持ち歩いている携帯電話のカメラが最高だ。

独立記念日の直前に飛行機で旅に出たヘレンは、ボーイフレンドと並んで座りたいという女性から座席を交換するよう頼まれた。ひとつ前の座席に移ったヘレンは、新たに隣り合わせになった男性と話し始めたが、その様子を後ろの席の女性たちが恋愛ものとして撮影していることに気づかなかった。ヘレンが席を変わってあげたこの男女二人組は、撮影した動画に #PlaneBae（機内ラブ）というハッシュタグをつけてツイートした。この話題は、すぐにあちこちのテレビ局のモーニングショーで取り上げられた。二人組がやったことは悪気のないおふざけかもしれないが、そうは思えなかったヘレンは、（弁護士を通じて）次のようなコメントを出した。

> 私に知らせることも同意を得ることもせず、同じ飛行機に乗り合わせた乗客たちが私の写真を撮り、私と隣席の乗客との会話を撮影していました。撮影者たちはその写真と録画内容をソーシャルメディアに投稿し、私の私的な振る舞いについて不当な憶測を述べたのです。
>
> この一件以降、私の個人情報がインターネットに広く出回りました。見知らぬ人々が、明らかに誤った情報に基づいて私の私生活について公で議論していました。
>
> 私は個人情報を晒され、辱めを受け、侮辱され、悩まされました。オンラインでも実生活でも、詮索好きな人々が私のことを探して見に来るのです。[原注8]

安いカメラが大量に普及したことと、インターネットが誰でも利用できるようになったことが合わさって、「人類みなリトルブラザー主義」とでもいうある種の自警団員的正義が生じた。そこでは、私たちはみな刑事でもあり、判事でもあり、看守でもあるのだ。ブロガーたちは、普通の人々に世界じゅうの注目を浴びせることができる。

しかも、意図的に向けられるカメラだけでなく、極めて多くの無人カメラもある。それは、官民双方による観察と監視のカメラだ。表通りには店のショーウィンドウから覗いている防犯カメラと、警察の監視カメラがずらりと並んでいる。そのなかには、録画内容が一般公開されているものさえある。緑が茂った住宅街の通りも、ホームセキュリティ会社リングのカメラつきドアホンのネットワークや、地域密着型アプリのネクストドアを利用している用心深い近隣住人たちによって、監視されているだろう。こうした監視機器でつながっている通りは、自動顔認識技術と組み合わされれば私たち全員の人物調査書をつくれるだけのデータを持っているはずだ。

インターネットで画像を眺めるのは、今や世界じゅうで誰もがいつでもどこでもできる娯楽だ。グーグルストリートビューを使えば、タジキスタンのカフェでくつろぎながら、グーグルの撮影車が私の自宅前の道路を通ったとき（おそらく何カ月も前だろうが）に止まっていた車の車種を見分けられる。あるいはソウルから、数秒ごとに更新されているピカデリーサーカスやラスベガスのストリップ通りの今の様子を眺められる。こうした画像や映像は常に一般に公開されてきたが、カメラとインターネットの組み合わせは「一般」の意味を変化させた。

私たちのプライバシーが侵害される理由のひとつは、私たちがほぼ自発的に行ったことの予期せぬ、そして目に見えない副産物によるものだ。修正第４条は政府の度を超えた監視から私たちを守ってくれるが、アメリカでの民間企業による個人情報収集に対する規制は、法的考慮の寄せ集めしか存在していない。企業は日常的に個人の情報を集めて分析しては、各人に合わせた試供品の提供や広告を行うために使っている。まさに「お金を払っていないのならば、あなた自身が商品だ」という流行り文句どおりに。

足跡と指紋

日々の仕事をこなして私的な生活を送るなかで、私たちは足跡や指紋を残している。泥靴で床の上を歩いたり、砂や雪の上を歩いたりすると、自分の足跡が残っているのが見える。誰かが私たちの靴と足跡をわざわざ照らし合わせて、どこに行っていたかを断定したり推測したりしても、それが当たること自体は別に驚きではない。だが、指紋は違う。ドアを開けたりタンブラーで飲み物を飲んだりしているときに、自分が指紋を残しているなど想像すらしないものだ。やましい気持ちがある者は指紋を意識していて、自分がどこに残してきたか不安に思うかもしれないが、大半の人はそんなことは考えない。

> **不要なまなざし**
> ジェフリー・ローゼンは著作 *The Unwanted Gaze*（不要なまなざし）【2000年、ビンテージ】のなかで、法制度が多くの面で私たちのプライバシーの喪失の原因になっていることを詳しく描いている。

デジタルの世界では、私たちは電子の足跡と電子の指紋を残している。それらはつまり、私たちが意図的に残しているデータの痕跡と、気づかないまま無意識に残してしまうデータの痕跡だ。人物を特定できるこうしたデータは、犯罪科学において役に立つ場合もある。だが、私たちの大半は自分が犯罪者だとは思っていないので、そうした用途については知っていてもたいてい気にしない。一方、自分がデジタルの世界につけたさまざまな小さな染みが、ほかの誰かの役に立ってしまうかもしれないという点には考えがおよんでいない。その誰かとは、私たちが残していったデータを、金儲けや、私たちから何かを奪う目的で利用したいと思っている人たちだ。ゆえに、こうしたデジタルの足跡や指紋を、自分がいつどのようにして残しているのかを把握するのは大事なことだ。

紙の跡を追う

電子メールを送ったりウェブページをダウンロードしたりするときに、デジタルの足跡が残ってしまっても別に驚かない。どのみち、ビットが送られてこなければならないのだから、このデジタルのシステムの少なくとも一部は私の居場所を知っているはずだ。昔だったら、もし自分の名前を明かしたくなければ、無記名のメモを書いて送る手があったが、筆跡で誰かわかってしまうかもしれなかったし、それに紙に指紋を残してしまう恐れもあった（私の指は結構べたついている）。タイプライターを使うこともできたが、推理小説のなかでペリー・メイスンが、タイプライターで打たれた手紙と、疑わしい人物のタイプライターの独自の癖が一致していることを突き止めて、しょっちゅう犯罪事件を解決していたではないか。それも、いわばタイプライターの指紋だ。

今では、手袋をして、手紙をレーザープリンターで印刷するのがいいのではないだろうか。だが、それさえも匿名でいるためには不十分かもしれない。パデュー大学の研究者たちは、レーザープリンターで印刷された紙から、その紙を印刷したプリンターを特定する手法を編み出している[原注9]。これは印刷された各種の紙を研究者たちが分析して捉えた、各メーカーや個々のプリンター独自の特徴（昔のタイプライターのアームが打つ活字のかすれといった、指紋として利用できるもの）と、特定したい紙に表れている特徴とを照合する方法だ。だが、どのプリンターによって印刷されたものかを特定するために、手紙を一通ずつ顕微鏡で調べる必要はもはやなくなっている。

電子フロンティア財団は、多くのカラープリンターでは製造番号や印刷日時がほぼ目に見えないよう符号化されて、印刷されるすべての紙に記録されていることを実際に示してみせた（**図3.1** 参照）。つまり、何らかの報告書を印刷するとき、印刷した人物を誰も突き止められないだろうなどと思い込んではならないのだ。

この技術開発の背景には、もっともな論理的根拠があった。政府はオフィス用プリンターが大量の偽100ドル札の製造に使われないよう、確実な策を取っておきたかったのだ。この技術は紙幣偽造者たちを阻止するために開発されたが、結果としてカラーレーザープリンターで印刷されたどんな紙についても、印刷に使われたプリンターが特定できるようになった。有益なテクノロジーは、ときに意図せぬ結果を生み出すものだ。

法的にもまったく正当な理由で、自身の匿名性を守りたい人は多

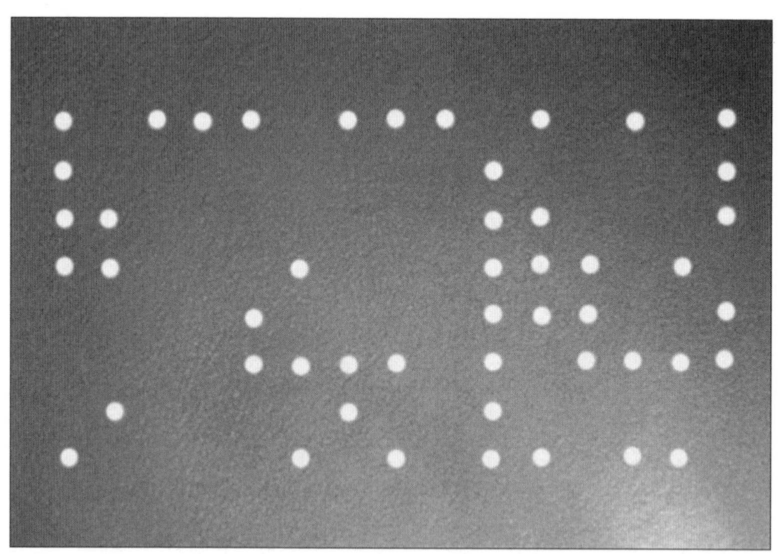

Source: Electronic Frontier Foundation, http://w2.eff.org/Privacy/printers/docucolor/

図3.1 ゼロックスのDocuColor 12カラーレーザープリンターが残した「指紋」。これらの点は裸眼で見るのは非常に難しく、この写真はブルーライトを当てて撮影したものだ。この点のパターンには日付（2005年5月21日）、時刻（12時50分）、プリンターの製造番号（21052857）が符号化されている

い。たとえば、内部告発者や反体制派の場合。そこまでではなくても、職場での不当な行為に対して不満を述べる場合もあるだろう。政治論を語るなかでの匿名性を危うくする技術は、表現の自由をも抑圧してしまうのだろうか？　一定の匿名性は健全な民主主義に必要不可欠なものであり、しかもアメリカでは独立戦争の時代から、匿名性が言論の自由を推進するための武器として使われてきたのだ。指紋を残せる通信技術のために匿名性を完全に放棄してしまったら、私たちは後悔することになるかもしれない。

それに指紋が存在することのみならず、私たちがそうした指紋を残している事実を誰も教えてくれなかったのも問題だ。

インターネットメディア『ザ・インターセプト』に機密情報を漏洩した、NSA の請負会社社員リアリティ・ウィナーは、紙に印刷した文書を送れば漏洩経路の追跡を阻めると思ったようだ[原注10]。『ザ・インターセプト』は本物であるかどうかを確認するために文書をNSA に見せ、その数日後にウィナーは逮捕された。メディアの第一報では、ウィナーはプリンターの小さい点のパターンによって特定されたという憶測が飛んでいたが、真実はいたって平凡だった。NSA の記録によると、この文書にアクセスしたアカウントはウィナーのものを含めてたった6個で、しかもウィナーは事件の直前に個人アカウントを使って『ザ・インターセプト』に連絡していた[原注11]。

広告

ボストンで通称「T」と呼ばれている地下鉄に乗ると、大学や大学院の講座の広告をしょっちゅう見かける。通常そこには電話番号と、college.edu/recruiting/redline といった最後が “redline” で終わる URL が掲載されている。これはその大学がこの地下鉄の一路線「レッドライン（Red Line）」についての特別な講座（プログラム）を用意しているという意味ではないが、そこに特別な「広告用プログラム」が使われているのはたしかだ。このURLの最後の“redline”は、あなたが地下鉄の広告に出ていたURLから大学のウェブサイトに来たことを、大学側に教えるものだ。大学はその情報を利用して、あなたを地下鉄広告で宣伝されていた講座のページへ誘導したり、この広告キャンペーンの有効性を追跡したりできる。

どのURLからウェブサイトへ誘導されてきたかというこうした情報は、インターネット上の広告が利用している多くの手掛かりのひとつにすぎない。ただし、ほかの手掛かりは地下鉄広告に大きく示されたURLよりも、私たちにはわかりづらいようになっている。あなたが使っているブラウザーでリンクを辿ってウェブページを開こうとするとき、そのリンクをクリックした動作によって、一連の流れが発生する。まずそのウェブページへのリクエストがサーバーに送信され、また、同ウェブサイトが以前にクッキーを発行していたら、その情報も送られる。続いて、最も単純なつくりのものを除いたウェブページは、画像、フォント、ページを動的にするスクリ

ウェブサイトがあなたを特定している方法
（ただし、ほかにもあるかもしれない）

1. あなたが教えている。
   Gmail、アマゾン、イーベイといったサイトにログインするのは、自分がまさに誰であるかを彼らに知らせるということだ。
2. 前回訪れたときに、ウェブサイトがクッキーを発行した。
   クッキーとはあなたのパソコンのハードディスクに保存される小さなテキストファイルで、あるウェブサイトでのあなたの訪問中に、または次回の訪問に向けて、そのウェブサイトが保持しておきたい情報が含まれている（たとえば「買い物かご」の中身など）。ウェブサイトはクッキーによって、追跡やパーソナライズ化に役立つ情報を継続的に入手できる。あなたのブラウザーには、ウェブサイトが発行したクッキーを表示させる機能がついている。それを使って確認すると、保存されているクッキーの多さにあなたも驚くはずだ！
3. あなたのIPアドレスを知っている。

ウェブページを送るためには、ウェブサーバーはあなたの居場所を知らなければならない。あなたのIPアドレスとは「66.82.9.88」といった数字で、これによってあなたのコンピューターのインターネット上での位置が特定できる。そのアドレスは、日ごとに変わるかもしれない。だが、自宅での利用においては、あなたのインターネットサービスプロバイダー（通常は契約している電話会社かケーブルテレビ会社）が、どのIPアドレスをいつ誰に割り当てたかを常に把握している。そうした記録は裁判において召喚されることも多い。

4. すでによく知っている人のなかに、あなたと似ている人がいる。

フェイスブックにログインするユーザーは、友人や家族とのつながり、好きなバンドやレストラン、政治的志向といった、自身の生活や人脈についての詳細な情報をほかのユーザーと共有している（まさにそうした情報によって積極的に友達としてつながったり、「いいね！」したりしている）。フェイスブックは情報がほとんどないユーザーについては、すでによくわかっているユーザーのなかから上述の情報で似たような特徴がある人を選んで、表示する広告などを同様のものにする。

5. あなたのブラウザーにつけておいた指紋から、あなたが過去に訪問したときの情報と今回の訪問を結びつけた。

ウェブサイトはあなたが使っているブラウザーの何の変哲もなさそうな情報（種類、バージョン、グラフィックスの表示方法、言語をはじめ、ほかにもたくさんある）を大量に入手できる。これらの情報は比較的変化が少ないため、誰が使っているブラウザーなのかを一意に特定できることが多い。この方法は簡単でありながら、驚くほど正確で効果が高い。

プトといった、サブリソース用のさらなるリクエストを誘発する。商用サイトでは、「トラッキングピクセル」「ウェブバグ」（訳注：「ウェブビーコン」ともいう）などと呼ばれる、あなたの活動を追跡するためにあなたのコンピューターにさらなるリクエストを誘発させる、目で見えないほど小さな画像ファイルが埋め込まれている広告が多数出されている。

あるIPアドレスについて、それを使っているのが誰なのかを知りたければ、アメリカン・レジストリ・フォー・インターネット・ナンバーズ（www.arin.net）で調べることができる。また、whatismyip.com、whatismyip.org、ipchicken.comといったウェブサイトでは、自分のIPアドレスを調べられるサービスを提供している。さらに、www.whois.netでは「harvard.com」といったドメイン名の所有者を調べることができる（ちなみに、このドメイン名はハーバード大学と通りをはさんで真向かいにある、個人経営の書店「ハーバードブックストア」のものであることがわかった）。

残念ながら、あなたに迷惑メールを送ってくる相手については、IPアドレスの情報からは特定できない。なぜなら、発信者は送りつける電子メールのソースを頻繁に偽装しているからだ。また、あなたがウェブページをリクエストしてからそのページの広告がブラウザーに表示されるまでのあいだに、通常はリアルタイムでオークションが行われていて、あなたによるアクセス（あるいは、少なくともあなたのブラウザーが表示しようとしているウェブページの広告スペース）は、最高入札者へ売り渡される。広告ネットワークはトラッキングピクセルで集めた情報やページのコンテキスト情報を、どんな広告を選んで、それを表示するにはオークションでいくらで入札すればいいかを決めるために利用する。

なぜ、この靴は私につきまとうように、いつもブラウザーに表示されるのだろう？　それはもしかしたら、あなたがその靴をインスタグラムで見たか、ピンタレストでタグづけしたか、あるいはお気に入りのショップのウェブサイトで新作のスニーカーを検索したからかもしれない。それどころか、一度は「買い物かご」にまで入れたが、今回は予算オーバーで買うのをあきらめたものかもしれない。そして今となっては、その靴から逃れられないようだ。ニュースを読んでいても、友人たちとフェイスブックをしていても、広告バナーのなかのその靴がまとわりついてきて、「注文」ボタンをクリックするよう迫ってくる。

広告業界で「リターゲティング」と呼ばれているこうした広告は、リアルタイム入札の産物のひとつだ。あなたが以前あるウェブサイトを閲覧していたときや、そこで買い物していたが途中でやめてしまったときに、そのウェブサイトのマーケティング担当者はあなたのブラウザーに追跡用のクッキーをつける。そして、そのクッキーを利用して、あなたが靴に興味のある買い物客であることを特定し、何とか呼び戻して購入につなげたいという期待を抱きながら、その靴の広告をあなたに見せようと入札する。もし、あなたがそれらの広告をひとつでもクリックしたら、マーケティング担当者はそれを「コンバージョン」（**訳注：最終的な成果**）として記録し、今後の広告の機会に役立てるためにあなたに関するデータに追加する。

ウェブブラウザーのユーザーたちは、こうした動きをただ黙って受け入れたわけではなかった。『エコノミスト』はこのデータを「新たな石油」と称し、自分がほとばしる石油と思われたくないブラウザーユーザーたちは、広告除去ソフト（アドブロッカー）（ad blocker）をダウンロードした。2020年初め現在、すべての主要ウェブブラウザーにおいて、追跡防止機能（トラッキング）がすでに組み込まれているか、あるいはサードパーティクッキー（**訳注：ユーザーが閲覧しているウェブサイトとは異なるドメイン（広告などの）から発行されるクッキー**）を制限する計画が発表されている。

プリンストン大学のアーヴィンド・ナラヤナンは、研究チームとともにウェブ測定の研究所を立ち上げ[原注12]、ブラウザー追跡目的で編み出されている新たな手法を次々に明るみにしている。「クローラー」（**訳注：サイトを巡回して情報を収集するロボット**）を駆使して、ユーザーを特定したり以前のやりとりをすべて削除できたと思い込んでいるユーザーを再特定化したりする追跡手法を日々探している。

インターネットにおけるパラドックスのひとつは、各ブラウザーは指紋のような個々の特徴によって特定できて、しかもその特徴にはユーザーがより確実なプライバシーを実現しようとするための機能も含まれていることだ。つまり、そういった保護機能をオンにすることで、プライバシーを求めるユーザーは逆に目立ってしまう。こうした事例では、プライバシーの強化はそれを求めるブラウザーユーザーが大勢のなかに溶け込める仕組みを、各分野が協力してつくれるかどうかにかかっている。プライバシーが実現できる可能性を保つためには、標準化された手順やよく考えられた初期設定が必要だ。

ターゲットはあなたが妊娠していることを知っている

チャールズ・デュヒッグが取材した『ニューヨーク・タイムズ』の記事によると[原注13]、2012年、ミネアポリス市内のターゲット（訳注：大手ディスカウントストア）に激怒している男性がやってきて、店長と話をさせろと言った。「私の娘にこんなダイレクトメールを送るなんて！」男は文句を続ける。「まだ高校生の娘に、ベビー服やベビーベッドのクーポンを送ってくるなんて、どういうつもりなんだ？　早く妊娠しろとけしかけてるのか？」

店長は明らかに当店のミスですと、このミネアポリス在住の男性に謝罪した。だが数週間後、再び店を訪れた男性が、今度は彼のほうから謝罪した。娘は本当に妊娠していたのだ。ターゲットの予測モデルは父親さえよりも早く、この若い女性の妊娠に気づいていたというわけだ。同店のモデルは、彼女の個人情報にはアクセスできない。しかし、このモデルは分析ツールと手持ちのデータで予測する能力を身につけていた。

お得意様カードやお客様アカウントを発行しているほかの多くの店と同様に、ターゲットも買い物客の行動の統計モデルを構築して、人気商品の在庫調整や価格設定、あるいはお薦めを行うために役立てている。ターゲットは社内のお客様IDに基づいた買い物客の購入履歴と、その記録を補足するために外部から購入したデータを関連づけている。それらのデータから、同社の統計専門家は「妊娠中期の女性は、無香料の保湿ローションやサプリメントを購入することが多い」といった傾向を読み取ることができる。そして、この傾向が実際に何度も店で現れると、ターゲットは以前無香料のローションを買った客は将来ベビー服やおむつを買うと予測できる。そうして、客自身がまったく知らずに出している合図に応じて、時期によって買うものがどんどん変わっていく妊娠中の女性客に助言していたのだ。

それ自体はどれもまったく問題ではない多くの技術開発によって生じるプライバシーの問題には、どのように対処すればいいのだろうか？

自分で買ったマイクが盗聴に使われる

連邦当局にとって、裏社会の人物の会話を盗聴できそうな場所に超小型マイクを仕掛けるのは、かつては危険な任務だった。人々が自分専用の無線マイクを持ち歩き、アレクサ、シリ、コルタナ、あるいはグーグルアシスタントを自宅に設置する今日においては、ずっと安全な代替策がある。

多くの携帯電話は、あなたがスイッチをオフにしたつもりでもマイクが常に稼働して電話機が発信し続けるように、遠隔操作で再プログラムできる。2004年、FBIはジョン・トメロと、彼が率いるマフィアの犯罪組織の部下たちとのやりとりを、この手法を用いて盗聴した。連邦裁判所は、正当な許可を得られた後に行われたこの「ロービングバグ」手法は、合法な盗聴方法であるとの判決を出した。もし、トメロが携帯電話のバッテリーを抜いていたら、この方法はうまくいかなかった。そのため、極めて慎重な企業重役の一部は、日常的にまさにそうしている。

ゼネラルモーターズの車でオンスター（OnStar）のシステムを搭載しているものも、マイクを遠隔操作でオンにできる。この機能は、車が衝突した信号を受けたオンスターのオペレーターがドライバーに連絡するためのもので、ドライバーの命を救えることもある。オンスターは「我が社は警察をはじめとする機関による犯罪捜査への、正式な裁判所命令に従う方針です」という注意事項を明確にしていて、実際、FBIはこの機能を利用して車内の会話を盗聴している。ある事件では、連邦裁判所はこの方法で証拠を集めるのは違法との判決を下した。だが、その理由はプライバシー云々とは何の関係もなかった。このロービングバグによってオンスターの通常業務が行えなくなったことで、オンスターのオペレーターとやりとりできるという車の持ち主の契約上の権利をFBIが侵害したと、裁判所が判断したにすぎなかったのだ！

アマゾンエコーを自宅で使っていたオレゴン州ポートランドのダニエルは、「アレクサの電源をすぐに抜いて。あなたはハッキングされている」という夫の同僚からの電話に驚いた[原注14]。この機器は「アレクサ」という起動ワードを言われたときのみ録音を行うよう設定されているが、どうやらダニエルの会話中に出てきた「アレクサ」と「メッセージを送って」の二つに反応したようだった。そうして、堅木張りの床についてのダニエルのおしゃべりは、仕事関係の知り合いへの音声メールになってしまった。これは極めてまれな出来事だったかもしれないが、ネットワークにつながった小型録音機がますます私たちの生活に取り入れられるようになると、また同じことが繰り返されるかもしれない。ドイツの官庁は、おしゃべり人形「マイ・フレンド・カイラ」[原注15]を、そのスパイ行為とデータ収集能力の高さから使用禁止にした。カイラは子どもたちと会話するため、耳にした音声をインターネットにアップロードしていた。同国は、この人形を持っている子どもの親たちに、「違法なスパイ装置」を破棄するよう勧告した。一方、アメリカでは、家のスマートテレビはあなたに合わせた広告を出すために、あなたの視聴傾向を観察しているかもしれない。「もしそれによる収入源がなかったら、テレビの価格をもっと高くせざるをえなかった」と、ビジオの最高技術責任者はコンシューマー・エレクトロニクス・ショーで語っている。[原注16]

ベンモ——集めると見えてくる

信用調査機関や情報分析会社が私たちをクレジットカードで追跡できることは、すでに取り上げた。より新しい決済技術では、自分自身を直接追跡できてしまう。ベンモは相手の電話番号を入力するだけで、送金や割り勘ができる（訳注：この種のアプリを個人間送金アプリともいう）。あまりにも簡単なので、ベンモアプリを使って友人やルームメイトに送金するとき、これらの支払取引が、支払い時に添える一言も含めて公開されていることに、あなたは気づかないかもしれない。このフィードを発見したある研究者は、何百万件もの取引のなかのほんの一部のスレッドを関連づけて、「ある学生のファストフード購入傾向」「大麻売人の売り上げ」「恋の芽生え？」といった「ベンモストーリー」をつくった。[原注17]あなたのエローテ（味つきトウモロコシ）への情熱を他人に知られるのは別に構わないかもしれないが、たとえ合法な州であっても、嗜好用大麻の購入はあまり公にしたくないのではないだろうか。研究者のハン・ドー・ティー・ドュックはストーリーの詳細は非特定化しているが、金額以外のすべての情報が含まれているベンモのフィードについては、ベンモのパブリック API を使えば今もなお誰でもフィードにアクセスできると警告している（ドュックは作成したウェブサイト

publicbydefault.fyi のすべてのページにおいて、送金者と受取人の取引を非公開にするためにプライバシーの初期設定を変更するよう、ベンモユーザーたちに忠告している）。

DNA――究極のデジタル指紋

2018年4月、カリフォルニア州は、ジョセフ・ジェイムズ・ディアンジェロを数十年前の一連の殺人や強姦事件の容疑者として法廷に召喚した。この「ゴールデン・ステート・キラー（黄金州の殺人鬼）」による事件は長年未解決だったが、犯行現場で採取されたDNAのデータを、ある捜査官が一般公開されている家系図ウェブサイト「GEDマッチ」に登録したことで捜査が動きだした。捜査官は正体不明の人物の偽会員プロフィールをつくり、採取されたDNAのデータをアップロードした。遺伝子の一部が一致したものがあるかどうか、GEDマッチがこの人物のDNAを既存のデータベースのものと比べたところ、この殺人容疑者の遠い親戚と思われる人々の会員プロフィールがあることが明らかになった。それらの名前は家系図や血統へつながり、そこから辿った国勢調査記録、死亡記事、墓、民間企業や警察のデータベースの情報によってさらに追跡できた。こうした捜査によってある人物が容疑者として浮上すると、捜査官たちはその男の追跡を開始した。そして、男がホビーロビー（訳注：手芸品やインテリアを売っている大型雑貨店）の駐車場に車を入れたときにドアに残した皮膚細胞から採取した新たなDNAサンプルが、容疑を裏づける有力な証拠になった。そのDNAは、犯行現場に残された元のDNAサンプルと一致したのだ。[原注18]

ディアンジェロはこの先祖を探すサイトに登録していなかったが、（その過程のなかで多少の突然変異が生じるにもかかわらず）親の遺伝子のおよそ半分が子に受け継がれるため、ディアンジェロの遺伝情報の多くが、親戚のものに表れるかそこから読み取れる。もしあなたの家族の誰かが自身の遺伝子データと家系図をGEDマッチで調べた場合、そうした調査はあなたにも共通している形質についての情報を晒すことにもなる。つまり、あなたは何もしていないのに、ほかの人の行動であなたのプライバシーが侵害される恐れがあるのだ。遺伝情報差別禁止法によって、雇用主や医療保険会社がDNA情報に基づいた差別をするのは禁じられているが、この法律ではDNA情報のほかのさまざまな用途については制限されていない。

このゴールデン・ステート・キラー事件をきっかけにして、DNA法医系図学を利用した犯罪捜査が大幅に増えた、2018年末には10件以上の凶悪事件や性的暴行事件の犯人がGEDマッチを通じて特定された。その一方で、同ウェブサイトはプライバシー侵害を危惧する声も聞き入れて、サービス利用規約を「会員が自身の記録についてオプトイン（訳注：ユーザーが事前に同意することで初めて個人情報の収集や利用が行われること）しないかぎり、警察はDNAデータを照合できない」へと変更している。

情報を公正に扱うための原則

1960年代の政府や企業の建物内で急速に増えた「ディスクドライブだらけの部屋」で発生した初期の情報革命は、業務での情報の取り扱いにおけるプライバシーの権利の重要性について、一連の内省を行うきっかけとなった。大きなデータバンクの所有者は、業務でデータの収集、処理、移転を行うときに、何を考慮すべきなのだろうか？

1973年、当時の保健教育福祉省は「情報を公正に扱うための原則」を策定、公表した。その内容は次のようなものだった。

公開の原則　その存在自体が内密にされるような、個人情報記録管理システムがあってはならない。

開示の原則　自身のどんな個人情報が記録され、どのように使われているのかを本人が知ることができる方法が確保されていなければならない。

二次利用時の原則　ある目的で入手された個人情報が、本人の承諾なしにほかの目的のために利用されたり取得可能にされたりすることを、本人が阻止できる方法が確保されていなければならない。

修正の原則　個人が特定できる情報記録を、本人が修正または改善できる手段が確保されていなければならない。

安全保護の原則　特定可能な個人情報の記録を作成、保持、利用、または発信するいかなる団体も、データの用途が信頼できるものであることを保証すると同時に、データの悪用を防ぐための予防策を講じなければならない。

これらの原則はアメリカの医療データ用に提唱されたものだが、結局採用されることは一度もなかった。とはいえ、多くの企業にとって、それはプライバシーポリシーの基礎となった。また、この原則を参考にした内容が、1980年の経済協力開発機構（OECD）による国際貿易協定や、1995年の欧州連合（EU）の規則に盛り込まれている。アメリカにおいては、州法の一部にこの原則の名残が見られるが、連邦法ではプライバシーは総じて事例ごとに、あるいは各「分野」に応じて扱われる。たとえば、1974年プライバシー法は連邦政府機関同士のデータ移転には適用されるが、民間部門でのデータの扱いについては制限していない。公正信用報告法は消費者信用データにのみ適用され、医療データには適用されない。ビデオプライバシー保護法は、ビデオテープのレンタルにのみ適用され、この法が成立した当時にはまだなかったオンデマンドの映画ダウンロードには適用されない。さらに、都市や町の書類棚やコンピューターシステム内の巨大なデータバンクに適用される連邦法や州法は、非常に少ない。アメリカの政府は分権されていて、政府のデータに対する権限も分散されている。

アメリカはプライバシーの法律に欠けているわけではない。だが、プライバシーの法制化の過程は混乱が多く一貫性に欠けていて、しかも明らかにテクノロジーに関連する出来事に左右されてきた。何が保護されるべきで、そうした保護がどんなかたちで実施されるべきかについての国民的合意もなかった。アメリカにおいては、プライバシーの便益と代償についてのより確実な情報に基づく集団的判断がなされなければ、まさに寄せ集めである今のプライバシーの法律が、ますますひどいものになっていくかもしれない。

アメリカとヨーロッパのデータプライバシー基準が異なることで、アメリカは国際貿易から締め出されるかもしれない危機に瀕した。アメリカをはじめとする、ヨーロッパのプライバシー保護基準を「十分」満たしていない国へのデータ転移が、あるEU指令によって禁じられる恐れがあったからだ。2000年、欧州委員会はアメリカの多国籍企業向けに「安全港」(訳注：この範囲を満たしていれば違反にならないという基準。セーフハーバーともいう）を設定したが、欧州司法裁判所（CJEU）は、その基準はヨーロッパのデータ主体である個人の権利を守るには不十分との判決を下した。2016年、連邦取引委員会は代替策として「プライバシーシールド」を打ち出した。この新たな策は「プライバシーシールドの枠組みに加わるのは強制ではないが、加入資格を満たしている企業が当枠組みの要件を遵守すると公に確約した時点で、アメリカの法律のもとでその確約の履行義務が生じる[原注19]」という法的強制力の点で前のものとは大きく異なっていた。

だが2020年、欧州司法裁判所は、アメリカにあるEU市民データがアメリカ政府の監視対象になるという理由から、プライバシーシールドさえも不十分という判決を下している[原注20]。

基本的権利としてのプライバシー

ヨーロッパを訪れたときにインターネットを閲覧すると、ポップアップやバナーが山のように現れることに気づくはずだ。どんなウェブサイトも、「より円滑に閲覧していただけるように」という名目で、クッキーの使用や「あなたのデータを取り扱う」ための同意を求めてくる。ヨーロッパの法律は個人のプライバシーを基本的権利とみなす傾向がより強いが、それでもヨーロッパの広告主はアメリカの同業者と同じくらい熱心に個人情報を集めたがっている。これらのバナーは、電子プライバシー指令によって義務づけられた「データの取り扱いへの同意」を求めるためのものだ。

2018年、一般データ保護規則（GDPR）によって個人情報における詳細な個人の権利が定められ、企業はそうしたデータの利用における自己情報コントロールの権利を個人（「データ主体」）に与えるよう義務づけられた。個人データを収集、取り扱う者は、そういったプライバシーの侵害が妥当なものであると、本人の同意またはその他の「正当な理由」に基づいて説明できなければならない。たとえば、電子メールサービスプロバイダーは、あなたが広告を送りたい相手宛てに電子メールを送付するために彼らのメールアドレスを必要とするが、自宅の住所は必要ではない。さらに、個人はそのプロバイダーに対する同意を撤回して、自身について集められたデータの削除を求める権利もある。GDPRはEU市民がどこにいても適用されるという、域外での適用が定められているため、ヨーロッパ以外の電子メールサービスプロバイダーの多くも、クッキー使用の同意を求めたりデータの取り扱いをデータ消去依頼に応じられるようにしたりして対応している。

ヨーロッパのこの規則はすでに発効しているにもかかわらず、2020年の現時点において実際に罰が課せられた例は非常に少ない。高額の罰金が命じられたのはグーグルに対してのわずか一件で、このときの制裁金5000万ユーロ（約5400万ドル、約62億円）は、グーグルが1日の広告営業で稼ぎ出す金額のおよそ10分の1だった。一般市民から自国のデータ保護機関へ寄せられた何百件もの苦情を詳しく調べないかぎり、ヨーロッパの人々のオンライン上のプライバシーが強化されたのか、あるいはクリックしなければならないポップアップがただ増えただけなのかどうかについては、まだ何とも言えない。

残念な点は、ヨーロッパの包括的な取り組みのほうがアメリカの断片的な取り組みよりも理にかなっているかどうかの議論になりがちなことだ。だが、本当に問いかけなければならないのは、両取り組みにおいて、私たちに求められていることが実現できるかどうかなのだ。1974年プライバシー法は、政府による大掛かりなデータ収集計画に対して義務づけられている公式の通知は、連邦官報内に深く埋もれたわかりづらい告示の形式でもかまわないと明言している。まあ、ないよりはましかもしれないが、そこで保証された「公開性」とはあくまで形式的かつ狭義なものにすぎなかった。一般を対象とした事業を行っている大企業の多くは、プライバシーに関する注意事項を公表しているが、ほぼ誰も読んでいない。2002年のヤフーの例では、同社のプライバシーに関する注意事項を読んだユーザーの割合は、たった0.3パーセントだった。同年、ヤフーが広告を掲載できるようプライバシーポリシーを変更し、悪評の嵐が吹き荒れたさなかでさえ、同社のプライバシーに関する注意事項のページへアクセスしたユーザーは、全体のわずか1パーセントまでにしか増えなかった。アメリカの数あるプライバシー法のなかで、ブッシュ政権による無令状盗聴プログラムの実施や、それに対する同国の大手電気通信会社の協力を阻めるものはひとつもなかったのだ。

たしかに、麻薬取引や国際テロの情報を集めるにあたり、連邦政府と民間企業の協力はかつてないほど極めて重要になった。その理由は、またしてもテクノロジーの発展だ。20年前の長距離電話の大半は、たとえわずかな時間でも通信の一部が、マイクロ波アンテナ間や、地上と通信衛星間で送られる電波として空中を飛んでいた。そのため、政府関係の盗聴担当者はただそれを傍受すればよかった。一方、今日では通話の多くが光ファイバー通信ケーブルを経由するため、政府は民間企業が所有するこのインフラから盗聴している。

高度なプライバシー基準には、代償が伴う。なぜなら、データの公益性が制限される恐れがあるからだ。個人の医療情報が公にされてしまうのではないかという世間の不安を解消するために、ある重要な法律がつくられた。その「医療保険の相互運用性と説明責任に関する法律」は、医療情報の取り扱いにおける電子データ交換の利用推進と、「保護された医療情報」が開示されてしまった場合の厳正な処分の二つの役割を担っていた。ちなみにこの「保護された医療情報」は、病歴のみならず医療費といったものまで含めた、非常に広範囲にわたるものだ。この法律では、個人医療情報と本人とを再び結びつけるために利用できる、あらゆる要因を排除するよう義務づけられている。だが、誰でもアクセスできるデータと、高度な計算能力を備えたコンピューターが存在している状況においては、HIPAAは問題だらけだ。そうした状況下では、異なるデータソースからのデータを合わせれば点を結んで全体像をつくりだせるため、HIPAAが達成を目指すレベルの匿名性を実現するのは極めて難しい。もし不安ならば、今や大勢いるHIPAAコンプライアンスアドバイザーが有料で助言してくれるサービスもある。インターネットでHIPAAを検索すると、彼らの広告が出てくるはずだ。そうしたサービスは、あなたのデータを守るためや、あなたが刑務所行きの処分を受けないために役立つかもしれない。

「同意します」のチェック欄が最後にある文章を読まないと何が起きる？

企業はあなたの同意さえあれば、あなたについての情報をほぼどんなふうにでも好きに扱える。この原則に異議を唱えるのは難しいが、企業の規約に「同意」している消費者は不利な立場に追い込まれる恐れがある。シアーズ・ローバック、ケイマートの親会社シアーズ・ホールディングス（訳注：SHCは2018年に破産法を申請し、両子会社は他社の傘下に入っている）は、消費者に「マイ・シアーズ・ホールディング・コミュニティ」への入会を勧めた。同社はこの会について「これまでにはなかった、とても活発な対話形式のオンラインコミュニティで、皆さんの意見を大事にして積極的に取り上げます」と説明している。そこで、ウェブサイトにアクセスして入会を申し込むと、画面には規約が現れる。

ひとつのスクロールボックスに掲載できる文章がわずか10行だったため、規約全文は54ボックス分もあった。そして、その長文の規約内に埋もれていたのは「買い物かごに商品を入れる、申込書に記入する、自身の個人資産情報や医療情報を確認するといった、私が自身のコンピューターを使ってインターネット上で行うすべての活動を観察するソフトフェアを、シアーズが私のコンピューターにインストールするのを許可する」という内容だった。つまり、入会すると、あなたのコンピューターがあなたの信用履歴やエイズ検査結果といった記録をSHCに送るかもしれないが、そうしてもいいと言ったのはあなたなのだ！

HIPAAをはじめとするプライバシー法は私たちの個人情報を守ってきたと同時に、医学研究費用の増加や、ときには研究自体が行えなくなる原因にもなっている。心臓病治療のための公共政策づくりにつながったフラミンガム心臓研究といった過去の有名な研究は、プライバシーの規則が強化された今日の状況においては、再び行うことはまずできないはずだ。この問題について、米国疫学会会長のロバータ・ネス博士は「HIPAAは公衆衛生調査の実施に対して悪

影響さえ及ぼしているのではないか、という見方もある」と指摘している。[原注21]

「情報を公正に扱うための原則」の5原則と、その背景にある透明性と自己情報コントロールの精神が、よりよいプライバシー慣行につながったことは間違いない。だが、それらはデジタル爆発や、並行して起きている世界の不安定な状態、日常生活のなかでの社会的、文化的変化にのまれてしまっている。インディアナ大学のプライバシー学者フレッド・H・ケイトは、FIPPの原則はほぼ完全に破綻しているとみなしていて、次のように指摘している。

> 現代のプライバシー法はたいてい大きな犠牲が伴い、お役所的で、何かと手間がかかり、しかも、それによって保護されるプライバシーは驚くほど少ない。これらの法はプライバシー保護の代用として自己情報コントロールを推進したが、それが実際に達成されることはめったにない。情報技術、多国間の商取引、移動時間の短縮化によってさらなるグローバル化が進む今日の世界において、データ保護法は保護主義的な傾向を強め、その亀裂はますます大きくなっている。これらの法律は本質から切り離され、しかも、現在の拠り所となっている方針があまりにばらばらで、手続き的になっている。それゆえ、たとえ私たちがFIPP教を唱え続けても、この王様がほとんど、あるいはまったく服を着ていない事実はもはや覆い隠せなくなっている。[原注22]

今日においてもいまだ電気を使わずに暮らしているのは、アーミッシュといった宗教集団だけだ。検索、ログイン、ダウンロードといった日々の活動で多くの指紋が残ってしまうインターネットとつながらずに生活するのは、今やそれくらい珍しいことだ。「昔からある方式のテレビ放送」さえ、デジタル通信を前にして急速に消え

去ろうとしている。[原注23]

デジタルのケーブルテレビにはビデオ・オン・デマンドという利点があるが、プライバシーの面で高い代償を伴う。契約したケーブルテレビ会社は、あなたがいつどの番組を視聴したかすべて記録している。見たい番組を見たいときに見られるのはあまりに快適で、テレビ局の電波が家に降り注いでいた、匿名性は保てるが不便だったあの日々には戻りたくないと思ってしまうほど魅力的だ。あの頃はたしかに番組の放送時間は固定されていて選べなかったが、少なくともあなたが空中からどの電波を選び取っているかは誰にも知られずにすんでいた。

情報コントロール権としてのプライバシー

プライバシーは複雑なものであり、しかも仲間、自身が所有する機器、政府、おまけに企業のマーケティング担当者からの攻撃にさらされている。**私たちのビットはあちこちに散らばってしまっている。もはや閉じ込めることはできないし、しかももう誰もそれを本気で望まなくなっているのだ。**プライバシーの意味は変化し、私たちにはその言葉をうまく説明するすべがない。今日のプライバシーとは「ひとりで放っておいてもらう権利」ではない。どんな強硬な手段さえも、私たちの「デジタルの分身（digital self）」を外の世界と切り離すことはできない。また、「自身の個人情報を自分だけのものにしておく権利」でもない。何十億もの細かい疑似事実の欠片を、私的なものか公のものなのかを特定して分類するのはどうしても無理だからだ。

私たちが望んでいるのはどちらだろう？　あちこちにデジタルの指紋が残り、自分が追跡されていると常に意識させられる、この新世界だろうか？　それとも、デジタルの足跡はほとんど残らず、詮索好きな目から自身が守られているという強い安心感を抱ける旧世界だろうか？　とはいえ、この世界は情報がしっかりと閉じ込められていた昔にはもう戻れないのにもかかわらず、こうした問いかけをすることに何の意味があるのだろうか？

「プライバシーとは個人を囲む壁」という以前の考えを超えた先の世界では、その代わりに、個人の情報を「不適切に使用する者」を取り締まればいいのではないだろうか。もし私が裸で踊っている自分の動画をユーチューブに投稿したら、私自身何らかの報いを受けるはずだ。突き詰めれば、ブランダイスとウォーレンが指摘したとおり、人は自身の行動の責任を取らなければならないのだろう。とはいえ、過去において社会は、ある判断に対して何が適切で、何がそうではないという線引きを行ってきた。プライバシーの境界線があまりに穴だらけになってしまった今、妥当性の境界線を強化するのも一策かもしれない。こうした点について、ダニエル・ウェイツナーは次のように解説している。

> 新しいプライバシー法は、たとえ公になっている個人情報であっても、それに基づいた不当な差別を防ぐための使用制限を重視したものであるべきだ。たとえば、採用を考えている雇用主が、求人の応募者がエイズ診療所やモスクに入っていく動画を見つけるかもしれない。もしかしたら、応募者本人はその事実をすでに公にしているかもしれないが、新しいプライバシー保護法では、雇用主がそうした情報に基づいて採用または不採用の判断することを禁止し、そのような情報の乱用が行われた場合は実際に罰を科せられるようにすべきだ。[原注24]

情報の悪用に対する責任説明の原則も重要だ。進められている研究のなかには、公にされた情報が適切に使われているかどうか確認するために役立つ、新たなウェブ技術の実現可能性が見えてきているものもある。ネットワーク化された情報システムで点をつなぎやすくするために開発された自動分類・推論ツールは、ネットワーク上の情報の不適切な利用を制限するように用途を変更できるかもしれない。しかしながら、既存の言論の自由との境界線で、終わりなき争いが繰り広げられることになるだろう。この境界線とは「あなたについての真実を語る」私の権利と、「その情報を自身に不利に使われないようにする」あなたの権利を分かつものだ。プライバシーの領域において、デジタル爆発は多くの問題を解決にほど遠い状態のままうやむやにしてしまっている。

ポール・オームは、「破滅のデータベース」について言及している。

> 先進国のほぼすべての人は、敵対者が恐喝、差別、嫌がらせ(ハラスメント)、金融犯罪、なりすまし犯罪に利用できる、コンピューターデータベース内の少なくともひとつの事実と結びついている[原注25]。

私たちは、プライバシー問題をおろそかにしたことで社会全体が大きな打撃を受けないよう、法律、テクノロジー、行動規範を組み合わせて対処しなければならない。

希望の光になっているのは、最も注目すべきカリフォルニア州議会をはじめとする州議会であり、そして、技術者たちのなかで育っているプライバシーの文化だ。一部の企業のプライバシーに関する注意事項は、いまだ決まり文句にすぎない。だが、プライバシーはユーザーのための付加価値を高めたり彼らのニーズに対応したりするために策定された、製品の一特徴であるという考えを、注意事項にもきちんと反映させた企業も出てきている。

常にオン

『一九八四年』では、生活に立ち入ってくる広く張り巡らされたテクノロジーを、オフにすることができた。

テレスクリーンの前を通りすぎたオブライエンに、何か考えが浮かんだようだった。彼は立ち止まって脇を向くと、壁のスイッチを押した。パチッという音が高く響いた。すると、声が止んだ。

ジュリアは驚きのあまり、思わず小さな声を発した。ウィンストンは激しく動揺しながらも、衝撃が強すぎて黙っていられなかった。

「オフにできるとは！」彼は口にした。

「ああ」オブライエンは答えた。「私たちはオフにできる。その特権を与えられているからね……そう、すべてはオフになっている。私たちは、今誰にも邪魔されていない」

今日においてもオフにできるときもあるし、しかもそうあるべきだ。だが、たいていの場合、私たちがそうしたくないのだ。私たちはひとりぼっちになりたくない。つながっていたい。私たちはオンにしたまま、足跡や指紋をあらゆる場所に残すのが便利だと思っている。戻ってきたときに、それが自分だとわかってもらえるように。同じウェブサイトを訪れるたびに、名前や住所を新たに入力し続けなければならないのは困る。レストランが自分の名前を覚えてくれていると嬉しいが、それは発信者番号通知によって電話に表示された自分の番号が、店のデータベース内の自分の記録とつながっているからかもしれない。購入した内容が店側で記録されるだけで、約500グラム「3ドル49セント」のブドウが「1ドル95セント」になるのなら、喜んでそうする。犯罪者がオンにしているから自分もオンにしておきたい、という人もいるだろう。自分が監視されていると、彼らも監視されていることを改めて認識できるからだ。監視されているということは、見守られているということでもある。

それに、私たちが自分自身についてこれほど多くのことが知られても気にならないのは、かつて人間社会がそうだったからかもしれない。血縁集団や小さな集落では、あらゆる人のあらゆることを知らなければ生活していけなかった。常にオンにしておくということは、都会での暮らしによって匿名性が実現できるようになるよりもずっと昔、何千年も前に私たちに植えつけられた生まれつきの志向に訴えるものなのかもしれない。そして今日においてもなお、小さな田舎町でのプライバシーの意味は、マンハッタンの高級住宅街アッパー・イースト・サイドでのものとはまったく異なっている。

常にオンにしておくことの代償がどれほどのものになるのか、私たちは知ることはできない。個人の自由を制限しようとする権威主義的なやり方の恐ろしさと同じくらい厄介なのは、自身の自由を自ら制限しようとすることの恐ろしさだ。ファノの鋭い指摘のとおり、一定の社会実験が行われるにはプライバシーが必要だ。この社会実験という社会規範からの逸脱を批判的な目に晒されるなかで行うのは、個人にとって冒さなければならない危険が大きすぎるが、過去の多くの例のとおり、こうした実験は社会を変化させる先進的な流れの最先端になりうる。ところが、常にオンの状態だと私たちは型破りなことに挑戦しようとしなくなり、そうした集団的な不活動によって社会が停滞する恐れがある。

とはいえ、たいていの場合、今さらオフにしようとしても現実的にはもう手遅れだ。かつての私たちにはオフにする特権が与えられていたかもしれないが、その特権はもはや失われてしまった。私たちはプライバシーの問題を、別の方法で解決しなければならないのだ。

デジタル爆発は、誰が何を知っているかについてのこれまでの想定を打ち砕いている。ビットはいくつもの完璧な複製というかたちで、しかも安い費用で素早く伝送される。裁判所記録、あなたが自宅を購入したときに払った金額、小さな町の新聞社の記事といった原則として公開されてきた情報は、今や世界じゅうの人が見ることができる。診療記録や個人のスナップ写真といった、かつてはほぼ誰にも公開されていなかった私的な情報も、不注意や悪意によって広まってしまう恐れがある。社会における規範、商慣行、そして法律は、変化に追いついていない。

第4章
ゲートキーパー
ここは誰が仕切っているのか？

ビットの流れを支配しているのは誰だろう？

電気通信労働組合がカナダ西部の大手電気通信会社テラスに対するストライキに突入すると[原注1]、テラスの従業員が運営していた組合支持派のウェブサイトで、スト破りについての議論が急きょ行われるようになった。すると、テラスを利用してインターネットに接続していた人は、みな突如としてそのウェブサイトにアクセスできなくなった。テラスの契約者たちは、アフガニスタンやジンバブエで生じたビットを受け取ることはできた。オーケストラやポルノ映画を表しているビットも、受け取ることができた。だが、スト破りをさせようとする経営側の試みに抵抗することについての議論を見たくても、閲覧できなかった。テラスは、「ビットを伝送しているケーブルは自社が所有しているため、それでどのビットを送るかどうかを決める権利は我々にある」という態度に出たのだった。

組合側は激高し、法律の専門家たちは混乱した。テラスがそうしたいからといって組合やその支持者たちの電話を止めるのは、明らかに違法だ。だが、関連している法律はどれも、インターネットがまだなかった時代につくられたものだ。本件の場合、インターネットサービスを遮断するのは、テラスの権利の範囲内なのだろうか？同社はさらに、経営陣とストライキのさなかでも仕事に出ている従業員の写真が掲載されているウェブサイト、telusscabs.ca もブロックしたと述べた。テラスは「会社は社員の安全に責任があり、彼らを守るためのやむを得ない措置だ」と説明した。だが、テラスはこの二つのみならず、ほかにも多くのウェブサイトをブロックしていたことが判明した。この二つのウェブサイトが置かれていたウェブサーバーには、ほかにも766ものウェブサイトが置かれていて、そのなかには代替医療ウェブサイトや、乳癌研究のための資金を集めるウェブサイトもあった。テラスは同社にとって目障りなこの二つのウェブサイトをブロックするために、残りのすべてもブロックしてしまっていたのだった。

テラスは脅迫的な内容が投稿されないことを確認後、ブロックを解除した。だが、この一件や似たような事例によって、誰もが納得できる明確な答えが今日においてもなお得られない問題が投げかけられた。人々がインターネットをどう利用してもいいかを、監督しているのは誰なのだろう？

開かれたインターネット？

インターネットは、誰にも監督されるはずではなかった。それどころか、所有されたり支配されたりするようなものにさえなるはずではなかった。それよりもむしろ、語り合ったり、詩を朗読したり、歌を歌ったりするといった、さまざまな人が思いつくどんな方法でも利用できる、言語のようになるはずだった。それなしには光がある場所から別の場所へ伝わらないゆえに存在するはずだと物理学者たちがかつて考えていた、宇宙を満たす透明な物質「エーテル」のようになるはずだった。インターネットは誰から誰へも、どこからどこへでもコミュニケーションが実現できる伝達手段になるはずで、しかも、コミュニケーションにはそれを調節するスロットルがどこにもないため、制御は不可能だと思われていた。会話に加わりたい人は、インターネットのプロトコルの言語を話すだけで誰でも参加できるのだと。

では、アレックス・ジョーンズにとってはそうだったのだろうか。アメリカの著名な陰謀論者（本人は自分のことを「ビッグブラザーに対する思想犯」と思っているが）であるジョーンズは、ユーチューブ、フェイスブック、リンクトインといったソーシャルネットワークのウェブサイトで膨大なフォロワー数を誇っていた。何百万もの人がジョーンズの言葉を一字一句信じ、彼がおかしな噂話を広めるたびに携帯電話に飛びついてはすぐに読もうとした。ところが、多くのウェブサイトが突如としてジョーンズを追放した。アップルはユーザーに対して、ジョーンズのアプリの提供を中止した。現在でも探せばジョーンズのウェブサイトは見つかるが、ピンタレストはそれをあなたにお薦めしてこないはずだ。

インターネットが一般参加型の楽園ではないことに、この事例をもってしてもまだ納得できなければ、中国にいる誰かに「6月4日に何があったのか」とインターネットで尋ねてみればいい。利用したのが電子メールであろうと、テキストメッセージであろうと、はたまた「中国版のツイッター」微博（ウェイボー）であろうと、あなたの連絡が相手に届くことはまずないだろう。なぜなら、「6月4日」という言葉は厳しく検閲されているからだ。一方、香港にいる誰かに尋ねれば、年まで言わなくても「1989年6月4日の天安門事件」という答えが返ってくるはずだ。30年以上経っても、彼らにはあの事件の記憶が鮮明に残っている。だが、中国本土のインターネットでは、何億ものユーザーの誰ひとりとして、6月4日について語らない。話題にすれば、その会話は急速に広まるより先に、たちまちもみ消される。しかも中国では、情報の電子的な共有を監視監督しているゲートキーパー（**訳注：門番の意**）は政府だけではない。香港の抗議者たちが団体としての行動計画を立てるためにHKmap.liveというアプリを使うと中国政府は激高し、アップルはそのアプリを同社のアップストアで取り扱うのを中止した。グーグルも、ユーザーが抗議者役になって遊べるゲームを削除するようにという香港の警察からの要請に、同様に対応した。[原注2]

あるいは、ニュースをテーマにしたコメディ番組『愛国者として物申す』がネットフリックスで配信されている、アメリカ人コメディアンのハサン・ミンハジにとってはどうなのだろうか。サウジアラビアのムハンマド・ビン・サルマン皇太子に対するミンハジの批判的なコメントは、世界じゅうのほぼどこからでも視聴できるが、それが最も大きな意味を持つサウジアラビアでは見ることができない。サウジアラビア政府が、「社会秩序、宗教的価値観、風紀、そしてプライバシーに悪影響を及ぼす内容を情報ネットワークまたはコンピューターで製作、編集、発信、保管すること」を犯罪とする法律を引合いに出して、この放送回を削除するよう求めたからだ。ネットフリックスは「我が社は芸術的表現の自由を支持している」と回答したものの、問題となった動画は結局のちに削除された。[原注3]つまり、ミンハジの芸術的表現の自由は、「社会秩序に悪影響を及ぼす内容を発信する」という曖昧な定義の罪で禁固10年以上の刑に処せられるかもしれないネットフリックス従業員の個人の自由とは、両立できないことがわかった。

または、何かを販売している人々にとってはどうだろう。インターネット検索の利用では、グーグルの検索エンジンが9割以上を占めていて、次点のマイクロソフトのビングは3％だ。もしあなたがウィジェット（訳注：ホーム画面に表示できる時計などの簡易プログラム）を販売したくても、「ウィジェット」の検索結果の最初のページにあなたのウェブサイトが出てこないと、関心を引くのは難しい。「グーグルこそが、いわば私たちがインターネットと呼んでいるワールド・ワイド・ウェブのゲートキーパーだ」と、弁護士のゲイリー・レバックは語っている。「今日におけるインターネットは、ジョン・D・ロックフェラーが独占していた当時の石油とまったく同じくらい価値のあるものだ[原注4]」。それに対してグーグルは「アマゾンでの検索結果も購買行動に影響を与えるため、我が社の独占ではない」と自己弁護した（グーグルはさらに、「特に、アマゾンはひいきする商品に『アマゾンズ・チョイス』というロゴマークを付与しているではないか」と指摘しておいてもよかったかもしれない）。とはいえ、グーグルの反論は、ゲートキーパーの数がたとえ1よりかは若干多いかもしれなくとも、ごくわずかだという点を浮かび上がらせたにすぎない。ウィジェットを販売している小企業が1000社あったとしても、インターネット上で注文が得られるのは検索結果の最初のページに表示された数社のみだろう。しかも彼らはその見える位置を獲得するために、はるかに大きな企業と競わなければならないのだ。

　では、モンタナ州ブラウニングの誰かに、誰とでもインターネットを使って連絡を取り合えるかどうかを尋ねてみたら、どんな答えが返ってくるだろうか。そこにあるブラックフィート・インディアン居留地では、高速インターネットは居住者の0.1パーセントにしか普及していない。そこではどんな方法でインターネットに接続しても、最も料金が安いのは速度が10Mbpsしかなく、しかも年間約780ドルかかる[原注5]。ちなみに、この居留地の貧困率は35パーセント、年間平均世帯所得は2万2000ドル以下だ[原注6]。アメリカの大半の都市では、インターネットを通じてビットが手に入るのは蛇口を回せば水が出るのと同じくらい当たり前のことで、フィンランドや日本では全国においてそうなっている。インターネットサービスは民間の接続サービス業者が儲かる地域や、公共政策として普及が推進されている地域では、さまざまな種類が提供されている。だが、そのどちらにも当てはまらないブラウニングでは、インターネットサービスはないに等しいのだ。

過去、理屈、可能性がどうであろうと、大半の人がインターネットで実際に何を見てどう使うかについて、少数の企業と政府が巨大な支配力を行使しているというのが現実だ。こうした団体や機関が、あなたの伝えたいことを伝達するインフラを供給しなかったり、あるいはあなたの広告、ニュース、辛辣な政治批判を伝送する優先度を下げたりした場合、それはもはや荒野で叫ぶのと同じである。あなたの言葉は誰かには聞こえるかもしれないが、おそらくその人数はさほど多くはないはずだ。こんな状況は、そもそもインターネットがつくられたときの構想とは正反対だ。インターネットは「公的資金によってつくられる、用途に無限の可能性を秘めた開かれたシステムという構想」から、「少数の民間企業がそれぞれの主要分野でほぼ独占的に支配するシステム」へと移り変わった。

この章では、インターネットにおける三種類のゲートキーパーを取り上げる。ひとつ目は、ビットが流れるデータのパイプを支配する。これを「伝送路（リンクス）ゲートキーパー」と呼ぶことにする。二つ目はインターネットで何かを探すときに使うツールを支配する。これを「検索（サーチ）ゲートキーパー」と呼ぶ。そして三つ目は、私たちの多くにとってインターネットの最も重要な目的である社会的なつながりを支配する。これを「社会的（ソーシャル）ゲートキーパー」と呼ぶことにしよう。

伝送路ゲートキーパーは、ビットが流れる物理的な伝達手段を支配する。一方、検索ゲートキーパーや社会的ゲートキーパーは、そうしたビットが表現しているものを支配している。つまり、この二つは「コンテンツゲートキーパー」でもある。とはいえ、こうした区別は、思うほどはっきりしていない。たとえば、伝送路ゲートキーパーは、コンテンツを検閲したり、あるコンテンツを別のコンテンツよりもひいきしたり、ある顧客を別の顧客よりもひいきしたりできるかもしれない。コンテンツゲートキーパーは、たとえ「伝送路」と「コンテンツ」の分野の支配を統合することがより広い意味での公益のためになろうがなるまいが、伝送路ゲートキーパーのほぼ独占的な支配を崩すほうが自身にとって有利になるなら、伝送路市場に入り込むかもしれない。社会的ゲートキーパーは、検索ゲートキーパーのほぼ独占的な支配を弱めるために、自身のソーシャルメディアプラットフォームに検索機能をつけくわえた。

アメリカでは、この三つのゲートキーパーの役割は主に民間企業に任されている。世界のほかの地域では、こうしたゲートキーパーの役割の一部を政府が担っているところもある。「民間によるサービス vs. 公共サービス」というおなじみの議論は、インターネットの一部であるかのように初期の時代から行われてきた。「民間企業同士の競争によって、価格も下がるし品質も向上する」というよく耳にする意見に対して、ほかの誰かは「集約化は、競争の減少によるマイナスの影響を補ってあまりある、大幅な効率性を実現する」と反論する。ほかにも、「民間企業が出資するのではなく、政府が総合課税によって国民に全般的に役立つインフラを供給するべきだ」「政府は道路や郵便といったサービスを国民に提供しているのと同じように、インターネットという『エーテル』も提供するべきだ」といった意見もある。だが、こうした例えは、「インターネットは誰でも運転できる公道のようなものなのか、それとも、田舎より都会のほうが利用しやすく、しかも料金を払いたくない人には利用できない、ケーブルテレビや映画館のようなものなのだろうか」という疑問を生じさせるにすぎないのだ。

こうした疑問に対して考えられるいくつもの答えがもたらす結果は、これまで実にさまざまであり、しかもそれぞれの社会の根本的な問題や経済的な目標によってある程度決まる。たとえば、個人の自由を犠牲にしてでも社会の「調和」を保つことに全力を注いでいる権威主義国家では、コンテンツの支配はアメリカよりもさらに中央集権的に行われているかもしれない。一方、アメリカの話ではないが、政府が通信網自体に十分な投資を行った一部の国では、民主主義国家、非民主主義国家にかかわらず、接続性が飛躍的に向上した。インターネットに対する政府の投資や監視レベルの適切さについての議論は、郵便、電気、電話サービス、教育、医療の提供における政府の関与の話と同じくらいかそれ以上に複雑だ。まずは、開かれたインターネットがいかにしてゲートキーパーたちの寡占的な支配下に置かれるようになったのかを駆け足で辿ろう。次に、今の社会に、もしあるとすればどんなやるべきことが残されているのかという問いかけについて考えたい。

まずは、すべての仕組みを見てみよう。

点を結ぶ——共有と生存のために設計されたもの

インターネットは、国防総省(DoD)による1970年代のコンピューターネットワーク化プロジェクトARPANETから生まれた。国防総省は高等研究計画局(ARPA)(現在は国防高等研究計画局(DARPA))を通じて、多くの大学や国の研究所に最新鋭の機器を直接または間接的に支払って投入していた。ARPAは二つの懸念事項を抱えていた。

ひとつ目は、よくあるものだった。ARPAは高価な大型コンピューターを購入して全国に設置していたが、ある場所であまり活用されていない機器を、別の場所の研究者が解決すべき問題のために利用できる方法はなかった。そのため、どの研究者もできるかぎり最も大型のコンピューターを希望し、利用時間が少ないコンピューターが増えていった。科学者はデータを磁気テープに記録すれば航空便で全国に送ることができたが、そうした物理的な送付方法を使う以外にビットを送る手段はなかった。そのため、ARPAは資金を投入した研究用コンピューターをネットワーク化して、各機器の稼働率向上を目指そうとした。

ARPAのもうひとつの懸念は、軍事任務が抱える問題の核心に切り込むものだった。国防総省はかねてより、核戦争で重要拠点が破壊された場合、遠方の基地や軍艦と通信できなくなってしまう恐れがあることを危惧していた。1960年代初めに懸念していたのは、長距離通話回線の多くが相互接続される主要交換局が攻撃で機能停止した場合、電話網は持ちこたえられるのかどうかという点だった。

その頃、研究者のポール・バランは、多くの連絡点を持ち、しかもそれぞれがほかの連絡点の少数としかつながっていない「分散型（decentralized）ネットワーク（network）」の特性を調べていた（一方、電話網では少数の交換局があり、それぞれの交換局は車輪の中心部（ハブ）が細い棒（スポーク）で輪とつながっているように各利用客と結ばれていた）。バランが提唱したこの網目状のネットワークでは、どの２点間にも多くの経路があるため、どの連絡点の機能が停止してもほかの点同士での通信は保たれる。1962年の論文に示された下の図のように、バランは交換局の不規則なつながりを想定した。[原注7]

バランはこのネットワークの、次に重要な性質も示した。それは「もし交換局が停止した場合、その交換局が通信の両端のひとつで

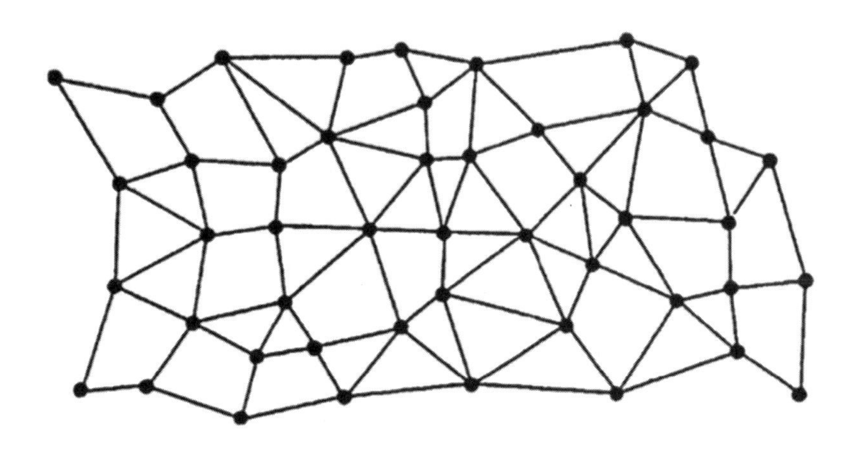

はないかぎり、その局を経由しない別の経路を見つけることができる」というものだった。つまり、交換機を適切に設定すれば、2点間の通信を可能にする経路がつくれるというわけだ。だが、その経路上の点がひとつでも機能停止してしまうと、通信が中断する。また、そうした中間点のどれかの機器が故障するのは珍しいことではないので、その場合もやはり通信が中断してしまう。そのため、たとえネットワークの一部に予測できない障害が発生しても、個々の通信の完全性を確保することが重要な課題となった。

バランは通信をビットの小さな塊に分割する方法を提示した。この塊は今日では「パケット」と呼ばれている。各パケットには通信データ本体の一部である「ペイロード」に加えて、発信元や送信先を特定できる情報（郵送する手紙の宛先や差出人情報のようなもの）や、たとえ順番どおりに届かなくても到着先のノード（訳注：この場合ネットワーク内の装置を意味する）によって正しく並べ替えられるように、通し番号もついている。「封筒」にこれほど多くの情報が記載されているため、一度の通信で送られるパケットがみな同じ経路を通る必要はない。そして、もしネットワークの一部が不通になった場合、ネットワーク内のノードがパケットに別の経路を通るよう指示すればよかった。とはいえ、これをすべて実現するのは決して簡単ではなかった。ネットワークのノードは、パケットをどの方向へ転送すればいいのかをどうやって知るのだろうか？　それでも、網目状の相互接続やパケット化による通信というバランの構想は、軍に求められた生存性を原理上は満たしていた。

プロトコル――見知らぬ人と握手するときの作法

ARPANETの運用が始まって数十台のコンピューターがつながると、つなげるべきは個々のコンピューターではなく、既存のコンピューターネットワークであることが次第に明らかになっていった。

ネットワーク同士で通信できる何らかの共通言語さえあれば、コンピューターをネットワーク化するさまざまな方法が共存していても問題なかった。1970年代や1980年代には、それぞれが別のコンピューターメーカーの規格を採用した、異なる種類のコンピューターネットワークが実際に存在していた。IBMはシステムズ・ネットワーク・アーキテクチャー(SNA)を、ディジタル・イクイップメント・コーポレーション(DEC)はDECnetをそれぞれ開発していた。アポロコンピューターは、同社のコンピューターをツリー状や網目状ではなく、リング状につなげた。どの企業も自社のネットワーク構想の優位性をうたい、実際そうした宣伝文句は特定の使用事例においてはそのとおりだった。一方、どのメーカーも自社のコンピューターを他社のものとわざわざ相互運用可能にする必要性を感じていなかったが、相互接続可能なコンピューターしか今後購入しないとARPAが宣言したことで状況は一転した。ARPANETの成功を足掛かりとして、ヴィントン・サーフとロバート・カーンは複数のコンピューターネットワークを相互接続させるプロトコルを開発した[原注8]。それはつまり、インターネットを生み出したということだ。

インターネットとは、そのプロトコルそのものだ。インターネットはコンピューターでもなければ、コンピューターの集まりでさえない。ソフトウェアでもない。インターネットは、一連の規則だ。どんな人も組織も、これらの規則に従うハードウェア、あるいはソフトウェアを開発して、インターネットの機能の一部になることができる。

握手は右手で行うという慣例と同様に、プロトコルは通信上の慣例である（訳注：プロトコルは、もともと礼儀作法や慣習という意味）。みなが左手で握手して挨拶を交わすようにするのも同じくらい人間関係を円滑にするだろうが、すでに慣例となっている右手での握手を用いるからこそ、見知らぬ者同士が事前の仲介なしに挨拶を交わせるのだ。インターネットのプロトコルは、ひとつのネットワークから別のネットワークに情報を受け渡すために、異なるネットワーク同士が握手する慣例のことだ。それぞれのネットワークは、内部ではどのように運営されてもかまわない。ただし、ネットワークが相互接続する点においてだけは、インターネットのプロトコルが重要な意味を持つ。

ARPANETをパケット交換ネットワークにするという判断によって、インターネットの構造が大幅に簡素化された。ネットワークは「ゲートウェイ」という接続点によってインターネットに接続される。ゲートウェイが求められる役割どおりに振る舞えば、情報はうまく通過する。もしそうでなければ、そのネットワークをインターネット全体から切断すること以外、何の問題も起こらない。どんなコンピューターもネットワークも、インターネットに加わる許可は必要なかった。インターネットの標準に従ってさえいれば、ほかの機器やネットワークから理解され、そちらへ送った伝達内容を解釈してもらえた。

今日のインターネットは、多様かつ複雑に見える。非常に多くの種類のコンテンツ、機器、それに接続が存在している。だが、それらはすべてインターネットプロトコル(IP)というわかりやすい名前で知られている、ひとつのプロトコルを基盤にして構築されている。ひとつが約1000個のビットからなるパケットを、通信ネットワークリンクの一端から別の一端へと届けるのがIPの役目だ。伝送中のビットには、エラーが含まれてしまうかもしれない。物理的な何かが常に完璧にうまくいくことなどないからだ。だが、エラーは認識されるし、必要ならば解決される。ネットワークを横断してパケットを届けるためには、各中継点でパケットが受け取られ、確認され、目的地へと送り出されるという、IPを何度も利用するバケツリレー方式が使われる。

インターネットの構造が簡素であることから、インターネットの有用性を拡張するための、プロトコルを基盤にしたプロトコルの構築も可能となった。インターネットの初期の用途は、時分割方式のコンピューターに遠隔からネットワーク経由でログインする、ファイルをさまざまな場所に移動する、電子メールを送受信する、といったものだった。こうした利用方法では、どれも届いたデータにエラーがあってはならなかったが、必ずしも瞬時に到着しなくてもよかった。ファイルの転送や電子メールの送信が通常よりコンマ数秒遅れても誰も気づかないが、ビットのひとつが0から1に変わってしまったら、最悪の結果を招く恐れがある。そのため、こうした伝送で発信元から送られたパケットが正確に受け取られ、正しい順番に組み立てなおされたかどうかを確認するためのプロトコルが開発された。ネットワーク内の中間ノードの不信頼性を考慮すると、発信元と送信先の双方で何らかの帳簿づけが必要だった。そうして、パケットが受け取られると、その証として送信先から特別なパケットが発信元に返信される仕組みになった。発信元はタイマーで計測していて、残り時間がゼロになっても到着が確認されなければ、何らかの理由でパケットが紛失したと判断して再送信する。

このように細部では注意しなければならない点が多いが、それらは全体像においては些細なことだ。要は、各中継点が目的地へ向けたパケットの受け渡しを最善努力(best-effort)で行うかぎり、送信されたどんな伝達内容も完璧な状態で届けられる。そうした完璧な伝送を確実に行うためのプロトコルが伝送制御プロトコル(TCP)だ。ネットワーク同士の各つながりでパケットを受け渡すための基盤のプロトコルがIPであることから、不確実なネットワークを横断する信頼性の高い通信を実現するためのこの二つの慣例は、通常TCP/IPと呼ばれている。

インターネットに加わるための規定は何もないため、「最善努力」が本当に成立するかどうか疑問に思うのは当然かもしれない。たとえば、ネットワーク妨害を試みる厄介者が、パケットを本来の目的地へ送らずに廃棄したり誤った目的地へ送らせようとしたりする中継点を、新たに加えることができるのではないだろうか？　たしかに、そんな恐れはあるが、その場合はパケットが送られていないことに隣接している中継点がそのうち気づいて、厄介者の中継点を避けるようになる。インターネット経路制御（ルーティング）は、ハードウェア障害時のみならず悪意による妨害の場合も、問題が発生した箇所を避けることを学んで自己修復する仕組みを擁している。インターネットは拡大すればするほど、そして相互接続が増えれば増えるほど信頼性が高まるのだ。

インターネットがうまく機能したのは、正しい用途で使うことに十分多くの参加者や参加団体がひとたび同意すれば、少数の悪意ある参加者を事実上締め出すことができたからだ。

パケットには経路情報やペイロード以外に、エラー検出に役立つ冗長ビットも含まれている。たとえば、送られるすべてのパケットのそれぞれに含まれる「1」のビットの数が奇数個になるように、各パケットにビットをひとつ追加する（訳注：すでに「1」のビットの数が奇数個なら「0」を追加、偶数個なら「1」を追加して奇数個にする）。もし、到着したパケットの「1」のビットの数が偶数個なら、伝送中に破損したと考えられるそのパケットは破棄され、発信元が再送信する。こうした余分なビットは、届いたすべてのパケットの中身が正確だと保証しているわけではない。だが、パケットが正確に伝送されたことは、圧倒的に高い可能性で保証している。しかも実用的な観点から見れば、この一連の処理は検出されていないエラーが存在する可能性を、発信元に隕石が命中するといった大惨事が起きる可能性よりも小さくするには十分だ。

最善努力型パケット転送プロトコルであるIPは、伝達内容を正確さよりも速さを優先して送ることにも利用できる。たとえば、電話で話すといった音声通信にインターネットを利用する場合を考えてみよう。音声信号は短い時間単位で分割、デジタル化してインターネットで送ることができる。だが、伝送の正確さは保証されるが瞬時性は保証されないTCPの代わりに、ユーザー・データグラム・プロトコルという別のプロトコルが使われる。UDPは素早い伝達と引き換えにいくつかのパケットが紛失しても対応できる。電話の会話データのパケットの順番が若干取り違えられたり、なかには完全に消えてしまったりするパケットもあるため、声の調子の変化が遅くなる場合があるが、残りのパケットが適切な時間内に無事到着するかぎり、理解できないほど会話が聞き取りづらくなることはない。

こうしたプロトコルの上に層をなす、それぞれ異なる目的を持つ多くの種類のプロトコルが開発された。それらのプロトコルはTCPとUDPを利用して、より複雑な通信タスクを実行している。たとえば、ハイパーテキスト・トランスファー・プロトコルは、ユーザーのコンピューターのウェブブラウザーと、世界じゅうのウェブサーバー間との通信用に開発されたものだ。HTTPはlewis.seas.harvard.eduといったインターネット上の位置情報に基づいてウェブページを取り込むときに、TCPを利用している。そのため、たとえTCPの仕組みを詳しく知らなくても、送られてくるリクエストに応じてウェブページを伝送するウェブサーバーを誰でも設置することができる。

仕切っているのは誰だろう？

パケットの形式をTCP、IP、UDPをはじめとするプロトコルの規定に合わせるよう、みなに強制してくるインターネット警察はない。本来目的地の住所を記載すべきところに発信元である自身の住所を記入したり、あるいはその逆のことをしてしまったりしたとしても、誰もあなたをインターネットから追放しようとはしないだろう。もしあなたのパケットが規定に従っていなければ、単に伝送されないか、あるいは送信先に届いたとしても無視されるだけだ。

とはいえ、インターネットには運営の推進に関わっている団体がいくつか存在している。そのひとつであるインターネット技術特別調査委員会は、インターネットのプロトコルの標準化を行っている。IETFは、卓越した団体だ。希望すれば誰でも入会でき、そこでは「大まかな合意と実際に動作するコード（プログラム）」に基づいて決定が下されている。活動開始当初のIETFでは、会議で集まって「大まかな合意」を得るときに、賛同する出席者は鼻歌を歌うことになっていた。そうすれば圧倒的多数による賛成の場合が誰にでも明らかだし、しかも大人数のなかでは誰が鼻歌を歌っていて誰が歌っていないかがわかりづらいため、各々の判断の匿名性が保たれた。インターネットのプロトコルにおける変更の大半は、すでに機能しているものは何も変えない拡張や追加であるため、時間的制約のあるなかで肯定的な決断を下す必要はまずなかった。つまり、IETFは決定を先送りできるため、その間提案を微調整しては参加者たちの意見をさらに聞いて、やがて真の合意に到達するのを待つ。

つまり、インターネットは意図的に開かれたものなのだ。誰もがその意思決定の過程に加わることができる。この話を聞いて、独自のコミュニティを築いた1960年代のユートピア的理想主義を思い出すのは不思議なことではないかもしれない。IETFの初期メンバーだったデビッド・クラークの「私たちは『王』『大統領』『投票』を拒否します。私たちが信じるのは大まかな合意と、実際に動作するコードです」という言葉は有名で、この最後の部分は技術者が概念だけよりも概念実証を好むことを示している[原注9]。当然ながら、インターネットがひとたび普及すれば、大勢にとって重要になった何かを変えるための合意を得るには、説得してまわらないといけない。だが、もし互いに地球の反対側にいるあなたと私が、（たとえば）太平洋をはさんだ木琴二重奏用の私たちだけの秘密のプロトコルを開発しようと決めたとしよう。その場合は、ほかの人には何の使い道もないであろうIPパケットを交換するプログラムを、二人のコンピューターにわくわくしながら組めばいい。IETFは自らの役割を、同団体の使命記述書で次のように説明している。

> IETFが所有するプロトコルまたは機能に対して、たとえその一部がインターネット上でほとんど、あるいはまったく使われなくても、IETFはそのプロトコルのすべての面における責任を負う。反対に、IETFが責任を負わないプロトコルや機能に対しては、たとえそれらがインターネットに関連していたり影響を与えたりするときがあっても、IETFは支配力を行使することはない。[原注10]

これは実に見事な宣言であり、インターネットに対する「情報スーパーハイウェイ」のメタファーがいかにそぐわないものであるかも示している。もしインターネットが幹線道路（ハイウェイ）だとしたら、それは自動車がその道路をともに安全に走るために一定の慣例に自発的に従うものであり、しかも、あくまで自身で責任を負えるなら、自転車やスケートボードの人も利用してもいいというものだ。

インターネットは別の方面でも開かれている。IPがプロトコルの階層の基盤となっているとおり、IP自体は論理的なプロトコルであって物理的なものではない。インターネットのパケットは銅線、光ファイバー通信ケーブル、あるいは電波を通じて伝送できる。あなたが一般的なパソコンユーザーで、アマゾンで何かを買おうとしている場合、あなたとアマゾンのあいだでパケットが三往復以上やりとりされる可能性が高い。それらのパケットはあなたのコンピューターからあなたの無線ルーター、インターネットサービスプロバイダーを経由し、インターネットを通ってアマゾンの企業ネットワークに入り、同社のコンピューターのひとつに到着する。ビットを伝送する新たな物理的媒体を技術者が開発すると、その媒体に対応して実装できるIPも開発可能だ。あくまで原理上だが、IPの規格として利用できる「伝書バトプロトコル」まで今や考え出されている。

インターネットを通るすべてのパケットの規約であるIPは、三つの穴の形状と大きさが定められた一般的な120ボルトコンセントと、構造上似たような役割を果たしている（訳注：日本の２又に対して、アメリカのコンセントは３又タイプが一般的）。コンセントの壁側から送られてくる電気の発電源は、何百キロも離れた水力発電ダム、数メートル先の太陽光パネル、あるいは蓄電池かもしれない。送られてくる電気が基準を満たしているかぎり、コンセントは役割を正しくこなす。コンセントにつなぐ機器は冷蔵庫でも、電気歯ブラシでも、掃除機でも、あるいは歯科用ドリルでもいい。正しい形状の電気プラグがついていて、標準的な交流電流で稼働するようにつくられた機器であれば、問題なく使えるはずだ。同様に、インターネットプロトコルは、アプリケーションと物理的媒体の万能な橋渡し役を務めている。

実際、現在のインターネットに当初は予想されなかったこれほど多くの用途があるのは、標準化されたIPがあるからだ。ズームやフェイスタイムといった、リアルタイムの音声や動画で人々をつなげるインターネットアプリケーションはIPの上に構築されたものだが、インターネットの当初の構想には、そういったサービスについては何も盛り込まれていなかった。インターネット電話システムのスカイプの開発者たち（少数の北欧諸国とエストニアの技術者）は、インターネットのプロトコルを彼らの目的に適応させるだけでよかった。スカイプを始めることやユーザーに有料版を推進することについての許可を、IETF をはじめとする運営推進側に求める必要もなかった。

インターネットにはゲートキーパーはいないのか？

「インターネットにはゲートキーパーはいない」は、今でも昔でも誇張された表現ではあるが、それでも昔のほうがもう少し真実味があった。このあと詳しく取り上げるが、政府が主要なゲートキーパーである国もあれば、アメリカのように民間企業がゲートキーパーの役割を担っている国もある。まずは、長年存在してきた種類のゲートキーパーがどんなものなのかを見てみよう。

名前を番号に――あなたの住所は？

インターネットがある生活においてまず実感するのは、自分を誰にも見つけてもらえないのならば、インターネット上にいる意味はないということだ。インターネットで運ばれているパケットには送信先のアドレスが番号で記載されている。cornell.edu や Skype.com といった記号名を番号に変換したり、どの接続点にどの番号が割り当てられているかを記録したりする何らかの団体が必要だ。

「インターネットでドメイン名や IP アドレスを割り当てるための非営利法人」は、たとえばコーネル大学や、オーストラリアの国全体にどの番号のアドレスが割り当てられるのかを決定する組織だ。ICANN は、president@cornell.edu（コーネル大学総長のメールアドレス）宛のメールや、http://anu.edu.au（オーストラリア国立大学のウェブサイト）のウェブページを読み込むためのリクエストを、インターネット上の正しい場所に向かわせるための「電子住所録」の発行を管理している。文字を番号に変えるこの変換表は、ドメインネームシステムサーバーで管理されている。コンピューターはインターネットでIPパケットを送る前に、パケットの「宛名欄」に入力するための番号のアドレスをDNSサーバーに問い合わせる。もしインターネットに脆弱性がひとつあるとすれば、それはDNSサーバーに対する権限が弱いことだ。島国のツバルは、オーストラリアの「.au」のような、インターネットのトップレベルドメイン名を独自に持てるのだろうか（実際、持っている。しかも、とても貴重なものを。かつては郵便切手の発行を財源にしていたこの国は、現在割り振られている「.tv」というドメイン名の使用をtwitch.tvといった動画サイトに許可して収入を得ている）。コカ・コーラがcocacola.comを使用する権限があると判断するのは誰なのか？　では、cocacola.sucks（訳注：「コカ・コーラ最悪」の意味になる）を誰かが使いたい場合はどうだろう？　利害が大きく絡むこうした問題に、政府や多国籍企業が強い興味を示しても不思議ではない。通常、こうした問題は匿名の鼻歌や、それと似たような包括的な方法では解決できない。

それでも、そういった局地的な揉め事は、力に頼ることもなければネットワークを損なうこともなく解決されてきた。だからこそ、1969年にARPANETとしてつながっていたコンピューターはわずかな数だったにもかかわらず、今日つながっている機器の数は何十億台にもなっているのだ。原理的にはそのなかのどんな機器同士も、つながることができる。[原注11] インターネットにおけるゲートキーパー関連の深刻な問題は、別のところにある。

伝送路ゲートキーパー——つながるために

つながれなければ、インターネットは何の役にも立たない。

ボストンから西へと運転してアメリカ北部を横断すると、アイオワ州に着く頃には、スーパーマーケットの総菜販売コーナーの品揃えが変化しているのに気づく。表面が生クリームで飾られ、細かくカットされたさまざまな果物が入った色とりどりの層でできた「ゼリーサラダ」が、突如として何種類も登場するのだ。魚や肉の周囲をゼラチンで固めたものさえある。このメニューはグレートプレーンズを横断してロッキー山脈を登っていくあたりまでは頻繁に登場するが、下りに入るとほぼなくなっている。そして太平洋に到達する頃には、「ジェロ」（訳注：ゼリーの素のブランド名）は再び子どもと入院患者の食べ物になる。アメリカ中部の農業地帯ではジェロを使った料理やデザートの人気が非常に高いため、そうしたメニューが料理雑誌のカバーに日常的に掲載されている。これらの雑誌は沿岸部や都市部のスーパーのレジの近くでも販売されているが、そこでの買い物客はそんなメニューをつくろうとは夢にも思っていないはずだ。沿岸部や都市部のエリート層にとっては、ゼリーサラダは野暮ったいものなのだ。

アメリカのあらゆる文化が地理的に均質化されているなか、中西部での食文化としてのゼリーサラダへの愛着も今や薄れてきている。一部の地域では、ゼリーサラダは手作りの麦わら帽子やキャラコ生地のワンピースのように、「おばあちゃんのレシピ」という思い出になっている。つまり、昔の田舎の古きよきものであって、今日の進んだ時代には合わないものだと。だが、ちょっと考えてみてほしいのは、ゼリーサラダは西部開拓時代に幌馬車で西へと運ばれて伝えられたわけではないという点だ。このサラダをつくるには冷蔵庫で冷やさなければならないので、当時はつくれなかった。ゼリーサラダは古くから伝わるものではなく、地方電化という20世紀の技術革命の副産物だったのだ。ゼリーサラダは電気が通っていなければつくれないため、地方の農家にとってはごちそうだった。ゼリーサラダを振る舞える家には、電気井戸ポンプや電灯もあった。つまり、ジェロを使ったメニューを出せるのは、技術的に進んだ暮らしをしているという意味だったのだ。

電線やケーブルを通じての電気の普及とビットの普及の経済的側面はよく似ている。長い距離にわたってケーブルを敷設するのは高額の費用がかかるし、しかも引いた先で利用者がほとんどいなければ、そのケーブル敷設は費用効率が高いとは言いがたい。また、家が点在している地域では、各住居に電線を引き込む費用も高くなる。都市を電線でつなげるほうが、利益ははるかに高い。ひとつの通りに電線を設置すれば、その通りのすべての住宅と契約できるし、しかも本線から各住宅への距離は通常短いからだ。実際、真っ先に電化が行われたのは都市であり、私有の建物の内部に電線を引き込む必要がない街灯の設置を主にして進められた。室内照明、冷蔵庫、洗濯機、食器洗浄機、ラジオといった電気のほかの用途は、街灯から派生したものだ。ボストンのフェンウェイ・パーク近くのビーコンストリートを散策すると、「エジソン電気照明会社」と書かれた建造物の前を今でも通りかかることができる。

当然ながら、みんながジェロをつくれるように国じゅうを電化したわけではない。それどころか、電気による街灯が初めて灯ったとき、家庭用の電気冷蔵庫などまだ存在していなかった。家電は、ジョナサン・ジットレインが「生成的テクノロジー」と名づけたものに相当した[原注12]。ひとたびインフラが整うと、創造力にあふれた人々がその使い道を思い描き、そのインフラがなければ存在しえなかったまったく新たなテクノロジーが生み出される。その過程で一部の産業は衰退し、そこで利益を得ていた人々は大きな犠牲を払わされることになる。今日「アイスボックス」という言葉を聞いても、氷で冷やす冷蔵庫をせいぜい懐かしむ程度だが、1世紀前は湖の氷が張った表面をブロック状に切り出して長距離輸送を行い、アメリカの一般家庭に配送するという巨大な産業を担っていたものだった。生成的テクノロジーは、破壊的テクノロジーでもある。

インターネットの普及は、かつての電気の普及とほぼ同じ段階を辿ってきた。照明は電気にとってのキラーアプリケーションであり、ゼリーサラダは送配電網にとってのネコ動画だったのだ。だがそれにもかかわらず、アメリカでのこれまでのインターネット普及事情は、送配電網のものとは大きく異なっている。

アメリカでは全国的に速やかに電化が進められたが、もし連邦政府が推進していなければ、そうした素早いインフラ構築は実現しなかったはずだ。そもそも、人が少ない地域に電線を引くのは採算性が悪いし、しかも競合他社が同じ利用者に対して二本目のケーブルを敷いてもさらに儲からない。そのため、都市部では日常的に電気が使えたが、遠く離れた地域ではたとえ電気が通っていたとしても料金が極めて高かった。

休息と麻痺の温泉治療のためにニューヨークやワシントンDCを離れて、ジョージア州のワーム・スプリングスをたびたび訪れていたフランクリン・ルーズベルトは、地域による電気料金の差を実感した。そして、その地で地方電化法を思いつくと、1936年に署名して成立させた。この取り組みは電気の普及のみならず、一般の消費者が電気を利用するための新たな発明をも推進した。

1920年代初めのアメリカの一般家庭の電気普及率は、1パーセント以下だった。地方電化法が成立してから6年後、深刻な不況直後ではあったが、アメリカの一般家庭の半数で電気が使われていた。1960年には、ほぼ全国に電気が普及していた。

インターネットの普及と電気の普及を賢く比較するためには、用語を整理しておくほうがいいだろう。各世帯に配電されている電気は、標準化されている。アメリカの標準は「交流電流、周波数60ヘルツ（Hz)、電圧120ボルト（V）」だ。こうした標準化は、インターネットのIPとよく似ている。このように定められていることで、ある電化製品が全国のどのコンセントに差し込んでも使えることが保証されている。

だが、ほかにも重要な要因があり、それはひとつの電化製品または世帯で使われた「電力量」だ。電気が使われる割合を「電力」といい、ワット（W）やキロワット（kW = 1000ワット）を単位とする。使われた電力量の単位は、キロワットアワー（kWh）だ。キロワットアワーは1000ワットの電化製品を1時間使用したときに消費される電力の量である。電気規則によって、一般家庭の回路は約2000ワットまで使えるように定められている。それを超えてしまうと、ブレーカーが落ちてしまう。もしヒューズやブレーカーがなければ、電線が溶けてしまうかもしれない。古い家の住人が電気機器の数を増やしたくなったり、エアコンや大型浴槽用電気ヒーターといった消費電力の大きい電気機器を使いたくなったりした場合、電気容量を増やす工事が必要になるかもしれない。一方、新しい電化製品は旧型より消費電力が少なくなる傾向にあるため、長期的な世帯平均消費電力量の増加は実に緩やかだ。実際には、電力を供給している電力会社は、需要に応えるために送配電網を整備しなければならないだろう。だが、消費者の圧力と連邦規格の相乗効果で、アメリカでは都市全体や地区一帯で電力不足になったときに電圧が下がる「ブラウンアウト」は通常めったに起きない。アメリカにおいては、電気はほぼ非常にうまく規制された産業だといえる。

インターネットで電力に相当するのはビットレート（訳注：ビット速度ともいう）だが、ここでインターネットと送配電網の事情が大きく分かれた。インターネット接続のプロビジョニング（訳注：インフラ、技術、サービスなどの提供）は、民間部門にほぼすべてが委ねられ、政府による規制や支援は最小限に留まった。まともな競争が起きているところはほとんどないため、消費者はもっといいプロバイダーに乗り換えることができない。独占状態のインターネットサービスプロバイダーは、速度の選択肢をユーザーに与えてくれるかもしれないが、最高速度のサービスは料金が途方もなく高くなる場合が多い。そのため、インターネットサービスプロバイダーの大半は、高速インターネットを提供するどころか「すでに提供されているものが、そうなんです」とユーザーの説得に力を入れ、しかも、政府は彼らにサービスの向上を促すどころか、ごまかしに加担しているのだ。

いわゆる「高速」を拒むものは何か？

ビットが目的地まで伝送（たとえば、どこかのウェブサーバーからあなたの自宅のコンピューターで稼働しているブラウザー、あるいはあなたのオフィスのコンピューターからロンドン本社のビデオチャットルーム）されたときの速度は、通過してきた「連結線」のなかでの最も遅いものを指す。ビットがある連結線のなかを流れていく速さは、その物理的な要因（連結線の材料である銅やガラスの電気特性や電磁特性）や、「交通量」の影響を受けている。もしあなたがある連結線を自分だけの伝送に使えるのなら、その通信媒体が一秒間で出せる最大のビットレートで送ることができるが、その能力をほかの 100 万件もの通信と共有しなければならないのなら、100 万分の 1 しか割り当てられないかもしれない。

あなたの自宅のコンピューターで、ある大企業のサーバーにあるウェブページを読み込もうとするときの例を再び考えてみよう。あなたのリクエストがその企業のサーバーに到達しなければならないし、ウェブページのデータを含んだパケットが、あなたの自宅のコンピューターに届かなければならない。この流れを大幅に簡略化すると、あなたのリクエストに含まれるビットは 3 段階で移動すると考えられる。まずは、あなたの自宅のコンピューターから家の外壁に到達しなければならない。次に自宅から主要幹線「バックボーン」まで移動することになる。これは全国を網羅している、長距離伝送用のケーブルだ。そして、バックボーンを何百キロ、何千キロと移動する。あなたの家からバックボーンまでのつながりは、通常「ラストマイル」と呼ばれている。原理上はバックボーンの先でも同じ段階を踏むことになるが、アマゾンやグーグルは膨大な容量を必要とするため、バックボーンと直接つながっている。もし、あなたの通信相手が同じく自宅でコンピューターに向かっている人であれば、ビットはそちらの「ラストマイル」も通って相手の家まで行かなければならない。

家のなかでは、短距離無線通信の一種であるWi-Fiを使っている人が大半だ。比較的新しいWi-Fi技術はギガビットレートが出せるが、実際には干渉や妨害のせいで通信速度が遅くなる恐れがある。無線ではなくコンピューターをLANケーブルにつなげられるように、自宅にまだ配線を残しているヘビーユーザーもいる。

とはいえ、ラストマイルが遅いのなら、遅い無線でもその速度に十分対応できるのかもしれない。しかも、アメリカのインターネットは、ほぼ間違いなく遅い。世界基準で見れば、アメリカで「高速インターネット」とうたわれているものは実はそうではない。

インターネットのバックボーンは、光ファイバー通信ケーブルだ。光ファイバーは驚くべき素材だ。ガラス自体の情報伝達容量は、ほぼ無制限だ。ゆえに実際の容量はガラスではなく、中継点でネットワークをつなげる電子機器に制限されている。電子機器は常に改良されているが、光ファイバーはひとたび敷設されると取り替えられることはない（トロール船の網に引っかかったときのように、破損した場合は除く[原注13]）。

世界の一部の国では、ラストマイルにも光ファイバー通信ケーブルが使われている。つまり、あの驚くべき情報伝達容量が、自宅や会社の玄関先まで保たれるのだ。シンガポールやスウェーデンでは、毎秒数十億ビットの速さのインターネットにほぼ誰もが接続できる。一方、アメリカで光ファイバー通信ケーブルが自宅まで届いている人は15パーセント程度と推定されていて、しかもその割合は増えていない。アメリカでは、DSLサービスを利用して昔からの電話回線を使うか、ケーブルテレビを見るために設置した同軸ケーブルを使ってインターネットに接続する場合が大半だ。ところが、一部の地域ではDSLサービスさえも採算性が悪いことを理由に、段階的に廃止されている。また、ケーブルテレビ会社と通信サービスプロバイダーは、効率的に担当地域を住み分けている。そのため、消費者がケーブルとDSLサービスのどちらかを選択できる地域は少ないし、ましてや複数のケーブルサービスから選ぶことができる地域はさらに少ない。

インターネット自体があなたの自宅やオフィスや携帯電話と直接つながっているわけではない。一般のユーザーは、自身の機器をインターネットではなくインターネットサービスプロバイダーに接続する。インターネットパケットはいくつもの種類の物理的媒体を経由できるため、パケットをあなたの自宅から送ったり自宅に届けたりできるISPの数は、料金さえ支払えば原理上は無制限だ。だが、現状はかなり違う。アメリカでは、あなたの自宅のISPは、AT&T、タイム・ワーナー、コムキャストの子会社エクスフィニティ、ベライゾン、チャーターのどれかである可能性が高い。これほど数が少ない理由は、これらの企業は電気通信会社、ケーブルテレビ会社、あるいはその両方であるゆえ、あなたの自宅に通話やケーブルテレビのサービスを提供するためにすでに設置した電話線や光ファイバー通信ケーブルを利用できるからだ。無線インターネットによる接続も可能だ。この無線インターネットとは、あなたのISPとつながっているルーターとあなたのコンピューター間のWi-Fi接続のことではなく、あなたのコンピューターを無線で直接

ISPにつなげることである。接続のためのどんな種類の線も引かれていない地方でも、人工衛星を経由して接続できるが、衛星インターネットは速度も遅いし高額だ。携帯電話は携帯電話ネットワークでインターネットにつながるが、このネットワークを経由した接続は自宅でのコンピューター用としては有力な選択肢ではない。またインターネット接続の未来とうたわれている「5G」の無線信号は、短距離しか届かない。そのため採算面で見れば、5Gのインフラは多くの基地局が設置できる人口密集地域でのみ実現可能だ。

アメリカ国民は「高速インターネット」の広告攻めを受けているが、実際のところは政府による「高速」の定義さえ疑わしい。連邦通信委員会は2015年の最新の変更において、(インターネットサービスプロバイダー各社の反対を押し切って)高速の基準を4Mbpsから25Mbpsへと引き上げた。これは日本やスウェーデンではすでに標準になっていて、しかも中国の地方部でも普及が進んでいる、ギガビットレートの40分の1だ。さらに、アメリカの25Mbpsという基準はダウンロード速度のみを対象としたものだ。これはまるで、インターネットは基本的には消費者がネットフリックスの映画を見るための放送受信媒体であるとみなしているようなものである。だが、ビデオチャットに始まり医療画像の伝送にいたる多くのアプリケーションでは、双方向での高速の通信速度が必要だ。どんな業種の企業にとっても、アップロードとダウンロード双方でのインターネットの接続性は極めて重要だ。企業は自社の商品やサービスに対する評価をインターネットで収集しているし、しかも自社の商品やサービス自体をインターネット経由で利用客に届けている。そのため、インターネットにつながりにくい、あるいはダウンロードは速くてもアップロードは遅いというサービスしか提供されていない地域では、新たなビジネスを始めるのは非常に難しい。それにもかかわらず、アメリカでのインターネットの最適化は、それをテレビの後継品、つまりごく少数の企業が大勢にコンテンツを提供する手段にすることだけを目的に行われているのだ。

また、政府統計においても、「高速インターネット」サービスの利用可能性の実態が巧妙な言い回しでゆがめられている。政府は各国勢統計区（アメリカでは国勢調査用に、全国の地域を約7万5000の区画に分割している）に対して、そのなかの一世帯でも高速インターネットが利用可能であれば、料金の高さや実際に契約している世帯があるかどうかにかかわらず、その統計区には高速インターネットサービスがあるとみなしている。つまり、政府が算出した高速インターネット普及率の推定値は、大幅に嵩上げされている。

さらに、料金も大きな問題だ。ギガビットレートのサービスが月50ドル以下で提供されている国は、世界じゅうにいくつもある。これを書いている時点では、ボストンで高速インターネットサービスが利用可能な地区は限定されていて、そのひと月の利用料金は70ドル、しかも2年契約が必要だ。

一般的なアメリカ国民にとって、現実的なISPの選択肢はひとつか二つしかない。アメリカでは、25Mbps以上のサービスを提供できるプロバイダーが地域にない世帯は30パーセントを超えていて、さらに、そうしたプロバイダーの選択肢が二つ以上ある世帯は25パーセント以下だ[原注14]。

アメリカにおけるインターネット接続の普及は、民間部門にほぼすべてが委ねられてきた。実際、26の州では、地方自治体がインターネット接続サービスを提供することが規則で妨げられているか禁じられているため、手頃な料金で利用可能なサービスがない世帯の者は、公立図書館かファストフード店でインターネットに接続せざるをえない[原注15]。モンタナ州の次の条例は、その典型的な例だ。「次款(2)(a)または(2)(b)で定められた場合以外においては、州の機関あるいは下級行政機関は直接的に、または他の機関あるいは下級行政機関を通じてインターネットサービスプロバイダーになってはならない[原注16]」。つまり、モンタナ州ブラウニングの住人たちは、民間のISPがすべて撤退しないかぎり、低品質で高額な民間のサービスを押しつけられ続けることになる。地方自治体の起業家精神がいくら強くても、地域住民を助けることはできないのだ。民間の電気通信会社のロビイストのほうが、先に州議会にはたらきかけたのだから。

当然ながら、民間企業の競争に行政が参入しないようにするのには理由がある。この議論は、もうおなじみだ。「競争によって価格が下がり、品質が向上する」「民間業者の競争力を弱めるために税金が使われるべきではない」「行政は自由市場に介入するべきではない」

たしかにそうかもしれないが、遠い地方の場合、インターネット接続を支払われる料金でまかなうには人口が少なすぎるのだ。これは郵便が地方で無料配達されるようになった事情（この地方無料郵便配達は1893年には法律になり、1902年にモンタナ州ビリングズでもこの制度が開始された）や、1930年代や1940年代の送配電網の状況と同じだ。国じゅうをつなげるには、電子通信を電気や郵便と同じように見なければならない。つまり、手頃な料金で誰もが利用できるようにしなければならないのだ。だが実際には、この道理は一般的には受け入れられていない。それどころか、インターネットはまるでテレビやマルチスクリーン映画館にさせられようとしている。大手のインターネットサービスプロバイダーは、インターネットを能動的なコンテンツプロバイダーと受け身のコンテンツ消費者を結びつける手段とみなしている。ISPがダウンロードを推進してアップロードを制限しているプランを設定しているのもうなずける。

韓国、スイス、あるいはフィンランドの地方部でも、政府の積極的な推進政策によってアメリカよりもはるかに優れたインターネットサービスを受けられる。政府によるそうした推進がないアメリカでは、なぜ競争による価格低下と品質の向上が実現しないのだろうか？

それは企業欲、癒着や腐敗のせいだという意見もあるだろうし、一部の例ではそうした見方がある程度正しい場合もあるだろう。だが実際は、通信ネットワークは効率性を求めて、ほぼ有機的に拡大、統合している。ポール・バラン自身も、この現象がコンピューターネットワークに影響を及ぼすのではないかと、彼が初期のネットワークを構築する数年前に予測していた。1966年、電子プライバシーに関する連邦議会での証言で、バランは次のように語った。[原注17]

1830年代のこの国の初めての鉄道は、地域の人口集中地を結ぶ短い路線ばかりでした。鉄道線路ネットワークのマスタープラン作成に、じっくり取り組んだ人は誰もいませんでした。時間とともに、そうした各地域でバラバラにつくられるシステムが増えていきました。そして、経済的圧力によって、バラバラだった個々の路線同士をつなぐための新しい路線がつくられ、ネットワークが次第に拡大していきました。

この国で1840年代末につくられたのは全国を網羅する電信網ではなく、一部のみを結んでほかとはつながっていない独立した電信回線だけでした。しかし、それらが統合されて、全国を網羅したネットワークができるまで時間はかかりませんでした。ウエスタンユニオンという名前（**訳注：直訳すると「西部の結合」**）さえ、バラバラだった個々のつながりが結びついて、さらに便利なシステムを提供するという流れを思い起こさせます。

電話が登場した1890年代、この国では全国を網羅する電話システムを構築する動きはありませんでした。だが今日では、高度に統合された電話ネットワークが存在しています。

こうした拡大パターンは偶然ではありません。歴史的に見て、通信や輸送は「自然独占」状態をつくりだす傾向のあるサービスです。その理由ははっきりしています。自身の設備をつくるよりも、大きな設備や施設を共同で使うほうが安く済むからです。したがって、たとえば遠い月の見晴らしのよい地点から地球を眺めると、バラバラだった欠片が統合されてネットワークが拡大していく様子は、まるでそれが生きているかのように見えるはずです。

つまり、そんなに複雑なことでもない。小さいネットワークよりも大きいものに属すほうが有益だし、ネットワークが大きければ大きいほど、そこに属す有益性が高まる。合併、統合、買収、あるいはネットワークトラフィックを支配するという企業の戦略的判断を却下する権限を持つ何らかの社会組織による反対がない場合、通信ネットワークは時間とともに拡大し、全体数は減っていく。サービスの提供や価格決定について判断する場で公益が考慮に入れられているのであれば、こうした独占は必ずしも公益に反するものではない。だが、今日においては、考慮に入れられることはほとんどない。

郵便配達員は、どの手紙を配達するかを決めてもいいのか？

この章の初めに取り上げた、テラスとストライキ中の従業員の事例は、伝送路ゲートキーパーがコンテンツゲートキーパーの役目を担うのであれば、伝送路とコンテンツを分けても意味がないことを示している。インターネットサービスプロバイダーはどのビットを運ぶべきかを判断するべきではないという考え方は、「ネット中立性」と呼ばれている。考え方としてはわかりやすいし、議論の余地はないように思える。たしかに、どの会話が自社の電話回線を伝わってもいいかを電話会社に判断してほしくないではないか。当然ながら、利用者が料金を払わなければ電話を止められても仕方がないが、それでもそういったことはめったに起こらない。というのも、電話サービスは日常生活に重要なものだと社会が一般的に認識している（あるいはかつては認識していた）からだ。だが、インターネットは電話ネットワークとまったく同じものではない。

カナダでテラスが組合支持派のウェブサイトをブロックしていたのと同じ頃、ノースカロライナ州の小規模ISPのマディソン・リバー・コミュニケーションズは、ボイスオーバーインターネットプロトコルサービスを提供しているボナージュの通信をブロックしていた。インターネットが誕生した当初は、インターネットを利用して生の会話を伝送するという発想は突拍子もないものに思えた。なぜなら、当時のネットワークはあまりに遅かったし、つながっているコンピューターは大量に送られてくるパケットを理解できる発話に組み立てなおすという処理に追いつけなかったからだ。だが、時代は変わった。伝送速度が向上し、IPを基盤にした新たなプロトコルが音声通信向けに最適化されたことで、電話とインターネットサービスのシステム上の違いが問題となった。電話会社は、長距離電話サービスに対して追加料金を請求した。一方、インターネットサービスプロバイダーにとって、パケットがどこから来てどこに行くのかは重要ではなかった。より速いデータ伝送速度に対しては追加料金を請求するかもしれないが、伝送距離が長くなる分にはその必要はなかった。VoIPソフトウェア（この分野で早くから成功したのがスカイプだ）が開発された当然の理由は、電話通信をインターネット通信に置き換えることで、インターネットユーザーなら誰でもほぼ無料で長距離「通話」ができるようにするためだった。つまり、ボナージュはマディソン・リバーの電話サービスを脅かすために、マディソン・リバーのデータサービスを利用していたことになる。

通信をブロックされたボナージュは、電話サービスを管轄している連邦通信委員会（FCC）に訴えた。この件は、罰金を払うことと VoIP を3年間ブロックしないことにマディソン・リバーが同意して一件落着したが、この解決は答えになるどころか、のちにより多くの疑問を生み出すことになった。マディソン・リバーが電話会社ではなく、インターネットサービスを提供するケーブルテレビ会社だったら、どうなっていただろう？　一方、もしマディソン・リバーが FCC と裁判で争えるほど大手だったら、どうだったろうか？　電話会社系列の ISP までもがどのビットを伝送するか選り好みしているなかで、強硬手段を取るための行政委員会としての権限がどの程度 FCC にあるのかは、まったくわからなかった。[原注18]

2008 年、懸念されていたことが現実になった。FCC は ISP のコムキャストに対して、ビットトレントへの「スロットリング」（伝送量を制限して遅くすること）をやめるよう命じた。ビットトレントが提供しているピアツーピア（P2P）ファイル共有サービスは、自宅のコンピューターで映画を見るためによく利用されていた。ところが、コムキャストはインターネットサービスを提供しているのと同じケーブルで映画を配信して利益を上げていたため、ビットトレントはコムキャストのビデオ配信事業を脅かしていたことになる。コムキャストは FCC に対して勝訴し、FCC にはインターネットサービス事業を規制する権限がたしかにないことを立証してみせた。この判断によってネット中立性の議論が沸き起こり、10 年以上にわたって激しい論争が続いている。

その詳細は複雑だ。簡単に言えば、中立性支持派は消費者の選択と自由を主張した。反対派はどんな緊張も市場の力で解決できると訴えたが、その意見に懐疑的な者たちから、ISP市場にはほとんど競争が存在していないではないかと反論された。アメリカではネット中立性規則はオバマ政権によって導入され、トランプ政権時代に撤廃された。ネット中立性を原則上取り入れている国は多いが、利用量に応じた料金請求を許可している一部の国においては、映画を見るといった特定のアプリケーションの使用によって、料金が許容できないほど高くなる恐れがある。つまり、2008年にコムキャストがP2Pサービスへのスロットリングで実現した、一般家庭への別の映画配信方法を優先させることと同じ結果を得ているのだ。

検索ゲートキーパー――
見つけられないものは存在しないのだろうか？

先見の明があったバランでさえ、これほどまで誰もが通信ネットワークを利用できるようになって、しかも彼らの情報がこれほどまでごく少数の民間企業によって支配されるようになるとは予測できなかったはずだ。検索技術は1990年代の驚くべき考案であり、今やそれがない世界など考えられない。一方、西側世界で行われている検索やスキャンの大半にグーグルが「直接」関与していない状況を想像するのは、決して難しいことではない。なぜなら、今がまさにそうなってしまっていて、そしてそれは厄介な結果をもたらしている。

70年後に見つかる

1937年、10歳だったロザリー・ポロツキーは、モスクワ駅で従姉妹のソフィアとオシーに手を振って別れを告げた。この二人姉妹はソ連の弾圧から逃れて新たな生活を始めるために旅立った。ロザリーの一家は、ソ連に残った。彼女はモスクワで育ち、フランス語を教え、ナリマン・ベルコヴィッチと結婚し、家庭を築いた。1990年、ロザリーはアメリカに移住し、マサチューセッツ州に住む息子サーシャの近くで暮らすようになった。ロザリー、ナリマン、そしてサーシャも、ソフィアとオシーがその後どうなったのかいつも気にかけていた。鉄のカーテンのせいで、このユダヤ人一族同士での連絡がまったく取れなくなってしまっていた。ロザリーがアメリカに向かったときには、ソフィーとオシーとのつながりが絶たれてからすでに長い月日が過ぎていたため、再び連絡が取れる望みは薄いだろうと感じていた。その後も、年月が過ぎるにつれて、ロザリーは姉妹たちがまだ生きているという期待を徐々に抱けなくなっていった。サーシャは彼女たちを見つけたいという祖父の夢をかなえようとして、エリス島の移民局や国際赤十字の移民者記録を調べたが、何の手掛かりも得られなかった。もしかしたら、戦時中のヨーロッパを移動しなければならなかった幼い姉妹は、アメリカに辿り着くことさえできなかったのかもしれなかった。

そんなある日、サーシャの従兄弟がグーグルの検索ボックスに「ポロツキー」と入力すると、手掛かりが現れた。それを頼りにして、ある家系図ウェブサイトで検索すると、ソフィアとオシーの父親の苗字「ミナカー」が出てきた。その後すぐ、ロザリー、ソフィア、オシーは、フロリダで70年ぶりに再会した。「祖父は生きているあいだずっと、何とかして二人を探し出してくれと私に言っていました」と、サーシャは祖父の願いを思い返しながら語った。「まるで魔法のようです[原注19]」

ワールド・ワイド・ウェブによって、何百万もの普通の人々が膨大な情報を入手できるようになった。だが、欲しいものがどこにあるのかわからなければ、それを手に入れることはできない。探す手段がなければ、保管されている膨大なデジタル情報の大半は存在しないも同然だ。実際、検索エンジンにも、そして、探す場所を知らないユーザーにも、見つけられない情報が山のように埋まっている「ダークウェブ」が、パラレルワールドの一種として存在している。

検索によって夢がかなえられ、人間の知識もかたちづくられる。デジタルな干し草の山から針を見つけ出すために役立つ検索ツールはレンズであり、私たちはそれを通してデジタル世界の状況を眺めている。だが、これらの「レンズ」は受け身ではない。検索結果の最初のページで私たちに何を見せる、どんな順番で結果を示すかを選択することによって、私たちが目にするものに積極的に影響を及ぼしていく。検索エンジンを支配している者は誰であろうと、私たちがそれを通して見る現実をかたちづくり、そしてゆがめている。全世界で行われている検索で９割のシェアを占めるグーグル[原注20]は広告収入によって支えられているため、その検索結果はグーグルの利益、あるいはユーザーの満足度のどちらを高めるためのものなのかという疑問が起きるのは避けられない。マイクロソフトのビングの検索能力もグーグルに決して劣っていないが、市場でのシェアは５パーセント以下だ。ダックダックゴー（DuckDuckGo）はグーグルやビングよりもプライバシーの保護により一層力が入れられているが、検索結果の精度が劣り、市場でのシェアはごくわずかだ[原注21]。百度（バイドゥ）は中国では支配的な検索エンジンだが、それにはわけがある。中国市場で、いかなる検索ソフトにも義務づけられている検閲を、厳しく行っているからだ。なぜ、全世界のシェアで、このような一方的な事態が起きたのだろう？　また、それはどんな結果を招いたのだろうか？

崩れ落ちる階層

文字が書かれるようになってから1994年頃までは、情報を素早く取り出すために整理する方法は二つしかなかった。階層化するか、索引をつくるかのどちらかだったのだ。

階層化ではその対象をカテゴリーに分けるが、そうしたカテゴリーはサブカテゴリーにも分けることができる。アリストテレスは、あらゆるものを分類しようとした。たとえば、生物は植物か動物のどちらかだ。動物は赤い血液をしているか、そうでないかで分けられる。血液が赤い動物は胎生か卵生のどちらかだ。卵生動物は水中を泳ぐか、空を飛ぶ、というように細かく分けていく。だが、海綿動物、コウモリ、クジラはどれも分類上での謎を生み出し、アリストテレスもこの方法が最終的なものだとは思っていなかった。啓蒙時代に入ると、リンネによって生物を分類するための、より役立つ方法が編み出された。そこで使われた手法は、進化の流れを反映していることが明らかになった結果、本質的な科学的妥当性を得た。

こうした階層分類法の伝統は、どこにでもはっきりと表れている。私たち人間は、この見出しが一覧になった構造が好きでたまらないのだ。たとえば、著作権の侵害を禁じる法律の表示方法は「第17編、第12章、第1201条、項(a)号(1)、号（下位区分）(A)」である。アメリカ議会図書館分類表では、どの本もアルファベットの大文字が割り当てられた26の主要カテゴリーのどれかに属している。また、これらの主要カテゴリー内でも同様に分類されている。たとえば、「カテゴリーB（哲学）」内の「BQ」は「仏教」だ。

カテゴリーが明確であれば、階層を体系化して探しているものを見つけやすくできる。この方法の場合、検索する人はその分類法に明るいだけではなく、必要となる判断をすべて行う能力に長けていなければならない。たとえば、生物の知識がアリストテレスと同じ方法で整理されていたら、クジラについて調べたい人が分類ツリーの正しい枝を辿っていくためには、クジラが魚か哺乳類のどちらであるのかをあらかじめ知っておかなければならない。分類ツリーに知識が次々と加えられなければならないため、ツリーは成長して小枝を生やし、それが時間とともに枝になると新たな小枝が出てくる。

すると、分類上の問題は手に負えなくなり、情報を取り出すのは実質的には不可能になる。

インターネットが学界や政府関連機関の外ではまだほとんど知られていなかった1991年、一部の学術研究者がゴーファー（Gopher）と呼ばれるプログラムを作成した。このプログラムは、多くのウェブサイトの階層化ディレクトリーを提供した。その方法は、各サイトから入手したディレクトリーを整理して、大きな見出しをつくるというものだった。Gopherを使って何かを探すのは、今の基準からすれば面倒だし、しかもこのプログラムはデータ提供者の整理能力に依存していた。ヤフーは1994年にオンラインインターネットディレクトリーとして誕生し、人間の編集者が商品やサービスをカテゴリー別に分けてお薦めをした。その全体的な目標は、インターネットを技術者以外の人々にも使えるものにすることだった。今日のヤフーは検索とニュースのウェブサイトだが、「ヤフー（Yahoo）」の名前の由来は“Yet Another Hierarchical Organized Oracle”（階層的に整理された神託がまたしてもやってきた）の頭字語だと言われている。

階層的に整理されたツリーの実質的な限界が予見されたのは60年前で、ワールド・ワイド・ウェブが爆発的に成長しながら日々数え切れないほどの変化を遂げるようになった頃よりもはるか以前のことだ。第二次世界大戦のさなか、フランクリン・ルーズベルト大統領は、MITのヴァネヴァー・ブッシュを科学研究開発局（OSRD）長に任命した。OSRDは、戦争遂行努力を支える科学研究のとりまとめ役だった。OSRDは３万の人員と、科学と工学のあらゆる分野を網羅する何百ものプロジェクトを抱える、大規模な取り組みだった。原子爆弾を開発したマンハッタン計画は、そうした取り組みのごく一部でしかなかった。

ブッシュは自身の立場から見て、科学の継続的進歩にとっての大きな障害に気づいた。自分たちは活用、それどころか分類が追いつかないほど、速いペースで情報を生み出していた。彼はコンピューターが当たり前になる時代よりも数十年も前に、「われわれが思考するごとく[原注22]」という洞察力に満ちた記事で、この問題について記していた。この記事が掲載された『アトランティック・マンスリー』は、専門誌ではなく一般向けの月刊誌だ。そのなかで、ブッシュは次のとおり論じている。

> どうやら問題は、我々が発表する論文が多すぎるということではなく、（中略）その多さゆえに、それらの論文内の記録を真に活用するために必要な能力が、我々の現在の能力をはるかに超えてしまっているということだ。人間の経験の総量は並外れた速さで増え続けていて、すぐに必要な知識に到達するまでに必然的に生じる迷路をくぐり抜けるための手法は、大航海時代のものと変わっていない。（中略）私たちが愚かにも必要な記録に辿り着けない最大の原因は、理にかなっていない索引システムだ。

当時はまだ、デジタル時代の夜明けは、地平線の先にかすかに見える光でしかなかった。そんな時代に、ブッシュはすでにある機械を思いついていた。ブッシュが「メメックス（memex）」と名づけたその機械は、人間の記憶の増強として、必要な情報をすべて保管して取り出せるというものだった。それは人間の記憶を「拡張、詳細化するための補完装置」であり、「情報の検索に驚くべき速さと柔軟性で対応できる」ものだった。

ブッシュは問題を明確に捉えていたが、マイクロフィルムや真空管といった当時の利用可能なテクノロジーでは解決できなかった。情報を見つけ出す困難さが、知識を生み出して記録するという科学の進歩にいずれ深刻な影響を与えることを見通していたブッシュは、複数の条件を使って検索すれば、特殊な情報を特定できるのではないかと考えるようになった。

> まったく新たなかたちの、百科事典が登場するだろう。そのなかではすでに情報が連想の道筋によって網の目のようにつながっていて、メメックスに落とせるようになっている。そして、メメックスのなかでその威力は増幅される（中略）。
>
> 人類の年代順の膨大な記録を擁している歴史家も、それらの記録と並行した、重要な事項のみが示された道筋を辿ることができる。そして、特定の時代のそれぞれの文明につながっている道筋を、いつでも同時に辿ることもできる。道しるべとなる印をつけるという新たな職が誕生して、それに携わる者は共有している膨大な量の記録のなかで、役立つ道を切り開くことに喜びを見いだすだろう。偉人から受け継がれるものは、彼が世界の記録につけくわえたもののみならず、それを構築するときに使われた足場もすべて後世に伝えられる。

ブッシュはこの戦争によって文明自体が危険にさらされていることは嫌というほどよくわかっていたが、それでも人間の膨大な知識の記録がもたらしてくれるものに希望を抱きながら進まなければならないと信じていた。

> もし自身の暗い過去をより的確に再考察でき、現在の問題をより徹底的かつ客観的に分析できれば、人間の精神はさらなる高みへと到達するだろう。人間はあまりに複雑な文明をつくりだしたがゆえ、限られた記憶を駆使しすぎて途中で行き詰まることなく、論理的な結論が得られるまで実験を進めたければ、記録をより精密に機械化しなければならない。今すぐ必要としない多種多様な情報を、それが重要なものだと判明したときに再び見つけられるという何らかの

保証がある状態で忘れることができるという特権を再び手に入れられれば、我々の探求の旅はより楽しいものになるだろう。

（中略）人間はその記録を真の幸福のために活用できるようになる前に、争いで滅びてしまうかもしれない。だが、人間の欲求を満たし願望をかなえるために科学を応用するにあたり、その研究を打ち切ったり、結果に対して希望を失ってしまったりするのは、非常に残念なことだ。

予測は予測されていた

ヴァネヴァー・ブッシュが1945年に思い描いたメメックスを、H. G. ウェルズは1937年にすでに予測していた。さらに、ウェルズはすべてを索引化することの可能性と、それが文明にとってどんな意味を持つのかまで明確に記している。

現在において、ありとあらゆる人間の知識、発想、成果の効率的な索引の作成、つまり、全人類の世界じゅうの完全なる記憶の作成に対する、実践上の実害は存在していない。しかも、これはただの索引ではない。正しく準備されたどんな場所にも、正確に再現したものを呼び出すことができるのだ。（中略）これ自体、非常に重要な意味を持つものだ。これは私たち人類の、真の知的な統一の前兆だからだ。人間の全記憶は、おそらく近いうちに、あらゆる個人に入手可能なものになるだろう。（中略）これは遠い夢でもおとぎ話でもない。[原注23]

おそらくブッシュは完璧に実現されたものを目にすることができなかったが、その機能は今日では当たり前のものになっている。デジタルコンピューター、膨大な保管容量、高速ネットワークによって、情報の検索と取得の必要性が生じた。そして、それが可能にもなった。ウェブはブッシュのメメックスを実現したものであり、それを有益なものにするには検索が鍵となる。

検索履歴

ブッシュは誰もがメメックスを持つようになるとは予想しなかったが、「連想の道筋」という考え方は残るだろうと思っていた。この言葉が検索エンジンの仕組みにおいて何を意味しているのか、もう少し詳しく見ておくほうがいいだろう。ブッシュが重要な新しい知識構造とみなしていたものは、むしろ「デジタル排気装置」と呼ぶべきものだった。それは、私たちがさまざまなことをこなすために使っている「高級デジタル検索エンジン」の、最も無害な副産物である。

グーグルをはじめとする検索エンジンが実際に行っていることを、「検索」と呼ぶのは間違っている。あなたが検索エンジンにワードを入力したとき、検索エンジンはワールド・ワイド・ウェブ全体を調べに行くわけではない。あなたが入力した検索ワードを、すでに作成された索引で調べるのだ。この索引は非常に大きく、常に更新できたり複数のワードで検索できたりするように極めて巧みに整理されているが、基本的には本の巻末にある索引と大差はない……ただ、もしあなたが本の索引で何かを調べた場合、それを行ったことはあなたしか知らない。もしグーグルにその索引で何かを調べるよう頼んだら、グーグルはあなたからそう頼まれたことを覚えている。

あなたが何を検索したかをグーグルが覚えるのには、もっともな理由がある。その情報は、今後の検索でグーグルがより適切な結果を出すのに役に立つかもしれない。また、当然ながら、グーグルがあなたへのターゲティング広告を出すのにも役立つ。それが嫌なら、プライバシー保護をうたっている検索エンジン（先述のダックダックゴーのような）を使う手もあるが、その検索結果をあなたは不満に思うかもしれない。グーグルが圧倒的なシェアを誇っているという事実が示しているのは、人々はよりよい検索結果を得られるなら喜んでプライバシーを差し出すということか、あるいは、どんな代償を払っているかに気づかぬまま、よく知られている名前だからという理由だけで選んでいるということだ。

ケーシー・アンソニーは、自分かほかの誰かが彼女のコンピューターを使って「首の骨を折る」や「クロロホルムのつくり方」とグーグルで検索していたとき、その履歴が残ることについて何も考えていなかったのかもしれない。それは、2012年に娘のケイリーが不審な死を遂げる前のことだ[原注24]。裁判ではこの履歴が公開されたが、有罪判決にはつながらなかった。その後、少女が行方不明になったまさにその日に同じコンピューターで「確実に窒息させる方法」と検索されていたことが判明した(この検索はほかの検索履歴情報が明らかにされたインターネットエクスプローラーではなく、ファイアーフォックスで行われていたため、刑事たちは見落としていた[原注25])。この事件の数年前、ジェームズ・ペトリックが妻の殺害で有罪判決を受けたときの証拠の一部になったのは、ペトリックが「首」「骨を折る」といったワードや、妻の遺体が発見された湖の地理的な情報を検索した事実だった[原注26]。イリノイ州の控訴裁判所は、スティーブン・ルイス・ジルコの殺人と殺人の教唆に対する有罪判決を支持した[原注27]。その理由のひとつは、ジルコのコンピューターで「高額報酬の仕事を受けます」という広告や、親が被害者のひとりとなった子どもが学校に行っている時間が検索されていた事実だった。

これらの事件ではみな、警察が特定の人物の自宅のコンピューターを捜査している。だが、検索履歴を手に入れる方法はほかにもある。グーグルに尋ねればいいのだ。グーグルは尋ねてきたどんな人にも言われるままに情報を出すわけではないが、グーグルにログイン中にあなたが検索をはじめそこで行った作業をグーグルがどれくらい覚えているかを、自分で確認できる(言い換えると、少なくともグーグルが覚えていると言っていることは確認できる。実際は、それよりもずっと多くのことを覚えていると思われる)。あなたのグーグルのアカウントページにある「データとカスタマイズ」では、たとえば検索履歴の記録を止めるよう設定できる。あるいは、その気になれば履歴を編集したりすべてを完全に消去したりすることも可能だ。ブレント・デニス医師が、明らかに警察を混乱させようとしてやったように。デニスは「妻は不凍液を飲んで死亡した」と警察に話したが、「不凍液」と検索して、その後人を雇って履歴をすべて消去させたのはデニス本人だった。[原注28]

初めて利用するウェブサイトで「『アカウントを新規に作成する』または『グーグルでログインする』または『フェイスブックでログインする』」と尋ねられると、あとの二つのどちらかを選んだあなたは、時間の節約にもなって覚えておかなければならないパスワードがひとつ減ってラッキーだと思うかもしれない。だが、既存のグーグルやフェイスブックの認証情報でのログインを選んだことが実際に何を意味しているかというと、グーグルやフェイスブックがすでに保存しているあなたについての膨大な情報に、その新たなウェブサイトでのあなたの活動から収集できた新たな情報も加わるということだ。

さらに、政府はグーグルがあなたについて知っていること（あなたの検索履歴など）を同社に強制的に提出させることができる。しかも、さほど手をかけずに。2018年にグーグルに送られた裁判所やほかの政府機関からの約13万件の開示請求に対して、同社は少なくとも一部のみを開示したものも含めて約3分の2に応じた。[原注29]政府機関があなたの記録をグーグルに請求すると、同社はあなたにその旨を連絡してくる。だが、同社には連絡の義務はなく、しかもあなたが開示を拒否しようとそれに従う義務もない。

警察があなたのノートパソコンからそうした情報を入手するには、捜査令状が必要だ。それはつまり、あなたの憲法修正第4条の権利は不当な捜査による侵害を受けないことを警察が裁判官に訴えて、認めてもらわなければならないということだ。だが、それにもかか

警察はあなたの検索を捜査できるのか？

あなたは何も悪いことをしていないのにもかかわらず、警察はあなたの検索に関する情報を入手できるのだろうか？　そうした事例は、2017年の初めにミネソタ州のイーダイナで確認されている。[原注30] ダグラスという男性を装った何者かが、スパイヤークレジットユニオン銀行に電話をかけてきて、ダグラスの口座から2万8500ドルをほかの銀行に送金するよう係員に指示した。にせのダグラスはダグラスの氏名、生年月日、社会保障番号を告げ、パスポート（少なくとも貼られていた写真はダグラスのものだった）のページをファックスしてきた。写真が銀行の記録と一致していたため、本人確認手続きは完了した。

口座からお金がなくなっているのに気づいたダグラスは、警察に届け出た。デビッド・リンドマン刑事は、問題のダグラスの写真と同じものがインターネット上に掲載されていることを、グーグルの画像検索を使って発見した。そこでリンドマンはヘネピン郡の裁判官に、事件の日から過去5週間以内にイーダイナでダグラスの画像を検索した人物の記録を、グーグルに求めるための捜査令状を申請した。つまり、少なくとも一部の場合においては、特定の個人ではなく、特定の検索を行った複数の個人をまとめたかたちでの捜査令状が発行できるようだ。

まさしくゲートキーパーであるグーグルの門扉は、手前にも向こう側にも開くようだ。あなたが検索すると、グーグルはあなたにどんな情報を見せるか判断すると同時に、あなたについての情報も集めている。そして、その情報を広告のために自ら利用することもできれば、裁判所命令を受けて外部の人間に扉を開くこともできる。

わらず、警察はなぜ同じ情報を直接グーグルからいとも簡単に入手できるのだろう？

その根底にある法律の原理は簡単なものだ。つまり、ほかに個別の法律が存在しないかぎり、あなたの検索情報を警察がグーグルに要求した場合、グーグルは「第三者の法理」によって情報を明らかにしてもかまわないということだ。あなたが私に秘密を話すと、政府は私たち二人にその秘密を明らかにさせることはできない。だが、もしあなたがGmailを使ったのなら（それは本質的には、あなたの秘密を私に伝えるようグーグルに頼んだということ）、グーグルは第三者であるため、情報を秘密にしておきたいというあなたと私の意思を尊重しなければならないという憲法修正第4条に縛られない。それは、あなたの秘密を通りすがりの見知らぬ人に知られたのと同じことなのだ。あなたがグーグルに検索を頼んだワードといった、あなたが同社に委ねたほかの情報についても同様だ。そうした検索についての情報はグーグルの所有物であって、あなたのものではない。同社はそれらの情報を、ターゲティング広告の表示やその他の目的に利用できる。

2017年、グーグルはターゲティング広告の向上のために行っていた、ユーザーの電子メールのスキャンを中止すると発表した。だが、これはあくまで同社の方針変更であって、アメリカの法律に対応したからではない。実際、アメリカには包括的なプライバシー法は存在していないため、企業方針は変更不可である必要もなければ、ユーザーの期待に必ずしも応え続ける必要もない。Gmailが導入された2004年、グーグルは無料のメールサービスを提供する費用を相殺するために、ユーザーの電子メールをスキャンしてターゲティング広告に役立てると説明した。10年にわたって高まり続けた批判と何件かの訴訟によって、グーグルは電子メールのスキャンをやめるという判断を下した。だが、その発表でグーグルが説明しなかったのは、同社が一部の提携企業に電子メールのスキャンを許可していること、そのうえ、ときには人間が読むことまで認めているということだ。

アリゾナ州フェニックスのナビデ・フォルガニは、節約サービスを提供しているアーニーに会員登録したとき、そういったことが行われているとはまったく知らなかった[原注31]。アーニーは会員の電子メールの受信トレイを見て、何かを購入したレシートがないか確認する。そして、同じ商品が安い値段で売られていないかをウェブで調べる。もしあれば、会員のクレジットカード会社に差額の請求を行い、返金分を会員と二等分する。これがすべてバックグラウンドで、ひっそりと行われている。ナビデはいったん登録さえすれば、あとはクレジットカードの請求書に記載された振込額を眺めるだけでよかったのだ。

アーニーはグーグルの傘下ではない民間企業で、グーグルはナビデのメールをスキャンしていなかった。だが、彼女の受信トレイにアクセスする権限をアーニーに与えるボタンをナビデがクリックしたとき、それはアーニーに電子メールをスキャンする権限を与えたことでもあったのだ。おまけに、アーニーは実際にスキャンを行う提携企業リターンパスと、彼女の電子メールを共有していた。

グーグル、アーニー、リターンパスは、こうした一連の手順はそれぞれの企業のプライバシーポリシーの規定に沿ったものであるため、何の問題もないと揃って説明した。ナビデは、アーニーのプライバシーポリシーを読まなかったことを認めている[原注32]。だが、それは当然だ。私が2019年に確認したときは、3000語近かった。アーニーの方針はそれを読むほとんどの人が難しいと思う程度に細かく記載されていて、しかもほかのプライバシーポリシーへのリンクがやたらと張られているため、同社のサービスに登録するときに自分が何を手放すことになるのかほぼ理解できない。リターンパスのプライバシーポリシーは約6000語だ。

要するに、あなたのデータは貴重なものであり、あなたが享受しようとする便利さには代償が伴うということだ。プライバシー擁護における中心的な団体である電子プライバシー情報センター（EPIC）のマーク・ローテンバーグ代表は、次のように語っている。「プライバシーポリシーを通知して同意させる方法は、問題だらけでもはや手の施しようがありません。Gmailのユーザーが、自分の個人データが第三者に移管される恐れがあることに気づける方法はひとつもないのです[原注33]」。競争がないに等しく、日常生活や仕事で非常に役に立つ製品の場合、「通知と同意」の慣行はユーザーの個人データが予期せぬ方法で利用されるのを現実的に防ぐことはできない。

グーグルはいかにしてこれほど巨大化したのか？

1990代初めにワールド・ワイド・ウェブが拡大するにつれて、分類できない情報を探すうえで満足な方法がなかなか見つからなかった階層構造は、ウェブの成長に早々と追いつけなくなった。索引が自動的に作成される検索エンジンがいくつか登場し始め、なかにはそこそこ成功したものもあった。だがすぐにグーグルが優位に立ち、そのすごさは検索エンジンと会社の名前が「ウェブ検索」を意味する動詞になったことからでもわかる。

1996年、のちにグーグルの創業者となる大学院生のラリー・ペイジとセルゲイ・ブリンは、いい考えを思いついた。それは「重要なウェブページとは、重要なウェブページの多くから参照される（つまり、リンクが張られる）ものである」ということだった。これは循環定義のように聞こえるかもしれないが、ウェブの全体構造を捉えて分析できれば、比較的単純な数学を使ってすべてのウェブページの重要度を安定して測定できる。そうした数学と、当時はまだ使える量が限られていたストレージ容量のなかですべてのデータを整理、処理できる確かなエンジニアリング力によって、二人は新会社を立ち上げた。選択肢も余計なものも一切なく、ただ何かを入力するだけで答えが返ってくるという驚くほど単純なインターフェイスは、まったくの初心者にとってもわかりやすく、思わず何度も使いたくなるものだった。

グーグルの検索エンジンは優れていたが、1998年に会社が設立された時点では、ほかのものより10倍優れているというわけではなかった。たとえば、当時のアルタビスタは運営開始からすでに3年経っていて[原注34]、一般ユーザーへの無料サービスとして何億もの検索クエリを処理していた。

アルタビスタを開発したディジタル[D]・イクイップメント[E]・コーポレーション[C]は、それを収益化する方法を結局考えつけなかった。主にハードウェア会社だったDECは、アルタビスタを他社に売却した（その直後にDEC自体がコンパックに買収された）。アルタビスタは再度売却されたのちに、ひっそりと幕が下ろされた。マイクロソフトは2009年にようやく、自社の検索エンジン「ビング」を投入した。ユーザーが検索エンジンをグーグルからビングに楽に切り替えられるようになっていたにもかかわらず、その頃のグーグルはもはや誰も追いつけないほど何歩も先を行っていた。

グーグルが優位に立ったのは、開始当初から広告を掲載したからだ。広告は検索ワードに応じて表示された。たとえば「携帯電話」と検索すると、携帯電話にまつわる製品やサービスの広告を見る可能性が高くなった。携帯電話に興味がある人々に自身の商品を売り込みたいすべての広告主のなかのどの広告が表示されるかは、一連のオークションによって決まる。つまり、自社の広告により多くの料金を支払う気がある広告主のものが、表示される可能性が高い。オークションは目に見えない方法で自動的に行われていて、そうして完成したのが、このほかに類を見ないほど効率のよいシステムだ。新聞、雑誌、あるいはラジオの広告主は、広告を打った商品に不特定多数のなかの誰かが興味を持ってくれることを願わなければならない。あるいは、スポーツ好きを対象にしたラジオ局でスポーツ関連の宣伝を流すというように、多少自社に有利な手を打つこともできる。だが、検索と関連づけた広告は、少なくともその関連ワードで検索する程度にその分野に興味のある個々に絞った広告が出せるのだ。

グーグル創業者の二人は、当時運営されていた検索エンジンのいくつかですでに使われていた、広告と検索を混ぜ合わせるこの手法のマイナス面に気づいていた。[原注35] たとえば、広告主に有利になるよう検索結果がゆがめられているのではないとユーザーが疑った場合、検索結果に対する信頼度が下がることに。

> 仮に、我々が試作した検索エンジンで「携帯電話」と検索すると、上位の結果のひとつに「携帯電話の使用がドライバーの注意力に及ぼす影響」が出てくる。これは運転中の携帯電話利用による注意散漫や危険性について、詳細に解説した研究結果だ。このウェブサイトが検索結果の上位にきた理由は、ウェブサイトの引用度で重要性を近似するページランクアルゴリズム（PageRank algorithm）によって、重要度が高いと判断されたからだ。携帯電話の広告を表示することで料金を取っている検索エンジンは、我々のシステムの検索結果が出したこのウェブサイトについて、料金を支払った広告主に弁明するのは難しいだろう。

ページとブリンは、役立つ検索結果を返すことと広告収入を得ることの利害の対立についての事例をもう数件提示したのちに、「広告の問題は検索エンジンの本来の目的を大きくゆがめてしまう恐れがあるため、透明度が高く研究分野での利用にも耐えられ、なおかつ競争力のある検索エンジンを実現することが極めて重要である」と結論づけた。たとえそうだとしても、今日においてそういった検索エンジンは、一般的には使われていない。グーグルの膨大な収入の大半はまさにその種の広告から得られたものであり、同社は2017年には「広告主に有利になるよう検索結果をゆがめた」という理由で、24億ユーロ（約3100億円）の罰金を支払うよう欧州連合（EU）に命じられている。[原注36] しかも、グーグルのプログラムの仕組みが正確にわからなければ、検索結果がゆがめられているかどうかを判断するのは難しい。ページとブリンはこの点についても予測していた。「たとえば、検索エンジンは検索結果について『友好的な』企業に関するものを若干嵩上げしたり、競合他社のものを多少下げたりできる。この種のバイアスはほとんど意識されないが、それでも市場に大きな影響を与えかねない」。利害の対立、そして透明性の欠如がどのようにして解決されるのかはわからないままだが、それによるリスクは極めて高くなっている。

社会的ゲートキーパー——
仲間を見ればあなたのことがわかる

　開発された当初、インターネットはひとつのコンピューターを別のコンピューターにつなげる手段であり、最終的な目標はコンピューターネットワーク同士をつなげることだった（それゆえ「インターネット」（訳注：直訳すると「ネット間」）と名づけられた）。その後、コンピューター同士をつなぐものから、ユーザー同士をつなぐもの、さらには情報同士をつなぐものへと拡張されていった。こうしたつながりの複雑さによって、検索ゲートキーパーという役割が生まれた。接続性のこの最新の局面において、インターネットは人同士のつながりを、この最も有力な問題解決システムの開発者たちさえ想像できなかったほどの、規模や潜在的な意味を持つレベルにまで促進した。

ソーシャルネットワーク——フェイスブックとその他いろいろ

　デジタル爆発のなかで、フェイスブックの発展ほど強烈なものはなかった。映画『ソーシャル・ネットワーク』で美化されているとおり、フェイスブックの成功は一見、青年期の悪運と資本主義の非情さによるものに思える。だが、その実際の一部始終はもっと興味深いし、人々がビットを共有する方法を詳しく知ることができる。

フェイスブック以前にもソーシャルネットワークは存在していた。最も古いのは1997年に始まったシックスディグリーズ・ドットコムだ。この名前は1990年代の戯曲（『六次の隔たり』）で映画化（『私に近い6人の他人』）もされた *Six Degrees of Separation* に由来している。このウェブサイトは何百万ものユーザーを擁するまで成長したが、次第に行き詰まって2000年にサービスを停止した。理由は持続可能なビジネスモデルがなかったことと、ユーザー同士でつながってもそのあとは特に何もすることがなかった点だ。[原注37]

2002年に開始されたフレンドスターは、急速に拡大してウェブ上で最も人気のあるサイトのひとつになった。当初のうたい文句は「ユーザーが新しいデートの相手、新しい友人と出会える場所。あるいは、友人が新たな人々と出会うのを手伝える場所」だった。[原注38]最盛期には、何千万人もの会員の全データベースが簡単に検索できた。

だが、その成功が仇となって、フレンドスターは2006年に破綻した。成長があまりに爆発的だったために、ウェブサイトは技術的な問題に悩まされた。ウェブページの読み込みが遅いと、待っているユーザーはすぐにイライラする。そうした問題が起きると、ユーザーは何度も再読み込みしてまでわざわざ見たいと思わないため、ウェブサイトをまったく訪れなくなってしまう。また、フレンドス

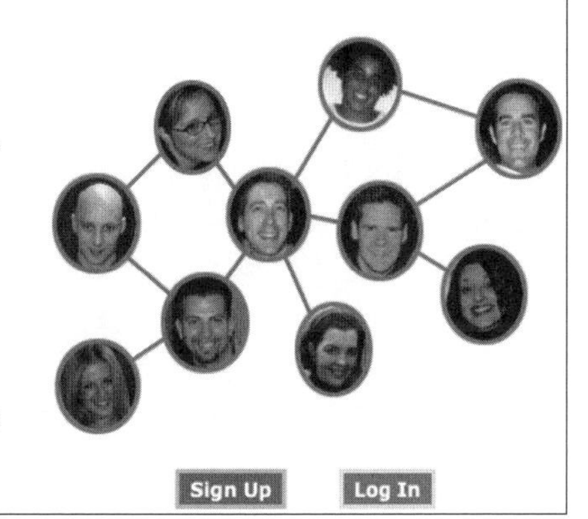

ターは「まだ知らないけれど気が合いそうな人と簡単に出会える」という、このウェブサイトの最大の利点をあまりに拡張しすぎた。さらに、ほかのユーザーのプロフィールを見るのがあまりに簡単だったため、交流面で予期せぬ問題が生じた。たとえば、人とのつながりを広げるためにユーザーがプロフィールに記載することのなかには、彼らの上司に知られたくないものもあった。

マイスペースはフレンドスターの競合相手として、2003年に始まった。そこにはフレンドスターに不満を持つ同サイトのユーザーや、同サイトから退会させられた元ユーザーが集まってきた。マイスペースは、フレンドスターの運営方法に従うことを拒否したインディーズのロックバンドとそのファンから熱心な支持を受けた。程なくして、マイスペースは訪問者数でグーグルをはじめとするほかのウェブサイトを追い抜いたが、その開始当時の対抗意識からきている、やんちゃで創造的な雰囲気に満ちた文化は保ち続けた。だがその数年後、インターネットで知り合った大人と子どもが実際に会

「あなたは自分の子どもが今晩ウェブで何をしているか知っていますか？」

それは子どもを持つすべての親にとって、一番起きてほしくない悪夢のような出来事だった。2006年6月、ミシガン州フェアグローブに住む16歳のキャサリン・レスターが行方不明になった。両親は娘に何が起きたのか、見当もつかなかった。キャサリンは成績優秀だったし、親を心配させたことなどこれまで一度もなかったのだ。両親は警察を呼んだ。連邦当局も捜査に加わった。

何の手掛かりもなく、最悪の事態という恐怖に怯えていたなか、キャサリンは3日後に無事発見された。ヨルダンのアンマンで。

フェアグローブは郵便局もないほど小さな町で、レスター一家は袋小路の一番奥の家に住んでいた。もし時代が違えば、キャサリンの世界の果ては約10キロ先の学校だったはずだ。だが、現代に住む彼女は、インターネットで世界じゅうとつながることができた。キャサリンは、ヨルダン川西岸地区のジェリコに住む、パレスチナ人男性のアブドラ・ジンザウィー

と知り合っていた。きっかけは、ソーシャルネットワークのウェブサイト「マイスペース」で彼のプロフィールを見たキャサリンが送った、「u r cute」（すてきな人ね）というメッセージだった。オンラインメッセージを通じて、2人は瞬く間に互いをよく知るようになった。彼女は母親をうまく言いくるめてパスポートを取ってもらい、そして中東に旅立ったのだった。飛行機でアンマンに到着したキャサリンは、待ち構えていたアメリカ政府の関係者に帰るよう促された。彼女は同意し、心配のあまり参ってしまった両親に謝った。

ひと月後、イリノイ州選出の下院議員ジュディ・ビガートは、「子どもを食い物にするオンライン犯罪者撲滅法」の共同提案者として下院で演説した。「マイスペースをはじめとするソーシャルネットワークウェブサイトは、子どもを食い物にする捕食者のような犯罪者にとっての、新たな狩猟場になってしまいました」と発言したビガートは、キャサリン・レスターの事件について「みな恐怖に襲われた」と語った。「少なくとも、インターネットサービス用の予算を国から支給されている学校や図書館でインターネットを利用している子どもたちが、その最中に犯罪者の犠牲にならないようにしなければ、親たちは安心できません」。この法案が成立すると、それらの機関は子どもたちがそこにあるコンピューターを利用するときに、大人の監督なしではチャットルームやソーシャルネットワークウェブサイトにアクセスできないようにしなければならない。

ほかの下院議員も次々に演説を行い、子どもたちをそうしたオンライン犯罪者から守ることの重要性をみな強調したが、彼らは必ずしもその法案を支持していたわけではなかった。この法案についてある議員は、「適用範囲が広すぎるし、表現が曖昧だ」と指摘した。原案ではマイスペースのみならず、アマゾンやウィキペディアといったウェブサイトまでもが対象になっているように解釈できた。そうしたウェブサイトも、マイスペースと似ている特徴があったからだ。ユーザーは個人プロフィールを作成して、ほかの人とインターネットを通じて常に情報を共有できた。この法案によって学校や図書館にいるときの子どもたちを友人（そして運が悪ければ犯罪者とも）と会う「場所」に行かせないようにすることはできるが、それと同時に、ユーザーの投稿で成り立っているオンライン百科事典や本屋にも行けなくなってしまうのだ。

DOPAの提案者たちは何が禁止されるのかをより詳しく定義するための時間をかけた議論を行う代わりに、原案にあった定義を削除した修正案を慌てて作成すると、法の適用範囲はのちほど連邦通信委員会に定めてもらうことにすると告げた。この慎重な考慮に欠けた見かけ倒しの法案を提案者たちが慌てて提出しようとするのは、近々行われる中間選挙に向けて、子どもたちを守ろうという取り組みを宣伝するためではないかと、一部では囁かれた。たしかに、この法案が成立しても効果はなかっただろうし、その曖昧さゆえ憲法に適合しない恐れもあった。

子どもたちはさまざまな場所でコンピューターを使う。たとえ学校や図書館での利用を制限しても、むきになったティーンエイジャーがマイスペースにこっそりアクセスしようとするのを防ぐことはできない。子どもに対してよほど高圧的な親でなければ、『USA トゥデイ』が「サイバー捕食者」の記事で投げかけた次の質問に正確に答えられないだろう。「今現在、夜の 11 時です。あなたは自分の子どもが今晩ウェブで何をしているか知っていますか？」

たしかに、こうした犯罪に子どもが巻き込まれる件数は、ぞっとするほど多い。司法省が逮捕した「サイバー誘惑者」は何千人にものぼっている。事件はたいてい年上の男性がソーシャルネットワークのウェブサイトでティーンエイジャーをおびき寄せて会おうとするもので、なかには最悪の結果を迎える場合もある。だが、アメリカ図書館協会は DOPA に反対を唱え、「インターネットを安全に使う鍵」は禁止ではなく教育であると主張した。ネットワークの利用とそれによって可能になる人間同士のやりとりこそが、全世界がつながっている新たなビジネス、教育、市民社会の場における基本的なツールとなるため、生徒たちはオンラインで協力することを学ばなければならないと。それに、もしかしたら、世界をまたにかけて結ばれる本当の愛にも、インターネットが欠かせないのかもしれない。

キャサリン・レスターの物語は、予想外の展開へと発展した。ヨルダンで発見されてからずっと、彼女はジンザウィーと結婚するつもりだと言い続けた。キャサリンと初めて連絡を取り合った当時 20 歳だったジンザウィーは、彼女を愛していると主張した。それに、彼の母親もキャサリンを愛していると。ジンザウィーは会いに来ようとしたキャサリンに、彼女の両親に本当のことを話すよう懇願したが、聞き入れられなかったそうだ。アメリカに戻ったキャサリンは当局に家出少女として補導され、パスポートを取り上げられた。だが、2007 年 9 月 12 日、18 歳になって法律上成人したキャサリンは再び飛行機に乗って中東に向かい、ようやく愛する人と対面できた。数週間後、非難と否定の応酬と、さらにはキャサリンがほかの誰かのことが気になるそぶりを見せたために、二人の関係はついに終わってしまった。この別れにはインターネットという高度なテクノロジーは関与していなかった。ただし、テレビのトークショー『ドクター・フィル』で、二人のやりとりが放送された。

う話がメディアで次々に取り上げられたことで、大量の退会者が出た。このモラルパニックを受けて、アメリカ政府はソーシャルネットワークによるオンラインでの交流を規制する法律を検討するようになった（次のコラム参照）[原注39]。

こうした状況のなか、フェイスブックは2004年にハーバード大学の学生寮で誕生した。社会学、心理学、コンピューターネットワーク技術を学んでいたザッカーバーグは、簡単にまとめたウェブサイトをつくって「シックスディグリーズからハリー・ルイス」と名づけようとした。そして、ルイス教授に次のとおり連絡した。

> 教授、私はしばらく前からグラフ理論とそのソーシャルネットワークへの応用に興味を持ち、いろいろ調べました。（中略）そして浮かんだのは、学生新聞『クリムゾン』の記事に出てくる人々をつなげてみる方法です。人々に興味を持ってもらえそうなので、仮のウェブサイトを立ち上げました。それはどんな人についても、私が調べた時間枠のなかで最もよく出てきた人物とのつながりを（人や記事を通じて）見つけられるというものです。その人物とはあなたことです。ウェブサイト名にあなたの名前を使わせてもらいましたので、ウェブサイト公開の許可をいただきたくご連絡しました。

ルイスは手短だが慎重に答えた。「許可を出す前に見せてもらってもいいだろうか？　それはすべて公開されている情報だが、そうした情報を集めることは程度によってプライバシーの侵害に感じられることもあるから」。その後、このプロジェクトに教育的な意義があると判断したルイスは「ああ、いいんじゃないかな。有害には思えないし」と答えた。１週間後、当初は「ザフェイスブック（thefacebook）」として知られたウェブサイトが公開された。

２年もしないうちに、フェイスブックはマイスペースを追い抜いた。フェイスブックの成功は、次のような優れた運営上の判断の相乗効果によるものだった。

・優れた技術力（最も爆発的な成長期でも総じて安定していた)。
・世界じゅうをつなげることと、興味が似ている人同士がより親密に話し合える場所を提供することという、対立する条件を両立するためのウェブサイトのつくりが、ライバルたちのものより優れていた。
・会員同士の交流がマイスペースのものより穏やかで、より一般的だった。これはマイスペースがインディーズのロックバンドファンに支持されていたことに対して、フェイスブックは大学生コミュニティから発生したことが反映されているのかもしれない。
・広告モデルが大半のユーザーに受け入れられやすかった（その理由のひとつは、自身のデータがどの程度再利用されているのかにユーザーが気づいていなかったことだ)。
・多数の戦略的買収の複合効果として、フェイスブックは単なるソーシャルネットワークウェブサイトに留まらず、テキストメッセージ、ビデオ検索、写真保管と閲覧、ショッピング、ゲームといったさまざまなことが１カ所でできるプラットフォームになった。

その結果、フェイスブックは驚異的な速さで成長した[原注40]。2004年２月４日に開始されたフェイスブックは、当初はハーバード大学の学生専用で、学生たちが互いを知り合えるように学生寮でつくられて配布される「写真入り名簿（フェイス・ブック）」の代わりとなるものだった。ひと月後、このネットワークはスタンフォード、イェール、コロンビアの各大学に広まり、同年末時点のユーザー数は100万人を超えていた。このウェブサイトが当初人気になったのは、選ばれた者しか利用できないという特別感に満ちていたからかもしれない。2005年にはさらに何百もの大学、そして高校も加わり、2006年に入会条件が撤廃されると、ユーザー基盤は1200万人を超えた。そして、翌年には6000万人になり、2010年の半ばには5億人に到達した。フェイスブックによると、今これを書いている時点での日常的なユーザー数は15億9000万人、少なくともひと月に一度利用するユーザーの数は24億1000万人である。これは子どもも含めた世界の人口の約3分の1だ。同社によるデータの誤用によって評判が悪化したにもかかわらず、ユーザー数は増加し続けている。

たしかに、フェイスブックはユーザーに関するデータを多数所有していて、その取り扱いについては「仕事を通じて学ぶ」ことが多かった。同社はユーザーにとってプライバシーが重要であることを早くから認識していて、2007年に「当社はどんなユーザーに対しても、私的な情報を集めるためにクッキーを使用したこともなければ、今後使うこともありません」と明確に宣言した。[原注41] だが、そのわずか数カ月後、フェイスブックユーザーのショーン・レインがダイヤモンドのエタニティリングをオンラインで購入すると、それはすぐに妻の知るところとなった。そう、フェイスブックから。当時フェイスブックは「ビーコン」という新たな機能を導入したばかりだった。ユーザーの最新活動をその人のフェイスブック仲間にすぐに知らせてあげたいという試み（フェイスブックでの広告方法を増やす目的もあった）によって、ビーコンはユーザーがフェイスブック以外のウェブサイトで購入した物の情報を、友達のニュースフィードに投稿する仕様になっていた。レインの妻には、夫が指輪を購入したことのみならず、それが51％値引きされたものだったことまでばれてしまった。「あの指輪は誰に贈るの？」と妻はレインに尋ねた。[原注42]それは妻のための指輪だったので、台無しになってしまったのはサプライズだけに留まり、結婚生活は無事だった！

この機能は、フェイスブックが情報共有計画に沿ってほかのウェブサイトと提携したことでできたものだ。フェイスブックのユーザーが提携先のウェブサイトで何かを購入するとフェイスブックに知らされる。そして、フェイスブックはその情報をユーザーの友達のニュースフィードに差し込むことがある。ユーザーはオプトアウト（訳注：何もしなければユーザーの個人情報の収集や利用が自動的に行われるが、そのことはユーザーに事前に知らされていて、ユーザーの意志でそれをやめることができるという仕組み）できるが、そうするには提携先のウェブサイトに小さく書かれた注意書きに気づいて、何からオプトアウトできるのかを理解しなければならない。多くのフェイスブックユーザーがビーコンに腹を立てて、同社にこの機能の停止を求めた。ユーザーがログアウトしていて、オプトアウト用のチェックボックスが表示されなかった場合でも、特定の状況下ではフェイスブックに情報が送られる例を、ある研究者が発見したことで事態はますます悪化した。同社の広報担当者はその事実を否定したが、それが誤報であることが証明された。訴訟が立て続けに起きた。ザッカーバーグはまず謝罪し、[原注43]次に何百万ドルもの示談金を支払い、そして、ビーコンの機能を永久に停止した。

だが、金銭的に痛い目に遭っても、プライバシー関連の失敗は続いた。2009年末、ユーザー数が3億5000万人にまで成長したフェイスブックは、同社のプライバシーポリシーを事前通知なしに改訂した。「ユーザーは『自身のプライバシーをカスタマイズ』できるようになった」と大々的にうたった発表で、[原注44]同社はプライバシーの初期設定が変更されたことを告げた。それまではユーザーの名前と「ネットワーク」しか公開されていなかった（「ネットワーク」は、特定の団体に所属する者しかフェイスブックに登録できなかった時代の名残だ。当時はユーザーのネットワーク名は、たとえば本人の大学や高校名を表していた)。新たな方針では、次のような点が記載されている。[原注45]

> あなたの名前、プロフィール写真、あなたの友達とファンページのリスト、性別、居住地域、属しているネットワークといった特定の分野の情報は、フェイスブックの拡張アプリも含めたすべての人に公開されるものとみなされ、プライバシー設定はありません。しかし、検索プライバシー設定を利用することで、あなたのこうした情報が検索によってほかの人に知られるのを制限できます。

また、この発表では、そもそも大半のユーザーはこれらの情報を公開している場合が多いという点にも触れた。それはそうかもしれないが、ユーザー同士の検索プライバシー設定に対する認識には当然ながら大きなずれがあり、自分が公開していない情報もほかの人が公開した情報から明らかになる恐れがあった。そして、友達やファンページのリストがいかに多くを伝えるかが、瞬く間に明らかになっていった。たとえばMITの研究者たちは、たとえ性的指向についての明確な情報がなくても、誰が同性愛者なのかを高い精度で特定できることを発見した。

> 同僚、友人、家族、知人について、そして彼らとの関わりについての公にされている情報から、私的な情報がそれとなく明らかにされてしまう。(中略)我々のこの研究は、フェイスブックユーザーの友人関係を分析して、彼らの性的指向を正確に予測する方法を示している。MITネットワーク内の4080人分のフェイスブックプロフィールを分析したところ、あるユーザーの友達のなかの「自分が男性の同性愛者だと自ら明らかにしている人」の割合は、そのユー

ザーの性的指向と強い相関があることが判明した。我々が開発したロジスティック回帰分類器は、予測精度が極めて高い。[原注46]

公開された情報を十分多く集めれば、それはもうプライバシーの侵害になる。どうやらザッカーバーグは、この点についてとことん突き詰めて考えなかったようだ。フェイスブックの初期設定変更後、自分の写真が公開されたことを発見したザッカーバーグは、慌てて自分のプライバシー設定を変更した。[原注47]フェイスブックの別の重役は、「自分の居住地を公にしたくないユーザーは、嘘をつけばいいじゃないか」と指摘したが、これはフェイスブックで登録するこうした情報は本物でなければならないことを、明らかに忘れたと思われる発言だった。[原注48]

フェイスブックに対して、ユーザーのみならず政府関係者やプライバシー団体からも声が上がった。2010年4月27日、ザッカーバーグは4人の上院議員からの、丁重だが何かを暗示している手紙を受け取った。それは、次のように締めくくられていた。

> 我々は連邦取引委員会(FTC)がこの件を詳しく調べることを期待していますが、それまでのあいだに、フェイスブックがユーザーの不安を和らげるための敏速かつ有効な対策を取ると信じています。情報共有においては、長く複雑な手順のオプトアウトよりもオプトインのシステムを提供することが、明確さと透明さを維持することへの極めて重大な一歩になります。[原注49]

2010年5月、フェイスブックは初期設定を再び変更し、名前、写真、性別、ネットワークだけが自動的に公開されるようにした。[原注50]

ユーザーからの非難の声や、連邦機関が近々介入する気配があったにもかかわらず、プライバシー初期設定の思慮に欠ける変更から以前の設定に近いものに戻すという決断までの数カ月間で、ユーザーは5000万人も増えていた。みな文句を言っていても、フェイスブックがあまりに便利すぎてやめられなかったのだ。フェイスブックのどんな新しい会員も、このネットワークに加わることの価値を高めた。フェイスブックは新しい友達をつくるためではなく、自分の友達がみなすでにそこにいるから入るものになった。この現象は、ネットワーク効果と呼ばれている。ポール・バランが予測したように（163ページ参照）、ネットワーク全体が拡大すればするほど、個人にとってそのネットワークに加わることへの価値が高まっていく。世界ではユーザーに登録してもらうことさえ許可されない国も一部あったが、2010年以降のアメリカにおいては、ソーシャルネットワークでフェイスブックのまともな競合相手になるウェブサイトは出てきていない。

アメリカ国民の大半と、アメリカ以外の国の人々も数多く登録したことによるネットワーク効果は、機能やアプリケーションの多様化によってますます高まった。フェイスブックは2008年にテキストメッセージ機能を加え、さらには2012年にインスタグラム、2014年にはワッツアップを買収した。フェイスブックはさまざまなやりとりが行える包括的なサービスを提供するプラットフォームになったが、そうしたやりとりには関係をよくしたり悪くしたりするものに加えて、不正なものもあった。2019年のある報道によると、報告された児童ポルノ共有の事例の9割でフェイスブックが利用されていたという[原注51]。こうしたやりとりの大半では、フェイスブックメッセンジャーが使われていた。そのため、送信中のメッセージが途中で誰にも解読されることなく、読めるのは受信者のみになるという、エンドツーエンド暗号化がメッセンジャーで行われるとフェイスブックが発表すると、アメリカの司法長官や他国の閣僚たちは、その計画を実行しないようザッカーバーグに強く申し出た[原注52]。その公開書簡には、警察による電子監視が犯人逮捕につながった、何千件もの事例のひとつが挙げられていた。

> たとえば、自ら製作した児童性的虐待に関する内容物を成人男性に送付した児童をフェイスブックが特定し、全米行方不明・被搾取児童センター（NCMEC）へ緊急報告を送った事例があります。フェイスブックは過去から継続して性的虐待が行われてきた事実を示す、二人のチャットを複数発見しました。捜査員が児童を見つけて話を聞いたところ、この女児は11歳のときから4年間、この成人男性に何百回もの性的虐待を受けていたことがわかりました。また、この男性は日頃から、性的に露骨な写真を自撮りして送るよう女児に強制していました。この女児に対して責任ある立場にあった犯人は、懲役18年を言い渡されました。もし、フェイスブックから情報が提供されていなければ、この女児への虐待は今なお続いていたかもしれません。

暗号化してしまうと、こうした犯罪者を捕まえられなくなる恐れがある。この公開書簡の続きは次のとおりだ。「したがって、フェイスブックをはじめすべての企業に求めるのは、どんな手法の暗号化を行うにせよ、判読、利用可能な形式の通信内容に、法執行機関が合法的にアクセスできるようにするための対応策です」

第5章「秘密のビット」では、暗号化の歴史を辿っていく。プライバシーやセキュリティの専門家の大半は、暗号化された通信内容の警察による閲覧を可能にすれば、警察以外からも閲覧されるリスクが高まると考えている。だが、さらに重大な問題もある。それはフェイスブックやグーグルが、大半の人間についての情報や、人間のあらゆる種類の活動に関する情報を、どんな国の政府よりも多く持っている点だ。この二社がデータ漏洩やサービスの中断といった問題を起こしたら、地球上の人口のかなりの割合が影響を受けかねない。フェイスブックの場合、基本的にはマーク・ザッカーバーグが単独で決断を下すことができる。

多くの種類の通信のプラットフォームであるフェイスブックは、たとえ合法的な内容でも、ユーザーの発言をすべて掲載する義務はない。また、通信品位法第230条（第7章「それはインターネットでは口にできない」参照）のもとでインターネット関連企業が享受している保護によって、アメリカではたとえプラットフォーム上の違法な発言を放置していても、彼らが問われる責任は限定されている。だが、アメリカにおいてさえ、ビジネスや政治の利権によってある種の発言が制限されることはこれらの企業も認識しているし、国外では検閲を行う義務はより明白な場合もある。2016年の大統領選挙では、虚偽の政治広告が投票者に影響を与えたかもしれない。銃乱射事件の犯人のなかには、ソーシャルメディアの暴力的なコンテンツに染まりきっていた者もいた。

とはいえ、これらの企業はたいていの場合、自身の都合のいいように方針（たとえば、検閲を行うか、何に対して行うか、メッセージを暗号化する方法など）を定めることができる。ただし、こうした判断は株主の利益を念頭に置いて行われているのは間違いないだろうし、むしろもしそうされていなければ規定違反になる。そして、当然ながらそうした利益にかなう最善の方針とは、世間におおむね受け入れられるものだ。とすると、バー司法長官や、以前にはシューマー上院議員も示唆した政府による介入は、本当に公益になるのだろうか？

一方、方針があることと、それに完璧に従って業務が行われることは、まったく違う。フェイスブックに投稿されたあらゆる意見、広告、動画を人間がチェックするのは不可能だ。ユーザーの苦情の対象になっている投稿に、適時に対応するのさえ極めて難しい。そのため、ゲートキーパーたちはやむを得ず人工知能（AI）を導入して、ある程度のふるい分けを行わせることになる。とはいえ、含意や文脈を理解することが重要な場面では、AIの読解力はまだ人間とは比べ物にならない。

もし投稿内の単語や語句が文脈を無視した解釈をされて、フェイスブックの「ヘイトスピーチ」禁止用語に引っかかったとしたら？　AIのアルゴリズムは、そのあたりの見極めがまだできないのだ。政治的に偏っていると非難されることを嫌ったフェイスブックは、たとえ明らかに間違っていると言われているものであっても、政治広告の削除は原則として行わないと表明した。同社はその判断について「これは表現の自由、民主的なプロセスの尊重、報道の自由がある成熟した民主主義においては、政治的な発言はほぼ間違いなく最も綿密に調べられる発言である、というフェイスブックの基本的信条に基づくものです」と説明している[原注53]。これが公益に最もかなう方針なのだろうか？　この方針に異議を唱える人がいても、決して不思議ではない。問題が起きた場合の対策が、まったくといっていいほど示されていないからだ。

あるいは、これらの企業は巨大すぎるのだろうか？　この意見は2020年の大統領選挙運動中に、一部の大統領候補者たちのあいだでよく言われていたことだ。そのひとりだったエリザベス・ウォーレンは、フェイスブックは分割されるべきだと考えている。たとえば、買収した企業の一部を手放すなどして。それが合法的かどうか、あるいは問題解決に役立つのかどうかについて、活発な議論が巻き起こるだろう。もうひとつの案は、分割はせずに、そうした企業に対する規制を強化することだ。ただし、「悪魔は細部に宿る」というように、細かいところまで詰めるのは極めて難しい作業になるだろう。政府にとって、ビットを供給する民間企業を、水を供給する公益企業のように扱う策は決して簡単に進められるものではない。

政府のとある部門は、テクノロジー企業が提供するサービスの特定の分野に対して、とりわけ懸念を抱いている。ビットにちょっとした計算を施すという、20 世紀の最も偉大な発見のひとつによる成果として、警察が傍受できても解読できない暗号化されたメッセージがパブリックネットワークでも互いに送受信可能になり、実際すでに一般的に行われている。その経緯と、それが何を予示しているかは次章で取り上げる。

第5章
秘密のビット
破られない暗号はいかにしてできたのか

闇に覆い隠される

　第２章の「小さくまとめられたビット――スノーデンファイル」では、エドワード・スノーデンが政府関係のコンサルティングの仕事を辞めて、小型メモリー（サムドライブ）とラップトップパソコンとともに飛行機で香港に向かった一件について、詳しく取り上げた（51ページ参照）。それらの機器には何千もの機密文書が入っていた。それからまもなくして、『ワシントン・ポスト』をはじめとする報道機関は、アメリカ政府や同盟国によって行われていた数々の極秘監視プログラムの詳細を報じるようになった[原注1]。

「プリズム（PRISM）」はグーグルやヤフーといったテクノロジー企業を対象に、そこでやりとりされる膨大な電子メールを通じて監視を行っていた。「マスキュラー（MUSCULAR）」は、そうした企業内のデータの流れを解読していた。「ディッシュファイヤー（Dishfire）」は、テキストメッセージに特化されていた。「エックスキースコア（XKeyscore）」は、インターネットを結びつけている世界規模の巨大光ファイバー通信ネットワークを対象にしたものだった。ベライゾンをはじめとする電気通信会社は、一般のアメリカ国民の通話情報を何年にもわたって政府に提出していた。それはアメリカ国民の大半は存在さえ知らなかった秘密法廷からの命令に基づいて、捜査令状なしに行われたことだ[原注2]。

　その後行われた連邦議会による調査での国家安全保障局（NSA）長官は、

悪びれた様子もないどころかNSAのプログラムを拡大すべきだと主張し、「ええ、私は国民の最善の利益は、すべての通話記録を国民が必要とするときに我々が捜査できるような、『鍵つきの箱』に保管することだと考えています」と語った[原注3]。

スノーデンの暴露は、結果的に劇的な変化をもたらした。アメリカ国民はみな（そしてアメリカにいる海外特派員、外交官、ビジネスのパートナーも）、自分専用の鍵つきの箱を欲しがるようになった。つまり、送信者と受信者しか読めないように、やりとりする内容の暗号化を希望するようになったのだ。そのための技術はすでに存在していたため、ベライゾンをはじめとする電子メールや携帯電話サービスのプロバイダーはすぐさま、伝送中、そして発信元や送信先で通信内容がもっと日常的に、そしてより簡単に暗号化できるようにした[原注4]。伝送中に暗号化される電子メールの割合は、スノーデン事件前はわずか5パーセント程度[原注5]だったのに対して、今日では少なく見積もっても90パーセントにまで増えている[原注6]。

2017年には暗号化があまりに広く日常的に行われるようになったため、法執行機関にとって犯罪容疑者の通信を解読するのがますます難しくなった。連邦捜査局（FBI）の報告によると、前年に同局内の研究所に持ち込まれた携帯機器のなかで、暗号を復号するための法的権限も、それに世界で最も優れた暗号解読ツールまであったにもかかわらず、中身が解読できなかったものが7775台もあった[原注7]。「1年間に7800台近い機器にアクセスできない事態は、公共の安全上非常に大きな問題です」とFBI長官は警告した。データはまさに彼らの手中にあるのに、まるで冥王星にあるのと変わらない。どうやってもデータの中身を取り出せないからだ。ただし、問題の機器の台数は誇張されていたことがのちに判明し、実際はおそらく2000台程度だと言われている[原注8]。いずれにせよ、法執行機関は、極めて重要な情報を手にしているにもかかわらず犯罪を解決できないという事態に、危機感を募らせていた。

司法副長官のロッド・ローゼンスタインは海軍兵学校で、国民を犯罪者、そしてテロリストからも守るために何が必要かについて語った。だが、ローゼンスタインが槍玉に挙げたのは犯罪者やテロリストではなく、彼らが利用するツールをつくったテクノロジー企業だった。[原注9] こうした企業は政府が解読できない暗号化技術で儲けているが、彼らには市民としてアメリカの法執行機関に協力する義務があるではないか。実際、他国の政府には協力していることもある。たとえば、ある政府が検閲をより効果的に行えるよう力を貸して、それで巨額の金を稼いでいる。もしかしたらアメリカでも通信内容を暗号化する技術を提供して巨額の金を稼いだのかもしれないが、儲けたいからアメリカ政府に手を貸さないというのは、真っ当な理由と言えるのだろうか？　そのように指摘したローゼンスタインは、強くくぎを刺した。「闇に覆い隠される。（中略）これは、サービスプロバイダー、機器メーカー、アプリケーション開発企業の手で、警察や国家安全保障関連機関の捜査員にとって極めて重要な捜査ツールが奪われてしまうという、公共の安全への脅威だ」

続いてその解決策としてローゼンスタインが挙げたのは、「責任ある暗号化」だった。つまり、企業は政府がバイパスか解読が可能な暗号化しか普及させるべきではないということだ。

ローゼンスタインの「責任ある」暗号化への呼びかけを耳にした懐疑派やプライバシー擁護派たちは、強い嫌悪感を示した。法執行機関の要請に備えて第三者、つまり政府またはテクノロジー企業自身に暗号解読の鍵（キー）を信用して託すという「鍵供託（キーエスクロー）」に高い信頼性を求めるのは非現実的だということは、データ漏洩についての過去の研究や日常的な経験からすでにわかっていた。しかも暗号化の技術力を制限することは、通信の安全性を低下させるだけだ。それに実際のところ、政府がすべての暗号を解読できた時代に戻る唯一の方法は、安全な暗号化を可能にする数学の法則をないものにするしか、もはやなさそうだった。こうした議論はほんの数年前に国民のあいだですでに行われて、そのときに出された結論は暗号化の強化だった。連邦議会は暗号化に関する法律をつくろうとしたが、直前で撤回した。それにはもっともな理由があった。

テロリストのみならず、みなが手に入れた暗号化

2001年9月13日。ワールドトレードセンターの残骸に炎がまだ燻っていたこの日、ニューハンプシャー州選出の上院議員ジャド・グレッグは、これからやらなければならないことについて上院で演説した。グレッグは、この国が攻撃される何年も前にFBIが警告を発していた問題を再び取り上げた。FBIが抱えていた最も深刻な問題は、「アメリカに打撃を与えようと目論む人々の暗号化能力」だった。

「以前は」グレッグ上院議員は続けた。「備えていた高度な知識によって、私たちは大半の暗号を解読できました[原注10]」。だが、もはやそうできなくなった。「私たちが暗号解読者にどんなに資金をつぎ込んでも、暗号化技術は暗号解読者たちの能力を上回ってしまいました[原注11]」と、グレッグは警告した。市民的自由主義者で、世界じゅうの人権活動家たちが利用できる暗号化ソフトウェアを1991年にインターネットで公開した暗号研究者フィル・ジマーマンも、テロリストたちが通信内容を暗号化しているだろうというグレッグの予想には同意していた。「あくまで推測ですが」とジマーマンは語った。「そんなに非道なことをたくらんでいる人物なら、暗号化を利用して自身の活動を隠したいはずでしょうから[原注12]」

「暗号化」とは、通信内容を手に入れようとする盗聴者や敵対者に理解されないよう、通信の中身を変換する技術だ。暗号化された通信内容を復号するためには、暗号化時に使われた「鍵（キー）」と呼ばれる

一連の記号を知らなければならない。暗号化された通信内容は、たとえ全世界に公開されたとしても、鍵がなければ鍵のかかった箱のなかに隠されているも同然だった。鍵（しかも寸分たがわぬ正確な鍵）がなければ、箱の中身、つまり通信内容の秘密は保たれる。

グレッグ上院議員は、業界に責任ある行動を求めたローゼンスタインの発言を予測していたかのように、「暗号化技術を実現するソフトウェアや機器の設計開発を行っている産業界の協力」を呼びかけた[原注13]。これは、法律でもって協力を強制するという意味だった。その場合、暗号化ソフトウェアのメーカーは、復号された通信内容を政府が鍵を利用せずに手に入れられるようにしなければならなくなる。では、海外で開発された暗号化プログラムに対してはどうするのだろう？　それらはジマーマンのときのように、一瞬にして世界じゅうに広がるはずだ。その場合、「アメリカ市場の強み」を武器にアメリカの規定に従うよう海外のメーカーに求め、アメリカ政府が暗号化されていない情報入手に使える、いわゆる「バックドア」の設置を要求することになるだろう。

9月27日の段階では、グレッグの法案は具体的なかたちになりつつあった。通信内容を暗号化する鍵は、厳重なセキュリティのもとで政府に第三者預託（エスクロー）される。法執行機関が鍵へのアクセスを求めてきたときの判断は、連邦最高裁判所が定めた「準司法機関」によって行われる。この法案に市民的自由主義者たちは抗議し、鍵供託案は本当にうまくいくのかという疑問が投げかけられた。大丈夫、とグレッグ上院議員は9月末にそう見解を述べると、「完璧なものなど世の中にありません。やってみなければ何も実現できません。やってみて初めて、実現する可能性が得られるのです」と語った[原注14]。

3週間後、グレッグ上院議員は突如として法案を撤回した。10月17日、グレッグの広報担当者は「私たちは暗号化法案の検討はしていませんし、その予定もありません」と語った[原注15]。

2001年10月24日、連邦議会は、FBIにテロと戦うための広範囲な権限を新たに与える米国愛国者法を通過させた。だが、この愛国者法は暗号化については触れられていない。その10年以上あとに起きたスノーデンの暴露がもたらした事態によって、アメリカは再び、暗号化ソフトウェアを規制する法づくりの真剣な検討に入った。

なぜ暗号化を規制しないのか？

1990年代を通じて、FBIの立法上での最重要課題は暗号化の規制だった。グレッグ上院議員の提案は、FBIが起草し1997年に下院情報問題特別調査委員会から好意的な報告を受けた法案を、緩やかにしたものといえる。FBIによるこの法案では、正当な権限を持つ当局者によって直ちに解読できない暗号化製品を販売した者は、5年間の懲役を命じられることになっていた。[原注16]

1997年に法執行機関がテロとの戦いに極めて重要だとみなしていた規制法が、4年後、アメリカ合衆国が史上最悪の被害を受けたテロ攻撃の直後に立法議案から外されたのは、どういうわけなのだろう？

暗号学において、立法上重要な意味のある技術の進展が2001年の秋にあったわけではなかった。暗号技術に関する、外交関係での打開があったわけでもなかった。それ以外の面でも、テロリストや犯罪者による暗号化の使用を些細な問題にしてしまうほどの事態は生じなかった。実はちょうどその頃、暗号化に関するある別の側面が、より重要なものと一般にみなされるようになったのだ。それはインターネット上の商取引が大幅に増えたことである。連邦議会は、銀行とその顧客、航空会社とその旅客、さらにはイーベイやアマゾンとその利用客に暗号化ツールの利用を認めなければならないことに、突如として気づいたのだ。インターネットを商取引に利用しているあらゆる人が、暗号化による保護を必要としていた。そういった人々が突如として何百万人も現れ、そのあまりの多さゆえに、アメリカや世界経済全体が電子商取引のセキュリティに対する人々の信頼に左右されるようになった。

電子商取引を安全に行えるようにすることと、無法者同士の秘密の通信を阻止することのあいだの緊張状態は、すでに10年前から起きていた。暗号化の規制を求める声は、グレッグ上院議員の前にもあった。全米研究評議会は、ほかの選択肢と比較検討した700ページもの報告書を、1996年に発表した。その結論は、暗号化を規制しようという取り組みは結局のところ効果はなく、その費用は考えうるどんな便益をも上回るだろうというものだった。情報機関と防衛機関は納得しなかった。FBI長官ルイス・フリーは1997年に連邦議会で、「法執行機関は、暗号鍵で回復（キーリカバリー）できない（鍵供託方式ではない）頑強な暗号化の普及によって、究極的には犯罪と戦ったりテロ行為を防いだりするための我々の能力が奪われてしまうという意見に、全員が同意している」と証言した。[原注17]

それでもわずかその4年後、しかもアメリカ同時多発テロ事件の直後にもかかわらず、商取引のニーズに対応するには、国内のあらゆる業界、さらには商取引が行われるであろうあらゆる家庭のコンピューターでの、暗号化ソフトウェアの幅広い普及以外の選択肢はなかった。1997年当時、議員も含めた平均的な国民は、オンラインで何かを購入したことは一度もなかっただろう。連邦議員の家族は、コンピューターを日常的に使っていなかったかもしれない。だが、2001年にはすべてが変化していた。デジタル爆発が起きていたからだ。アメリカの一般家庭ではコンピューターは家電と化し、インターネット接続はありふれたものになって、オンライン詐欺に対する認識も広まっていた。消費者は、自身のクレジットカード番号、生年月日、社会保障番号が、インターネットにさらされるのを恐れた。

なぜインターネット通信における暗号化は、連邦議会がテロリストによる暗号化使用のリスクを冒してまで、アメリカの業界や消費者もそれを利用できるようにするほど重要なのだろうか？　そもそも、情報セキュリティの必要性は、今に始まったことではない。たとえば、郵便でやりとりしている人々のプライバシーは、わざわざ暗号化を利用しなくても十分保証されているではないか。

その答えは、インターネットが構造上、情報の機密性を保てない点にある。インターネット内を行き来するそれぞれがおよそ1500バイトのデータパケットは、郵便で送られる、住所が表に書かれていて中身は隠されている封書とは異なっている。パケットは、見えるところにすべてが書かれていて誰でも読める葉書のようなものだ。パケットが中継点にあるルーターを通過するとき、それは保存、検査、確認、分析されたのちに送り出される。それに、たとえすべての光通信ファイバーや銅線の安全性を保証できても、無線ネットワークでは知らないあいだにビットが空中でひったくられる恐れがある。

クレジットカード番号を普通の電子メールで店に送るのは、タイムズスクエアで起立して、思い切り声を張り上げて番号を叫ぶようなものだ。2001年にはクレジットカード番号がビットとして光通信ファイバー内や空中を大量に伝送されていて、覗き屋たちに盗み見されるのを防ぐのは不可能だった。

インターネット通信を安全にする、つまり所定の受信者しか通信の中身を見ることができないようにするための確実な方法は、受信者だけが復号できる方式で発信者が情報を暗号化することだ。もしそれが実現できれば、たとえ盗聴者が発信者から受信者までの道のりの途中でいくら多くのパケットを調べても、出てくるのは無秩序に並んでいる解読不能なビットだけである。

インターネット商取引に目覚めた世界での暗号化に対する認識は、古代から20世紀末までのような「将軍や外交官が、国家の安全にとって極めて重要な情報を守るための鎧」から変化せざるをえない。1990年代初めにおいてもなお、国務省は暗号研究者に対して国際的な武器販売者として登録するよう求めていた。だが突如として、暗号化は武器というよりも、街なかを走って現金を輸送する装甲車になった。現金輸送車と異なるのは、それをみな欲しがっている点だ。暗号化はもはや兵器ではなく、お金になった。

極めて重要な軍事ツールの日常品化は、技術面での変化を起こしただけではない。それはプライバシーや、民主主義社会における安全と自由のバランスに対する基本的な考え方を見つめ直すきっかけになるという役割を、今なお果たし続けている。

「問題は、」世界屈指の暗号研究者であるMITのロン・リベストは、1990年代に頻繁に行われた、暗号化に関する討論会のひとつでそう切り出した。「人々が政府に監視される心配なく、私的な会話を行えるかどうかです。たとえ、それが裁判所命令による正式な監視であったとしても[原注18]」。愛国者法を生み出した、あの2001年の同時多発テロ事件後の状況下で、連邦政府がリベストの質問に対して「行える」ときっぱりと答えられたかどうかはまったくわからない。だがその2001年には、商取引の現実がそうした議論を追い越していた。

商取引のニーズに応えるためには、暗号化ソフトウェアを広く普及させなければならなかった。誰にも暗号が破られないように、素早く完璧にはたらくものでなければならなかった。しかも、それだけではなかった。暗号化は4000年以上使われてきたにもかかわらず、インターネット商取引で問題なく使えそうな方法は、20世紀末まで存在していなかったのだ。そんななか、当時の暗号学研究の中心であった情報機関には属さずに研究していた二人の若き数学者が、次の突拍子もない筋書きを現実にする論文を、1976年に発表した。

それは、情報をやりとりしようとする二者間において、たとえ二人が会ったこともなくても、あるいはやりとりする通信内容が誰でも盗聴できる状況のなかで伝送されるとしても、安全にやりとりするための秘密の鍵を持つことが両者ともにできるというものだった。この「公開鍵暗号」方式の開発によって、すべての男女子どもが、国家の命運がかかる軍事司令を通達しようとした50年前のどんな将軍よりも安全に、クレジットカードの番号をアマゾンに送れるようになった。

歴史上の暗号

「秘密の書き物」という意味のCryptography（暗号）は、書き物自体と同じくらい古くから存在していた。紀元前2000年のエジプトの象形文字に、すでに暗号が使われていたことが判明している。暗号とは、通信文をはっきりわからないかたちに変換し、のちにその変換を解除して元の文に戻すためのツールである。ローマ皇帝たちの伝記を記したスエトニウスによると、ユリウス・カエサルは共和制ローマの末期にともに計画や策略を練っていた、弁論家キケロへの手紙で暗号を使用していた。

> 彼（カエサル）は何か秘密の話をしたいときは、暗号を使って書き記した。その方法とはアルファベットの文字の順番を変えて、言葉をひとつも読めなくするというものだった。もしそれらの言葉を解読してその意味が知りたければ、アルファベットの４文字目、すなわちＤをＡに置き換えればよく、ほかの文字についても同様だ。[原注19]

つまり、カエサルは一文字ずつ変換する方法を利用して、通信文を暗号化したのだ。

ABCDEFGHIJKLMNOPQRSTUVWXYZ

DEFGHIJKLMNOPQRSTUVWXYZABC

カエサルの方法で通信文を暗号化するには、上段の各文字を対応している下段の文字に置き換える。たとえば、『ガリア戦記』(1941年、岩波書店)の初めの“Gallia est omnis divisa in partes tres”は、次のように暗号化できる。

平文　－ gallia est omnis divisa in partes tres

暗号文－ jdoold hvw rpqlv glylvd lq sduwhv wuhv

元の通信文を「平文(ひらぶん)」、暗号化された通信文を「暗号文(ciphertext)」という。暗号化された通信文は、反対に置き換えることで復号できる。

この方法は「シーザー暗号」や「シフト暗号」と呼ばれている(訳注：シーザーはカエサルの英語読み。「カエサル式暗号」ともいう)。この暗号化・復号のルールは「アルファベットを3文字分シフトする(ずらす)」であり、覚えやすいものだ。もちろん、ずらす文字数が3文字分より多くても少なくても、同様な暗号化が可能だ。このシーザー暗号とは、厳密にはずらす文字数を変えれば25通りの暗号化が可能な、暗号化の集合体だ。[原注20]

シーザー暗号は非常に単純なため、シーザーが単に平文の文字をずらしているだけだと知っていた敵なら、アルファベットをずらす作業を25通りすべてわけなく試して、通信文を解読できただろう。だが、シーザーの方法は「換字式暗号」と呼ばれる、より大きなくくりに属する暗号の一例だ。この換字式暗号は、同一ルール(同じ文字は常に同じものへ変換される)によって、ひとつの記号(訳

注：1文字を複数の文字にもできる）を別のものに変換する。

換字式暗号には、シフトする以外にも数多くの方法がある。たとえば、次のルールに従って文字を意味不明な並びにすることもできる。

```
ABCDEFGHIJKLMNOPQRSTUVWXYZ
XAPZRDWIBMQEOFTYCGSHULJVKN
```

ここではAをXに、BをAに、CをPに、というように置き換える。アルファベットの文字を並べ替える通りの数だけ、暗号に変換する同様の方法が存在する。並び替えが何通りあるかは、次のように計算できる。

$$26 \times 25 \times 24 \times \cdots \times 3 \times 2$$

つまり、およそ 4×10^{26} 乗通りの変換方法があり、これは宇宙の星の数の1万倍だ！　それらをすべて試そうとするのは不可能だ。したがって、一般的な換字式暗号は安全に違いない。あるいは、そう思えるだけかもしれないが。

換字式暗号を破る

1392年頃のイギリスで、ある天文学用器具の操作説明書を作成した人物がいた（かつては偉大な詩人ジェフリー・チョーサーによるものと考えられていたが、現在では作者について論争が起きている）。この説明書の一部で、*The Equatorie of the Planetis*（惑星の赤道）[原注21]という題名の箇所は、換字式暗号で書かれていた（**図5.1**参照）。このパズルは見た目ほど難しくないが、暗号文自体が非常に少ないため手掛かりに乏しい。これは英語（厳密には中世英語だが）だということはわかっているので、暗号化された英語の文章だと思って、どれくらい解読できるかやってみよう。

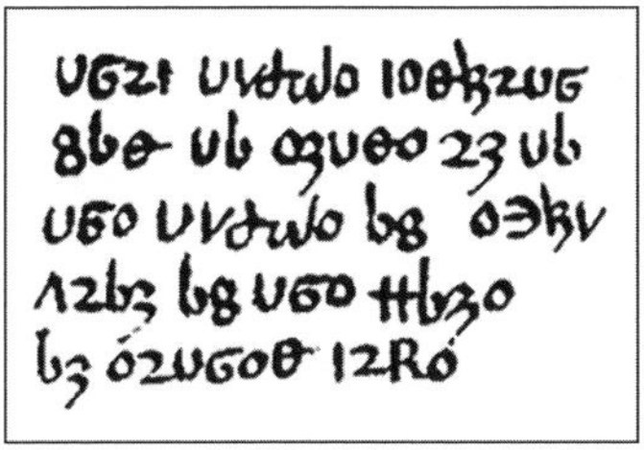

Folio 30v of Peterson MS 75.1, *The Equatorie of Planetis*, a fourteenth century manuscript held at University of Cambridge

図 5.1 *The Equatorie of the Planetis*（惑星の赤道）内の暗号文（1392 年）

これはちんぷんかんぷんに見えても、実は手掛かりになりそうなパターンがいくつか含まれている。たとえば、一部の記号はほかよりも頻繁に出てくる。0が 12 個、Uが 10 個あり、これらよりも多く出てくる記号はない。一般の英語の文章で最も頻繁に登場する文字は E と T であることから、この二つの記号がその２文字を表していると考えるのが妥当だろう。**図 5.2** は 0 = E、U = T と仮定して置き換えたときの文章だ。UG0のパターンは２回出てきて、これは明らかに最初が T で最後が E の３文字の言葉を表している。TIE や TOE かもしれないが、最も可能性が高そうなのは THE であるため、G = H という推測は妥当だろう。もしそれが正しければ、文章の最初に出てくる TH で始まる４文字言葉は何だろう？　語尾がこれまでとは違う記号だから THAT ではないし、３番目の文字も新たに見るものなので THEN でもない。もしかしたら THIS かもしれない。そして、２行目には T で始まる２文字の言葉が２回出てくる。これはおそらく TO だろう。当てはまる場所に H、I、S、O を入れた結果が**図 5.3** である。

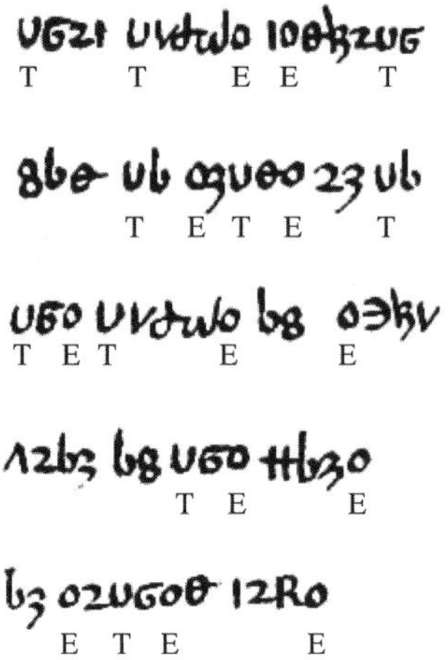

T T EE T

T E T E T

T ET E E

T E E

E T E E

図 5.2 *Equatorie* の暗号文で最もよく出てくる二つの記号が E と T だと仮定して当てはめたもの

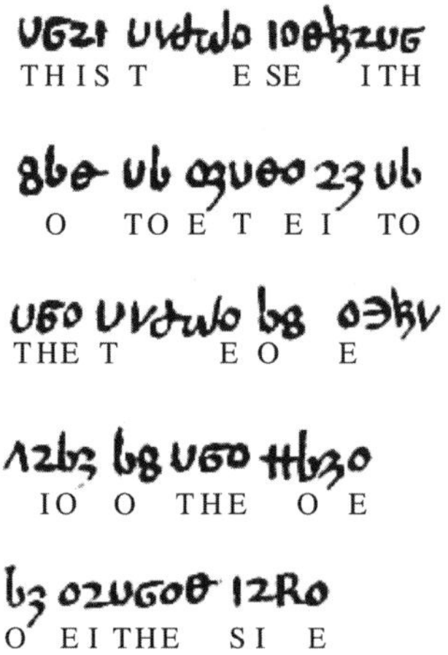

THIS T E SE ITH

O TO E T EI TO

THE T EO E

IO O THE O E

O EI THE SI E

図 5.3 *Equatorie* の暗号文を推測によってさらに解読を進めたもの

この段階まで来れば、推測はずっと楽になる。最後の二つの言葉は、おそらく EITHER SIDE だろう。まだ数個残っている記号は、中世英語の知識とこの文章が何について書かれているかある程度わかっていることから推論できる。完璧な平文は *This table servith for to entre in to the table of equacion of the mone on either side* である（**図5.4** 参照）。

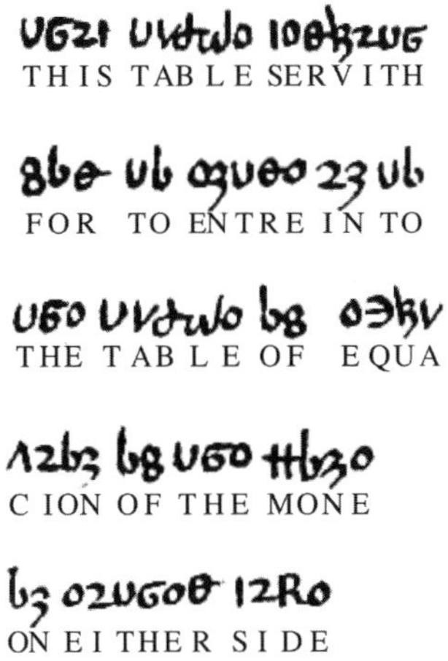

THIS TABLE SERVITH
FOR TO ENTRE IN TO
THE TABLE OF EQUA
C ION OF THE MONE
ON EITHER SIDE

図5.4 完全に復号された *Equatorie* の暗号文

この暗号を解読するために使われた手法は、「頻度分析」だ。文字が単純換字式で記号に置き換えられた暗号の場合、どの記号がどの文字を表しているかについての極めて重要な情報は、各種記号が暗号文に出てくる頻度を調べることで集められる。この考え方を初めて記したのは、9世紀にバグダッドで活躍したアラブ系哲学者で数学者でもあるキンディーだ。

ルネサンスの頃には、こうした情報に基づく推測は、ヨーロッパの国々の政府によく知られるちょっとした技程度にまで利用価値が下がってしまっていた。換字式暗号の安全性が保証されていないことを示す有名な例として、女王エリザベス1世に対する陰謀者たちとの連絡内容を隠すために使った換字式暗号を誤って信頼しすぎたゆえに、1587年に首をはねられてしまったスコットランド女王メアリー・スチュアートの話がある。それでも、一見解読が難しそうだが実はそうでもないこの暗号化方式への過剰な信頼は、その後も続いた。19世紀に入ってもなお、換字式暗号は一般的に利用されていた。その頃には、すでに1000年間も安全性に問題があったままだったというのに！　エドガー・アラン・ポーの1843年の短編推理小説「黄金虫」(『ポー名作集』(2010年改版、中央公論新社)に収録)や、シャーロック・ホームズが登場するアーサー・コナン・ドイルの1903年の短編推理小説「踊る人形」(『シャーロック・ホームズの帰還』(1953年、新潮社)に収録)では、どちらも換字式暗号の解読が事件解決の鍵となっている。

秘密の鍵とワンタイムパッド

暗号学では、暗号解読で進歩があるたびに、暗号作成で技術革新が起きる。暗号研究者たちの自らへの問いかけを真似て言えば、*Equatorie*の暗号がいかに簡単に破れるかを目の当たりにした私たちは、いかにしてそれをより安全な、いわばより「強い」ものにできるだろうか？　たとえば、平文のひとつの文字を、二つ以上の記号で表す手が使えるかもしれない。16世紀のフランスの外交官ブレーズ・ド・ヴィジュネルにちなんで名づけられたある手法は、複数のシーザー暗号を利用したものだ。たとえば、12個のシーザー暗号を選び、ひとつ目の暗号で平文の1番目、13番目、25番目の文字を暗号化する。次に二つ目の暗号で平文の2番目、14番目、26番目の文字を暗号化する、というように続けていく。**図5.5**は、そのようなヴィジュネル暗号の例である。SECURE……で始まる通信文の平文は、暗号化されると図のなかの濃い四角で囲まれた文字からなる*llqgrw*……という暗号文になる。Sは横1列目を使って暗号化して、Eは横2列目によって暗号化して、と残りも同様に続けていく。表の最後の横列まで到達すると、一番上の横列に戻って同じ作業を何度でも繰り返す。

図5.5の暗号は、通信相手に表全体を送らなくても先方で解読できる。縦1列目を上から辿ると*thomasbbryan*という文字列が出てくるが、これが通信文の鍵となる。ヴィジュネル暗号を使ってや

りとりするためには、送信者と受信者が共通の鍵を決めることから始めなければならない。そして、両者がその鍵を用いて、通信文の暗号化と復号用の置換表をつくる。

SECUREが*llqgrw*と暗号化されたとき、平文の２番目と６番目として２回出てきた文字Ｅは、暗号文では異なる文字として表されている。また、暗号文に２回出てきた文字*l*は、平文では異なる文字として表されている。こうした例は、当時の暗号解読者たちの主要なツールであった単純な頻度分析では、ヴィジュネル暗号に太刀打ちできないことを示している。ヴィジュネル暗号の仕組み自体は単純に思えるが、この暗号化手法の開発は暗号学における基盤を築いたと言えるほどの進歩とみなされており、この手法はその後数百年は破られないだろうと考えられていた。

暗号研究者たちは、暗号のやりとりの手順を説明するときに定番の人物を登場させる。「アリス」は「ボブ」に通信文を送ろうとしていて、「イブ」は盗聴しているかもしれない敵対者だ。

	a	b	c	d	e	f	g	h	i	j	k	l	m	n	o	p	q	r	s	t	u	v	w	x	y	z	
1	t	u	v	w	x	y	z	a	b	c	d	e	f	g	h	i	j	k	l	m	n	o	p	q	r	s	1
2	h	i	j	k	l	m	n	o	p	q	r	s	t	u	v	w	x	y	z	a	b	c	d	e	f	g	2
3	o	p	q	r	s	t	u	v	w	x	y	z	a	b	c	d	e	f	g	h	i	j	k	l	m	n	3
4	m	n	o	p	q	r	s	t	u	v	w	x	y	z	a	b	c	d	e	f	g	h	i	j	k	l	4
5	a	b	c	d	e	f	g	h	i	j	k	l	m	n	o	p	q	r	s	t	u	v	w	x	y	z	5
6	s	t	u	v	w	x	y	z	a	b	c	d	e	f	g	h	i	j	k	l	m	n	o	p	q	r	6
7	b	c	d	e	f	g	h	i	j	k	l	m	n	o	p	q	r	s	t	u	v	w	x	y	z	a	7
8	b	c	d	e	f	g	h	i	j	k	l	m	n	o	p	q	r	s	t	u	v	w	x	y	z	a	8
9	r	s	t	u	v	w	x	y	z	a	b	c	d	e	f	g	h	i	j	k	l	m	n	o	p	q	9
10	y	z	a	b	c	d	e	f	g	h	i	j	k	l	m	n	o	p	q	r	s	t	u	v	w	x	10
11	a	b	c	d	e	f	g	h	i	j	k	l	m	n	o	p	q	r	s	t	u	v	w	x	y	z	11
12	n	o	p	q	r	s	t	u	v	w	x	y	z	a	b	c	d	e	f	g	h	i	j	k	l	m	12

Harvard University Archives

図5.5　ヴィジュネル暗号の例。鍵となるthomasbbryanは、縦の左から２列目を上から辿ると出てくる。それぞれの横列はシーザー暗号を示していて、シフトする文字数は鍵の文字で決められている（このthomasbbryanという鍵の由来は弁護士のトーマス・B・ブライアン（Thomas B. Bryan）で、彼は1894年にこの暗号を使って依頼人のゴードン・マッケイとやりとりを行っていた）

暗号と歴史

暗号化技術（暗号を作成する）と暗号解析（暗号を解読する）は、人類の歴史で起きた重大な出来事の多くにおいて、その中心にあった。外交、戦争、暗号化技術が密接に関連し合って織りなす物語は、デイヴィッド・カーンの『暗号戦争』（1978 年、早川書房[原注22]）と、サイモン・シンの『暗号解読』（2001 年、新潮社[原注23]）で、実に見事に描かれている。

アリスがボブに、通信文を送りたいと思ったとしよう（**図 5.6** 参照）。それを鍵のかかった箱に通信文を入れて送ることに例えると、手順は次のとおりだ。アリスは通信文を箱に入れて、彼女とボブしか持っていない鍵を使って箱に鍵をかける（アリスの箱は鍵を開けるときのみならず、鍵をかけるときも鍵が必要な種類の箱だと考えてほしい）。もしイブが輸送中の箱を盗ったとしても、それを開けるためにどんな鍵が必要なのかを探し当てる手段はない。箱を受け取ったボブは、自身が持っている同じ形状の鍵を使って箱を開ける。鍵が秘密にされているかぎり、何かが入っている箱だと第三者に知られても、あるいは箱についている鍵の種類さえ見られても問題ない。同様に、たとえ「この暗号文はヴィジュネル暗号によって暗号化されたものだ」と公表されたとしても、鍵を持っている人以外が

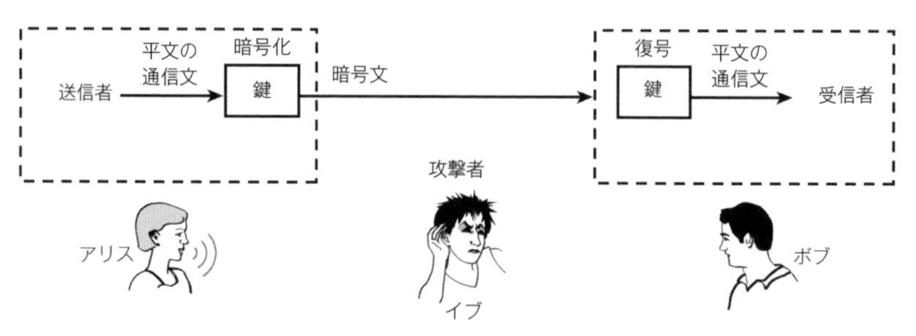

図 5.6 標準的な暗号のやりとりの手順。アリスはボブに通信文を送りたいと思っている。彼女は秘密鍵を使って通信文を暗号化する。ボブは自身が持っている同じ形状の秘密鍵を使って、通信文を復号する。イブは盗聴者だ。彼女は暗号化された通信文を伝送中に捕らえて、解読しようとする

それを解読するのは決して簡単ではないはずだ。

少なくとも、考え方のうえではそうだ。だが実際には、ヴィジュネル暗号は19世紀半ば、イギリスの数学者で今日では計算科学分野の創設者として知られるチャールズ・バベッジによって破られた。バベッジは、もし鍵の長さを言い当てるか推論できれば、そのヴィジュネル暗号が繰り返される周期の長さもわかるため、問題は単純な換字式暗号をいくつか破ることに集約されると気づいた。そして次に、頻度分析を見事に拡張し、それを利用して鍵の長さを求める手法を発見した。おそらくイギリスの情報機関の要請があったと思われるが、バベッジはこの技法を論文にして発表することはなかった。その後、ヴィジュネル暗号の解読法を独自に考え出したプロイセンの陸軍士官フリードリッヒ・カシスキーは、1863年にその手法を論文で発表した。それ以降、ヴィジュネル暗号の安全性は保証されなくなった。

この攻略法に確実に対抗するには、繰り返しがないように平文と同じ長さの鍵を使うことだ。たとえば、100文字の通信文を暗号化したい場合、100個のシーザー暗号を、図5.5の表の横列を100段まで拡張した表の形式に並べる。こうした表は、それぞれ一度ずつしか使われない。この種の暗号は、第一次世界大戦当時の発明家でAT&Tの電信技術者だったギルバート・バーナムにちなんでバーナム暗号と名づけられたが、一般的にはワンタイムパッドと呼ばれている。

「ワンタイムパッド」という名称は、この暗号の特徴的なある物を利用した実施方法に基づいている。アリスがボブに通信文を送りたくなった状況を、再び考えてみよう。アリスとボブはまったく同じ内容の帳面(パッド)を持っている。その各ページには鍵が記されている。アリスは最初のページを利用して通信文を暗号化する。通信文を受け取ったボブは、自分が持っている帳面の最初のページを使って暗号文を復号する。アリスもボブも、最初のページを使い終えたらそれを帳面から引きはがして破棄する。一度使ったページを再利用すると、ヴィジュネル暗号の解読時に手掛かりとされたパターンと同様のものができてしまうため、ページを一度しか使わないことが極めて重要だ。

ワンタイムパッドは第二次世界大戦や冷戦時に、数字が大量に並べられた小冊子のかたちで利用された（**図 5.7** 参照）。今日においても、政府関連の機密性の高い通信ではワンタイムパッドが使われている。鍵として必要となる膨大な資料が細心の注意でもってつくられ、CD や DVD で配布されている。

正しく利用されたワンタイムパッドは、暗号解読者に破られることはない。暗号文に手掛かりとなるパターンが、まったく存在しないからだ。1949 年、クロード・シャノンは情報理論と暗号学には

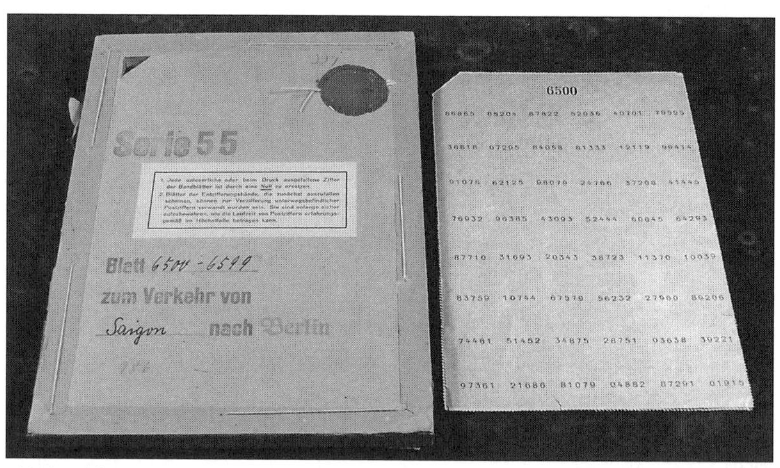

National Security Agency

図 5.7　1940 年代にベルリンとサイゴンとの通信に使われていたドイツのワンタイムパッド。暗号化された通信文にはどのページが暗号化に使われたかが示されていた。表紙には「この暗号帳の未使用と思えるページは、現在送信中の通信文に必要な暗号情報が含まれている可能性がある。それらは通信文の到着までにかかると想定される最長の期間中は、安全に保管されなければならない」という注意書きがつけられている

深い関連性があることを示した[原注24]（どちらかと言えば、戦時中に暗号という機密性の高い研究を行ったことが、一般的な通信での数々の素晴らしい発見につながったと思われる）。シャノンは「ワンタイムパッドは、原理上は究極の暗号である」という直感的には明らかだったことを、数学的に証明してみせた。それは絶対に破られないものだ。理論的には。

だが、プロ野球選手ヨギ・ベラの「理論のうえでは理論と実践には差はない。だが、実践のうえではそうではない」という言葉どおりだった。優れたワンタイムパッドを作成するのは難しい。帳面のページに繰り返しといった何らかのパターンが含まれていたら、ワンタイムパッドは解読不可能というシャノンの証明が成立しなくなってしまう。また、さらに深刻な問題は、紛失や盗難という目に遭わずに帳面をやりとりするのが、通信文を平文のまま誰にも見つからずにやりとりしようとするのと同じくらい難しい点だ。通常、利用者は事前に帳面を受け取って、先方に赴くあいだうまく隠そうとする。大きな帳面は小さなものより隠すのが難しいために、ページの再利用という誘惑に駆られてしまう。それは安全性の確保において命取りだ。

ソ連国家保安委員会（KGB）はまさにこの誘惑の罠に落ちてしまい、1942年から1946年にかけて、外交や諜報に関する3000通以上の通信文の一部または全文が、アメリカやイギリスの情報機関に解読されることになった[原注25]。1995年にようやく公にされた国家安全保障局（NSA）のベノナプロジェクトの使命は、クラウス・フックスやキム・フィルビーといったKGBの大物諜報員をあぶり出すことだった。ソ連の通信文はワンタイムパッドに加えてほかの暗号化技術も施されて二重に暗号化されていたため、暗号解読プロジェクトの進行は困難を極めた。成功した唯一の理由は、第二次世界大戦が長引くにつれて物資不足に陥ったソ連が、帳面を再利用したことだった。

ワンタイムパッドが実用性に欠けていることから、今日のほぼすべての暗号化では比較的短い鍵が使われている。とはいえ、手法によって安全性の確かさは異なっている。ヴィジュネル暗号を解読するコンピュータープログラムはすでにインターネットに出回っていて、この暗号を使おうとする専門家はもはやいない。今日の最先端の暗号化は、昔の換字式の末裔にあたる。その手法は、通信文の文字を別の文字に置き換えるのではなく、まずアスキー文字に変換された平文の通信文を、コンピューターがいくつかのブロックに分ける。次に、コンピューターは各ブロック内のビットを、鍵を必要とする何らかの方法によって変換する。この鍵自体もビットの列であり、アリスとボブは同じ鍵をそれぞれ持って、それをイブには知られないようにしなければならない。ヴィジュネル暗号とは異なり、これらの暗号を手早く解読できる方法は知られていない（あるいは、少なくとも公には知られていない）。秘密の鍵なしに暗号文を解読する最善の方法は、可能性のあるすべての鍵を試すという総当たり攻撃、いわゆるしらみつぶし探索を行うことだ。

しらみつぶし探索で暗号を破るために必要な計算量は、鍵が長くなるにつれて指数関数的に増えていく。鍵を１ビット分長くすると暗号を解読するために必要な作業量は倍になるが、その一方で暗号化と復号の手間はさほど増えない。それがこの暗号化の方法が役立つ点だ。コンピューターの処理速度が、（たとえ指数関数的などのように）いくら速くなり続けても、より一層長い鍵を選ぶことで、暗号解読のために必要な作業量も指数関数的に増やすことができるのだ。

インターネット時代における教訓

ここまでの話はいったん置いておいて、暗号の歴史が教えてくれたことについて考えてみよう。そうした教訓は、20世紀の初めにはすでにかなり浸透していた。20世紀末になると、現代のコンピューター技術や、暗号化の新しいアルゴリズムによって暗号は大幅に変化したが、それらの教訓は今なお生きている。ただし、あまりに頻繁に忘れられがちだ。

飛躍的な進歩は起きるが、その知らせはすぐには届かない

メアリー・スチュアートは、エリザベス1世に対する陰謀をしたためた手紙が頻度分析によって解読されたために、斬首刑に処せられた。だがそれより700年以上も前に、キンディーがその分析法に関する考察をすでに行っていた。それより古い方法さえ、リスクの高い通信でも今なお使われ続けている。スエトニウスは、1世紀にシーザー暗号についてすでに説明していた。それでもその2000年後に、シチリアマフィアが同じ暗号をまだ使っていた。ベルナルド・プロベンツァーノは悪名高きマフィアのボスで、43年間もイタリア警察から逮捕されずにうまく逃げ回っていた。だが2002年、彼の仲間のひとりの持ち物からピッツィーニ（小さな紙切れに印字された暗号文）が見つかった。そのなかにはシーザー暗号で書かれた、ベルナルドと息子アンジェロとのやりとりもあった。しかもそれはスエトニウスが解説したのとまったく同じ、3文字ずらす種類のものだったのだ[原注26]。ベルナルドはその後もっと安全な暗号に変えたが、一度倒れ出したドミノは止められなかった。2006年4月、ベルナルドは農家に潜んでいたのを突き止められて、ついに逮捕された。

科学者さえ、そういった愚行と無縁でいられないこともある。ヴィジュネル暗号はバベッジとカシスキーによって19世紀半ばに解読されたにもかかわらず、その50年後、『サイエンティフィック・アメリカン』はヴィジュネルの手法を「解読不可能なもの」と説明

していた。[原注27]

暗号化された通信文は、解読不能と思われがちだ。素人であろうと専門家であろうと、不注意な者は明らかに理解不能な数字や文字の羅列を見たときに、偽物の安心感を植えつけられる。だが、暗号は科学であり、プロは解読方法について知り尽くしている。

自信もいいが、確実さのほうがもっといい

現代の最も優れた暗号さえも、破られない（あるいはまだ破られていない）という保証はない。そうした暗号のなかには有効性が数学的に証明できる可能性を秘めているものもあるが、その証明を行うには数学におけるさらなる飛躍的進歩が必要だ。現代の暗号の解読方法を知っているとすれば、それはおそらく国家安全保障局（NSA）か、外国政府の同じような機関の関係者だろうが、彼らが公に何かを発言することはほとんどない。

安全性に関する正式な証明がない場合、唯一取れる手段は「暗号の基本原則」[原注28]と呼ばれている、次の言葉を信じることだ。「頭のいい人が何人挑戦しても解決できなかった問題は、おそらく（すぐには）解決できないだろう」

もちろん、これは実践においてはあまり役に立たない原則だ。それが言わんとしているのは、飛躍的進歩は「すぐに」は起きないものだということだ。だがいつかは起きるものであり、そして実際に起きたときは、新たな技術に対する「もやもや」が暗号研究者たちのなかで蔓延する。1991年、暗号化での非常に重要な操作であるメッセージダイジェストを計算する、ＭＤ５（エムディーファイブ）アルゴリズムが導入された。このメッセージダイジェストは、ウェブサーバー、パスワードプログラム、オフィスで使われる製品のほぼすべてにおいて、安全性を実現するための基本となるものだ。MD5が開発された目的は、安全性に疑問が生じた前身のＭＤ４（エムディーフォー）アルゴリズムに取って

代わることだった。だが2、3年もすると、MD5も攻撃に脆弱である恐れがあることを示した研究結果を、学術研究者たちが発表し始めた。暗号学者たちはMD5の利用の中止と、その代わりとなるより頑健なSHA-1（シャーワン）アルゴリズムの導入を提唱した。だが、論文で発表されたMD5への攻撃例は主に理論上の話で現実性に乏しかったため、彼らの助言はさほど影響を与えなかった。すると2004年8月に行われた暗号学の年次会議で、わずか1時間の計算でMD5を解読できたと研究者たちが発表した[原注29]。そこでSHA-1への移行が有力になったが、SHA-1にも脆弱性があることがすぐに明らかになった。

とはいえ、MD5やSHA-1を解読できる者が学術研究者以外に現れるという根拠はどこにもなかった……。2012年までは。そのとき存在が明らかになったFlame（フレーム）はスパイウェアの一種で、まったく新たな方法でMD5を攻撃すると、イランをはじめとする中東の国々のコンピューターを次々に感染させた。つまり、フレームの作成者のなかには、トップレベルの学術会議で発表する研究者たちと同じくらい知識豊富で創造的な暗号学者がいるらしいということだ[原注30]。

これを書いている時点ではSHA-1は「突破」されてはいないが、弱体化させられた。以前は途方もなく時間がかかると考えられていた攻撃が、今や「可能だが極めて高額の費用がかかる」という域にまで到達してきたのだ。SHA-1は現在ではSHA-2（シャートゥー）とSHA-3（シャースリー）という新たな基準に置き換えられた。あとの二つのほうが強固なようだが、私たちが実際にわかっているのは、それらはまだ破られていないということだけだ。

証明可能安全性を有する暗号化アルゴリズムは、コンピューター科学における聖杯のひとつである。提案されたアルゴリズムで明らかにされたどんな脆弱性も、そのアルゴリズムをより強くするための新たなアイデアをもたらす。私たちはまだ辿り着いていないが、それでも確実に進んでいる。

優れた方式を用意しても、必ずしもみな利用するとはかぎらない

解読不能な暗号化がようやく実現するかもしれないという話に入る前に注意しておきたいのは、人々が振る舞いを変えないかぎり、数学的確実性をもってしても完璧な安全性は実現できないという点だ。

ヴィジュネルが自身の編み出した暗号化方法を発表したのは、1586年のことだ。だが、外交機関の暗号員たちは、煩わしいという理由でヴィジュネル暗号の利用を避けるのが常だった。単純換字式暗号はすでに解読されていることが広く知られていたにもかかわらず、彼らは最善を期待しながらその方法を使い続けた。18世紀になると、ヨーロッパ諸国の政府の大半に、優れた「暗号解読機関（ブラックチェンバー）」が設置され、同国内の大使館と本国とでやりとりされる郵便物は、すべてそこを経由して解読されていた。そこでようやく、どの大使館もヴィジュネル暗号に切り替えた。そしてまたしても、同暗号の解読方法が広く知れ渡るようになっても、それを使い続けた。

今日でもまさにそうだ。たとえどんなに確かな理論に基づいたものであろうと、使いづらかったり高額だったりする技術的な考案は、日常では利用されない。そして、より安全な代替手段へ切り替える面倒を避けるために、脆弱な方式の危険性が正当化されることが多い。

1999年、WEP（ウェップ）（Wired Equivalent Privacy—有線と同等のプライバシー）と呼ばれる暗号化の標準方式が、家庭やオフィスの無線接続に導入された。だが、WEPには無線ネットワークの盗聴を容易にする重大な欠陥があることが2001年に判明し、その事実はセキュリティの専門家たちのあいだでは広く知られることとなった。[原注31]それにもかかわらず、無線機器メーカーはWEPに準拠した製品を

販売し続け、業界の専門家たちは「WEPは何もしないよりまし」と世間をなだめた。2002年に新たな標準方式WPA（Wi-Fi Protected Access—保護されたWi-Fiアクセス）がようやく導入されたが、2003年9月まではこの新標準を採用していない製品も認証を受けることができた。大手のチェーンストアをいくつも傘下に持つ親会社ティージェイエックスは2005年になるまでWEPによる暗号化方式を使い続けたため、ハッカーたちは4500万件以上のクレジットカードやデビットカード記録を盗むことができた[原注32]。2005年というのは、WEPが安全ではないことが広く知られてWPAが代替手段として利用できるようになってから、ずいぶんあとのことだ。安全性の侵害を招いたことの代償は、何億ドルにも上った。

暗号化が軍事目的のみで使われていたときは、司令官が敵に従来の暗号が解読されていると察知した場合、新たな暗号を使うよう軍全体に命じることが原理上可能だった。今日の暗号化が安全性のリスクを抱える理由は、関連しあう次の三つの影響によるものだ。ひとつ目は、専門家たちのあいだで安全性問題の情報が急速に広まること。二つ目は一般の人々が暗号化の脆弱性を認識するのが遅いこと。そして三つ目は、暗号化ソフトウェアがあまりに広く普及していることだ。大学の研究者がアルゴリズムに小さな欠陥を見つけて、どのコンピューターも脆弱であることがわかっても、それらすべてに対してソフトウェアを更新するよう命じる権限を持つ、中心的な機関は存在していないのだ。

アルゴリズムが正しくても、
暗号化がうまくいかなければ話にならない

暗号化アルゴリズムもほかのソフトウェアと同様に、プログラミング上のごくありふれたバグに悩まされることが多い。2014年、アップルは同社のMacやiPhoneで使われているネットワークセキ

ュリティソフトウェアのプログラムに、"goto fail" という行がひとつ余分に入っていたことを公表した。それは単に上の行をうっかりコピーしてしまったという間違いだったが、それによって敵対者が極めて重要なセキュリティチェックを擦り抜けて、通信を簡単に盗聴できるようになるという事態が生じた。[原注33]

敵はあなたの手法の仕組みを知っている

歴史からの教訓の最後のひとつは、一見直感に反しているように思えるかもしれない。これはつまり、特に広く使われることを目的に開発された暗号化方法について、その仕組みが広く知られているにもかかわらず破られていないもののほうが、仕組みが明らかにされていないものよりも信頼性が高いとみなすべきだという考え方だ。この原則について、オランダの言語学者アウグスト・ケルクホフスは、軍の暗号に関する1883年の随筆で次のように説明している。[原注34]

> 仕組みは、秘密性を必要とするものであってはならない。秘密がなければ、敵の手に落ちても問題は起こらない。(中略) これは仕組みに対してであって、鍵自体のことではない。たとえば、表、辞書、あるいは仕組みをはたらかせるための何らかの機械装置といった物の部分のことだ。もし秘密性を必要とする仕組みがあまりに多くの人の手にわたった場合に、そのなかの誰かがその仕組みを利用してわかった秘密を漏らす恐れがあることは、起きてもいないエラーを想像したり使用人や部下の誠実さを疑ったりしなくても理解できる。

つまり、暗号化の手法を普及させたら、その手法がその後ずっと秘密性を保てると思うのは非現実的だということだ。したがって、ごくわずかな情報 (鍵) 以外はすべて明らかになったとしても、それでもなお安全性が保てるつくりにしなければならない。

シャノンは秘密の通信用の仕組みに関する論文で、ケルクホフスの原則を「『敵は私たちが使っている手法の仕組みを知っている』と仮定しよう」と言い換えた[原注35]。そして、次のように続けた。

> この仮定は暗号学の研究では実際よく使われるものだ。悲観的ではあるがそれゆえ安全性につながり、しかも長期的に見れば現実的だ。なぜなら、どんな仕組みもいつかは知られるからだ。

ケルクホフスの原則は、現代のインターネットセキュリティ対策において頻繁に無視される。特許取得済みの画期的な暗号化手法を新たに開発したという、インターネット関連スタートアップ企業の発表は今やすっかり日常的だが、彼らはその手法の詳細を一般の目にさらすのを拒否する。その安全性を維持するためには、詳しいことは秘密にしておかなければならない、というのが彼らの言い分だ。一般に暗号研究者はそうした「不透明さによる安全性の確保」というやり方に対して、極めて大きな疑念を抱いて厳しい目を向ける。

一流の団体さえも、ケルクホフスの原則に反してしまうことがある。デジタル多用途ディスク(DVD)に使われているコンテントスクランブリングシステム(CSS)は、映画会社と家電メーカーが設立した業界団体によって、1996年に開発された。CSSは違法コピーを制限するために、DVDの内容を暗号化する技術だ。この手法は許可を受けていないDVDプレーヤーのメーカーの利用を阻止するという理由で、詳細はずっと公にされなかった[原注36]。それゆえ専門家たちにほとんど分析されずにきたこの暗号化アルゴリズムは、実は脆弱であり、発表の3年後には解読されてしまった[原注37]。CSS暗号解読プログラムは大量の違法な「リッピングされた」(訳注:パソコンに取り込まれること)DVDコンテンツと同様に、インターネットに広く出回ることとなった（コピー防止に関するより詳しい議論は、第６章「崩れるバランス」を参照のこと）。

ケルクホフスの原則は、暗号化標準というかたちで制度化されている。データ暗号化標準（DES）は国家標準規格として1970年代に採用され、実業界や金融業界で広く使われている。特殊用途向けのハードウェアの開発と、ムーアの法則によるとどまるところを知らない進歩によって、近年ではしらみつぶし探索の実行可能性がより高まったため、DESはもはや安全とはみなされていない。そうして、より新しい標準である高度暗号化標準（AES）が、徹底的かつ公開された審査を経て2002年に採用された[原注38]。こうした暗号化方式への信頼が高くなりうる理由は、まさにそれらが広く知られているからだ。専門家の分析と一般の人々の試行に耐えてきたこれらの方式に、深刻な欠陥はこれまでひとつも見つかっていない。

ここで挙げた教訓は、今日においても昔同様にしっかりと生きている。とはいえ、それとは別の、暗号についてのある基本的なことが以前とは異なっている。20世紀末になると、暗号化方法は国家機密ではなくなり、一般向けの製品になった。

秘密性は永遠に変わり続ける

4000年にわたる暗号の役目は、アリスからボブへの通信文を伝送中にイブが盗聴しても、イブが絶対に読めないようにすることだった。鍵自体が何らかの方法で見つかってしまったら、もう打つ手はなかった。したがって、鍵を秘密にしておくことは計り知れないほど重要だったが、それは極めて不安の多い務めだった。

もしアリスとボブが会って鍵を作成する場合、ボブは移動中の危険からどのようにして鍵の秘密を守れるのだろうか？　鍵を守ることは、軍事上でも外交上でも極めて重要度の高い最優先事項だった。

パイロットや兵士たちは、「たとえ敵の攻撃で死に直面したとしても、そのとき第一の任務は暗号帳を破棄することだ」と指導された。暗号の解読法が知られてしまうと、何千人もの命が犠牲になる恐れがある。暗号の秘密性こそがすべてなのだ。

だが、アリスとボブのあいだに「鍵を伝送する安全な方法が確立されていない」場合、二人が一度も会わずに同じ鍵を持てる方法などあるのだろうか？　これはもう根本的に無理そうではないか。安全なやりとりは、二人が事前に会えるか、あるいは鍵の受け渡しが可能な、すでに確立されている安全な伝送方法（軍事伝書使（クーリエ）など）を二人が利用できる場合しか実現できない。もしインターネット通信がこうした前提に基づいて進められなければならなかったら、電子商取引はおそらく軌道に乗らなかっただろう。ネットワーク内を駆け抜けているビットのパケットは、盗聴に対して完全に無防備だ。

その後、1970年代に入ってすべてが変わった。自由な数学的精神の持ち主のホイットフィールド・ディフィーは当時32歳で、MITの学部生時代から暗号学に取りつかれていた。ブロンクス科学高校の卒業生で、押しが強く現実的なマーティン・ヘルマンは当時31歳で、スタンフォード大学の准教授を務めていた。ディフィーは秘密の通信に関する数学の共同研究者を求めて、全国各地を渡り歩いていた。この分野の最も重要な研究は扉が固く閉ざされた国家安全保障局（NSA）で行われていたため、それ以外の研究者にとっては足を踏み入れづらい領域だった。当時24歳だったコンピューター科学の大学院生ラルフ・マークルは、安全な通信を実現するための新たな手法を探索していた。ディフィーとヘルマンは、マークルの発想を実用化する方法を編み出し、“New Directions in Cryptography”（暗号の新しい方向性）という題名の論文として発表した[原注39]。これは暗号の歴史上、最も重要な発見である。この論文が解説していたのは、次の点についてだ。

アリスとボブが、事前に何の協議もすることなく、公開された互いへの通信文を介して、二人だけしか知らない秘密の鍵を互いに持つ方法。

つまり、アリスとボブは互いにやりとりができるかぎり、共通の秘密の鍵を作成できるというわけだ。イブであろうと誰であろうと、二人のやりとりが第三者にすべて伝わっていても問題ない。アリスとボブは同じ秘密の鍵をそれぞれ持つことができ、耳にした情報からイブが秘密の鍵を特定できることは決してない。この方法は、アリスとボブが一度も会ったことがなくても、事前に何の協議を行っていなくても成立する。

ディフィーとヘルマンが論文を発表した2年前に、この公開鍵暗号の手法がイギリスの政府通信本部(GCHQ)に所属していたジェイムズ・エリス、クリフォード・コックス、マルコム・ウィリアムソンによってすでに開発されていたことが、1997年に明らかになった。[原注40]

この発見がもたらした影響の大きさは、計り知れない。秘密の通信を実現する技術は政府の専売特許であり、それは書き物が生まれた時代からずっと続いてきたことだった。機密に最も関わってきたのは政府であり、最も優秀な科学者たちが政府のもとで研究を行ってきた。だが、政府が重大な暗号化方法のすべてに携わってきた理由は、ほかにもある。それは、秘密の通信にとってなくてはならない鍵の作成、保護、配布を確実に行うために必要な手段を備えていたのは、政府のみだったという点だ。もし秘密の鍵を公共の通信によって作成できるのなら、誰もが暗号を使える。その方法さえわかれば、鍵を送ったり保護したりするために軍隊や勇敢な伝書使を利用しなくてもいいのだから。

ディフィー、ヘルマン、そしてマークルは、彼らの発見を「公開鍵暗号」と名づけた。当時、その重要性はまだ認識されなかったが、この考案によって電子商取引が実現したのだ。アリスがあなたでボブがアマゾンだとすると、二人は会うことができない。というのも、あなたは鍵を調達するために、実際にどうやってアマゾンに行けばいいのだろうか？　そもそも、アマゾンにはそんなことができる、実際の場所は存在しているのだろうか？　もしアリスがクレジットカード番号を安全な方法でアマゾンに送りたいのであれば、暗号化がその場で、もっと厳密に言えば、インターネットで隔てられた2カ所で行われなければならない。このディフィー－ヘルマン－マークル方式や、それに続いた関連方式によって、インターネット商取引が安全に行えるようになった。もし、あなたがオンラインショップで何かを注文したことがあるのなら、あなたは知らぬ間に暗号の使い手になっていた。あなたのコンピューターと店のコンピューターが、アリスとボブの役目を果たしていたのだ。

アリスとボブが公共の通信路を介して同じ秘密の鍵が持てるという状況は、著しく直感に反しているように思える。ほかの科学者たちはディフィー、ヘルマン、そしてマークルが実現したことを、同じようにやろうとしていてうまくいかなかったわけではなかった。彼らはアリスが何らかの方法でボブに鍵を渡すのが当然だと思い込んでいたので、それ以外の方法を試そうとも思わなかったのだ。

あの偉大なシャノンさえも、この可能性を見落としていた。すでに知られていたあらゆる暗号化の手法を統一的な枠組みにまとめあげた1949年の論文内の記述から、ほかの方法が存在する可能性に気づいていなかったことが見て取れる。それは「鍵は送信元から受信先まで、傍受されない手段で伝送されなければならない[原注41]」というものだった。

その記述は、真ではない。**たとえ二人の通信文がすべて傍受されたとしても、アリスとボブは同じ秘密の鍵をそれぞれ入手できるの**

だ。

アリスが秘密の内容をボブに送る手順は、ここでも基本的には図5.6と同じだ。アリスは暗号化した通信文をボブに送り、ボブは秘密の鍵を使って復号する。途中、イブが暗号文を傍受するかもしれない。

アリスに与えられた課題は、可能性のあるすべての鍵を試す総当たり攻撃以外の手段では、通信文をイブに絶対に解読されない方法で暗号化することだ。総当たり攻撃での解読を難しくするには、指数関数的成長の性質をアリスとボブの味方につけることだ。たとえば、二人が普通の10進数を鍵として使っていて、その鍵の長さが10桁だとしよう。イブのコンピューターが可能性のあるすべての鍵を探索できるほど性能が向上していそうだと二人が感じたら、鍵の桁数を20にすればいい。そうすれば、イブが探索に必要な時間は10^{10}=10,000,000,000倍になる。つまり、たとえイブのコンピューターがどんな10桁の鍵も1秒で見つけられるほど高性能でも、次に20桁の鍵を見つけるには300年以上かかることになる！

イブにとってしらみつぶし探索は、鍵を見つけるために常に取れる手だ。だが、もしアリスが通信文を換字式暗号やヴィジュネル暗号を使って暗号化した場合、その暗号文内のパターンによって、イブはしらみつぶし探索よりもずっと速く鍵を見つけられる。ポイントは、鍵が推論できるパターンが暗号文内に現れないような、通信文の暗号化方法を見つけ出すことだ。

鍵共有プロトコル

公開鍵暗号における極めて重要な考案は、「一方向性計算」という概念だった。この計算には「速く行える」「だが逆算は時間がかかる」という二つの重要な特性がある。もう少し具体的に説明すると、この計算ではxとyという２数を素早く組み合わせて、３つ目の数を出す。これを$x \times y$と呼ぶことにしよう。あなたが$x \times y$の値を知っている場合、それを出すために使われたyの値を素早く計算する方法は、たとえxの値も知っていたとしても存在しない。つまり、あなたがxと結果zの値を知っている場合、$z=x \times y$となるようなyの値を見つける唯一の方法は、試行錯誤による探索であるということだ。そうしたしらみつぶし探索にかかる時間は、zの桁数が増えるにつれて指数関数的に長くなる。数百桁の数値にまでなると、探索はほぼ不可能だ。ディフィーとヘルマンの一方向性計算にはさらに、「$(x \times y) \times z$は常に$(x \times z) \times y$と同じ結果を出す」という３つ目の重要な特性があった（ディフィーとヘルマンは、$x \times y$を「xのy乗をpで割ったときの余り」としている。pは定められた共通の素数である）。

鍵共有プロトコルは、「$x \times y$の計算方法」と「ある大きな数gの値」が公の知識として与えられていることを前提として始められる。これらの情報は、全世界に与えられているというわけだ。それを知ったうえで、アリスとボブは次の手順で進めていく。

アリスとボブは、それぞれ無作為に数字をひとつ選ぶ。アリスの数字はa、ボブの数字はbとしよう。このaとbを、それぞれアリスとボブの「秘密鍵」と呼ぶことにする。アリスとボブはそれぞれの秘密鍵を誰にも教えない。つまり、「aの値を知っているのはアリスだけで、bの値を知っているのはボブだけ」である。

1. アリスは$g \times a$を計算し、ボブは$g \times b$を計算する（難しい作業ではない）。結果は順に「公開鍵A」「公開鍵B」という。
2. アリスはボブにAの値を送信し、ボブはアリスにBの値を送信する。このやりとりを、イブが耳にしても問題ない。AとBは秘密の数字ではない。
3. ボブの公開鍵Bを受け取ったアリスは、自身の秘密鍵aとボ

ブの公開鍵 B を使って $B \times a$ を計算する。同様に、アリスから A を受け取ったボブは、$A \times b$ を計算する。

アリスとボブは異なる計算を行ったにもかかわらず、結果の値は同じになる。ボブが計算した $A \times b$ は $(g \times a) \times b$ に等しい（1.を参照のこと。A は $g \times a$ である）。アリスが計算した $B \times a$ は $(g \times b) \times a$ に等しい。一方向性計算の３つ目の特性によって、この数字も $(g \times a) \times b$ になる。つまり、この二つの数字は、異なる方法で到達した同じ値だ！

この暗号は本当に誰にも破れないのだろうか？

その安全性の確実な証拠を示すという決意をもって、数多くの一流数学者やコンピューター科学者が取り組んだにもかかわらず、公開鍵暗号アルゴリズムが解読不能であることを、誰もまだ数学的に証明できていない。したがって、私たちの信頼は「まだ誰にも破られていない」という基本的な信条に基づいたものだ。もし素早く解読できる方法を知っている人がいるとしたら、それはおそらく国家安全保障局（NSA）だが、同局は機密性が極めて高い状況で任務が行われている。もしかしたら、NSA はその方法を知っていて、ただそれを公にしていないだけかもしれない。あるいはすでに暗号の解読法を発見した独創的な一匹狼が、名声よりも儲けることを選んで、金融取引に関する通信文を解読しては巨額の利益をため込んでいるのかもしれない。解読方法はまだ誰にも知られていないし今後も知られることはないだろう、というのが私たちの予想だ。

この共有する値を K とすると、この K がアリスとボブがその後にやりとりする通信文を暗号化したり復号したりするための鍵となる。利用する暗号化は、どんな標準的な手法でもかまわない。

ここで極めて重要な点について考察しよう。イブがアリスとボブのやりとりを、ずっと聞いていたとしよう。イブはそうして手に入れた情報を、何らかの方法で利用できるだろうか？　彼女は A と B については耳にしているし、g は定められた共通の値なので、すでに知っている。アリスとボブが使っているアルゴリズムやプロトコルについてもすべてわかっている。イブだってディフィーとヘルマンの論文を読んだのだから！　だが、鍵Kを計算するには、イブは秘密鍵aかbのどちらかを知らなければならない。でも、彼女は知らない。aを知っているのはアリスだけだし、bを知っているのはボブだけだからだ。数百桁の数の場合、aやbをg、A、それにBから見つける方法は、とてつもなく多くの値を試して探索する以外、誰も知らない。

アリスとボブはこうした計算を、パソコンまたはより簡単な特殊用途向けのハードウェアを使って行える。だが、少なくとも現在知られている方法でイブがこの仕組みを破るには、最も高性能のコンピューターさえ十分速いと呼べるにはほど遠いのだ。

必要とされる計算能力の差を利用するというこの点が、ディフィー、ヘルマン、そしてマークルたちの発想の突破口となった。これによって彼らは、安全な伝送路がなくても共通の秘密の鍵を作成できる方法を示せたのだった。

私的な通信文用の公開鍵

アリス自身にしか復号できない方法で暗号化された通信文を世界じゅうの誰もが彼女に送れるようにする方法を、アリスが欲していたとしよう。鍵共有プロトコルを少し変えれば、その方法を実現できる。すべての計算は鍵共有プロトコルと同じだが、その順番を多少入れ替えることになる。

アリスは秘密鍵aを選び、それに対応する公開鍵Aを計算する。その後、Aをディレクトリーで公開する。

その後、ボブ（あるいはそれ以外の誰でも）がアリスに暗号化された通信文を送りたい場合、ボブは例のディレクトリーからアリスの公開鍵を入手できる。次に、ボブは自身の秘密鍵bを選び、前と同じようにBを計算する。さらに鍵共有プロトコルのときと同様に、ボブはディレクトリーにあるアリスの公開鍵Aを使って、$K=A\times b$から暗号化用の鍵Kを求める。ボブはKを鍵にしてアリスへの通信文を暗号化し、その暗号文をBとともにアリスに送る。ボブはこのKを一度しか使わないため、Kはワンタイムパッドのようなものと言える。

暗号化されたボブの通信文を受け取ったアリスは、通信文とともに送られてきたBと自身の秘密鍵aを使って、鍵共有プロトコルのときと同様にボブと同じKを$K=B\times a$で求める。そうしてアリスはそのKを使って、通信文を復号する。イブは秘密鍵を知らないので、その通信文を解読できない。

この手順は鍵共有プロトコルを多少変化させただけに見えるが、その結果は安全な通信に対して私たちが抱いている概念を大きく変えるものだ。**公開鍵暗号を利用すれば誰もが暗号化された通信文を、安全性が保証されない公の通信路を介して誰宛にも送ることができる。**やりとりする二人が唯一同意しなければならないのは、「ディフィー－ヘルマン－マークル方式を使う」という点だけだ。しかも、敵対者がそのことを知ったとしても、傍受した通信文の解読には何の役にも立たない。

デジタル署名

秘密の通信の実現に続いて、公開鍵暗号がもたらした二つ目の画期的な成果は、電子商取引での偽造やなりすましの防止である。

アリスが公に告知したいと思っているとする。その告知を見た人は、それが本当にアリスからのもので偽造ではないということを、どうやって検証すればいいだろう？　そこで必要なのは、それがアリスの印であることが誰でも検証でき、しかも誰にも偽造されないかたちで、彼女自身の告知に印をつける方法だ。そうした印は「デジタル署名」と呼ばれている。

私たちが見てきた場面をさらに発展させるために、「アリスがボブに通信文を送り、イブは伝送中の通信文に何か悪さをしようとしている」という設定をそのまま続けよう。だが今回重要なのはアリスの通信文の秘密が保たれることではなく、受け取ったものが本当にアリスから送られたものなのかを、ボブが検証できることだ。つまり、この通信文は一般への重要な告知といった、秘密とは無縁のものかもしれない。ボブは、通信文に示されている署名がアリスのものであり、彼が受け取る前に通信文が何者にも改ざんされる恐れがなかったという確信を抱きたいと思っている。

デジタル署名プロトコルでも公開鍵や秘密鍵が使われるが、使い方は異なっている。デジタル署名プロトコルでは、２種類の計算が行われる。それらはアリスが署名を作成するための自身の通信文の処理に使うものと、ボブがその署名を検証するために使うものだ。アリスは自身の秘密鍵と通信文自体を使って署名を作成する。その後、誰でもアリスの公開鍵を使って、その署名を検証できる。要は、公開鍵は誰でも知ることができるので、署名の検証も誰もが行えるが、その署名の作成は秘密鍵を持っている人にしかできないということだ。これは、前節の「誰もが通信文を暗号化できるが、秘密鍵を持っている人しか復号できない」という筋書きの逆をいくものだ。

デジタル署名の仕組みでは、「秘密鍵を持っていれば署名が簡単にできて、公開鍵を持っていれば検証が簡単に行えるが、秘密鍵を知らなければ署名を作成するのは計算上実現不可能」という条件を満たす計算方法が必要となる。また、署名はそれを行う人の秘密鍵に加えて、通信文自体にも基づくことになる。したがってデジタル署名プロトコルは、送ったのは間違いなくアリスであるという「通信文の真正性（authenticity）」のみならず、伝送中に改ざんされなかったという「通信文の完全性（integrity）」も保証する。

たとえば、暗号化されていない電子メールに署名するために実際に使われている代表的なシステムでは、アリスは通信文自体を暗号化しない。代わりに行うのは、まずは署名の計算を速めるために、「メッセージダイジェスト」と呼ばれる、通信文自体の圧縮版を計算で求めることだ。元の通信文よりもダイジェストから署名を作成するほうが、計算が少なくてすむ。メッセージダイジェストの計算方法は、一般的に知られている。アリスの署名つき通信文を受け取ったボブは、通信文のダイジェストを計算し、アリスの公開鍵を使って添付署名を復号したものと同じかどうかを検証する。

ダイジェストを求める過程では、小さいがそれでも元のものとは実質的には同一という、ある種の指紋のようなものをつくる必要がある。この圧縮の過程では、ダイジェストの使用に伴うリスクを避けなければならない。もしイブが同じダイジェストを持つ異なる通信文を作成できれば、イブはその通信文にアリスの署名を添付できる。すると、ボブは受け取った通信文が伝送中に何者かに改ざんされたものであることに気づけない。ボブが検証の過程でイブの通信文のダイジェストを計算し、それとアリスによってアリスの通信文に添付された署名を復号した結果を比べると一致するからだ。このリスクこそが、本章の最初で取り上げたMD5メッセージダイジェスト関数の安全性が問題視された原因であり、その結果、暗号の分野に携わる人々はメッセージダイジェストの利用を不安に思うようになった。

RSA

ディフィーとヘルマンは1976年の論文で、デジタル署名の概念を紹介している。署名を作成する方法についてある提案を行っていたが、具体的なやり方は提示しなかった。それゆえ、デジタル署名の具体的な仕組みを考え出すのは、コンピューター科学分野の研究者たちへの課題となった。

この問題はMITコンピューター科学研究所のロン・リベスト、アディ・シャミア、レン・エーデルマンによって、1977年に解決された。[原注42] RSA（Rivest–Shamir–Adlemanと、三人の苗字の頭文字からつけられた）アルゴリズムはデジタル署名の具体的な仕組みとしてだけでなく、秘匿性の高い通信文を送ることにも利用できた。RSAでは各人が公開鍵と秘密鍵の二つの鍵を生成する。ここでもアリスの公開鍵をA、秘密鍵をaと呼ぶことにしよう。公開鍵と秘密鍵は互いの逆元になっている。つまり、ある値をaで変換してその結果を今度はAで変換すると、元の値が復元される。同様に、ある値をAで変換してその結果を今度はaで変換すると、元の値が復元される。

RSAの二つの鍵は次のように使われる。利用者は公開鍵は公にして、秘密鍵は自分以外の人には教えないようにする。もしボブがアリスに通信文を送りたければ、前述のDESといった標準アルゴリズムと鍵Kを選び、アリスの公開鍵Aを使ってKを変換する。アリスは自身の秘密鍵aを使って結果を変換し、Kを復元させる。どんな公開鍵暗号方式と同じく、秘密鍵を知っているのはアリスだけなので、Kを復元して通信文を復号できるのもアリスだけだ。

デジタル署名をつくる場合、アリスは秘密鍵aを使って通信文を変換し、その結果を通信文と一緒に送る署名として利用すればいい。すると、アリスの公開鍵Aを使ってその署名を変換し、それが元の通信文と一致するかどうか誰でも検証できる。アリスの秘密鍵を知っているのはアリス本人だけなので、彼女の公開鍵で変換することで元の通信文が再現されるものを作れるのは、アリスだけなのだ。

ディフィー－ヘルマン－マークル方式のときと同様、RSA暗号方式の「公開鍵に対応する秘密鍵を計算する」というのは実行不可能に思える。RSAでは、ディフィー－ヘルマン－マークル方式とは別の一方向性計算が使われている。RSA の安全性は、n 桁の数を素因数分解するほうが、二つの $n/2$ 桁の数を掛けるよりもずっと長い時間がかかるときのみ保証される。RSA の安全性が素因数分解の難しさにかかっていることから、素因数分解を速く行う方法を見つけることへの関心が非常に高まった。1970 年代までは、これはただ理論的に興味深い数学的な娯楽にすぎなかった。一般に知られているかぎりでは、数を掛けるのにかかる時間はその数の桁数でだいたい決まるが、数を素因数分解するために必要な労力はその数の値自体によって大きく異なる。**素因数分解を速く行う画期的な方法が考案された場合、RSA は使い物にならなくなり、現在のインターネットセキュリティ基準の多くが損なわれるだろう。**

証明書と認証局

ここまで説明してきた公開鍵暗号方式には、問題点がある。やりとりしている「アリス」が本当にアリスであることを、いったいどうやってボブにわかれというのだろう？　誰だって、鍵を共有するためのやりとりの相手であるアリスのふりができる。あるいは、安全に通信文を送ろうとしてアリスがディレクトリーで公開鍵を公にすると、イブがディレクトリーを改ざんしてアリスの鍵を自分の鍵に置き換えるかもしれない。すると、アリスへの秘密の通信文を作成するために鍵を使おうとした人はみな、実際にはアリスではなくイブが読める通信文を作成することなる。もしあなたが「ボブ」で市民に避難を命じた市長が「アリス」だとしたら、パニックを起こそうとする市長のなりすましが出てくるかもしれない。あるいは、あなたのコンピューターが「ボブ」で、利用している銀行のコンピューターが「アリス」だとしたら、「イブ」にあなたのお金を盗まれるかもしれないのだ！

そういったときこそ、デジタル署名が役に立つ。アリスは信頼できる機関に自身の公開鍵と身分証明を提示する。機関は「証明書」という署名した鍵を発行することで、アリスの鍵にデジタル署名を行う。そうして、アリスはやりとりを行いたいときは自分の鍵以外に、証明書も提示する。アリスとやりとりするために鍵を使いたい人は、まず機関の署名を調べて鍵が本物であることを確認する。[原注43]

信頼できる機関の署名を調べることが、証明書の確認になる。だが、証明書の署名が偽の証明書を発行する目的でイブが不正に作成したものではなく、信頼できる機関の署名であることがどうやってわかるのだろうか？　実は、機関の署名自体が別の機関が署名する別の証明書によって保証されていて、その署名もまた、というように続いていき、最終的にはよく知られている証明書を発行する機関に到達する。この方法では、アリスの公開鍵はひとつの証明書と鍵だけによってではなく、それぞれ次の証明書によって保証された署名がついた一連の保証書によって真正性が裏づけられる。

一般向け証明書

証明書を一般に販売する認証局の現在最大手であるベリサインは、3段階（クラス）の個人向け証明書を発行している。「クラス1」はブラウザーが特定のメールアドレスと関連づけられていることを保証しているが、身分確認については何も言及されない。「クラス2」では身分確認がひと通り行われたことが示される。「クラス2」に相当する証明書を発行する機関は、申請者に対して雇用記録や信用記録で確認できる情報を求めるはずだ。「クラス3」の証明書を入手するためには、身分証明のために本人が直接申請しなければならない。

証明書を発行する機関のことを、「認証局」という。認証局は用途が限定される証明書の発行のために、設置することもできる。たとえば、企業は自社の企業ネットワークで使用する証明書を発行するための認証局になることができる。証明書を一般に販売する事業を行っている企業もある。あなたが証明書を信頼すべきかどうかを判断するための拠り所は、「証明書の署名の信頼性に対するあなた自身の評価」と「認証局の署名についての方針に対するあなた自身の評価」の２点だ。

みんなが暗号を使えるために

日常の生活のなかで、ウェブを見ているときに自分が一方向性計算を行っているなど、誰も気づいていない。だが、アマゾンで本を注文したり、銀行預金やクレジットカードの残高を確認したり、購入した品をペイパルで支払ったりするたびに、まさにその計算が行われる。ウェブサイトで暗号化された商取引が行われていることを示す印は、そのウェブサイトのURLがhttpではなくhttps（sはsecure＝安全を意味している）で始まっていることだ。消費者のコンピューターと、店または銀行のコンピューターは、この取引に関わっている人間たちの知らないうちに、公開鍵暗号を使って暗号化を進めている。店側は認証局によって署名された証明書を提示することで、自身の身分を証明する（消費者のコンピューターは、この認証局を認識するようあらかじめ設定されている）。商取引が行われるたびに、新たな鍵が作成される。鍵は安く入手できる。ゆえに、インターネットのあらゆるところで秘密の通信が行われている。**今や私たち全員が、暗号の使い手なのだ。**

当初、公開鍵暗号は「何か数学的な物珍しいもの」という扱いを受けていた。RSAの考案者のひとりであるレン・エーデルマンは、RSAの論文は「私が関わった論文のなかで、最も関心を引かないものになる」と思っていたという[原注44]。1977年の時点では、あの国家安全保障局さえも、こうした手法が広まることについてさほど気にかけていなかった。そのわずか数年後にパソコン革命が起こって、自宅にコンピューターがある人ならNSAさえ解読できない暗号化された通信文を誰でもやりとりできるようになるとは、思いもしなかったのだ。

そうして、1980年代に入ってインターネットの利用が進むと、どこでも暗号化が行える技術が実現する可能性が次第に明らかになった。情報機関は懸念を強め、法執行機関はその最も強力なツールの一種である政府による盗聴が、暗号化された通信によって不可能になるのではないかと恐れた。商業面では、とりわけ電子商取引の時代になると、業界は私的なやりとりを欲する顧客のニーズに対応し始めた。1980年代後半から1990年代前半にかけて、ブッシュとクリントン政権は暗号を利用するシステムの広まりを規制する提案を行った。

1994年、クリントン政権は暗号化された通話を行える電話を対象にした「供託（エスクロー）暗号化標準」計画を明らかにした。「クリッパー」と名づけられたこの技術は、国家安全保障局（NSA）によって開発された、バックドアの設置も可能にする暗号化半導体チップだ。バックドアとは、法執行機関や情報機関が通話を解読するために利用できる、政府が所持する追加の鍵である。この提案によると、政府は安全なやりとりに使用する電話は、クリッパーが採用されたものしか購入しない。政府と安全なやりとりを行える電話で話したい案件がある者も、クリッパーつきの電話を使用しなければならない。だが、産業界の反応は冷ややかで、結局計画は白紙に戻された。それでも、1995年から始まった一連の修正案を通じて、政府は同様のバックドアを持つ暗号化製品を開発するよう業界に強くはたらきかけた。そのアメでもありムチでもあったのは、輸出規制法だった。アメリカの法律のもとでは暗号関連製品は許可証がなければ輸出できず、この輸出規制に違反すると厳罰を受ける恐れがあった。政府の提案は、バックドアがついた暗号化ソフトウェアだけには輸出許可を与えるというものだった。

それに続いて1990年代中盤以降に展開された、ときに激しい対立となった議論は、「暗号戦争」と呼ばれることもある。法執行機関と国家安全保障機関は、暗号化規制の必要性を訴えた。それに対抗したのは、政府による規制を拒むテクノロジー企業と、通信の監視が強まる危険性を訴えた市民権団体だった。要は、為政者たちは、主要な軍事技術が日常的な個人ツールに変化することを受け入れられなかったのだ。

本章の最初に登場したフィル・ジマーマンは、彼の経歴によってこの議論の中心人物となっていった。熟練したプログラマーで市民的自由主義者のジマーマンは、若い頃から暗号に興味を持っていた。1977年に『サイエンティフィック・アメリカン』に掲載されたRSA暗号化の記事も読んだが、RSAアルゴリズムで必要とされる巨大な整数の計算が実行できるようなコンピューターを使える機会はなかった。だが、待ちさえすれば、コンピューターの性能は向上する。1980年代に入ると、家庭用のコンピューターでもRSAを導入できるようになった。ジマーマンは政府の監視が強まる恐れに対抗するために、暗号化ソフトウェアの開発に取り組もうとしていた。のちに彼は議会で次のように証言している。

> コンピューターの性能が高まるにつれて、監視のしやすさのほうにバランスが傾いてしまいました。以前なら、もし政府が一般市民のプライバシーを侵害したくなったら、「紙の手紙を郵送途中で入手し、封筒に蒸気を当てて開け、中身を読む」「電話での会話を聞き、ときには書き起こす」といった何らかの大変な作業が必要でした。これは、針と糸を使って一匹ずつ魚を釣ろうとするのと同じです。自由と民主主義にとって大変幸運なことに、こうした多大な労力を必要とする監視を大規模で行おうとするのは、現実的ではありません。今日では、電子メールが従来の紙の手紙に徐々に取って代わっていて、それは近いうちに今の「目新しいもの」から、あらゆる人にとって「当たり前のもの」になるでしょう。紙の手紙とは異なり、

電子メールの内容は簡単に傍受できて、しかも興味深いキーワードを簡単に検索できます。こうした作業は気づかれることなく定期的、自動的に簡単に大規模で行えます。これはいわば流し網漁のようなものであり、民主主義の健全性を質的にも量的にもオーウェル流の超管理主義へと変化させる行為にほかなりません。[原注45]

それに対する手段は暗号だった。もし電子通信を無制限に監視できる権限が政府に与えられるのなら、その他の人々には政府が中身を理解できない方法でやりとりするための、使いやすく安価で解読されない暗号が必要だった。

その後ジマーマンは、もしそこまで熱意がない者なら開発を投げ出していたほどの、大きな障害に直面した。当時のRSAは、特許登録された発明だった。MITと独占契約を結んでいたRSAデータセキュリティは、企業向けの商用暗号化ソフトウェアを製造していた。同社は、RSAを利用して作成したプログラムの無料配布を希望するジマーマンに、許可を与える気はまったくなかった。

しかも当然ながら、そもそもジマーマンが対抗手段として暗号化ソフトウェアを開発しようとした理由でもある、政府の政策が立ちはだかっていた。1991年1月24日、上院第266号法案（テロ防止法）[原注46]の共同提案者であるジョー・バイデン上院議員（**訳注：現アメリカ大統領**）は、同法案に次のような新たな一文を盛り込んだ。

電子通信サービスプロバイダーと電子通信サービス機器メーカーは、適切な手順によって法律で認められた政府が音声、データといった通信内容の平文を入手できるような通信システムを保証しなければならない、というのが連邦議会の認識である。

この件（くだり）は市民権団体からの怒りに満ちた反発によって、結局は最後まで生き残らなかったが、ジマーマンは自分ひとりで何とかしようと決心した。

1991年6月には、ジマーマンはソフトウェアの試作版を完成させていた。ソフトウェア名は「Pretty Good Privacy（プリティー・グッド・プライバシー）（かなりいいプライバシー）」を略してPGPにした。これはガリソン・キーラーのラジオ番組『プレーリー・ホーム・コンパニオン』の架空のスポンサー、「Ralph's Pretty Good Grocery（ラルフズ・プリティー・グッド・グローサリー）（ラルフのかなりいいスーパー）」にちなんだものだ。このソフトウェアはアメリカ国内のいくつかのコンピューターに忽然と現れ、世界じゅうの誰でもダウンロードできた。たちまち、アメリカのみならず全世界に広まっていった。ジマーマンは、「この技術はみんなのものだ」と語っている。いったん瓶のなかから飛び出てしまった魔神は、もう元には戻れない。

ジマーマンは、自身の自由主義者的な振る舞いの代償を払うことになった。まず、RSAデータセキュリティは、この技術は同社のものであって「みんな」のものではないと自信を持って主張した。同社は、自社の特許技術が無償で配布されたことにカンカンに怒った。次に、政府も怒り心頭だった。輸出規制法違反に関する犯罪捜査を開始したが、もしジマーマンが違反していたとしても、どの法に違反しているのかよくわからなかった。最終的にはMITが合意の調停役を買って出て、ジマーマンがRSA特許を使用するのを許可し、さらにはPGPがアメリカ国内で、または輸出規制に引っかからないかたちで、インターネットで利用できる方法を考案した。

1990年代末には電子商取引の発展が鍵供託（キーエスクロー）の議論を追い越し、政府は起訴することなしに犯罪捜査を終わらせた。ジマーマンは個人には引き続き無料ダウンロードを提供しつつ、PGPで事業を築いた。ジマーマンのウェブサイトには、東欧やグアテマラの人権擁護団体からの感謝の声とともに、彼のソフトウェアが抑圧的な政権に立ち向かう個人や機関に秘密のやりとりの威力を与えてくれたという証言が掲載されている。ジマーマンは勝ったのだ。

まあ、ある意味では、だが。

暗号を巡る不穏な状況

今日では、ウェブでのどんな銀行やクレジットカードの取引も暗号化されている。大半の電子メール、パソコンのハードディスクも暗号化されている。情報セキュリティ、個人情報窃盗、個人のプライバシーへのさらなる侵害に対する懸念が広がっているからだ。

だが、それと同時に、暗号は無関心と不安という二つの相反する力によって脅かされている。各々が暗号鍵を覚えておかなければならない（たとえば、自身のパソコン内のデータを復号するときなど）不便さを理由に、暗号化をまったく使わないユーザーもいる（あるいは、パスワードをPASSWORDと設定するのと同様に、暗号鍵をKEYと設定する）。しかも、無自覚なのはユーザー側だけではない。2017年、アップルは極めて重要なパスワードの有効設定をせずに、コンピューターを出荷してしまった。これはインターネットを介した遠隔操作によってでさえ、誰でもそのコンピューターに侵入できる状態だ。

敵対者が推測するのが難しいほど長い文字の羅列は、正当なユーザーにとっても覚えるのが難しい。2018年1月にハワイの住人に対して「弾道ミサイルが発射され、こちらに向かっている」という誤警報が発せられたとき、職員が自身のツイッターのパスワードを思い出せなかったために、情報の訂正に40分近くかかってしまった。より便利な代替手段として生体認証（指紋、目の虹彩スキャンなど）が推進されているが、そうした個人情報が遠隔操作できる場所に保管されていることへのプライバシーの不安も起きている。単なる物忘れで貴重なデータを取り込めなくなるというリスクを前にして、まったく暗号化を行わないようになる軽率なユーザーもいる。

それと同時に、国民は「政府を信頼したい」「自分は何も隠すことはない」「テロリストや犯罪者が恐ろしい」と感じている。政府の監視に対するジマーマンの警告は、今や忘れ去られてしまった。危険がすぐそこまで迫っているという各種の報道（それが本当かどうかは別として）によって、むしろ政府の監視を受け入れたいと思う人や、法執行機関に解読できない方法でやりとりしたいという者たちを不審に思う人さえ出てくる。「安全でいられるなら、何でもいい」と言って。こうした状況においては、テクノロジー企業に協力を求めるローゼンスタインや、それより前のジャド・グレッグのような訴えに対する抵抗は、当時より少なくなる。

国民へのスパイ行為

従来、（国民にはプライバシーの期待があるため）国民へのスパイ行為には捜査令状が必要だが、外国人に対しては必要ない。テロ対策を目的とした一連の大統領行政命令や法律によって、政府は国に出入りするビットを調べることができる。航空会社への電話さえ、もしコールセンターがインドにあればその対象になるだろう[原注47]。また、「アメリカ国外にいると信じるに足りる合理的な理由がある人物へのあらゆる監視」も、その人物がアメリカ国民であろうとなかろうと司法審査の対象外だ。こうした変化によって、電子通信の暗号化に拍車がかかり、結局、求められていた結果とは逆になるかもしれない[原注48]。それによって今度は、アメリカ国内での電子メールや電話でのやりとりの暗号化を犯罪とするための新たな取り組みが行われる恐れがある。

つまり、私たちが問うべき最も重要な点は、「個人的な通信における暗号化が商取引での暗号化と同じくらい日常的なツールになった今日、それによって得られる個人のプライバシー、表現の自由、人間の自由に対する恩恵は、立ち聞きや盗聴が不可能になるという法執行機関や国の情報機関の犠牲を上回るのだろうか？」だ。

暗号化された通信の将来がどうなるかはさておき、暗号化技術には別の用途がある。完璧な複製と瞬時の通信によって、「知的所有権」の法的概念は粉々に吹き飛ばされ、ティーンエイジャーたちが何十億ビットもの映画や音楽をダウンロードするようになった。暗号化は一部の人にしか見られないよう映画にプロテクトをかけるツールであり、一部の人しか聞けないように音楽にプロテクトをかけるツールでもある。つまり、この分野のデジタル爆発に硬い殻をかぶせようとするものだ。デジタル爆発を起こした世界を辿っている私たちが次に見るのは、著作権の意味が変化した事態である。

第6章
崩れるバランス
ビットの所有者は誰なのか？

音楽を盗む

フロリダの刑務所で終身刑に服している、受刑者ウィリアム・デムラーの日々の生活には癒しがほとんどないため、デジタル機器に保存されていた自身の音楽コレクションが刑務所の新システムで聞けなくなると、彼は訴訟を起こした[原注1]。デムラーは刑務所で唯一許可されたデジタル音楽プレーヤーを購入していて、1曲1ドル70セントの曲を5年以上にわたって購入し続けてきた結果、手持ちの曲は550ドル分を超えていた（ほかの物と同様に、刑務所での曲の購入価格は一般より高額で、しかも専用のプレーヤーか刑務所が指定したクラウドにしか保存できない）。

刑務所当局は、同所の音楽システムの供給業者を最近変更したところ、新たなシステムが前のものと互換性がなかったため、ユーザーが以前購入した曲は移行できなかったのだと説明した。そのため、旧式の音楽プレーヤーを持っていた者に対しては、埋め合わせとして新たなタブレットと新たに曲を購入できる50ドル分のポイントが与えられたという。デムラーは、この切り替えは音楽サービスが保証した「一度購入した曲は、ずっとあなたのものです」という条件に違反していると語った。提示された「旧式のプレーヤーか音楽CDを、刑務所外の親類に送る」という代替手段は、物の受け渡しや通信でのやりとりが厳しく制限された刑務所内のデムラーにとって、何の意味もなかった。

デムラーの訴訟は、フロリダの刑務所で同じく曲を購入していたほかの受刑者たちのためにもなる、集団代表訴訟の形式で行われようとしていた。彼らもみな、刑期中ずっと聞けると思って曲を購入したにもかかわらず、同じ曲を聞きたかったら再度購入しなければならなかったのだ。

訴訟の時点では、刑務官たちはなぜ受刑者たちが曲を前のシステムから新システムに移行できないのかを説明できなかった。実はこの答えは、著作権とこれらの特定のビットを管理する契約がおかしな具合に混ざってしまっていることに関係している。

ほかの創造的な作品と同様に、音楽も「有形的表現媒体」に固定された時点で著作権で保護される（デジタル音楽録音物は「固定」とみなされる）。著作権者の許可を得ている作品を複製することや、派生的な作品をつくることは、著作権によって制限されている。また、音楽の場合、作曲家、作詞家、実演家を著作権者に含むことができる。

本、レコード、油絵といったアナログメディアの場合、あなたが実物（フィジカルコピー）を購入すると、この「ファーストセール（最初の販売）」によって、その実物に対する著作権者の権利は終了する。あなたは本を転売することも、レコードを何度も好きなだけ聞くことも、油絵を展示した美術館で入場料を取ることもできる。図書館は購入した本を著作権者との追加のやりとりなしに、何度でも貸し出せる。一方、電子書籍は、「売り場の棚」から電子書籍端末へ複製版が送られ、さらには端末内のランダムアクセスメモリー（RAM）でも複製版がつくられなければ読むことはできない。こうした複製がすべて著作権の許可目的であるなら、電子書籍は同じ作品の紙版に比べて著作権のより強い制約を受ける。裁判所は書籍のビニール包装を開けると契約に同意したとみなされる「シュリンクラップライセンス（shrink-wrap license）」は不当としたが、電子メディアやソフトウェアで通常使われている、ボタンをクリックして同意を求める「クリックスルーライセンス（clickthrough license）」は有効だとした。

フロリダのデムラー氏の話に戻そう。彼はメディアプレーヤー本体こそ所有していたものの、購入した曲の大半はサービスプロバイダーが提示した契約条項やしばしば変更される諸条件に従って、プロバイダーのクラウドストレージに保存されていた。契約条項の一部は、プロバイダーが各購入者に送るために作成する「複製」に関する楽曲の著作権者との合意（通常はレコード会社や音楽出版社を通じて得る）に由来していた。フロリダ州がこのプロバイダーとの契約終了時に、保存されていた曲を持ち出すことは契約条件になかったため、受刑者たちはそれらの曲を聞けなくなってしまったのだった。

刑務所に入っていなくても、デジタル音楽のはかなさを経験するのは簡単だ。スポティファイやアップルミュージックの定額制配信サービスをやめれば、あなたもそこでつくっていたプレイリストや曲のコレクションへアクセスできなくなる。ほかとは連携していないこのサービスを受けているときは膨大な数の曲にアクセスできるが、それを持ち出すことはできないのだ。

著作権戦争がいかに大規模になり、その様相がいかに変化していったかを、このあと取り上げる。曲を共有しようとする者たちへの訴訟から始まった事態は、自身が購入した曲を持ち続けることができない者たちによる訴訟へと発展した。一時的な均衡のなか、著作権者は音楽、テレビ番組、映画の定額制配信サービス（ネットフリックス、フールー（Hulu）、アマゾンプライム、アップルTV）に目を向け、「自分の曲」を確実に保存するために購入したCDをパソコンに取り込んで保存する「フォーマット変換」を、暗に認めるようになった。一方、この状況はエンターテインメント産業の再集中化も表している。大手のサービスのいずれにも属していない（つまり、彼らの条件に同意しなかった）アーティストは、人の目に触れるのが極めて難しくなる。独立系のアーティストは、特にポッドキャストやサウンドクラウドで何とか活動を続けている場合もあるが（「この曲を気に入ってくれたのなら、サウンドクラウドにも訪れてね」という一言はある種のネタにまでなった）、彼らが成功するかどうかはまだわからない。

自動化された犯罪、自動化された訴え

2005年12月、タニヤ・アンダーセンが8歳の娘と夕食をとっていると、それを邪魔するかのように玄関のドアがノックされた。[原注2] アメリカレコード協会（RIAA）が起こした裁判の被告召喚令状を届けにきた、令状送達者だった。RIAAは音楽出版社が多数加盟している業界団体で、加盟社全体でアメリカ国内の音楽市場の9割以上を占めている。RIAAは障害者給付金を受けながらオレゴンで暮らすシングルマザーのアンダーセンが、ギャングスタラップをはじめとする著作権のある楽曲を、1200曲以上違法にダウンロードしたと訴えていた。

RIAAがアンダーセンに仕掛けてきた諍（いさか）いは、ロサンゼルスの法律事務所から「督促状」が送られてきた9カ月前に始まった。手紙の内容は、「『複数のレコード会社』が、あなたを著作権侵害で訴えている。4000ドルから5000ドルを支払って示談にするか、あるいは裁判まで進んで大変な思いをするかのどちらがいいか」というものだった。アンダーセンは、これはまるで詐欺ではないかと思い、自分は曲をダウンロードしたことはないとRIAAに抗議した。さらに、レコード会社が彼女のコンピューターのハードディスクを実際に調べて確認すればいいと何度もRIAAに伝えたが、断られた。ある時点で、「あなたのことは、おそらく無実だと思っています」

と、RIAAの担当者から聞かされた。「しかし」と彼は警告した。「RIAAはいったん訴訟を起こすと、絶対に取り下げません。なぜなら、取り下げればほかの人までも、レコード業界の訴えに対抗しようという気にさせてしまいますから」

アンダーセンは12月に召喚令状を受け取ったのちに弁護士に依頼し、二人は彼女のハードディスクを調べるようRIAAに命じてほしいと裁判官にはたらきかけた。RIAAが依頼した専門家は、アンダーセンのコンピューターには違法なダウンロードに使われた形跡はないと判断した。ところが、RIAAは訴訟を取り下げず、代わりにアンダーセンが示談を受け入れるよう圧力をかけてきた。RIAAは自分たちの弁護士にはアンダーセンの娘から話を聞く権利があると主張し、アパートに電話をかけて幼い娘と直接話をしようともした。娘が通う小学校の校長に、見知らぬ女性が「私は娘の祖母で、出席状況が知りたい」という嘘の電話をかけてきた。さらに、RIAA側の弁護士たちはアンダーセンの友人や親類に連絡して、「アンダーセンは、暴力的で人種差別的な曲を集めている泥棒だ」と吹き込んだ。辛い病気と精神面で問題を抱えていた41歳のアンダーセンは圧力に耐えかね、再就職プログラムに参加する望みを捨てなければならなくなった。そのうえ、精神科でのさらなる治療が必要となった。2年後、アンダーセンはついに略式判決を求める申し立てを出せた。RIAAは、自身の訴えについての証拠を出すよう求められた。RIAAが証拠を提出できなかったため、訴えは棄却された。[原注3]

5年間で3万5000件の訴訟

2003年から2008年にかけて、RIAAは個人に対する違法ダウンロードについての訴訟を3万5000件以上起こしている。[原注4]子どもを訴え、年配者を訴え、障害者を訴えた。[原注5]死人も訴えた。[原注6]自宅にコンピューターがない人、インターネットに接続できない人も訴えた。[原注7]ホームレスの人々まで訴えた。[原注8]こうした訴えは次の手順で行われた。RIAAの調査会社メディアセントリーがファイル共有ネットワークにログインして、ダウンロード用の音楽を保存しているコンピューターを探す。次に同社はそれらのコンピューターに接続して、音楽ファイルを検索する。怪しいものが見つかると、そのコンピューターのIPアドレスと見つかったファイルのリストを、RIAAの著作権侵害対策部門に送る。RIAAの職員はファイルをいくつかダウンロードして曲を聞き、著作権のある楽曲かどうかを確認する。そして、RIAAは違反を行ったIPアドレスのコンピューターを使った人物を「ジョン・ドウ」（訳注：身元不明の被告人）として、その人物を相手に訴訟を起こす。訴訟を法的根拠として、RIAAは問題のコンピューターのインターネットサービスプロバイダーを召喚し、そのIPアドレスの「ジョン・ドゥ」ユーザーの身元を明かすよう求める。そして、そのユーザー宛に、確認された曲名とダウンロードされた曲数を、損害賠償金額算出の根拠として記載した督促状を送る。その手紙には、示談に応じる用意があることも記されている。平均的な示談金の要求額は約4000ドルで、交渉の余地はなかった。

それはいわばデジタル時代のある種自動化された訴訟だ。だが、起きていたのはある種自動化された犯罪だった。ファイル共有プログラムは通常自動的に起動して実行するよう設定されていて、人間を介さずにファイルを交換する。そのため、コンピューターの持ち主は、バックグラウンドでファイルがアップロードされるような設定になっていることに気づいてさえいない可能性もある。

しかも、これは間違いが起こりやすいやり方の訴訟でもあった。IPアドレスから名前を特定する方法は、信頼性に欠けた。同じ無線ネットワーク内の複数のコンピューターは、同じIPアドレスを使っているかもしれない。IPアドレスを割り当てているインターネットサービスプロバイダーのなかには、同じIPアドレスを日によって別のコンピューターに割り当てている場合がある。そのため、あるIPアドレスを今日使っているコンピューターと、先週そのIPアドレスが割り当てられ、ファイル交換を行っていたコンピューターとは別のものかもしれないのだ。たとえ同じものだったとしても、交換が行われた時間に誰が使っていたかを特定する術はない。しかも、RIAA側での各種の報告時に、処理上のささいなミスが起きる可能性もある。

この一連の手順に欠陥があることはRIAAも把握していたが、違法なダウンロードをやめさせなければならないという事態を前にすると、同団体にとってほかの選択はなかった。RIAAは同団体の商品がただで配布されているのを目の当たりにしているのみならず、アーティストの著作権保護を怠っているという理由で、アーティスト側から訴えられる恐れもあった。RIAAの広報担当上級副社長エイミー・ワイスは、次のように説明している。「網で魚を捕まえようとすると、イルカが数匹かかってしまうときもあります。(中略) しかし、そこまでしてでも、この『サイバー万引き』を止めなければならないと考えています」。アンダーセン以外に捕らえられた「イルカ」のなかには、コンピューターを持っていないジョージア州の家族、ミシガン州でファイルがダウンロードされた件で訴えられた、脳卒中でまひ状態のフロリダ州在住の患者もいる。さらには、コンピューターが大嫌いなウエストバージニア州在住の83歳の女性もいたが、実はすでに亡くなっていたことが判明している。

著作権侵害の大きな代償

たとえ先方の間違いだったとしても、督促状が送られてきた人の大半は支払うことを選ぶ。示談金は異議申し立てにかかる裁判費用より安いし、しかも裁判に負けたら驚くほどの金額を支払うことになる。損害賠償額は、ダウンロードされた曲1件につき750ドルだ。20ギガバイトのiPod（アイポッド）に保存できる4000曲分の場合、損害賠償額は少なくとも300万ドルにもなる。これはiTunes（アイチューンズ）ストアで同じ曲を購入したときの1000倍だ（ギガバイト＝GBは約10億バイト）。

流し網方式の訴訟、自動化された犯罪に対する自動化された取り締まり、そしてiPod 1台分の音楽に対する300万ドルの損害賠償金。これらはすべて、ネットワークでつながった世界より前につくられた法律が、デジタル爆発による急激な変化と衝突した結果である。たとえば、iPod 1台分に対して300万ドルの損害賠償金。これは、著作権者は1件の侵害につき最低750ドルの法定損害賠償を求めて訴えを起こすことができると定められた、1976年著作権法にまで遡る。

1曲につき750ドル

著作権侵害に対して裁判所が支払いを命じなければならない損害賠償金の最低金額は、1度の侵害行為につき750ドルだ。侵害が「故意」とみなされた場合、損害賠償金額は1度の侵害につき15万ドルにまで跳ね上げることもある。これはiPod 1台分の4000曲なら、6億ドルだ。侵害が行われていたことすら知らなかったことを被告が証明できても、裁判所は1度の侵害につき少なくとも200ドルの損害賠償を命じなければならず、この場合4000曲では「たった」80万ドルになる。[原注9]

法定損害賠償が定められた根本的な理由は、たとえ著作権者の実際の被害が小さくても、今後の著作権侵害を阻止するために罰金を十分大きくできるようにするためだ。楽曲の複製（アップロードやダウンロード）は「1度行うごとに1度の侵害」とみなされるため、このデジタル複製の時代においては損害賠償額がとんでもない額になるという恐ろしい結果を招く。この「著作権侵害行為」の特定方法は、その基準が設定された、インターネット普及前の1976年においては妥当だったのかもしれない。当時は許可なく複製をつくるには一つひとつに時間がかかり、そう多くはつくれなかったからだ。だが、高速ネットワーク接続によって、自宅のコンピューターにわずか数分で1000曲もダウンロードできてしまう今日においては、この損害賠償額算出方法では、非現実的なほど巨大な額がはじき出されてしまう。

デジタル爆発によって、著作権侵害の法的刑罰は違反した側にとってあまりに非現実的なものになってしまったが、それはより根本的な変化ももたらした。著作権に対する世間の認識が、多少なりとも高まったのだ。インターネットが普及する前は、普通の人はいかにして著作権を侵害していたのだろう？　本をコピーして複製版を50冊つくり、街角で販売するとか？　もちろん、それも著作権侵害であることには間違いない。だが、それは大変な労力を伴う作業だし、しかもそれによる著作権者の金銭的損失は極めて小さい。

デジタル爆発が起こした変化のなかで最も悪意や恨みが生じたの

投げかけられたメッセージ

2007年10月、年収3万6000ドルのシングルマザーとして二人の子どもを育てている、ミネソタ州在住のジャミー・トーマスは、Kazaa（カザー）のファイル共有ネットワークで24曲を共有したとして有罪判決を受け、1曲につき何と9250ドル、合計22万2000ドルの罰金を支払うよう命じられた。これはRIAAが起こした1万6000件の訴訟のなかで、陪審裁判にまで進んだ初めての例だ。ほかの件では示談金が支払われることが多く、あるいはタニヤ・アンダーセンの事例では訴訟が棄却、取り下げられた。著作権侵害の法定損害賠償金の範囲で算出すると、24曲を共有したトーマスの罰金は1万8000ドル以上360万ドル以下になる。判決後に取材を受けたある陪審員は、評議中に罰金を定める際に金額に対する主張がその範囲の両極端に分かれたと説明し、「私たちは、『これは皆さんへの警告です。著作権を侵害しないでください』というメッセージを投げかけたかったのです」と語った。評決が読み上げられたあと、RIAA側の弁護士は「示談を受け入れないと、こうなる恐れがあるのです」と指摘した。[原注10]

は、著作権をめぐる各方面間のバランスが崩れたときだった。今や普通の人々が、膨大な情報を易々と複製して配布できる。そうして入手した曲を聞く人々は、まさにそういった行為をしないことで経済が成り立つコンテンツ業界と衝突する。その結果、今や何百万人もが「海賊」や「泥棒」と非難され、その一方でコンテンツの供給者たちも、時代遅れのビジネスモデルを守ろうとして技術革新や消費者の自由を妨害していると悪者扱いされている。

著作権とインターネットの戦いは、25年以上にわたって激しくなり続けている。今や技術が発展すればするほど、ますます多くの情報がますます楽に共有できるようになるという、らせん状態だ。この分野のデジタル爆発は、著作権を強制的に守らせるためのさらに厳格な罰則も含めたより多くの法律を成立させるという、法的対応によって反撃されている。法律が著作権侵害を容易にする技術の発展に遅れないよう、規制によってテクノロジーを禁じようとするあまり、まだ開発されていないテクノロジーまで禁じることになってしまった。気が遠くなりそうな損害賠償金を命じられる訴訟に直面させられるシングルマザーたちは、今日のこの戦争の巻き添え被害者にすぎない。この軍拡競争の勢いを弱めなければ、開かれたインターネットや、情報革命の原動力となる力強い技術革新が、明日の犠牲者になるかもしれない。

共有は今や犯罪

アメリカでは20世紀に入る頃まで、著作権を侵害した者を民事で訴えることはできたが、著作権侵害は刑事事件ではなかった。利益目的の著作権侵害が初めて犯罪として扱われたのは、1897年のことだ。当時の最高刑は、1年の懲役と1000ドルの罰金だった。そうした対応が長く続いたのち、1976年に連邦議会が一連の法律の制定に取りかかり、しかも法律が増えるたびに刑罰が厳しくなっていった。これは主に、RIAAとアメリカ映画協会(MPAA)のはたらきかけによるものだった。1992年頃には、著作権侵害で有罪になると、10年の懲役と高額の罰金を科せられることもあった。だが、それは「商業上の利益や、個人の金銭上の利益を目的として行われた場合」のみだった。利益目的でなければ、犯罪とはみなされなかったのだ。[原注11]

だが、それは1994年に変わることになる。

1980年代において、MITはインターネットに接続したワークステーションを大量に導入して、学内の誰もが利用できるような環境づくりを率先して進めた大学のひとつだった。数年経っても、大勢に開放された大量の高性能コンピューターによるネットワークは、ほかではあまり見かけられなかった。1993年12月、そのなかのコンピューターの1台の反応が奇妙なほど遅く、しかもハードディスクが何かを激しく実行していることに一部の学生たちが気づいた。コンピューター担当者がこの「バグ」を調べたところ、このコンピューターはインターネットのユーザーたちがファイルをアップロードやダウンロードするための接点となる、ファイルサーバー電子掲示板と化していることが判明した。ファイルの大半はコンピューターゲームで、ほかには文書作成ソフトウェアもいくつか含まれていた。

ほかの大半の大学と同様、MITもこうした事態については通常は内部で対処するのだが、この件には複雑な事情が絡んでいた。その数日前に、FBIからまさに同じコンピューターについて問い合わせがあったのだ。連邦捜査員たちは、MITのコンピューターを利用してアメリカ国立気象局のコンピューターに侵入しようとしている、デンマークのクラッカー（訳注：悪意を持ってハッキングを行う人々。ちなみに、ハッカーは必ずしも悪意があってハッキングを行っているわけではない）たちについて捜査を行っていた。そこでMITのネットワークトラフィックを測定したところ、問題のコンピューターで活発にやりとりが行われていることが判明したという。この電子掲示板はデンマークの活動とは無関係だったが、MITはFBIに事情を報告しなければならないと判断した。連邦捜査員が件のコンピューターを押収し、その結果、問題の電子掲示板を運営していたという理由で、MITの学部生が起訴された。

司法省は、この事件に大いに注目した。1994年には、ソフトウェア産業は急速に成長していて、インターネットはちょうど社会に普及し始めていた。そんななか、司法省はこの事件はインターネットの力が「海賊行為」、すなわち著作権侵害に使われるのは問題だということを世間に示すいい機会と捉えた。ボストンの連邦検事は「MITの電子掲示板は、100万ドル以上に相当する金銭的損失の原因である」との声明を出し、さらに「我々は、『こうした盗難で誰も傷つけられることはない』『海賊行為用ソフトウェアは悪いものではない』という風潮に対処しなければならない」と指摘した。[原注12]

MITで起きた事件は著作権侵害に関するものであるのは間違いないが、利益目的で行われたわけではないので犯罪ではなく、司法省が何らかの行動を起こすための根拠がなかった。民事訴訟を起こす根拠はあったかもしれないが、事件で使われたソフトウェアのメーカーはみな、訴える気がなかった。そこでボストンの連邦検事局はワシントンの上層部と相談したのちに、この学生の行為は盗品の州際輸送にあたるとして、彼を通信詐欺罪で起訴した。

裁判では、違法な複製物は盗品とは認められないという連邦最高裁判所の判決に基づいて、スターンズ連邦地方裁判所判事は訴えを棄却した。スターンズは学生に対して、彼の振る舞いは「不注意から起きた無責任極まりない」ものだったと叱責した。さらに、連邦議会に対して、こうした事件での刑事訴追が認められるようにしたいのであれば、著作権法を修正するのはどうだろうかと提言した。

「ただし、規則を変更するのはあくまで連邦議会であり、裁判所ではない」とスターンズは強調した。さらに、「検察による起訴を認めるのであれば、誘惑に負けて、たったひとつのソフトウェアを私的な利用のために複製した数え切れないほど多くの、自宅でのコンピューターユーザーたちの行いも犯罪となる」という忠告もした。そして、ソフトウェア業界でさえそうした結果が望ましいとは考えていないという、同業界の議会証言に言及した。[原注13]

２年後、連邦議会は「1997年電子窃盗禁止法（NET）」を通過させるというかたちで対応した。支持者たちの説明によると、この法はMITの電子掲示板事件で明らかになった「抜け穴をふさぐ」ためのものだ。NETにより、販売価格が1000ドルを超える商品の無断複製は、利益目的であろうとなかろうと犯罪とみなされる。この法律はスターンズ判事の提言に応えたものだが、彼の忠告を聞き入れたものではなかった。つまりこれ以降は、たとえたった一度だけであっても、自宅で高価なコンピュータープログラムを許可なく複製した者は、懲役１年に処せられる恐れがあるということだ。そのわずか２年後、連邦議会はさらに「1999年デジタル窃盗防止および著作権損害賠償改善法」を通過させた。本法の支持者たちは、NET法は「海賊行為」の防止には効果がなく、刑罰を重くする必要があったと主張した。[原注14] この著作権の軍拡競争は、本格化していた。

ピアツーピア大変動

NET法は、インターネットが著作権侵害に対する法的責任の大幅な拡大のきっかけとなった初の例だ。だが、それは決して最後の例ではない。

1999年夏、ノースイースタン大学の学生ショーン・ファニングは、新たなファイル共有プログラムの配布を始め、叔父を誘ってそのプログラム関連の会社「ナップスター」を設立した。ナップスターでは、特に曲のファイルをインターネットで共有するのがとても簡単に行え、しかもかつてないほど広い範囲で共有できた。

ナップスターの仕組みを説明しよう。ナップスターユーザーのメアリーは、自身のコンピューターのファイルに保存されている、サラ・マクラクランの1999年のヒット曲『Angel』を共有したくなった。彼女がそれをナップスターに告げると、同サービスのディレクトリーに「Angel：サラ・マクラクラン」という情報が、メアリーのコンピューターのIDとともに加わる。Angelの曲が欲しくなったほかのナップスターのユーザーをベスとすると、ベスはナップスターのディレクトリーに問い合わせれば、メアリーがその曲を持っていることがわかる。そして、その後はナップスターからの仲介はなしに、ベスのコンピューターがメアリーのコンピューターに直接接続して曲をダウンロードする。接続とダウンロードは、メアリーとベス両者のコンピューターに入っている、ナップスターから提供されたソフトウェアによって透過的に行われる。

ナップスターが従来の仕組みと大きく異なるのは、MITの電子掲示板のような以前のファイル共有設定は、一般的に「集中型システム」と呼ばれるものだった点だ。同システムでは、ダウンロード用にファイルが中央コンピューターに集められる。一方、ナップスターが管理していたのは、ほかのどのコンピューターにどんなファイルがあるのかを示す、中央ディレクトリーのみだった。そして、各々のコンピューター同士で、直接ファイルをやりとりする。こうしたシステム構造を、「ピアツーピアアーキテクチャー」という。

図6.1で示されているとおり、集中型システムよりも、P2Pアーキテクチャーのほうがネットワークをはるかに効率的に活用できる。

集中型システムでは、もし大勢のユーザーがファイルをダウンロードしたい場合、全員が中央サーバーからファイルを入手しなけれ

図 6.1　従来型と P2P 型の、クライアントーサーバーネットワークアーキテクチャーの基本的な仕組み。上の図は従来の集中型ファイル配布アーキテクチャーで、クライアントはファイルを中央サーバーからダウンロードする。下の図はナップスター方式の P2P アーキテクチャーで、中央サーバーはディレクトリー情報しか管理しておらず、実際のファイルのやりとりは中央サーバーを経由せずに、クライアント同士で直接行われる

ばならないため、ユーザー数が増えるにしたがって、インターネットでの中央サーバーへの接続がボトルネックになる。P2P システムでは、中央サーバーはわずかな量のディレクトリー情報をやりとりするだけでよく、ネットワークに負担がかかるファイルを伝送する作業はすべて、ファイルをやりとりするユーザー同士のインターネット接続で行われる。1999 年頃は個人のパソコンでの接続は遅くて当たり前だったが、それでもナップスターの P2P システムで何百万ものユーザーが音楽ファイルを共有するには十分だった。ナップスターがサービスを開始してから２年後の 2001 年初めには、ナップスターの登録ユーザーは 2600 万人を超えていた。一部の大学では、学内のネットワークトラフィックの８割以上がナップスター関連だった。学生たちはナップスターを使ったパーティーを開いた。インターネットに接続されたコンピューターにスピーカーをつなぎ、友人を招待して聞きたい曲をリクエストしてもらえば、どんな曲もナップスターから入手できた。自分の欲しい曲は、何百万ものナップスターユーザーの誰かから確実にダウンロードできた。これは尽きることのない音楽の宝庫であり、万人のためのジュークボックスでもあった。

二次責任という亡霊

ナップスタージュークボックスはたしかに万人のためのものであったが、音楽業界には一銭も入ってこなかった。主に少数の友人同士で軽い気持ちで行われていた以前のファイル共有は、金銭面で見れば業界にとって大した痛手ではなかった。電子窃盗禁止法がつくられるきっかけとなった MIT の電子掲示板さえ、おそらく数百人程度のユーザーしかいなかった。ナップスターの規模は従来のものとはまったく異なっていて、ユーザーは誰でも何十万もの「友だち」と、いつでも音楽ファイルを共有できたのだ。レコード業界もこの脅威を十分認識していて、ナップスターが開始されてからわずか数カ月後の1999年12月、RIAAが1億ドルを超える損害賠償金を求めて同社を訴えた。

ナップスターは、自身には法的責任はないと抗議した。何しろナップスター自身は、ファイルひとつ複製していないのだから。単にディレクトリーサービスを提供しているだけではないか。インターネット内にある物の場所を単に公開している会社に、どんな法的責任があるというのか？　そうした情報の公開は、言論の自由を行使している一例と呼べるものではないのか？　ナップスターにとっては不幸にも、カリフォルニア州連邦地方裁判所はそうした反論に同意しなかった。そして、2000年の7月にナップスターを著作権の間接侵害（第三者に著作権を侵害させ、その侵害によって利益を得た）で有罪とした。1年後、第9巡回区控訴裁判所で判決を覆せなかったナップスターに対して、裁判所はファイル共有サービスを停止するよう命じた。

間接侵害

著作権法によって、2種類の間接侵害が明確に区別されている。ひとつ目は「寄与侵害」で、これは著作権を侵害できる手段を第三者に故意に提供することだ。二つ目は「代位侵害」で、自身の管理下にある第三者が著作権を侵害するのを止めることなく、それによって利益を得ることだ。ナップスターは寄与侵害、代位侵害の両方で有罪になった。

ナップスターは死んでしまったが、インターネットの基本構造が持っている力を驚くべきかたちで証明したものとして、技術分野に携わる者たちの創造力を刺激した。ナップスターにはネットワークを支配する中央コンピューターがなく、ネットワーク内のどのコンピューターも、ほかのコンピューターとやりとりする平等な権利があった。インターネットに接続しているコンピューター同士は、専門用語で互いの「ピア（peer）」（訳注：仲間）であるという。「インターネットはクライアントコンピューターの中央サーバーを介したネットワークである」という考え方に対する、「インターネットは直接やりとりを行うピア同士のコンピューターのネットワークである」という考え方は、今に始まったものではない。1969年に発表された、インターネットの最初の技術仕様書においてさえ、そのネットワークアーキテクチャーはコンピューターがピアのネットワークとしてやりとりするものとして説明されていた。大型コンピューター同士のP2P通信を取り入れたシステムは、1980年初期以降広く使われてきた。[原注15]

それと同じ原則が、普通の人々が操作する何百万台ものパソコンがピアである場合でも成り立つということを、ナップスターは示した。ナップスターのP2P共有のやり方は違法だったが、その発想の可能性を証明した。そうして、分散コンピューティングの研究開発が開始された。2000年から2001年にかけての、P2Pアプリケーション開発を行う企業への投資額は5億ドルを超えた。さらに、「P2P」はネットワークアーキテクチャーという技術的な起源を超越し、社会、企業、政治といったあらゆる種類の組織において、「中央の権力に依存することなく、大勢の協力によって生まれる力を活用すること」を意味する、ある種のサブカルチャー的な合言葉としてもてはやされるようになった。2001年のある評論では、「P2Pとは特定のテクノロジーや産業ではなく、マインドセットなのだ」と熱く語られている。[原注16]

さらに、ナップスターはある世代全体に、インターネットは大勢が熱心に求める万人のためのジュークボックスであるという発想を、身をもって体験させた。だが、違法ダウンロードに対抗するために協力し合ってきたレコード会社は、ナップスターが残した空白を埋められるような、合法かつ儲かるインターネット音楽サービスを協同で立ち上げることはできなかった。彼らはファイル共有技術をうまく活用するどころか、自分たちのビジネスへの脅威であると悪者扱いした。技術を拒否するこの姿勢は、軍拡競争における敵意をますます強めたのみならず、より短絡的な判断をもたらした。レコード会社は大きなビジネスチャンスを想像力により富んだ起業家たちに与えて、彼らを儲けさせるはめになってしまった。２年後、アップルは商業的に初めて成功した音楽ダウンロードサービスとなる、iTunes ストアを開始する。

非集中化する共有

その間にも、間接侵害の法的責任を避けて通れるような新たな技術アーキテクチャーを探るための、新規のファイル共有構想が次々と立ち上がった。ナップスターの法的な急所は、その中央ディレクトリーだった。裁判所の判断は、そのディレクトリーの管理はファイル共有活動の管理に相当するゆえ、ナップスターはそれらの活動の責任を負うというものだった。新たなアーキテクチャーは、どれも中央ディレクトリーを完全に排除していた。最も単純な手法のひとつである「フラッディング（flooding）」の仕組みは、次のようなものだ。ファイル共有ネットワーク内の各コンピューターは、同じネットワーク内のほかのコンピューターのリストを所有している。ファイル共有者のベスが『Angel』のファイルを欲しくなったら、彼女のコンピューターがリスト内のすべてのコンピューターに尋ねる。問い合わせを受けた各コンピューターは『Angel』のファイルを持っていればベスに送るし、もしなければ今度は自身のリスト内のコンピューターにベスの依頼を伝え、最終的にファイルを持っているコンピューターに到達するまでこの手順が続けられる。**図 6.2** は、この仕組みを表したものだ。図６．１のナップスター方式のアーキテクチャーとは異なり、中央ディレクトリーが存在していない。こうした分散型アーキテクチャーは頑強性が極めて高く、強い力を発揮する。ネットワーク内のコンピューターの多くが故障したりオフラインに

図 6.2 前に示したナップスター式の P2P システムとは対照的に、グロクスターといった分散型ファイル共有システムには中央ディレクトリーがない

なったりしても、問い合わせを伝えるための十分な数のコンピューターさえあれば、ネットワークは稼働し続けられる。

コンテンツ配信ネットワーク

ここで紹介した必要最小限の機能しか持たないフラッディング手法は、実際の大規模なネットワークを支えるには簡易的すぎる。だが、この非集中化型の P2P アーキテクチャーの成功によって、P2P 方式の頑強性と効率を活用した実用的なコンテンツ配信ネットワークアーキテクチャーの研究が、盛んに行われるようになった。[原注17]

安全港がない

新世代のファイル共有システムを開発した企業は、それらの分散型アーキテクチャーが著作権の間接侵害の法的責任を問われないことを願った。いずれにせよ、開発したソフトウェアがいったんユーザーの手に渡れば、彼らがそれで何をするかは企業が把握することでもなければ管理することでもなかった。したがって、ユーザーの振る舞いに対して、企業がどうやって法的責任を負えというのだろう？　だが、レコード業界にとっては、これはインターネットを利用して大規模な著作権侵害を推進する、ナップスターの再来だった。2001年10月、RIAAは最も人気のある三つのシステムのメーカーであるグロクスター、モーフィアス、カザーを訴え、一度の侵害につき15万ドルの損害賠償を求めた。[原注18]

3社は、自分たちはユーザーの振る舞いを管理する立場にないと反論した。さらに、彼らのソフトウェアはファイル共有を行うためのインフラの一部であり、関連品がほかにもあると主張した。もし我々3社に法的責任があるのなら、ほかの関連品をつくっているメーカーにも責任があるのではないだろうか？　ユーザーが自身のコンピューターに別のコンピューターのファイルを複製できるようなオペレーティングシステム（OS）を開発したマイクロソフトの責任は？　著作権の許可がないデータを中継するルーターをつくっているシスコシステムズの責任は？　ソフトウェアを実行するコンピューターをつくっているメーカーの責任は？　ファイル共有ネットワークソフトウェアメーカーが違法であるという判決が下されれば、業界全体に法的責任がおよぶのではないだろうか？

連邦最高裁判所は審理を進めるうえで、1984年の「ソニー vs. ユニバーサル・スタジオ」裁判の画期的な判決[原注19]を指針にした。17年後のグロクスター訴訟を予示するようなこの裁判では、MPAAがソニーを著作権の間接侵害で訴えた。ソニーがビデオカセット（VT）

レコーダーという、映画業界に大打撃を与える恐れのある録画機器を販売したのは著作権の間接侵害であるというのが、MPAA側の主張だった。1982年には、MPAAの会長が連邦議会で「アメリカの映画プロデューサーとアメリカ社会のVTRへの恐怖は、独りで家にいる女性の、ボストン絞殺魔への恐怖と同じだ」と声高に言い張った。[原注20]

5対4の僅差で、連邦最高裁判所はソニー側を支持する判決を下した。そして、VTRを使った著作権侵害はたしかに広まっているが、と前置きしてから次のように続けた。

> 複製用の機器の販売は、ほかの商品の販売と同様に、もしその製品が合法的かつ異論のない目的で広く使用されている場合は、寄与侵害とは認められない。つまり、その製品は実質的には著作権を侵害しない用途のみで使われるものでなければならない。[原注21]

テクノロジー業界は大喝采した。これは新製品を市場に導入するときのリスク評価で頼りになる、合理的かつ明確な基準になるからだ。つまり、製品が実質的には著作権に侵害しない用途のみで使われると示せることが、著作権の間接侵害の申し立てに対する「安全港」(訳注：その範囲で振る舞えば違法にならないという基準。セーフハーバーともいう）になる。

新しいテクノロジーと脅威にさらされたビジネスモデルという1984年のこの脚本は、2001年のグロクスター訴訟で再演されることになった。ファイル共有ソフトウェアのメーカー側は、ソニーに対する判決を弁護するための根拠としてすぐさま引用し、ファイル共有ソフトウェアには著作権を侵害しない多くの用途があると主張した。

2003年4月、カリフォルニア州中央地区連邦地方裁判所は、グロクスターの件はナップスターとは異なることに同意し、訴訟を棄却した。そして、ソニーの判決を根拠に挙げるとともに、「RIAAの主張は現行の著作権法を、きちんと引かれた境界線を越えて拡大解釈するよう裁判所に求めている」と意見した[原注22]。それに対して、RIAAはファイル共有ソフトウェアを使った個人を訴えるという作戦をすぐさま開始した[原注23]。そう、タニヤ・アンダーセンやジャミー・トーマスがのちに巻き込まれた、例の作戦だ。

連邦地方裁判所の判決に対してRIAA側は控訴したが、3年前ナップスターに違法という判決を下した第9巡回区控訴裁判所は、連邦地方裁判所の判決を支持した。

> 要は、提出された証拠から判断すると、問題のソフトウェアは著作権を侵害しない用途で広く使うことができるため「ソニー・ベータマックス判決の原則」が適用される、という地方裁判所の判断は正しい[原注24]。

当然ながらRIAA側は上告し、連邦最高裁判所が判決の見直しに同意したことで、ネットワークで結ばれている世界全体が息を凝らして裁判の行方を見守った。コンテンツのパブリッシャー(**訳注：パブリッシャーは書籍以外のメディアも扱う「広義の出版社」を意味する**)には、大規模なファイル共有に対する法的手段が与えられないのだろうか？　ソニー判決という安全港は覆されてしまうのだろうか？2005年6月、連邦最高裁判所は全員一致でRIAA側の訴えを認める判決を下し、次のように述べた。

> 著作権を侵害させようという明確な表現やその他の積極的な措置によって、著作権を侵害する使用を促進する目的で機器を流通させた者は、その結果としての第三者による著作権侵害の法的責任を負

う。[原注25]

問題は故意かどうか

コンテンツ業界は勝訴したが、求めていたことがすべて叶えられたわけではなかった。原告側に加わっていたMPAAはソニー判決の「実質的には著作権を侵害しない用途」という基準の効力を、連邦最高裁判所にはっきりと弱めてほしいと願っていた。だが、連邦最高裁判所は「ソニーの判例はこの裁判における問題点ではないため、その基準の再検討は行わない」と告げた。そしてさらに、「ファイル共有ソフトウェアメーカーの法的責任は、ソフトウェアの性能によるものではなく、メーカーがソフトウェアを故意に流通させたことによるものである」と述べた。

テクノロジー業界（被告の３社は事業停止に追い込まれたため、それ以外の企業）は、ソニー判決の基準がそのまま残されたことにひとまず安堵した。だが、すぐさま考え直した。このグロクスター判決によって、著作権の間接侵害で法的責任を負わされる恐れのある、新たな根拠が示されたのだ。連邦最高裁判所は「もし、著作権の侵害を故意に促進していたという証拠が存在する場合、裁判所がその証拠を無視しなければならない理由はソニー判決の基準のどこにも存在しない」という判断を下していた。

だが、証拠とはどういうものなのだろうか？　もし自分の会社が著作権の間接侵害で告訴された場合、悪意があったという訴えに対して、どれくらい自信を持って自分を弁護できるのだろう？　ソニー判決の安全港は、もはやさほど安全ではなさそうだ。

ある例を見てみよう。グロクスター判決では、「著作権を侵害する用途の宣伝」は、著作権を侵害させようという積極的な措置の証拠であるとされた。2001年、アップルは音楽CDも複製できるソフトウェアiTunesを搭載した、デスクトップパソコンを発売した。

発売当初は、製品のこの特徴が「Rip, Mix, Burn」（訳注：「音楽CDをパソコンに取り込んで編集し、CDに焼いてマイCDをつくろう」という意味）のキャッチフレーズで大々的に宣伝された。これはアップルによる、悪意の証明だろうか？　当時たしかに多くの人がそう考えていて、そのひとりだったディズニーの会長は、「一部のコンピューターメーカーは、サンフランシスコやロサンゼルスの街じゅうに巨大な全面広告を出しています。そのうたい文句は、何と『Rip, Mix, Burn』です。そうするためにコンピューターを買うよう、子どもたちにそんな宣伝をしているのです」と、2002年に連邦議会で証言した。[原注26]

グロクスター判決後のこの時代に、あなたの会社は新製品にそんなキャッチフレーズをつけるリスクを冒せるだろうか？　それが「故意」であるかどうかの裁判での争いには勝てる可能性が十分あるとあなたは思うかもしれないが、裁判に負けたときの代償はあまりに巨額だ。タニヤ・アンダーセンの事例のような個人による著作権侵害の裁判では、たとえ損害賠償金が1曲につき750ドルの最低金額だったとしても、ハードディスクに入っていたすべての曲（虚偽の申し立てだったが）を合わせると、損害補償額は100万ドルにもなったはずだ。これは個人にとっては気が遠くなるほどの負担だ。とはいえ、これがテクノロジー企業になると、課せられる損害賠償金は「すべてのユーザーの機器で違法に複製された、すべての曲数」に基づいて算出される。たとえば、あなたが1400万台のiPodを販売して（これはアップルによる2006年の販売台数）、各iPodで100曲複製されたと訴えられ、1曲につき750ドルの損害賠償金を請求されたとしよう。すると、損害賠償額は1兆ドルを超えることになり、これは「全世界のレコード業界」における2006年の小売売上高の100倍以上だ！　こんな損害賠償額はあまりにばかばかしいが、それが法律というものだ。つまり、判断を誤ると、会社が吹き飛んでしまいかねない。たとえあなたが自社の製品はすべて合法だと自信を持って言えても、訴訟になりかねない機能がついた製品は発売しないくらい保守的でいるほうが身のためなのだ。

コマーシャルを飛ばしちゃだめ

2001年、リプレイTVネットワークは、再生時にコマーシャルを自動的に飛ばせる機能がついた、テレビ番組用デジタルビデオレコーダーを発表した。しかもこの機種を2台つなげると、一方で録画した番組をもう一方へ移動できた。だが、同社は大手映画会社やテレビ局から著作権の間接侵害で訴えられ、判決が出る前に破産に追い込まれた。リプレイの資産を購入した企業は示談に持ち込み、以降の機種にはそれらの機能をつけないと約束した。[原注27]

グロクスター判決の「故意」の基準の不確かさと、著作権の間接侵害に対する悪夢のような金額になりかねない罰金の合わせ技によって、今日では販売できない製品や機能があることは私たちも察することができる。当然ながら、企業はそういった例を表に出そうとはしないが、マイクロソフトの携帯音楽プレーヤーZune（ズーン）を使って無線で共有した曲は、なぜ3回聞いたら自動的に消滅するのか、一部のストリーミングサービスではなぜコマーシャルのときに早送りできないのか、あるいは録画した映画をなぜPCに移せないのかというように、あなたも疑問に思うことはいろいろあるだろう。2002年、ある大手ケーブルテレビ会社のCEOは、テレビの視聴中にコマーシャルを飛ばすのは泥棒をしているようなものだと指摘したが、それでも「コマーシャル中にトイレに行くのは、まあ、多少はやむを得ないかもしれない」と譲歩した。[原注28]

とはいえ、法的責任がもたらす結果だけを推測しようとするのは、無意味であることが多い。なぜなら、そういった法的責任のリスクは単独で大きくなっているのではなく、ほかのさまざまな要因と関連し合いながら増大しているからだ。この著作権戦争において、第二戦線が開かれた。そこでの武器は訴訟ではなく、テクノロジーである。

無断使用禁止

コンピューターはビットを複製することで情報を処理している。そうした複製は、ディスクとメモリー間、メモリーとネットワーク間、あるいはメモリーのある部分と別の部分のあいだで行われている。実は、大半のコンピューターは、1秒に何千回も繰り返し複製することによってのみ、ビットをメモリーに「キープ」できる（一般的なコンピューターでは、ダイナミックランダムアクセスメモリー（DRAM）が使われている。この複製を行うことが動的（ダイナミック）と呼ばれる所以だ）。こうした極めて重要な複製と、著作権法が適用される種類の複製の関連性は、法学者たちにとって知的なネタとなってきた。そして、訴訟案件につながる新たな分野を探している弁護士たちにとっても、格好のネタになっている。

コンピューターはディスクに保存されているプログラムコードをメモリーに複製しなければ、そのプログラムを実行できない。プログラムを実行するためのこの複製は、著作権法ではっきりと認められている。だが、もしメモリーのコードを実行するためではなく、ただ「見る」ために複製するとしたらどうだろう。この場合は著作権者の明確な許可が必要なのだろうか？　アメリカ連邦巡回裁判所による1993年のある判決では、必要だとされた。[原注29]

さらに、コンピューターが画像をディスプレイに表示するためには、ディスプレイバッファーというメモリーの特別な領域に画像を複製しなければならない。ということは、もしコンピューターグラフィックス画像を購入した場合、著作権者の明確な許可を毎回得なければその画像を見ることはできないのだろうか？　商務省の1995年の報告書では、まさにそのとおりだとされている。この報告書ではさらに、ほぼどんなデジタルの作業においても複製が行われるため、明確な許可を得ることが必要だと結論づけている[原注30]。

デジタル著作権と信頼（トラステッド）できるシステム

著作権法によって将来的にデジタル情報の「無断使用禁止」が義務づけられるのかどうかを、法学者たちが議論するのは別にかまわない。ただし、その答えは大して重要ではないかもしれない。なぜなら、そうしたデジタル情報の未来は、デジタル著作権と「信頼できるシステム（トラステッドシステム）」のテクノロジーに委ねられることになるからだ。

核となる発想は、実に単純だ。それは、もし情報の無断複製や配布がコンピューターを使うことで簡単になるのであれば、コンピューターによる無断複製や配布が難しく、または不可能になるよう、コンピューター自体を変更しなければならないというものだ。だが、こうした変更は決して簡単なものではなく、汎用機器として機能するというコンピューターの能力を犠牲にする以外に方法はないかもしれない。それにもかかわらず、変更は今まさに進められている。

問題点を詳しく説明しよう。フォートレス・パブリッシャーズは、ウェブでコンテンツを販売する事業を行っている（架空の）会社だ。同社は、自社のコンテンツを入手できるのは代金を支払う人だけにしたいと考えている。その場合、フォートレスはまず同社ウェブサイトへのアクセスをパスワード制にして、登録したユーザーだけがアクセスできるようにする手がある。たとえば、Wall Street Digest（ウォール・ストリート・ダイジェスト）やSafari Books Online（サファリ ブックス オンライン）のように、ウェブコンテンツの多くがそういった方法で販売されている。こうした種類のデータの販売では、この方法はうまくいっている（少なくとも今まではうまくいっていた）が、もっと高額なコンテンツの場合は問題が出てくる。フォートレスは、同社のコンテンツを購入した人がそれを複製して再配信しないようにするには、どうすればいいだろう？

考えられる方法のひとつは、一定の規則に従うプログラムにしか復号、処理できないような方式でデータを暗号化することだ。たとえば、もしフォートレスがAdobe Acrobatで作成したPDF文書を配布する場合、そのPDFファイルをAdobe Readerで読んでいる人がそのファイルを印刷、修正、一部を複製してもいいかどうかを、同社はAdobe LiveCycle Enterprise Suiteを利用して管理できる。同社はさらに、文書ファイルがインターネットを通じて「自宅に電話する」、つまりファイルが開かれるたびに、それが開かれたコンピューターのIPアドレスを同社に伝えるようにも設定できる。同様に、フォートレスがWindows Media Playerで利用できる音楽ファイルを作成した場合、同社はMicrosoft Windows Media Rights Managerを利用して、ユーザーが曲を聞ける回数を制限したり、ポータブルプレーヤーやCDに複製してもいいかどうかを管理したり、一定の時間後に曲が自動的に消滅するよう設定したり、再生されるたびに同社のウェブサーバーが認可を調べて料金の支払いが必要かを確認したりできる。[原注31]

用途を制限する情報管理機能とともにコンテンツを配布する一般的な方法を、デジタル著作権管理という。DRMシステムは今日広く利用されていて、それによって課すことができる幅広い種類の制限の詳細は、業界仕様（「権利表現言語」という）で定められている。

フォートレスが抱える問題はDRMで解決できるように思えるが、この方法は完璧と呼べるにはほど遠い。フォートレスはユーザーが同社のデータを利用するとき、どうすればDRM制限がかけられるプログラムを確実に使わせるようにできるのだろうか？　ファイルの暗号化は効果があるかもしれないが、第５章「秘密のビット」で解説したとおり、そうした暗号化は常に攻撃者に解読されていて、PDF や Windows Media でも頻繁に暗号破りが起きている[原注32]。あるいは、文書を読むためやメディアを再生するためのプログラムを、実行中の復号された複製データを保存できるように改ざんするというもっと単純なやり方で、そのデータを誰でも利用できるようにインターネットでばらまく者が出てくるかもしれない。

これを防ぐためには、フォートレスはユーザーが自社コンテンツを利用するためのプログラムを、コンピューターのオペレーティングシステム(OS)に認証させればいい。プログラムが実行される前に OS がそのデジタル署名を調べて、プログラムが認可されたものであるか、改ざんされていないかどうかを確認する。これで状況は改善するが、だがそれでも、極めて有能な攻撃者は改ざんされたプログラムが実行されるよう、OS を改ざんできるかもしれない。それはどうやって防げばいいのだろう？　その答えは、コンピューターが起動されるたびに OS を調べる半導体チップを、すべてのコンピューターに搭載することだ。その場合、OS が改ざんされていたらコンピューターは起動しない。こうした半導体チップは、それを無効にしようとするとコンピューター自体が操作不能になるような、耐タンパー性（訳注：機器やソフトの内部が不当に解析、改変されづらいようになっていること）を備えてい

暗号化と DRM

暗号化されたデータを一般に配布する技術である公開鍵暗号やデジタル署名については、第５章ですでに解説した。実は、アリスやボブがやりとりする「通信文」は、文字データのみならず、音楽、ビデオ、イラストつき文書といった、どんなものでもいいのだ。まさに、「公案１－すべてはビットである」のとおりに。したがって、アリスとボブが秘密の通信で使う暗号化技術は、消費者が映画を見たり曲を聞いたりするときの条件を、コンテンツプロバイダーが管理するためにも使えるのだ。

なければならない。

こういった基本的な手法は1980年代に開発され、いくつかの研究や先端開発プロジェクトで実演されたが[原注33]、一般消費者向けのコンピューターで広く利用できるようにするためには、2006年までかかった。そのために必要な半導体チップ「トラステッドプラットフォームモジュール」は、1999年にハードウェアメーカーとソフトウェアメーカーの業界団体として設立された、トラステッドコンピューティンググループによって開発された[原注34]。今日では全世界で出荷されるコンピューターの半数以上に、このTPM半導体チップが搭載されている。Microsoft Windows（Vistaから搭載されるようになり、Windows10以降も引き続き搭載される予定）やGNU/Linux（いくつかのバージョンで）といった人気の高いOSでは、TPMをセキュリティ対策として利用できる。また、指定されたコンピューターでしか復号できないようにファイルを暗号化できる、「シールドストレージ」という機能も開発されている。ウィルスやインターネットセキュリティに対する今日の懸念を考慮すれば、TPM半導体チップが間違いなく主流になるはずだ。TPMはほぼすべてのパソコンメーカーで採用されていて、とりわけ業務用や専門的な用途のコンピューターの多くに搭載されている。ただし、アップルはこの技術を自社製品に採用していない。

著作権の域を越えた管理を確立する

フォートレス・パブリッシャーズの問題は、トラステッドコンピューティング技術に強化された、デジタル著作権管理というシステムで解決できることがわかった。だが、それは私たちが歓迎すべきものなのだろうか？

というのもひとつにはまず、フォートレスに対して、自社コンテンツの利用に関して著作権法の域をはるかに超えた高度な管理を行う権限を与えてしまうことになる。現在においては、私たちは購入した紙の書籍に対して、それを好きなときに読んだり、何度も読み返したり、最初から最後までじっくり読んだり、飛ばし読みしたり、友人に貸したり、転売したり、読書感想文用に本の一部をコピーしたり、学校の図書館に寄付したり、たとえばフォートレスに「フォーンホーム」されずに開いたりする権利が自分たちにあるのが当然だと思っている。こういったことをするのに、許可を得る必要はない。では、書籍がデジタルコンピューターファイル化したとき、私たちはそうした権利を進んで手放せるだろうか？　音楽の場合はどうだろう？　映像の場合は？　ソフトウェアは？　このまま進んでしまってもいいのだろうか？

レコード会社と音楽を聞く人々との論争は、いったん脇に置くことにしよう。DRMとトラステッドコンピューティング技術が一般的なパソコンの標準仕様になると、すぐさまほかの用途でも利用されるだろう。**ある国では曲の無断再生を防ぐために使われる方法と同じものが、別の国では許可されていない政治演説を聞いたり、許可されていない新聞を読んだりすることを禁じるために使われるようになるかもしれない。**DRMやトラステッドプラットフォームの開発者たちの目的は、情報の利用管理に効果を発揮する技術を編み出すことかもしれないが、一方、その管理のレベルを制限するための有効な方法はまだ考え出されていない。あるセキュリティ研究者は、「『トラステッド（信頼できる）コンピューティング』とは、あなたのコンピューターが第三者からの信頼に応えて、あなたの希望に背くことを意味しているのかもしれません」と注意を促している。[原注35]

DRMに対する二つ目の懸念は、テクノロジーロックイン（訳注：ほかの技術を用いた製品やサービスに移行できなくなること）や、競争が制限されるような困った事態が起きる可能性が大きくなる点だ。コンピューターをウィルスや改ざんされたドキュメントリーダーやメディアプレーヤーから守るために、認可されたアプリケーションしか実行できないOSを開発したくなる気持ちはよくわかる。だがそれは、パブリッシャーの許可がなければ新たなメディアプレーヤーを市場に投入できなかったり、「どんな」アプリケーションもまずマイクロソフト、IBM、グーグル、アップルといった企業に登録して許可を得なければ誰も使うことができなかったりする状況を簡単に生み出せる。出版社、OS販売業者、コンピューターメーカーといった既得権益を有する企業にとって強力なライバルになりそうなソフトウェアメーカーは、自社の製品が認可を受けるための一連の手続きが突然「複雑化」するかもしれない。情報技術分野で技術革新がこれほど速く進んだ理由のひとつは、そのためのインフラが開かれていたことだ。インターネット関連の新たなプログラムや機器を導入するための許可は必要ない。こうした環境は、さまざまなトラステッドシステムによって簡単に台無しにされる恐れがある。[原注36]

DRMの三つ目の難題は、セキュリティとウィルス対策という名のもとに、コンテンツ保有者に何の実質的な利益ももたらさないテクノロジーの封じ込めを増加させる、勝者なき軍拡競争に簡単に陥ってしまうということだ。どこかの攻撃者がDRMという封鎖を回避して暗号化されていない複製をつくれれば、すぐさまそれを配布できる。彼らはそのためにはどんな困難も厭わないかもしれないのだ。

たとえば、無断で映画の複製をつくる方法を考えてみよう。極めて高い能力を持つ攻撃者なら、自分のコンピューターの対タンパー性を備えたTPM半導体チップを苦労してでもバイパスして、TPM関連のデバイスを改ざんするだろう。もっと簡単な方法もある。TPMシステムは通常どおり稼働させたまま、コンピューターディスプレイの代わりにビデオレコーダーをつなげばいい。ただし、この方法は業界がすでに予測していて、高解像度動画の機器間の転送はすべて暗号化した形式で行うことが標準化されている。こういった種類の著作権侵害を防ぐ手段は、いくつか開発されている。マイクロソフトが実装している出力保護マネージャー（OPM）や、インテルが開発した高帯域幅デジタルコンテンツ保護（HDCP）は、映像と音声のコンテンツや信号を保護するものだ。だが、こうした保護プログラムにさえ脆弱な面がある。映像が流れているディスプレイを、ビデオカメラで撮影するのは防げない。そうして録画された画像は高解像度ではないが、デジタル化すればそれ以上劣化させずにインターネットで広められる。

コンテンツ保有者は「アナログホール」と呼ばれるこうした種類の攻撃を危惧しているが、それらを防ぐ技術的な手段はなさそうだ。J.K. ローリングは『ハリー・ポッターと死の秘宝』（2008年、静山社）が無断複製されてインターネットで出回らないよう、電子書籍版を一切出さなかった。それでも熱心なファンがこの作品のすべてのページを写真に撮り、書店に並ぶ前にまるまる1冊分をウェブに上げたのだった。

「水が濡れないようにできないのと同様に、デジタルファイルを複製不可能にすることはできない[原注37]」。これはあるセキュリティ専門家の言葉だ。はっきり言えるのは、DRMを用いた著作権管理は難しくて不満が募りがちになり、しかも予期せぬ結果に見舞われる恐れがあるということだ。そうした不満のなかから、インターネットで行われる複製の増加に対処するための、「法的責任」「DRM」に次ぐ第三の策が現れた。それはテクノロジーの明確な犯罪化だった。

禁じられたテクノロジー

この段落に続く数行は、アメリカ国内で販売される書籍に掲載するのは違法かもしれない。私たちは自身と出版社を守るために、途中の4行を省略している。もし、そのまますべて掲載していたら、プログラミング言語Perl（パール）で書かれた、暗号化されたDVDを解読するためのプログラムをみなさんに教えることになる。相手が自身のDVDを複製できるように、暗号化されたDVDの解読方法を教えるのは、1998年デジタルミレニアム著作権法（DMCA）として追加された、合衆国法典第17編（著作権法）第1201条「回避禁止」の条項に違反することになる。DMCAのこの条項は、著作権保護をバイパスできるようにする技術を法的に禁止している。削除された4行の参照先を、巻末の注釈で探そうとしても無駄だ。2000年、ニューヨーク州連邦地方裁判所判事は、そうしたプログラムへのリンクを示すことさえDMCA違反であるという判決を下し、控訴裁判所もそれを支持した。[原注38]

```
s''$/=\\2048;while(<>){G=29;R=142;
if((@a=unqT="C*",_)[20]&48){D=89;_unqb24.qT.@
……（4行省略）……
)+=P+( F&E))for@a[128..$#a]\\}print+qT.@a}';
s/[D-HO-U_]/\\$$&/g;s/q/pack+/g;eval
```

DMCAの回避禁止規則は、本にちんぷんかんぷんな式を掲載するのを禁じるだけではない。幅広い種類のテクノロジーやそれに関することを禁止している。たとえば、製造することも、販売することも、それについて書くことも、あるいはそれについて話すことさえ禁じている。連邦議会がこれほどまでの措置を取ったことは、DRMがあまりに簡単にバイパスされることに対する彼らの不安といら立ちがいかに大きいかを示している。第1201条では、連邦議会は著作権侵害を法的に禁じているのではなく、著作権を守ろうとしている技術を回避することを法的に禁じている。回避後に何かが

複製されたかどうかは関係ない。もしあなたがテキスト形式の聖書が含まれている暗号化されたウェブページを見つけて、『創世記』を読むために暗号を破ったとしたら、それは著作権侵害ではなくて、まさに回避である。回避はそれだけで犯罪となり、法定損害賠償や一部の場合は懲役といった、著作権侵害と同様の多くの処罰の対象になる。連邦議会は回避の罪と実際の侵害の罪を意図的に分けたのだ。回避の禁止を、著作権侵害を目的としたものに限定する代替案も検討されたが、どれも却下された。[原注39]

DMCA はさらに踏み込んで、禁止項目を増やしていく。第 1201 条 (a)(2) では次のように命じられている。

> 何人も、（著作権で）守られた作品へのアクセスを効果的に管理する技術的手段を回避する目的で開発または生み出されたどんな技術、製品、サービス、機器、部品、またはその一部も、製造、輸入、一般への提供、供給、あるいは輸送してはならない。

これは法律が振る舞い（回避）の規制から技術自体への規制へと移行していることを示している。これは規制を大幅に厳格化したものだが、それでもこの法案の当時の支持者のひとりは、次のように語っている。

> 私は、回避が主な目的である機器を禁止しなければならないと、今なお強く願っています。というのも、法執行の観点から見れば、それなしには法律の効果はないと思うからです。つまり、回避を可能にする機器が何の制約も受けずに普及するのを認め、その不適切な使用のみを法的に禁止するのは、私からすれば大した防止にはなりません。[原注40]

セキュリティの分野では、原子の世界とビットの世界は奇妙なふうに非対称になっている。ダイヤルを回して開ける組み合わせ式の錠を破る方法や、あるいはある建物内のひとつの扉の鍵から建物全体用のマスターキーを作成する方法さえ、詳しく掲載されている書籍がたくさん出版されている[原注41]。だが、もし鍵がデジタルの世界のもので、しかもその鍵が守っているものが『パイレーツ・オブ・カリビアン』といった大手映画会社の人気映画の場合、規則は異なってくる。そうした種類の鍵をリバースエンジニアリングして開ける方法についてのどんな解説を掲載して出版することも、連邦法によって禁じられている。

議員たちは効果的な代替案を見つけられなかったが、その代わりとしてなのか、まず広範囲を対象に禁止してから個々の場合に応じて例外を認めるという、厄介なかたちの規制をつくりだしてしまった。DMCAにおける適用除外の必要性は、起草の段階からさえすでに明らかになっていた。その結果、いくつかの適用除外条項がこの法律に盛り込まれた。そのなかでは、たとえば情報機関や法執行機関の捜査員による捜査中の暗号解読や、非営利の図書館が業務中に暗号を解読すること（ただし、その書籍を購入するかどうかを判断する目的のためのみ）も認められている。さらに、この法では特定の状況下での特定の種類の暗号化研究を認める、複雑な規定も定められている。今後も引き続き新たな適用除外条項を定める必要があることに気づいた連邦議会は、適用除外条項を見直して適切と判断されたものを新たに認めるための聴聞会を３年ごとに行うよう、議会図書館長に命じた。

一例を挙げると、2006年11月、聴聞会を経て１年にわたる長期の検討が行われたのち、新たな携帯電話サービス会社に乗り換える場合においては自身の携帯電話のSIMロックを解除できるというアメリカ国民の権利を認める、新たな適用除外条項がつくられた[原注42]。

この規定は、9カ月後の2007年8月にアップルがAT&Tの携帯電話ネットワークでの使用に固定されたiPhoneを発売したときに、大きな影響をもたらした。iPhoneのユーザーたちはほかのネットワークでも使えるようSIMロックの解除を声高に求め、いくつかの企業は有料でのSIMロック解除サービスの提供を始めた。だが、DMCAの言い回しや適用除外条項があまりに曖昧なため、「自分の」携帯電話のSIMロック解除は合法でも、SIMロック解除用のソフトウェアの配布や、あるいは自分で携帯電話のSIMロックを解除する方法を他人に「伝える」ことさえDMCA違反になる恐れがあった。実際、AT&TはSIMロック解除サービスを行った企業の少なくとも1社に対して、法的手段を取ると警告した。[原注43]

著作権保護のためなのか、それとも競争回避のためなのか？

DMCAの規制の枠組みは、技術革新とかみ合っていない。なぜなら、適切な適用除外条項がなければ、新たな機器やアプリケーションの展開が阻まれてしまう恐れがあるからだ。業界内の競争のあまりの激しさゆえに、企業は法律の禁止事項が広義に解釈できることを巧みに利用してライバルを訴える根拠にするという誘惑に、常に駆られている。

2002年、ガレージドアメーカーのチェンバレンは、汎用電動ガレージドアオープナーのメーカーを訴えた。オープナーの汎用送信機がドアを開閉するために無線信号を送ったのは、アクセスコントロールの回避でDMCA違反だというのが、その理由だった。この訴えが、控訴裁判所に棄却されて終了するまで2年かかった。[原注44]この訴訟が起きた同年、レックスマークインターナショナルは、同社のプリンターで使用できる非純正品の交換用トナーカートリッジを製造していた企業を、同カートリッジがレックスマークのプリンターで作動するためにアクセスコントロールを回避したという理由で訴えた。連邦地方裁判所は、この訴えを支持した。この判決は2004年に控訴審で覆されたが[原注45]、問題となった交換用カートリッジはそれまでの1年半のあいだ、販売を差し止められていた。2004年、ストレージテクノロジーは、第三者ベンダーが同社のシステムの保守整備を行うのはDMCA違反だとボストンの連邦地方裁判所へ訴えて勝訴した。控訴裁判所がこの判決を覆していなければ、コンピューターハードウェアの保守整備はそのメーカーの系列外の業者は一切行えないという事態に今やなっていたかもしれない[原注46]。それはフォードのトーラスがボンネットを密閉された状態で販売されていて、フォードに認可された整備士以外が保守整備を行うのは違法になるというようなことだ。

こうした訴訟によって、DMCAは「デジタルミレニアム著作権法」ならぬ「デジタルミレニアム競争回避法」の略称だと言われるようにまでなってしまった。幸いにも、これらの訴えは、訴訟内容の根本的な議論は著作権の対象となっている物と十分な関連性が認められないと裁判所が判断したため、どれも最終的には勝てなかった。つまり、ガレージドアにDMCAを適用させる意図が連邦議会にあったとは思えない、というわけだ。だが、著作権が関係する分野では、DMCAは競争回避の武器として絶大な力を発揮する。

1984年のソニー裁判で、連邦最高裁判所が実際とは逆の判決を下して、ソニーはVTRを販売したことで著作権侵害の法的責任を負うとされたとしよう。その場合、VTRはこの世から消えてしまっただろうか？　それはあり得ないことだ。消費者が欲していたのだから。より現実的なのは、家電業界が映画業界に取引を提案して、VTRの機能を決める権限を相手側に委ねるという策だろう。VTRは映画業界が要求する規制を満たすための、高度に規制された機器になるはずだ。VTRの新たな機能はすべて映画業界の了承を得なければならず、MPAAが気に入らない機能は決して新製品に採用されない。VTRの性能は、コンテンツ業界の思いのままになる。

デジタルメディアについては、私たちは今まさにそうした状況に置かれている。もしメーカーがデジタル情報を処理する製品を製造する場合、たとえDMCAがなかったとしても著作権侵害について注意しなければならない。というのも、これは特にグロクスター判決以降、重大な懸念事項だからだ。だが、仮にこの機器が著作権を侵害する用途では利用できないものだったとしたら、どうだろうか。たとえそうだとしても、扱うデジタル情報がDRMによって規制されていたら、この製品はDRM規制の条件に従わなければならない。さもないとそれは回避に相当し、その製品は法的に一切生産できなくなる。DRM規制の条件は、すべてコンテンツプロバイダーの思うままだ。フォートレスパブリッシャーがDRMソフトウェアを組み込みさえすれば、フォートレスが提供するデータにアクセスするどんな機器の動作も決定できる。

DVDの場合、DVDのコンテンツは松下電器産業（現パナソニック）と東芝が開発して1996年に導入されたコンテントスクランブリングシステムというアルゴリズムによって暗号化されている。第5章で取り上げたとおり、このアルゴリズム（ケルクホフスの原則に反した典型的な例）はすぐさま解読され、その闇の暗号解読プログラムは今日インターネット上ですぐに見つかる。この章で先ほど紹介した検閲対象となる6行の文も、そんなプログラムのひとつだ。

CSSは複製防止には実際に役に立たないが、競争回避のための技術規制を可能にするツールとしてはすこぶる有益だ。DVDを解読できる製品を販売する企業は、1999年に設立された団体であるDVD複製防止協会の許可を取らねばならない。許可の条件は、DVD CCAの判断によって決定する。たとえば、すべてのDVDプレーヤーは、「地域（リージョン）コード」の規制に従わなければならない。これはDVDの再生を世界のあるひとつの地域向けにつくられたDVDに限定するもので、個人が所有するDVDプレーヤーは、最大5回までしか地域の変更ができない。地域コードは著作権とは何の関係もない。これは同じ映画のDVDの発売時期を世界の地域ごとに変えるという映画業界のマーケティング戦略を、円滑に進めるためのものだ。許可を得ることによって受ける制約には実にさまざまなものがあり、なかには企業が許可を取得するための契約書に署名したあとでしか見られないものさえある。

テクノロジーロックインの素顔

あなたは、革新的なDVD商品のアイデアを抱いている企業を経営していたとしよう。その商品とは、あとで見るためにDVDを取り込んで保存できるホームエンターテインメントシステムで、しかも、使用者に著作権の侵害を促さない方法でこのシステムを実現できたとする。実はこれは実際の商品だ。このシステムを開発したカリフォルニア州のスタートアップ企業カレイドスケープは、2004年にDVD CCAに訴訟を起こされた。訴えの内容は、CSS許可条件のひとつである「DVDプレーヤーは、実際のディスクを再生する以外の方法で再生できないように設計されていなければならない」という項目に同社が違反したというものだった。2007年、カリフォルニア州の裁判所は許可内容が明確ではなかったという判断に基づいて、カレイドスケープ側を支持した。その後、控訴を経て判決が何度か覆されたのちの2014年6月に和解に達した[原注47]。同時期に同様の商品を開発していた別のスタートアップ企業は、「法的手段を取るというDVD CCAからの警告が理由のひとつ[原注48]」でベンチャー投資資金を調達できなかったため、解散した。

DVDのテクノロジーロックインは、2000年以降行われている。同様のロックインは、高精細度のケーブルテレビでも実施されている。すべての一般向けメディア技術にまでロックインを拡大する運動が、「ブロードキャストフラグ構想」としてワシントンで推進された。また、著作権保護という名のもとに、観測気球がいくつも上げられた。衛星ラジオの一般家庭での録音を禁止する法案が、連邦議会に提出された。大手テレビネットワークNBCは著作権侵害を防止するために、インターネットの全トラフィックをフィルターするようインターネットサービスプロバイダーに義務づけることを、連邦通信委員会に要請した（これはつまり、伝送されているパケットをISPがすべて確認して、無認可のデータが含まれていると思われるパケットを破棄することだ）。2002年、連邦議会は著作権保護対策がなされていない「すべての」通信機器を禁止するという、あぜんとさせられるほど適用範囲が広い法案の検討を行ったが、この第一次草案では心臓ペースメーカーや補聴器まで禁止しなければならなくなることがのちに判明し、再提出を余儀なくされることになった。[原注49]

こうしたさまざまないきさつを経て、今日のアメリカでは、テクノロジー企業はガレージドアメーカーに設計内容についての許可を得なくても、新たなガレージドアオープナーを開発できる。あるいは、プリンターメーカーから許可を得なくても、純正品より安価な交換用トナーカートリッジを製造できる。ただし、DVD CCAの許可なしには、ハリウッド映画のDVDを操作するための、新たなアプリケーションソフトウェアは開発できない。あるいは、DRMで規制されたデジタルコンテンツまわりのどんな新製品やサービスも、たいていの場合、そうした新製品を競争上の脅威とみなす可能性が高い本人たちの許可なしには原則的に開発できない。

これが、著作権戦争の現段階における規制状況だ。この状態の利点を主張する人もいるだろう。たとえば、DMCAが必要だと言う人もいる。あるいは、著作権侵害のより厳格な罰則を求める声が上がっているとおり、DMCAは著作権侵害を減らすことにほとんど効果はなかったという意見もある。だが、たとえどんな利点があろうと、回避を禁止する策はこのデジタル時代の原動力である技術革新にとって有害だ。それは既存のインフラと相互運用する、新たな製品やサービスの急速な展開を妨げる。不確かな法的リスクは、市場に革新をもたらすために必要な、ベンチャー投資資金を遠ざけてしまう。

要するに、DMCAはDRMが招いたロックイン騒動に対処するために、刑法の力を借りたということだ。著作権保護という名目のもとに、競争を回避するための規制を導入した。DRMを回避するための技術を違法としたこの法律は、「競争を回避するためのツール」と化したと、ある批評家は指摘している。[原注50]

パブリック・ナレッジはデジタル情報に関する政策問題に重点を置いて活動している、ワシントンDCの公益団体だ。同団体のブログに掲載されている「重要問題」や「政策」を見れば、ワシントンで起きていることの最新情報が入手できる。

著作権の『コヤニスカッツィ』——バランスが失われた生活

1982年は、『コヤニスカッツィ』という驚くべき映画作品が公開された記念すべき年だ。この題名は、アメリカ先住民ホピ族の言葉で「バランスが失われた生活」という意味だ。台詞もナレーションも一切ないこの映画では、頭から離れないほど美しくもあると同時に心をひどくかき乱される映像や、自然の世界と都市の世界を並べた映像が、見る者に浴びせかけるように次々と現れる。この映画が容赦なく伝えようとしているのは、調和とバランスの取れた生活を送るための私たちの能力が、テクノロジーによって失われていると

いうことだ。[原注51]

21世紀の最初の四半期において私たちが暮らしているのは、著作権の『コヤニスカッツィ』な世界だ。連邦議会での法案の提出、起こされる訴訟、裁判所の判決、声高に主張される見解といった、この著作権戦争でのほぼすべての一斉射撃攻撃は、「著作権における従来のバランス」への忠誠の誓いであり、かつ、それを保とうとする責務によるものだ。だが真実は、情報の扱いをめぐる市民のどんな合意の枠組みも粉々にしているデジタル爆発によって、このバランスも崩され失われてしまったということだ。このバランスが失われたのには、もっともな理由がある。

デジタル著作権

ジェシカ・リットマンは著書 *Digital Copyright*（デジタル著作権）[原注52]で、アメリカの著作権法の歩みは交渉による妥協の連続だったと述べている。「市民のためのメディア関連法律プロジェクト」（www.citmedialaw.org）では、オンラインパブリッシャーに役立つ情報が提供されていて、著作権のみならずほかの法的な事項も扱われている。

著作権とは（少なくともアメリカにおいては）、一般的には政府が作品の創作者と世間とのあいだの仲介役となってまとめた取引だ。創作者は作品に対して一定の期間、一定の独占的な権利を与えられ、それによって商業的な利益を得る機会が手に入る。世間はその作品を入手することと、独占的な権利の期限が切れたら作品を制限なしに利用できるという恩恵も得られる。この取引の条件は年月を経て変化し、一般的には創作者がより強い独占的な権利を与えられる方向へと進んでいる。1790年に制定されたアメリカ初の著作権法では、著作権保護期間は最長28年間与えられた。現在の保護期間は、創作者の没後70年までだ。だが原則的には、取引は健在だ。

この取引は極めて複雑で、そのわけを理解するのは難しくない。今日の著作権法は、200年にわたる論争、交渉、そして妥協の産物だからだ。**図6.3**のとおり、最初の著作権法は、新聞『コロンビアン・センティネル』の２列にわたって全文が掲載された。拡大された文に記されているように、この法律の対象は地図、図表、書籍のみである。創作者には「印刷、再印刷、出版、販売」の独占権が与えられた。著作権保護期間は14年間だった（その後更新して14年間延長できた）。今日の著作権法[原注53]は、200ページを超えている。それは何やらわけのわからないごった煮に、例外事項、ただし書き、難解な条項が振りかけられたようなものだ。たとえば、農産物品評会で音楽作品を公に披露するには、農業組合に属していなければならない。あるいは、著作物は自由に複製できないが、もしあなたが

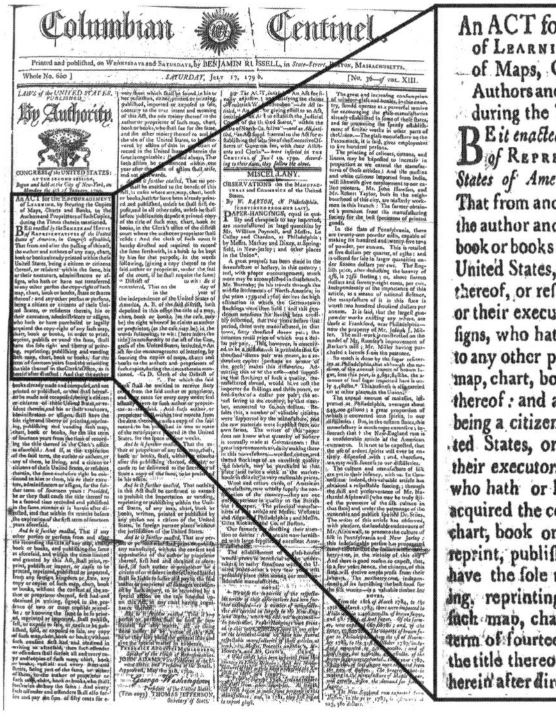

Columbian Centinel.

Printed and published, on Wednesdays and Saturdays, by BENJAMIN RUSSELL, in State-Street, Boston, Massachusetts.

Whole No. 660] SATURDAY, July 17, 1790. [No. 36—of vol. XIII.

LAWS of the UNITED STATES. By Authority.

An ACT for the ENCOURAGEMENT of LEARNING, by securing the Copies of Maps, Charts and Books, to the Authors and Proprietors of such Copies, during the Times therein mentioned.

BE it enacted by the SENATE and HOUSE of REPRESENTATIVES of the United States of America, in Congress assembled, That from and after the passing of this act, the author and authors of any map, chart, book or books already printed within these United States, being a citizen or citizens thereof, or resident within the same, his or their executors, administrators or assigns, who hath or have not transferred to any other person the copy-right of such map, chart, book or books, share or shares thereof; and any other person or persons, being a citizen or citizens of these United States, or residents therein, his or their executors, administrators or assigns, who hath or have purchased or legally acquired the copy-right of any such map, chart, book or books, in order to print, reprint, publish or vend the same, shall have the sole right and liberty of printing, reprinting, publishing and vending such map, chart, book or books, for the term of fourteen years from the recording the title thereof in the Clerk's Office, as is herein after directed: And that the author

Harvard University Library.

図6.3　アメリカ初の著作権法「学問を推奨するための法律」。1790年7月17日版の『コロンビアン・センティネル』の、最初の２列にわたって掲載された。２列目の最後にジョージ・ワシントンの署名があることに注目してほしい

盲人協会の関係者で、その著作物の点字版を作成しているのであれば自由に複製できる（ただし、その著作物が標準テストの問題である場合を除く）。ラジオ局は音楽出版社の許可がなければ放送中に曲をかけることはできないが、レコード会社の許可は必要ない。ただし、これはアナログ放送の場合だ。デジタル衛星ラジオでは両者の許可がいる（ただし、例外事項もある）。

この法は専門家向けであって、一般の人が読んで理解できるようには書かれていない。普通の弁護士さえ、解釈に苦労している。とはいえ、著作権における取引は決して普通の人々が関与するものではなかったので、問題なかった。いわゆる著作権のバランスというのは、主に競合するビジネスの利益のバランスを取ることだったからだ。著作権法の歩みとは、関連するプレーヤーたちが話し合いの席についてうまく解決し、連邦議会がたいてい同様の措置を講じるということだったのだ。普通の人は実際に出版する力がなかったため、話し合いの席で出せるものが何もなかった。

話し合いの席につくのが遅すぎた

デジタル爆発によって、誰もが簡単に情報を複製して世界じゅうに配布できる状況へと変化した。私たちは、今やみなパブリッシャーだ。普通の人々も、著作権の取引を行う一員となった。だが、このゲームは200年も続けられていて、カードはとっくに配られ終わっていた。

情報技術を最大限に活用できることを期待して出版という自身の新たな力とともに話し合いの席についた人々は、そこに魅力的で簡単でもっともな可能性があることに気づくが、そうしたものに対する一般の人々の権利は、すでに「バランスを取るために」排除されていた。そうした失われた機会のなかには、「DVDをポータブルプレーヤーにダビングする」「さまざまな曲を１本のカセットテープにダビングしたのと同じことを動画でする」「フェイスブックのページにお気に入りのアニメや曲を載せる」「大好きな芸術作品に自身の創造性を加えて、世界じゅうと共有する」といった例も含まれている。

そうした振る舞いが窃盗や海賊行為だと責められると、人々は憤慨する。ある電子掲示板の投稿者は、次のような皮肉のきいた投稿をしている。「小学1年生のときは『みんなでいっしょに仲よく使いなさい』と先生に言われたのに、今になってそれが違法だと言われるなんて」

自分の音楽CDを自分のコンピューターに取り込めるのだろうか？

音楽CDをあなたのコンピューターのハードディスクに取り込むこと自体はもちろんできる。そのためにつくられたソフトウェアパッケージがすでにいくつもあって、何百万もの人が当たり前のように行っている。だが、CDの取り込みに関する法的な問題は、曖昧で紛らわしい。これは著作権法と世間の理解のずれを示す、顕著な例だ。

2007年10月に行われたジャミー・トーマスの裁判（本章の前のコラム参照）で証言したソニーBMG側弁護団代表のジェニファー・パリザーは、合法的に購入したCDをたとえ個人の使用のためであっても複製するのは違法であり、「購入した曲を取り込む」というのは「『複製版を1回だけ盗む』ことの上手な言い換え」だという見解を示した。同協会のウェブサイトに詳しく掲載されているとおり、RIAAは音楽CDを複製する法的権利を一切認めていないが、個人の利用に限ってのものであれば曲の複製は「通常は問題視されない」。ただし、作成した複製版を第三者にあげたり、第三者が複製できるように貸したりすることは違法だと警告している。

スポティファイ、パンドラ、アップルミュージック、アマゾンミュージックといった音楽ストリーミングサービスが普及して、コンテンツがいつでも利用できるようになったことで、曲の複製は減っていくかもしれない。たいていの場合、こうしたサービスでは曲のダウンロードが明確に禁じられているが、ダウンロードする方法をインターネットで探せば、いくらでも見つけることができる。

そういった腹立たしさは、自然と道徳的な怒りへとつながっていく。電子フロンティア財団設立者のジョン・ギルモアは、次のように述べている。

腑に落ちないのは、不足を解消するために開発したテクノロジーを、希少性によって儲ける人々のために故意に投げ捨てているという点だ。今の私たちは、デジタルメディアに圧縮されたどんな情報も複製できる手段を手に入れている。(中略)本来なら、私たちは共通の地上の楽園をつくりあげたことを、喜び合っているべきなのだ！　だが実際には、希少性を永続させることで身を立てているひねくれ者たちが裏で協力し合って、私たちの安価に複製できる技術を鎖で縛りつけて(少なくとも彼らが私たちに売りつけたい商品の)複製がつくれないよう、共謀者にはたらきかけているのだ。非効率な一部の業界の利益のために、自身の社会を無力化する。これは最悪の類の経済保護主義だ。[原注54]

とはいえ、ある者にとっての共有は別の者にとっては窃盗になりうるため、著作権戦争の相手側も、彼ら自身の道徳的な怒りが尽きることはなかった。映画業界は、インターネットで出回っている無断複製の映画をすべて小売価格に換算した総額は、70億ドルを下らないと推定している。元MPAA会長のダン・グリックマンは、当時次のように語っている。

我々は、(中略)テクノロジーという仮面をつけた窃盗を歓迎することはない。創造的表現を所有する、およびその表現とそれを所有することで恩恵を得るというこの国の個人の権利の基本的な保護が、海賊や泥棒によってずたずたにされるのが認められるのであれば、映画関連も含めたどんな企業さえも、経営を続けたり、従業員に給料を支払ったり、お客様に満足していただいたりできなくなる。[原注55]

これは「バランスを取っている」のではない。これは憤りや逆襲に満ちたたちの悪い銃撃戦であり、著作権保護法という名のもとに行われるますます厳格化する処罰や反競争的な規制へと進む道だ。この戦の巻き添え被害者として、技術革新は人質に取られている。

段階的な緩和へ

この道から離れるためには、私たちは古い考えや物の見方から自由にならなければならない。これは難しそうに思えるが、希望が持てる事例もある。2007年、レコード業界はデジタル著作権管理（DRM）への依存から離れるという、大きな動きを見せた。DRMはテクノロジーを制限するうえに、消費者にとってもパブリッシャーにとっても不便なものだったのだ。DRMのマイナス面への一般認識が、消費者団体のみならず業界自体にまで広まっていた。

最初の目に見える動きは、2007年2月に行われたアップルのスティーブ・ジョブズによる発表だった。ジョブズはレコード業界の幹部たちへの公開書簡というかたちで、iTunesストアで販売されている楽曲にアップルがDRMを採用しなければならないという、使用許可契約上の制約を緩和してほしいと訴えた。どんなプレーヤーでも再生できる、DRMフリーの楽曲をオンラインストアが販売できることが「消費者にとって明らかに現状に代わる最善の策であり、アップルはそれを直ちに受け入れる用意がある[原注56]」、というのがジョブズの見解だった。当のレコード業界の反応は冷たかったが、ジョブズに同意する声が別の方面から上がった。3月に入ると、ヨーロッパ最大手の音楽オンラインストアのひとつであるミュージッククロードがDRMに反対の意を表明し、同社のカスタマーサービスへの電話の75パーセントがDRMに関するものだと説明した。さらに、消費者にとってDRMは楽曲を扱いづらくするものであり、合法的なダウンロード市場の拡大を妨げるものだと強く訴えた。11月には、イギリスエンターテインメント小売業協会も、DRMへの反対意見を述べた。同協会の会長はこのコピー防止機構について、「市場の伸びを抑圧し、さらには消費者の利益に逆らうものである」と指摘した。[原注57]

2007年夏、アップルのiTunesストアと、ユニバーサルミュージックグループは（それぞれ別々に）、複製が自由にできる楽曲の発売を開始した。[原注58] iTunesストアで販売される楽曲には、iTunesストアでの元の購入者を特定する情報（「透かし」）が埋め込まれていた。こうしておけば、もし楽曲の無断複製版がインターネットに大量に出回った場合、元の購入者を辿って責任を負わせることができる。

透かしの利用

複製の制限とアクセスコントロールの代わりに透かしを利用することは、「制限」ではなく「説明責任」を通じて規制を行う一般的な方法の例だ。この考え方は、前もって違反を禁じようとするのではなく、違反が起きたときにそれを特定して対処できるようにするというものである。第３章「あなたのプライバシーを所有しているのは誰？」で取り上げたとおり、この考え方は「個人情報へのアクセスを制限するよりも、適切な利用方法を考え出すことに重点を置く」というように、プライバシーにも適用できる。[原注59]

数カ月後、その程度の制約さえなくなろうとしていた。[原注60] 2008年初頭には４大レコード会社（ユニバーサル、EMI、ワーナーミュージック、ソニーBMG）のすべてが、各購入者を特定する透かしをつけずに楽曲をアマゾンで販売していた。これは１年で起きた、驚くべき完全なる方針転換だった。2007年２月にジョブズが例の提唱を行ったとき、ワーナーミュージックのCEOエドガー・ブロンフマンはジョブズの案を「論理的でもなければ、何の利点もない」[原注61]とあからさまに拒絶した。だがその年末、ブロンフマンが次のような文書で従業員たちに説明を行ったことで、ワーナーがDRMフリーの楽曲をアマゾンで販売することが明らかになった。[原注62]

> 音楽のダウンロードの販売とそれを聞く喜びとのあいだの障壁を取り払うことで、私たちはエネルギーを消耗させる議論を終わらせ、ワーナーミュージックグループ(WMG)のみならずアーティストや消費者も恩恵を得られるような機会と製品をつくることに、再び焦点を合わせられる。[原注63]

DRMの手法は失敗だったという認識が高まるにつれて、インターネットで音楽を配信するための別のモデルの実験が、次々に行われるようになった。ユニバーサルはソニーをはじめとするレコード会社やレーベルに、定額料金を払ったユーザーが好きなだけ曲を聞けるという「定額制サービス(サブスクリプション)」案を持ちかけた。その案のひとつは、このサービスを新たな音楽用の機器と結びつけて、サービス料金を機器の購入価格に含まれるようにするというものだった。[原注64]

「一言で言えば、満足できるユーザー経験を提供できなかった」というDRMの失敗は、音楽の購入、消費方法に劇的な変化をもたらした、数多くの要因のひとつだ。レコードのコレクションは、博物館に移管された。CDやDVDは、今やそれを読み取るためのソフトウェアがパソコンに含まれなくなるほど、珍しい存在になっている。アップルは、iTunesストアで楽曲を1曲99セントで販売開始したことで、ビジネスの新境地を開いた。そして、ついにアップルミュージックにその座を譲ったiTunesストアは、18年間の役目を終えた。

2019年のニールセン中期報告書によると、消費されている音楽の78パーセントはストリーミングサービスを通じてであり、デジタル物理メディアを通じては5パーセントに過ぎなかった。[原注65]その年最も人気だった曲『オールド・タウン・ロード』のCD売り上げが95万8000枚であったのに対して、ストリーミング再生回数は13億回を超えていた。

創作者が自身の作品を配布したり互いの作品を土台にしてその上に新たなものを築き合ったりしやすくすることで、共通の文化を豊かにできるような音楽などの創造的な作品の共有が、ストリーミングサービスと補完的なある手法によって促進されている。クリエイティブ・コモンズは、共有を推進するための技術的、法的ツールを提供する団体だ。同団体は、創作者が自身の作品をインターネットで公開する際に利用できる、一連の著作権ライセンスを配布している。そのなかには、オープンシェアを認めるライセンスも含まれている。これらのライセンスは法的文書のみならず、新たなアプリケーションに対応できるコンピューターコードでも用意されている。たとえば、適切なクリエイティブ・コモンズ・コードがついた作品がウェブで公開されている場合、誰かがその特定のライセンス条件下で使える作品を検索エンジンで探したときに、同作品が検索結果に表示される可能性が高くなる。インターネットにおけるオープンシェアが促進されていることは、コモンズ（訳注：直訳すると「共有地」）、つまり所有物についての細かい制約の必要性を最小限にする共有システムへの動きが進んでいることを示す例だ（コモンズの概念については、第8章「空中のビット」でさらに取り上げている[原注66]）。

これらを含むさまざまな方法を経験することで、DRMに依存しない採算の合う音楽配信モデルであるかどうかがわかる。この分野での成功によって、映画をはじめとするほかのコンテンツ業界にも回避を禁じる例の道から離れる方法を示せるはずだ。その道は、著作権侵害をなくすよりも技術革新を妨げることのほうが多く、しかも今やその政策の元々の立案者の一部さえもが、その方法は失敗だったと認めるというほどの行き止まりなのだから。

しかしそれでも、DMCAによって生じた、より大きな問題は消え去らない。なぜなら、法律に埋め込まれた政策は簡単には掘り出せないからだ。コンテンツ業界が、より優れたビジネスモデルに移行してDRMの議論が収まったとしても、DMCAの回避禁止条項はデジタルの世界における反消費者的、反競争的な汚点のままであり続けるかもしれない。法典から削除されないかぎり、それは訴訟好きな企業がその法律の元々の意図とは無関連なかたちで利用できる不発弾という、平和な手段で終わった戦争の遺物として残り続けるだろう。

> **クリエイティブ・コモンズ・ライセンス**
> 創造した作品をインターネットで公開したい場合、creativecommons.org（訳注：日本語による紹介は次を参照。https://creativecommons.jp/licenses/）の「クリエイティブ・コモンズ・ライセンス診断」を利用すれば、自身のニーズに合ったライセンスを入手するために役立つ。そうしたライセンスによって、自身が選んだ特定の権利を保持しつつ、ほかの利用に対する包括的な許可を与えることができる。

所有の境界線

何十年にもわたって著作権戦争の最前線となってきたのは、デジタル音楽とデジタルビデオをめぐる戦いだった。技術革新と現在進められている実験が、こうした争いを鎮める役目を果たすのかもしれない。インターネットの乱用と戦うために、インターネットが持つよさの（および利益の）莫大な可能性を犠牲にすることはない。ほかの人がインターネットでやっていることが気に入らないからといって、インターネットがあなたの敵になるわけでもない。あなた自身が、インターネットを敵視さえしなければ。

著作権への憤りは非常に激しい。説明責任やコモンズという新たな手法への興味は、文章や音楽に「所有物」や「窃盗」というメタファーが用いられたときの不快感の根の深さを物語っている。デジタル化によって覆された著作権のバランスは、従来の創作者と世間とのあいだの緊張だけではない。所有そのものについて私たちが抱いている概念の根底をなす、個人と社会のバランスもそうだ。説明責任とコモンズは、デジタル著作権法という名のもとに押しつけられた、所有に関する拡大し続ける制約の代わりとなるものを探そうとする試みから生まれたものである。

ローレンス・レッシグは著書『Free Culture――いかに巨大メディアが法をつかって創造性や文化をコントロールするか』(2004年、翔泳社)で、広い範囲を対象とした著作権の制約によって、力強く活気ある大衆文化の将来がいかに脅かされているかを追い、その一部始終を思わず惹きつけられる筆致で描いている。[原注67]

私たちは映画、歌、本を「所有物」と特徴づけるとき、「私の土地区画 vs. あなたの土地区画」というような、「自由」や「独立」という直感的なメタファーを連想する。だが、デジタル爆発によって、こうした所有物のメタファーは粉々にされつつある。「私の土地区画」は「あなたの土地区画」とは別物かもしれないが、どちらの区画も爆破されてもうもうと立ち込めるビットの煙となり、そして煙は渦巻いて混ざり合う。二つの区画を分けていた境界線は、ネットワークパケットの煙のなかに消え去るのだ。

それにもしかしたら、柵も取り除かれようとしているのかもしれない。2019年1月1日、パブリックドメイン（訳注：著作権保護期間が終わって公有財産になった作品）に、20年ぶりに新たな作品が加わった。1998年著作権延長法によって著作権保護期間が20年延長されて以降、自由に利用できる作品が定期的に増えなくなっていたのだ。別名ソニー・ボノ法（亡くなった歌手でタレントのソニー・ボノにちなんで命名された。彼の妻と後継の議員（訳注：ボノは下院議員も務めた）は、「ソニーは著作権保護期間を『永久』にしたいと思っていたのです」と語っていた）とも呼ばれるこの法律によって、著作権保護期間は著作者の没後70年間、あるいは法人著作の場合は95年間に延長された。この基準によると、Windows 95の著作権が切れるのは2090年で、つまり、そのビットがすでに重要でなくなったあともずっと続くことになる。

著作権の壁に周囲を囲まれていた者たちの一部は、ミッキーマウスを延命しようとするディズニーのような、著作権の保護期間のさらなる延長を求めようとするロビー活動が行われるのではないかと不安を覚えた。だが、憲法条項で定められた「保護期間」がしばらくぶりに終了し、その対象となる1923年に出版された作品は完全に公のものになった[原注68]。今日のアメリカでは、ロバート・フロストの詩「雪の降る夕方森に寄って」やカリール・ジブランの詩集『預言者』（2019年、至光社）を再版するのも、ジョージ・ガーシュウィンの楽曲『パリのアメリカ人』を即興で演奏するのも、あるいはセシル・B・デミルの映画『十誡（じっかい）』を再編集することさえできる。

デジタルの雲間を飛行する方法を学ぶには

2004年、グーグルはいくつかの大規模な図書館が所蔵する書籍を、グーグルの検索エンジン向けに分類するプロジェクトに乗り出した。この仕組みは、ウェブで検索すると、その検索クエリに関連する書籍が中身の抜粋とともに表示されるというものだ。グーグルの目的は「世界じゅうの書籍を網羅した、カード目録の拡張版」を作成することであり、ほかのカード目録と同様に、議論を巻き起こす心配はないはずだと同社は説明した。

アメリカ出版社協会（A A P）とアメリカ作家協会はこのグーグルブックプロジェクトに反対し、同社を著作権侵害で訴えた。AAP会長のパトリシア・シュローダーは、「グーグルは著作者と出版社の才能と所有物をただで利用して、何百万ドルも稼ごうとしている」と語った。アメリカ作家協会の会長は、「このプロジェクトに本を含めるのは、その本を盗むのと同じだ」と指摘した。問題となったのは、検索索引を作成するためにグーグルが書籍をスキャンして複製している点で、裁判ではこのスキャン行為が著作権侵害に当たるかどうかを法的に検討することになった。

７年にわたる法廷闘争ののち、グーグル側とAAPは和解にこぎつけた。和解の詳細は明らかにされなかったが、著作権保護を維持しながらデジタルアクセスを許可することがいかに複雑であるかを、両者ともそれぞれの報道発表で認めていた[原注69]。

だが、話はここで終わらなかった。AAPとアメリカ作家協会は、訴訟の最中に袂を分かった。アメリカ作家協会はその後も訴訟を続けたが、2016年に連邦最高裁判所が作家協会側の上告を棄却し、グーグル側勝訴の判決を支持した。

この図書館プロジェクトによってグーグルの検索エンジンの価値がさらに高まり、同社はその恩恵を受けるだろう。しかも、グーグルは現に著作権者の許可を得ずに書籍をスキャンしていた。同社は所有者に相応の見返りを与えるどころか許可すら得ずに「所有物を盗用」して、そこから価値を絞り出しているのだろうか？　はたして、グーグルはそんな行いをしてもいいのだろうか？　2020年、新型コロナウイルスの世界的な大流行によって貸出図書館が閉鎖された不便さを補うために、非営利団体のインターネットアーカイブが短期間の管理されたデジタル貸し出しを行う「アメリカ緊急図書館」を開始したところ、出版社に訴えられた[原注70]。もし、あなたが本を書いて、それがあなたの「所有物」だとしたら、あなたの所有権の範囲はどこまで広げられるのだろうか？

社会のなかで、私たちはこの手の問題にすでに直面してきた。たとえば、あなたの土地に小川が流れている場合、その小川の水はあなたの所有物なのだろうか？　あなたの所有権の範囲はどこまでなのだろう？　たとえ下流での水不足を起こしても、その水をくみ上げて売ってもいいのだろうか？　あなたよりも上流の土地所有者が、負うべき義務は何だろうか？　これらは19世紀のアメリカ西部で大きな物議を醸した問題であり、やがてそれは所有する土地内に流れている川の水に対する土地所有者の限定的な所有権のあり方の成文化へとつながっていく。

著作権とウェブ検索

グーグルの図書館プロジェクトが著作権法に違反していると考える人は、ウェブサイトを集めて索引化し、リンクを提供している検索エンジン自体が著作権を侵害しているのではないかと疑問に思うかもしれない。この主張に基づいた訴訟が何度も起きているが、裁判所はそうした訴えを棄却している。2006年の「フィールド vs. グーグル」事件[原注71]では、ネバダ州の地方裁判所はグーグルがウェブサイトを集めて索引化するのは容認できるという判断を下した。この判決が下された理由のひとつは、グーグルがウェブページをキャッシュに一時的にしか保存しない点だった。2007年の「『パーフェクト10』（訳注：成人向け雑誌）vs. グーグル[原注72]」裁判では、同誌へのウェブサイトへのリンクや、同誌の内容のサムネイル画像の投稿をグーグルが行えないようにするための『パーフェクト10』側による仮差し止め請求を、第9巡回区控訴裁判所が退けた。

仮に飛行機が、あなたの土地の上空を飛んだとしよう。それは不法侵入だろうか？　仮に、飛行機がかなりの低空飛行を行ったとする。あなたの土地の所有権の範囲は、高さどれくらいまでなのだろうか？　古くから、土地所有権が上空におよぶ範囲は無限とされてきた。そのため、航空会社は、自社の機体が上空を飛ぶ土地の所有者すべての許可を得るべきなのかもしれない。航空機時代の幕開けに、こういった規制問題が起きていたらどうなっていただろうか。所有地とその所有権を尊重して許可を得るよう、航空会社に求めるべきだろうか？　飛行機がまだわずか上空数千フィートしか飛べない時代だったら、それも妥当な策だったかもしれない。だが、もし社会がそれを実践していたら、飛行機での移動における技術革新にどんな影響を及ぼしただろう？　人々は大陸横断飛行の始まりを、目の当たりにできただろうか？　あるいはそれを実現する技術開発は、絡み合った規制によって阻まれていただろうか？　連邦議会はそうした絡み合いが複雑化するのを未然に防ぐために、1926年に航行可能な空域を国有化した。

同様に、グーグルの索引に含めるすべての書籍に対して同社が著作権者の許可を事前に求めるよう、私たちは要求すべきなのだろうか？　それはある意味妥当な要求に思えるし、現在進められているほかの書籍索引化プロジェクトのなかには、そういった許可を得ているものもある。だがもしかしたら、本の検索は低空飛行の航空機の新たなデジタル版のようなものかもしれない。本、音楽、画像、動画が自動的に抜粋、抽出、編集、再編集され、自動化された大規模な推論エンジンに入力され、そして、あらゆるパソコンや携帯電話の中心的なソフトウェアに取り入れられる。こういったことをはじめとする、まだ名前もないような数え切れないほど多くの未来の「大陸横断飛行」を、私たちは思い描けるのだろうか？

正しいバランスは何だろう？　所有権の範囲は、爆発した情報の宇宙のどれくらいの「高度」まで及ぶべきものなのだろうか？　ビットについて話すとき、そもそも所有権とはどういう意味を指すべきなのだろうか？　それについてはまだわからないし、その答えを探し当てるのは簡単ではない。それでも何とかして、私たちは飛ぶ方法を身につけなければならないのだ。

デジタル爆発で情報はあらゆる方向に投げ出され、定められていた所有の境界線は破られてしまった。飛行中のビットを制限、規制するルールである著作権は、テクノロジーによって複雑化してしまった。そして、テクノロジーがつくりだした問題に対処するための、テクノロジーを用いた解決策が編み出された。こうした策は著作権のバランスを取っていた公益について検討することなく、独自の事実上の政策をつくりだした。

デジタル爆発によって破られた境界線は所有の境界線だけではないし、情報の規制に問題があるのは著作権の分野だけでもない。ビットは国境を越えて飛んでいく。望まない、有害でさえあるコンテンツを抱えて、個人の家や公共の場所にも飛び込んでくる。こうしたコンテンツは著作権ではなく、名誉棄損やわいせつ物に対する規制によって制限されているものだ。だが、それでもビットは飛び続ける。次章では、この難しい問題について取り上げる。

第7章
それはインターネットでは口にできない
デジタル世界における不穏な動きを監視する

デジタル化する児童の性的人身売買

当時13歳だったM.A.は新学期早々こっそり家を抜け出して、友人たちとパーティーに出かけた。その後、270日間行方不明になった。[原注1] 何カ月も必死に探し続けていた母親が、ある日広告ウェブサイト「バックページドットコム」の「エスコート」サービスの広告をクリックしたところ、自分の娘がほかの女の子たちといっしょに、セックスの相手として宣伝されているのを見つけた。広告では女児たちの幼さやあどけなさを、絵文字で強調していた（たとえば、傘の絵文字は「原則コンドームを使用すること」を意味していた）。

M.A.は拉致されたあと売り渡され、一日に数回セックスの相手を強要されていた。買収あっせん業者は言うことを聞かせるために、彼女を殴ったりナイフで刺したりした。さらには薬漬けにまでされたM.A.は拘束犯たちの思惑どおり、母親に助け出されたあとさえも、依存していた薬欲しさに彼らのもとに戻ったこともあった。全米行方不明・被搾取児童センター（NCMEC）によると、彼女のように性的人身売買の犠牲者として虐待されている児童は、何千どころか何万人もいると推測されている。[原注2]

2017年に閉鎖されるまで、バックページドットコムは児童売春のオンラインでの宣伝によく使われていた。「アダルト」部門の広告の大半は、何らかのセックス行為を伴うサービスの宣伝で、そのなかの多くは未成年者とセックスできることを匂わせていた。

児童の性的人身売買はインターネットで始まったわけではないが、インターネットでより簡単に効率よく行えるようになって、しかも高収益化したことは事実だ。広告には、連絡先の電話番号が掲載されている。客と斡旋業者、または児童本人（女児も男児もいる）とのあいだで詳細が決められる。斡旋業者は30分単位で客のスケジュールを組んで、児童をあちこちに送りつける。ドキュメンタリー映画*I Am Jane Doe*（私はジェーン・ドウ）（訳注：本名を明かしたくない場合に使われる女性名）を見ていると、デジタル化された売春が恐ろしいほど効率化されていて（1日に20回以上客の相手をさせられる女児もいる）、それゆえ今や麻薬取引よりも儲かっていることがわかる。

M.A.の母親はほかの性的人身売買被害児童の親たちとともに、バックページドットコムを訴えた。どこにおいても、未成年者との性交が違法であることに疑いの余地はない。それにもかかわらず、バックページドットコムは、児童の性的人身売買をほう助したとして起こされたすべての訴訟に勝った。そしてさらに、同サイトに掲載されているサービスへの支払いに応じないようクレジットカード会社を説得した、イリノイ州保安官トーマス・ダートを訴えた裁判にも勝った[原注3]。裁判所は、同サイトでクレジットカードを再び使用可能にするよう命じた。どの裁判においてもバックページドットコムに有利な事実認定が行われる理由は、ある同じ基本的な考えに基づいていた。つまり、同サイトはパブリッシャーであって、性的人身売買業者ではないという点だ。アメリカではパブリッシャーは何を発行するかについて大きな自由裁量が与えられており、デジタルパブリッシャーもそういった特別な保護を享受している。

娘が受けた心的外傷に対して同サイトには非がないという司法制度の判断に、M.A.の母親がうろたえたのはもっともなことだ。全国の最も優秀な弁護士たちがバックページドットコムに対する同様の訴訟を担当したが、すべて敗訴に終わった。３年後にようやく、連邦捜査員がバックページドットコムを閉鎖し（不正資金洗浄といった理由で）、裁判官がダート保安官への訴えを棄却した。[原注4]

セックスのために子どもを買わせようとする、バックページの品位に欠ける言語道断な勧誘に免責を与える法律とは、いったいどれなのだろう？　それは皮肉にも、通信品位法（CDA）という名のものだ。CDAで定められている内容を簡単に言うと、「ウェブサイトは、ほかの人が書いて投稿した内容に対して責任を負わない」ということだ。CDAのこの条項は、一般から寄せられる表現上問題のある訴えや、事実と異なる主張を編集者がすべて確認しなくてもいいように、コメント機能がついている新聞のウェブサイトやブログを保護するためにできたものだ。

本章では、インターネットがまだなかった時代の話すこと、書くこと、出版することのメタファーが、誰でも参加できるメディアに使われたときに起きる難しい問題の事例を取り上げていく。デジタル通信での爆発によって、「人はどのようにして出会い、互いをよく知るようになり、互いを信頼できるかどうか判断するのか」といった人間関係について、人々が長年抱いてきた認識が覆されてしまった。それと同時に、デジタル情報爆発によって、ほんの数年前には多大な労力と費用をかけなければ見つけられなかったものが、今や指先を動かすだけで何百万個ものデータとして手に入ってしまう。誰もがウェブページで写真や動画を公開したり、ソーシャルネットワークに投稿したりして、何かを語ることができる。中国のインターネットカフェにいる政治的反体制派は、（そうすることを恐れなければ）民主主義を支持するブログをそこで読むこともできる。自身の病気を恥ずかしく思っている、自分の性同一性についての情報が欲しくてたまらない、あるいは自分と同じ少数派の人とつながりたい、といった世界じゅうの人々が、正確な情報、意見、助言、仲間を手に入れられる。一方、まだひとりで外を出歩けないほどの幼い子どもが、家族用のコンピューターでどぎついポルノ映画を見ることもできる。社会は、その一員である人々が何を見て誰と話すかを規制できるのだろうか？

ほかのどんなものとも異なるもののメタファー

相反する価値観同士の長い戦争の最新の戦いは、「性的人身取引防止法」と「州と被害者がオンライン性的人身取引と戦う法」を合わせたSESTA-FOSTAだ。2018年4月に成立[原注5]したこの法は、性的人身取引を認識しつつほう助したウェブサイトに何らかの法的責任を負わせるというように、通信品位法を改正するものである。それは憲法修正第1条で保障された言論の自由とほぼ間違いなく矛盾するかたちで、インターネット上で一部の言論の種類を制限するという代償を払って実現した。SESTA-FOSTAは性的人身売買業者については触れていないため（彼らの行動はすでに違法とされている）、批評家（その一部は法執行機関の者）たちはこの法はただ人身売買ビジネスを地下に追いやるか、あるいはもっと正確に言うと、ビジネスの場を元の暗い路地へ戻すだけだと訴えた。もしビジネスが、少なくともそれを監視できるインターネットから離れた場合、バックページドットコムのような低俗なウェブサイトに対する事実上の勝利と、その運営者が報いを受けるのを目の当たりにする満足感を得るために支払わなければならない代償は、言論の自由ではなく、子どもたちが人身売買されるということになるかもしれない。政治家たちは、自分たちは児童の性的人身売買に何らかの対処ができたと高らかにうたうかもしれないが、彼らがしたことは単にそれを見えないところに隠しただけなのかもしれない。実際、SESTA-FOSTAが成立してからわずか数カ月もしないうちに、電子的な方法で客と連絡できなくなった売春婦たちが、斡旋業者に命じられて路上で客を引くという昔からのはるかに危険な方法を再び採っているという報告が見られるようになった。[原注6] それと同時に、SESTA-FOSTAはすべてのユーザーを監視できないオンラインネットワークの運営者に法的責任を負わせ、しかも、ほかの種類の好ましくない言論まで制限するという前例をつくりだした。

SESTA-FOSTAに反対意見が多かったのは、それが対象目的であるいかがわしいウェブサイトに与える影響よりも、インターネット全体に与える影響のほうが大きいのではないかという懸念があったからだ。この論争は、今まで知られていなかった連絡手段としてのインターネットの利用法によって火がついた、一連の紛争の最新のものだ。一方では、社会が子どもたちを守らなければならないと思っているなか、インターネットはありとあらゆる種類の大量のデジタル情報を一般家庭に直接流し込む。他方では、社会は通信を最大限に開かれたものにしなければならないと考えている。アメリカの憲法は、言論の自由と聞く権利を手厚く保護している。社会は、過去のメディアとの類似点あるいは相違点を捉えた、電子通信のメタファーを見つけようと何度も四苦八苦してきた。法律や規制は習わしのうえに築かれているものであるため、類似性の理解なしには過去の言論の原則を、変化した現代の状況に合わせることもできなければ、意識的に超えていくこともできない。

では、どんな法律を適用すればいいのだろうか？　インターネットとまったく同じものは、ほかにはない。もしあなたがウェブサイトを開設したら、それは本を出版するようなものだから、書籍に関する法律を適用するべきなのかもしれない。だが、それはいわゆる本来の「出版社」が出版して読者が読むという、「ウェブ1.0」時代のやり方だ。今日のデジタル社会におけるフェイスブックといったウェブサイトやサービスでは、そうした手段はユーザーの投稿に応じて常に変化する。あなたがテキストメッセージを送ったりブログに投稿したりするのは、電話をかけたり電話会議をしたりするようなものだから、通話に関する法律を出発点にしなければならないのかもしれない。だが、どちらのメタファーも完璧ではない。もしかしたら、ウェブを閲覧するのはテレビのチャンネルを次々に変えるのと似ているから、テレビのほうがアナロジーとして優れているかもしれない。だが、インターネットは双方向だし、しかも「チャンネル」は無数にある。

ウェブとアプリケーションソフトウェアの下に、インターネットそのものが存在している。インターネットはただビットのパケットを運ぶだけで、それが書籍、映画、テキストメッセージ、声といったもののどの一部であるか、あるいはビットがウェブブラウザー、電話、プロジェクターといったどこに最終的に届くのかを知ることもなければ気にすることもない。ロックバンド「グレイトフル・デッド」に歌詞を提供していた元作詞家で、電子フロンティア財団共同設立者でもあるジョン・ペリー・バーロウは、インターネットが人々の意識に一気に流れ込んだ1990年代半ばに、インターネットを説明するためのあっと驚くようなメタファーを考えついた。バーロウによると、情報の流れに関する世界の規制は、長年ワインの瓶の輸送を管理するようなものだった。「ミートスペース（meatspace）」、すなわち現実世界では、書籍、郵便物、ラジオ放送、通話といった異なる「瓶」に対して、異なるルールが適用されてきた。だが、今では入れ物から解放されたビットというワインが、ネットワーク内を自由に流れている。ネットワークには何を入れてもいいし、最終的には入れたものと同じようなものが出てくるはずだ。だがそのあいだの姿は、ビットというすべて同じものだ。サイバースペースにおける、

ルールとは何だろう？　ビット自体に関するルールとは、どういったものだろうか？[原注7]

二者間で情報が送られるとき、その情報が発話、文書、写真、動画といったどんなものであろうと、そこには送り手と受け手が存在する。また、何らかの仲介者が存在する場合もある。たとえば、講堂では話者の話を聞き手が直接聞くが、この講堂を使えるようにした人も、話し手と聞き手のやりとりを実現させるなかで重要な役目を果たしている。書籍には著者と読者がいるが、そのあいだには出版社と書店もいる。インターネットでのやりとりにおいても、さまざまな関係者に同様の役割があるとみなして、何か問題が起きたときには、そのすべての関係者に責任があると考えるのが自然だ。

インターネットの構造は複雑だ。発信者と受信者は、「テキストメッセージを送り合う友人同士」「商業ウェブサイトと、自宅でじっと座っている客」「宣伝用パンフレットの見本を送ろうとしている、ある企業のオフィスと、それを受け取る地球の裏側の別の企業」かもしれない。発信者と受信者は、それぞれのインターネットサービスプロバイダーに接続している。その接続を実現しているのは、ルーター、光ファイバー通信ケーブル、衛星通信回線といったものだ。インターネット内を流れるパケットは、多くの異なる人々や集団が所有している機器や通信回線を通過していくかもしれない。発信者と受信者のそれぞれのISPを結ぶ機器の集まりを、ジョナサン・ジットレインの図解に合わせて「クラウド（雲）」と呼ぶことにしよう。**図7.1**で示されているとおり、インターネットにおける発言は、発信者からISPを経てクラウドに送られ、そこから別のISPを通じて受信者に届けられる。

もし政府が言論を規制しようとした場合、攻撃できる場所はいくつもある。ある種の言論を犯罪化することによって、話し手か話し手のISPの規制に乗り出せる。だが、話し手が聞き手と同じ国に

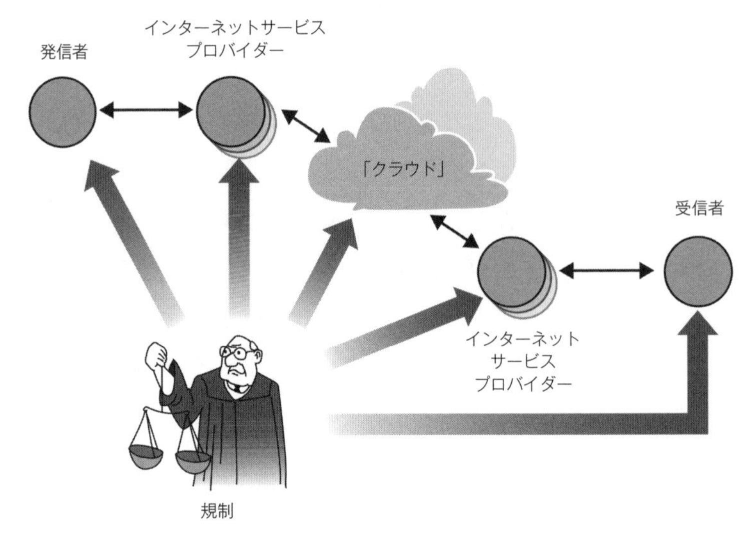

図 7.1 インターネットはどこで規制されるべきなのか？（ジョナサン・ジットレインの図解に基づいている）

いなければ、この方法はうまくいかない。あるいは、ある種のソフトウェアやデータ等の所有を禁じることによって、聞き手を規制する手も考えられるだろう。ソフトウェアは複製されなければ利用できないため、アメリカでは著作権で保護されたソフトウェアを適切な許可なしに使うのは違法とされている。また、著作権で保護されたほかのデータ等の、利益目的による配布も違法だ。だが、もし国民にプライバシーの権利が適切に与えられていたら、国民が所有しているものを政府が把握するのは難しい。アメリカのように国民が法の適正手続きの権利を適切に有している社会では、違法物の所持でひとりずつ起訴するのは手に負えないほど膨大な作業になる。そこで、政府にとっての最後の手段は、仲介者を規制することだ。

かなり早い段階から、名誉毀損法をインターネットに対応させる必要が生じた。アメリカでは、事実でない発言を第三者に伝えたことである人物の名誉を傷つけた場合、その発言は中傷だとみなされる。

現実の世界では、発言者が誰かを中傷したら、発言者と聞き手のあいだの仲介者も発言者と共同責任を負う場合もあれば、そうでない場合もある。もし私たち筆者が本書で誰かを中傷したら訴えられるかもしれないが、私たちが書いていることが事実でないと把握していたと思われる出版社も訴えられるだろう。一方、本書を書店に輸送したトラック運転手は、同じく私たちの言葉を読者に届ける手助けをしたにもかかわらず、おそらく法的責任は課せられないはずだ。では、さまざまな電子の仲介者は、出版社またはトラック運転手のどちらに近いのだろうか？　バックページドットコムに対する訴訟の展開は、この質問の答えに基づいたものだった。

著名人に対する中傷

著名人に対する中傷的な発言は、たとえ事実でなくとも、悪意を持って行われたものでなければ名誉棄損に当たらない。この特別な法理は、マスコミに書き立てられた内容に腹を立てた有名人から、名誉棄損で訴えられた報道機関を守るためのものだ。だが、ドナルド・トランプ大統領に「アメリカの『非常に弱い』名誉棄損法[原注8]」と言われたこの法律は、制定されてからまだ50年ほどしか経っていない。この法律の大きな転換点となったのは、新聞に掲載された公民権運動を支持する広告に対して、アラバマ州の当局者が新聞社を訴えた「『ニューヨーク・タイムズ』vs. サリバン」事件[原注9]だ。アンソニー・ルイスの著書*Make No Law*（法を制定してはならない[原注10]）では、この裁判の詳細が憲法修正第１条の歴史とともにわかりやすく描かれている。憲法修正第１条に関するその後の闘争については、アンソニー・ルイスの『敵対する思想の自由――アメリカ最高裁判事と修正第一条の物語』（2012年、慶應義塾大学出版会[原注11]）を参照してほしい。

社会は、電子通信における各関係者を的確に表すメタファーを探すのに苦労した。電子情報でのこの部分の話を理解するためには、インターネットによる電子通信がまだなかった時代を振り返らなければならない。

発行者？　それとも配布者？

コンピュサーブは、インターネットの黎明期において、掲示板をはじめとする電子コミュニティをその会員であるユーザーに有料で提供するサービスプロバイダーだった。そこで提供されているフォーラムのひとつ「Rumorville USA」（訳注：「アメリカ噂村」）では、放送ジャーナリズムやジャーナリストを話題にしたニュースレターが毎日配信、掲載されていた。コンピュサーブはルーマービルに掲載されている噂について、集めたものから選ぶどころか集めさえもしていなかった。同社は、ドン・フィッツパトリック・アソシエーツという第三者と、コンテンツ提供を委託する契約を結んでいた。コンピュサーブはDFAから送られてきたすべての内容を、確認もせずにただ配信していたのだった。だが、長年それで苦情が来ることはなかった。

1990年、カビーという企業が、同じくテレビやラジオ放送の噂話を提供する競合サービス「スカトルバット」（訳注：「噂話」）を始めた。すると、スカトルバットを「スタートアップ企業による詐欺」呼ばわりして、「その内容はすべてルーマービルから盗んだもの」と訴える記事が、ルーマービルで何度も掲載された。カビーは非難の声を上げると、コンピュサーブを名誉棄損で訴えた。コンピュサーブは一連の記事は中傷だと認めたが、同社はその情報の発行者ではなく、配布者にすぎないと主張した。ほかから渡された情報を、ただ会員へ配信していただけだと。つまり、名誉棄損になるかもしれない記事が掲載された雑誌を運送しているトラックの運転手と同じくらい、同社には配信されたコンテンツに対する責任はない、というのがコンピュサーブの言い分だった。

どちらが正しいアナロジーなのだろうか？　コンピュサーブは新聞のようなものなのか、それとも、新聞を読者に届けるトラック運転手に近いものなのだろうか？

トラック運転手に近いもの、というのが裁判所の判断だった。配布者は配送している出版物の内容に対して罪はないというのが、長きにわたる法的な慣習だった。配布者がトラックのなかですべての本を読んだとは、到底考えられない。裁判所はよりわかりやすいアナロジーとして、コンピュサーブは「営利目的の電子図書館」であると説明した。とにかく、配送者であろうと図書館であろうと、コンピュサーブはDFAとは経営上何の関わりもないため、DFAが提供した中傷的な記事に対する責任はないということだ。「カビー vs. コンピュサーブ」事件[原注12]の裁判は、コンピュサーブ側の圧倒的な勝利に終わった。カビーは記事の出元を訴えることはできたが、コンピュサーブはそれとは無関係だ。コンピュサーブは、罪なき仲介者なのだから。

「カビー vs. コンピュサーブ」事件の判決が出ると、全国のコンピューターサービスプロバイダーが胸をなでおろした。もし逆の判決が出ていたら、情報の電子配信はリスクを伴うビジネスと化し、ごく一部の企業しか足を踏み入れなくなっていたかもしれなかった。コンピューターネットワークは、かつてないほど経費のかからない情報インフラをつくりだしていた。何万どころか何百万もの人々を、わずか数名によって極めて安い費用でつなぎあわせることができた。配布される内容のなかで、何者かに損害を与えかねない記事がすべて真実であることを、掲載前に人間がすべて確認しなければならなくなったら、参加民主主義におけるその潜在的な有用性が極めて限定されてしまう。当面は、自由の精神が支配権を握った。

自由でもなければ安全でもなく

「たいていの場合、法はより大きな安全のためにいくぶんの自由を犠牲にするよう、私たちに求めてくる。だが、時として、法は私たちの自由を奪いながらも、より少ない安全しか提供しない」[原注13]。ユージン・ヴォロック教授は、1995年秋に行われたある裁判に対する論評でそう書き綴った。これは「カビー vs. コンピュサーブ」事件と似たような裁判だが、ある決定的な点で異なっていた。

プロディジーは、コンピュサーブとよく似たコンピューターサービスプロバイダーだった。だが、オンラインで入手できる情報の性的なコンテンツへの懸念が生じかけていた1990年代初め、プロディジーは同社が家族向けのサービスであることをうたって差別化を図ろうとした。そして、同社の電子掲示板の投稿に対して編集権を行使すると、ユーザーに約束した。「これは当然のことです」とプロディジーは宣言した。「私たちがサービスを提供させていただきたいと思っている、何百万ものアメリカのご家庭がずっと大事にしてきた価値観を反映する仕組みをつくるためには、そうしなければなりません。責任感の強い新聞は、こういったことを当たり前のように行っているのですから」。プロディジーがこの市場で成功した理由は、何でもありのウェブサイトを提供する他社のサービスとは違って、ユーザーの家族みんなが安心して同社のフォーラムにアクセスできるようにしたことが大きかった。

プロディジーの電子掲示板のひとつ「マネートーク」は、金融サービス業界についての話題が中心だった。1994年10月、証券投資会社ストラットン・オークモントに関する匿名の情報が、マネートークに投稿された。「この会社はとんでもない詐欺をはたらいている。ここの社長が犯罪者であることが、もうすぐ明るみに出る。この会社全体が、うまくやるために嘘をつくか、それが嫌なら首になるかを選ばなければならない、狂気に満ちたブローカー集団なのだ」と、匿名の投稿者は指摘した[原注14]。

ストラットン・オークモントは名誉棄損でプロディジーを訴え、プロディジーはこの中傷的な投稿の発行者とみなされるべきだと主張した。そして、２億ドルの損害賠償金を求めた。プロディジーは、投稿者が書き込んだことに対して同社には何の責任もないと反論した。数年前の「カビー vs. コンピュサーブ」判決によって、そう決着がついたではないか。プロディジーは投稿内容の発行者ではなく、配布者にすぎないのだ。

だが、ニューヨークの裁判所が逆の判決を出したことで、インターネットコミュニティはあぜんとした。「家族向けというイメージ向上のために編集権を行使したことでプロディジーは発行者となり、その責任やリスクを負うことになった」と裁判所は説明した。たしかに、プロディジーは自社を新聞社と結びつけるような発言をしていたし、発行者ではないと裁判で証明することもできなかったのだ。

このストラットン・オークモントの事件は、2013年に『ウルフ・オブ・ウォールストリート』という題名で映画化された。監督はマーティン・スコセッシで、レオナルド・ディカプリオが主演を務めた。この映画でのストラットン・オークモントの描写は、マネートークへの匿名の投稿内容と一致している。

この判決は、たしかに理にかなっていた。選択肢が発行者と配布者という、二つのメタファーだけならば。だが実際には、サービスプロバイダーはそのどちらにも、ぴったりとは当てはまらなかったのだ。投稿された文に好ましくない言葉づかいがないかどうか確認するのは、編集作業のなかではさほど大変ではない部類に入る。投稿されたすべての内容が正しいかどうかを調べるのとは、雲泥の差だ。

いずれにせよ、裁判所のこの事実認定によって、サイバースペースに安全区域をつくろうとする取り組みは損なわれた。判決後、電子掲示板運営者のあいだで、次のようなもっともな忠告が出回った。「編集や検閲をしようなどと、思ってもみないように。もしそんなことをしたら、確認から漏れてしまったどんな悪意ある嘘の投稿に対しても、あなたに法的責任が課せられる恐れがあることが『ストラットン・オークモント vs. プロディジー』判決からわかったし、それにもし、編集や検閲をしようとも思わなければ、あなたには何の法的責任もないことが『カビー vs. コンピュサーブ』判決からわかったのだから」

この忠告は、ウェブサイトの運営者にとっては安全を守るうえで助かるものかもしれないが、公益はいったいどうなってしまうのだろうか？　わいせつな投稿が行われるかもしれなくなったウェブサイトに、家族みんなが自由に参加するのを許可する一般家庭は減るだろうから、それはつまり表現の自由が脅かされたということになる。しかも、他人を中傷したい投稿者は、何でもありを方針とする生き残ったサービスのウェブサイトに引き続きいつでも嘘の書き込みができるため、それはつまり安全性は改善されないということだ。

地上で最もみだらな場所

どんな通信技術も、アイデアが湧き出るのを促すだけでなく、それを規制するためにも使われてきた。グーテンベルク聖書が出版されてから1世紀もしないうちに、ローマ教皇パウルス4世は発禁処分になった著者500名のリストを公表することになった。アメリカでは、著者や演説家は憲法修正第1条「連邦議会は、（中略）言論の自由や報道（出版）の自由を制限する法を制定してはならない」によって、政府の介入から守られている。ただし、憲法修正第1条による保護は絶対ではない。わいせつな内容を出版する権利は、誰にもない。政府は、わいせつと判断された出版物を処分することができる。たとえば1918年には、ジェイムズ・ジョイスの『ユリシーズ』からの抜粋が掲載された雑誌が、郵政当局によって燃やされた。

何をもってわいせつとするのかというのは、アメリカの歴史のなかで何度も法廷で争われてきた問題だ。今日の一般的な基準は、1973年の「ミラー vs. カリフォルニア州」事件において連邦最高裁判所が採用したもので、それゆえ「ミラーテスト」と呼ばれている。[原注15]問題の作品がわいせつであるかどうかを判断する際、裁判所は次の点を考慮しなければならない。

1．平均的な人物が、自身が属している地域社会（コミュニティ）の現在の基準を当てはめてみた場合、その作品が全体として性的な興味に訴えてくるものと思うか。

2．その作品は、適用される州法で明確に定義された性行為を、明らかに不快の念を起こす表現を用いて描写または記述されているものか。

3．その作品は全体的に見て、文学的、芸術的、政治的、または科学的な有用性に著しく欠けているものか。

この３つの問いの答えがすべて「はい」の場合のみ、その作品はわいせつとみなされる。

ミラー判決が画期的だったのは、わいせつには全国共通の基準がないという指針を確立させたことだ。存在しているのは「地域社会」における基準のみであり、それはミシシッピ州とニューヨーク市とでは異なっていてもおかしくない。とはいえ、1973年にはコンピューターネットワークはまだ存在していなかった。サイバースペース内の「地域社会」とは、どういったものだろう？

1992年、できたばかりのワールド・ワイド・ウェブは、その頃は「世界的規模（ワールドワイド）」とはまだとても言えなかったが、アメリカ国民の多くはダイヤルアップ接続を利用して電子掲示板にアクセスし、そこに集められた情報を手に入れていた。一部の電子掲示板は無料で利用できて、たとえば「野球」「鳥」といった同じ趣味を持つ人々が集まってコミュニティをつくっていた。ほかには、無料のソフトウェアを配布する電子掲示板もあった。カリフォルニア州ミルピタスに住むボブ・トーマスと妻のカーリーンは、「アマチュアアクション」という、ほかとは異なる類の電子掲示板を運営していた。その広告では「地上で最もみだらな場所」と説明されていた。

会費さえ払えば、アマチュアアクションに掲載された画像を誰でもダウンロードできた。それらの写真は通常人前で見るのははばかられるが、近くのサンフランシスコやサンノゼの街なかで手に入る雑誌には掲載されているようなものだった。トーマス夫妻は、わいせつ物を配布しているのではないかと疑いを抱いたサンノゼ警察の強制捜査を受けた。だが実際の写真を見た警察は、当地域の基準ではわいせつ物にあたらないと判断した。

不起訴になったボブとカーリーンは、電子掲示板に次のような注意書きを加えた。「当アマチュアアクション電子掲示板が合法的に運営されていることが、サンノゼ警察をはじめ、サンタクララ郡地方検事局、カリフォルニア州にも認められています[原注16]」

２年後の1994年２月、トーマス夫妻は再び強制捜査を受け、彼らのコンピューターが押収された。今回は郵便監査官であるデビッド・ディルメイヤー捜査員の告発によるもので、彼が住んでいたのは何と「テネシー州西部」だった（訳注：テネシー州は保守的な地域として知られている）。ディルメイヤーは偽名を使って55ドル支払い、メンフィスにある自身のコンピューターに画像をダウンロードした。それらは獣姦、近親相姦、SMといった、とりわけメンフィスにおいてはわいせつ極まりないものだった。トーマス夫妻は逮捕された。二人は電気通信事業者を介した州際通商でわいせつ物を輸送した容疑で連邦政府に告訴され、メンフィスで裁判にかけられた。そして、テネシー州の陪審員団によって有罪判決を受けた。その理由は、ミルピタスで運営されている二人の電子掲示板が、メンフィスの地域社会の基準に違反しているというものだった。ボブは懲役３年１カ月、カーリーンは懲役２年６カ月の刑を言い渡された。

この判決に対して、トーマス夫妻は控訴した。そして、彼らはビットの行方は把握していて、それはサンノゼのようにこうした画像が問題なく受け入れられる地域社会である、サイバースペースのコミュニティに送られたものだと主張した。だが、控訴裁判所は同意しなかった。ディルメイヤーはアマチュアアクションの会員に申し込んだときに、テネシー州の住所を記入していた。さらに、トーマス夫妻はパスワードを伝えるために、彼のメンフィスの番号に電話をかけていた。つまり、二人はディルメイヤーの居場所を知っていたはずだというのが、裁判所の判断だった。裁判所は最後にトーマス夫妻に対して、州外の人々にも画像を売り出すのなら、そのビットの送り先をもっと慎重に見極めるべきだったと忠告した。ビットを送るのは、UPS宅配便でビデオテープを送るのと同じことなのだと（トーマス夫妻はこの容疑でも起訴されていた[原注17]）。ミートスペースの法律が、サイバースペースにも適用された。しかも、ある都市の法的基準が、何千キロも離れた場所でも適用される場合もあるのだ。

大勢による対話への最も参加しやすい形式

電子の世界が言葉や画像といったものを、保存や伝送できるようになった瞬間、ポルノがその一部になった。トーマス夫妻は、ビットは書籍のようなものであり、同じわいせつの基準が適用されることを学んだ。

1990年代半ばになると、別の事態も起きた。コンピューターとネットワークの普及によって、入手可能なデジタル画像とそれを見る人の数が大幅に増えたのだ。デジタルポルノは、以前の内容が新たな形式になったものだけではなくなった。それは数が膨大で、しかも自宅のプライベートな空間で簡単に手に入れられるという、まったく新たなものになったように思えた。ネブラスカ州選出の上院議員ジム・エクソンは、通信法案に反インターネットポルノの修正条項を加えようとしたが、人権の観点から廃案になるのは明らかなように見えた。そして、大騒動が起きた。

1995年7月3日、『タイム』の表紙一面に、「サイバーポルノ」という文字が躍った。その記事の大半は、ある大学による一件の調査に基づくものだった。

> カーネギーメロン大学の研究者たちの発見によると、「オンラインには、恐ろしいほど多くのポルノがあふれている」。同大学の研究チームは、性的表現が露骨な写真、記述、短編、映像計91万7410件を、1年半にわたって調査した。こうしたデジタル画像も保存されているUsenet(ユースネット)ニュースグループでは、画像の83.5パーセントがわいせつなものだった。[原注18]

この統計値が全データトラフィックのごく一部についてのものであることは、記事の後半で触れられている。だが、こうした問題の画像の大半は、子どもや部外者はアクセスできない、ユーザーが制限された電子掲示板に保存されているものだということには触れられていなかった。また、この記事では、政府による検閲の問題が取り上げられ、親の重要な役割についてのジョン・ペリー・バーロウの言葉も引用されていた。それでも、アイオワ州選出の上院議員チャック・グラスリーは『タイム』のこの記事を連邦議会で読み上げて議事録にその記録を残し、記事の結論は高名なジョージタウン大学法科大学院の専門誌に基づいたものだと解説しながら、「非難されている今日の親たちに手を貸そう」「次第に大きくなっている、この潮流をせき止めるのに協力しよう」と連邦議会に呼びかけた。

グラスリーの演説と、エクソン上院議員の友人がダウンロードして国会議事堂で回覧したわいせつ写真に刺激された連邦議会は、アメリカの子どもたちを救おうと立ち上がった。1996年2月、通信品位法（CDA）がほぼ満場一致で通過し、クリントン大統領が署名して法を成立させた。

CDAによって、「自身が属している地域社会（コミュニティ）の現在の基準を当てはめてみた場合に明らかに不快の念を起こす、性的あるいは排出活動や、器官についての描写または記述と文脈的に捉えられるような、どんな意見、要求、提言、提案、画像といったかたちでのやりとりを18歳未満の者も見ることができる方法で表現するために、双方向のコンピューターサービスを利用すること」は、いかなる場合も犯罪となった。また、「そのような禁じられた活動に通信設備を利用しようとする人物に対して、それがわかったうえで設備の利用を許可した者」にも刑事罰が与えられる。さらに、18歳未満とわかっている者に対して「わいせつ、またはいかがわしい内容」を送るのも犯罪になる。

こうした「わいせつな表現を規制する条項」によって、CDAはすでにインターネットに適用されていた既存のわいせつ物取り締まり法を大幅に拡大したものとなった。「明らかに不快の念を起こす画像を、18歳未満の者が入手できるようにすること」と「18歳未満とわかっている者にいかがわしい物を送ること」に対する二重の禁止は、印刷出版物に適用される法律とはまったく異なっていた。「いかがわしい」とは、どうやら「わいせつ」ほどは過激でないレベルを指しているらしい何だかよくわからない言葉だが、CDA以前は「わいせつ物」のみが違法とされていた。街角の新聞雑誌売り場なら12歳と20歳の客の見分けがつくが、サイバースペースではどのようにして年齢を確認すればいいのだろうか？

CDAが成立すると、ジョン・ペリー・バーロウは、情報の自由な流れを実現するうえでのインターネットの可能性が脅かされていることに気づいた。そこで、言論を規制しようとする政府の取り組みに対して、今やすっかり有名となった次の声明書を出した。[原注19]

> 先進工業国の政府たちよ。君たちは肉と鋼鉄でできた疲れ切った巨人のようだが、一方の私は、精神の新たな住処（すみか）であるサイバースペースからやってきた。未来を代表して、お願いしたいことがある。私たちは、過去の世界のあなたたちに邪魔されたくないのだ。私たちが集うところには、あなたの主権はない。（中略）私たちはすべての人が人種、経済力、軍事力、あるいは生まれながらの身分で特権を得られることもなければ、差別されることもない世界をつくっている。誰もが自身の信念を、たとえそれがどんなに風変わりなものであろうと、沈黙や服従を強要されるのを恐れることなくどこでも表明できる世界を、私たちはつくっている。（中略）私たちの世界では、品位が劣るものから天使のように美しいものにいたる、あらゆる人間的な感情や表現は、すべてが継ぎ目なく一体化したもの、つまりビットによる世界規模の会話の一部なのだ。（中略）あなたたちはこのサイバースペースの未開拓地に警備所を設置して、自由というウィルスを寄せつけないようにしようとしている。

これはたしかに勇敢で感動的な言葉だが、「すべてが継ぎ目なく一体化したもの」という、このサイバースペースについての概念が疑わしいという指摘もある。トーマス夫妻が学んだように、ビットは少なくともメンフィスではミルピタスとは異なるわいせつ基準に対応できなければならなかった。そもそも、インターネットが「『未開拓地』がある『空間』」だというメタファー自体が致命的な欠陥と呼べるものであり、このメタファーの誤用が今なお法律や政策を悪化し続けている。

市民的自由主義者たちも、通信品位法に異議を申し立てる声に加わった。その後すぐ、連邦地方裁判所と連邦最高裁判所は、のちに重大な判例となる「アメリカ自由人権協会 vs. レノ」事件で判決を下した。それは、CDAの「わいせつな表現を規制する条項」は違憲であるというものだった。「政府はやむを得ない理由がなければ、言論の自由を規制してはならない」。ダルゼル判事は連邦地方裁判所の判決でそう記した。「また、規制する場合は、最も制限が少ない方法で行わなければならない」。インターネットにおいて、どんな成人も見る法的権利がある物を、見るかもしれない者すべてに対して年齢確認を行うよう求めるのは、会話や講演などを容認しがたいほど妨げることになる。

政府は、インターネット通信に対する政府の監視のアナロジーとして、連邦通信委員会には「いかがわしくない」ことを求められるテレビやラジオ放送の内容を規制する権限がある点を挙げて反論した。

だが、両裁判所ともその訴えに同意しなかった。両裁判所の見解は、「インターネットは放送メディアよりもはるかに開けているゆえ、FCCのアナロジーは当てはまらない」というものだった。つまり、異なるメディアには異なる種類の法律が必要であり、テレビとラジオに対する法律は、活字メディアに対するものと比べて規制が厳しい。同様に、インターネットに対する法律もテレビやラジオのものより規制を緩やかにすべきだ、ということだ。ダルゼル判事は、次のように記述している。

> もし、「新聞品位法」なるものが通過するとしたら、それはアフリカで行われている女性器切除についての『ニューヨーク・タイム

ズ』の第1面記事を少女たちが読むのは違憲ではないかと連邦議会が考えたからだと、私は確信している。(中略) インターネットを世界規模で行われている尽きることのない会話とみなすのは、適正だと思われる。政府はCDAを通じて、その会話を妨げてはならない。これまでつくられたなかで、大勢による対話への最も参加しやすい形式といえるインターネットには、政府の介入に対する最大の保護が与えられてしかるべきだ。[原注20]

CDAの「わいせつな表現を規制する条項」は、無効になった。要は、裁判所は、子どもたちをいかがわしさから守るという狭い範囲の目的を果たすうえで、発想の活発な取引の場としてのインターネットのあらゆる可能性をリスクにさらしたくなかったのだ。その代わりに、不要な伝達を遮断する責務を、発信者のISPから受信者のISPに移管させた。法的に見れば、発言が「クラウド」から出てきて聞き手に届けられる地点以外に、言論を規制できる場所はなかったのだ。

電子的な自由を守る

電子フロンティア財団(www.eff.org)は、憲法修正第1条をはじめとする、サイバースペースでの個人の権利の保護を目的として第一線で活躍を続けている非営利の権利擁護団体だ。皮肉なことに、同団体はしばしばメディアや電気通信会社と対立関係になる。原則的には、電気通信会社の最大の関心事は、自由な情報のやりとりであるはずだ。だが、実際の経営においては、消費者の選択肢を制限したり一般市民に対する監視や個人データ収集を強化したりする方針によって、金銭的な恩恵を得ることのほうが多い。EFFはCDAが覆された裁判では、原告側に加わって法廷で争っている。

1995年から1996年にかけてのインターネット上のいかがわしさをめぐる興奮状態に埋もれてしまったのは、議会が法律の制定へと動き始めるきっかけとなった「カーネギーメロン大学の研究レポート」が、『タイム』の記事が出たほぼ直後から疑問視されるようになったという事実だった。このレポートは、当時電気工学科の学部生だったマーティン・リムが論文として書いたものだった。彼の研究のやり方には不備があり、しかもおそらく不正な手段を使っていた。たとえば、リムはアダルト向けの電子掲示板運営者に、「ポルノをオンラインで販売する最善の方法を研究しているので、協力してくれたらいつかお返しとしてその技をあなたにも教える」と話を持ちかけていたという[原注21]。彼の研究結果は信用できなかった。だが、そもそもなぜ彼の論文が発表された時点で、そういった指摘がなされなかったのだろう？　なぜなら、グラスリー上院議員の説明は誤りで、この論文が実際に掲載されたのはジョージタウン大学が発行する専門誌ではなく、学生が発行している *Georgetown Law Review*（ジョージタウン法律論評誌）だったのだ。そこでは、学生や専門家による論評は行われていなかった。「サイバーポルノ」の記事が掲載されてから３週間後、『タイム』はリムの研究は信用性に欠けることを認めた。リムは自身の研究が否定されたにもかかわらず、そのときの取り組みから何らかの成果を回収することができた。それは *The Pornographer's Handbook: How to Exploit Women, Dupe Men, & Make Lots of Money.*（ポルノ製作者ための手引書。女を利用し、男をだまして大金を稼ぐ方法）という著書の出版につながったのだった。

よきサマリア人と、数名の悪い者たちを保護する法律

編集上の判断を行う意欲をインターネットサービスプロバイダー（ISP）から削いでしまった「ストラットン・オークモント vs. プロディジー」判決は、連邦議会が子どもたちをインターネットポルノから守

るための通信品位法（CDA）成立の準備をちょうど進めていた1995年に下された。連邦議会は、このストラットン・オークモント判決の影響で、自身が運営するウェブサイトに不快の念を起こす内容が投稿されていないかどうかをISPが自発的に確認する件数は減るだろうと見ていた。そのため、CDAの提案者たちは「よきサマリア人条項」（訳注：一般には「よきサマリア人の法」という。病人を救うために無償で善意の行動をした場合には（たとえ失敗しても）結果責任を問わないこと）を同法案に加えた。

その意図は、ISPがプロディジーのような苦境に陥らないよう、編集した内容について責任を負うというリスクなしに、ISPに編集者としての役割を担ってもらうことだった。そういうわけで、「わいせつ、みだら、煽情的、下品、過剰に暴力的、嫌がらせ目的、またはその他の不愉快な内容」を善意によって取り除こうとするためのどんな行動に対しても、ISPの責任を免除する条項がCDAに加えられた。そのうえ、CDAはカビーの訴訟で裁判所が使った「配布者」のメタファーを、限界を超えて拡張した。つまり、ISPを発行者とも発信者ともみなしてはならないということだった。「ほかの情報コンテンツプロバイダーから提供されたどんな情報に対しても、双方向コンピューターサービスのプロバイダーあるいはユーザーを、発行者や発言者として扱ってはならない[原注22]」。これがCDA第230条の要点であり、それはつまり「ストラットン・オークモント vs. プロディジー」事件のような不条理な事態は、今後は起きることがないという意味だ。

1996年に連邦最高裁判所はCDAを無効にしたが、実際に取り消されたのは「いかがわしい」内容の提供者を脅かす「わいせつな表現を規制する条項」のみだった。「よきサマリア人条項」は有効であると認められ、今日も法として残っている。ISPは、その過程で発行者としての法的責任を負わされるリスクなしに、ウェブサイトの内容を好きなだけふるいにかけたり検閲したりできる。あるいは、それをまったくやらないという選択肢も与えられていて、ケン・ゼランは数年後にその事実を悲痛とともに知ることになる。

CDAと差別

「よきサマリア人条項」によって、「サービスプロバイダー」（免責が与えられる）と「コンテンツプロバイダー」（免責が与えられない）のあいだに明確な境界線が引かれた。だが、テクノロジーの世界が進化するにつれて、この区別は曖昧になってきている。

カリフォルニア州で、ルームメイトを探すためのあるルームメイトマッチングサービスが訴えられた。その理由は、ルームメイトに対して希望する条件を分類することで（「女性のみ」など）、ユーザーに差別させようとしているというものだった。裁判所は、同ウェブサイトの運営者はサービスプロバイダーとしての免責が与えられるという判決を下した。ところが、控訴裁判所は判決を覆した。同ウェブサイトはユーザーが提供した情報を選んで別のユーザーに提供しているため（たとえば、女性のルームメイトを探している人に対しては、ルームメイトを探している男性についての情報は与えられない）、コンテンツプロバイダーであるというのがその理由だった。ユーザーごとに異なる情報を提供すること自体は、特に問題ではない。だが、情報を好きなだけふるいにかけてもいいという、ルームメイトサービスがCDAのもとで与えられた包括的な保護は、ユーザーに希望する人種を尋ねてそれを尊重しても、同じように免責になるという意味でもあるのだ。そのような差別は新聞広告では違法になる、というのが控訴裁判所の見解だった。「連邦議会はそういった差別が目的でCDAを通過させたのではないと、私たちは考えている」と、控訴裁判所の判事は記している。[原注23]

2001年アメリカ同時多発テロでニューヨークのワールドトレードセンターが破壊される以前の、アメリカ史上最悪の国内テロ攻撃は、1995年4月19日にオクラホマシティで起きたアルフレッド・P・マラー連邦ビル爆破事件だった。この爆発によって、保育所にいた子どもたちも含めた168人が死亡した。ビルが倒壊してガラスやがれきが近隣に降り注いだため、さらに数百人が負傷した。

その後１週間もしないうちに、「KenZZ03（ケン）」というハンドル名の人物が、アメリカオンライン（AOL）の電子掲示板に広告を投稿した。ケンは「やんちゃなオクラホマＴシャツ」を販売していた。それらのＴシャツには、「オクラホマを訪ねよう――ぶっとぶほどすばらしいぞ」や「ぎゅうぎゅうに積み上げてしまえ――オクラホマ1995」といった人目を引く文句がプリントされていた。ほかにももっと露骨で悪趣味のものもあった。広告には、Ｔシャツを購入する際はケンに電話することと書かれていた。そして、ケンの電話番号が掲載されていた。

この番号は、ワシントン州シアトルに住むアーティストで映画製作者でもあるケン・ゼランのものだった。ゼランは例のAOLの投稿とは無関係だった。それは悪質ないたずらだったのだ。

ケン・ゼランの電話が鳴り出した。怒りに満ちた侮辱的な電話が次々にかかってきた。殺害予告もあった。

ゼランはAOLに電話をして、例の投稿を削除することと撤回した旨を掲示することを依頼した。AOLの従業員は元の投稿の削除には応じると約束したが、撤回の掲示は同社の方針に反するためできないと答えた。

翌日、若干異なるハンドル名を使った匿名の投稿者が、さらに不快な文句のついたＴシャツを販売していた。

その投稿には「ケンに電話してくれ。それに、今注文が殺到中なんだ。だから話し中でも、あきらめずにかけ直してほしい」とも書かれていた。

ゼランはAOLに何度も電話をして、投稿の削除とさらなる投稿の防止を求めた。AOLは投稿者のアカウント停止と投稿の削除を何度も約束しておきながら、そうしなかった。４月30日の時点では、ケンの電話は２分ごとに鳴り続けていた。ゼランのアーティストとしての仕事の依頼はすべてその番号にかかってくるため、生活のことを考えると番号を変えることも電話に出ないことも無理な話だった。

その頃、シアトルのラジオ局KRXOで、朝の通勤時間帯のトーク番組の司会を務めるシャノン・フラートンのもとに、問題の投稿を添付した電子メールが届いた。通常、フラートンのこの番組はジョークを交えた明るく楽しいものだったが、爆破事件のあとの数回の放送では、彼は共演者とともにオクラホマシティの悲劇への深い悲しみを地域社会と分かち合っていた。フラートンは、ケンのTシャツに書かれた文句を読み上げた。さらに、ケンの電話番号も読み上げてから、この文句を聞いた感想をこの男に電話して伝えようとリスナーに告げた。

ゼランへの電話や殺害予告は、さらに増えた。身の危険を感じたゼランは、警察に自宅周辺の見張りを頼んだ。電話をかけてきた者の大半はゼランの言い分には耳を貸さなかったが、彼はようやくそのなかのひとりから、KRXOの番組での出来事について知ることができた。ゼランはラジオ局に連絡した。KRXOはフラートンの発言を撤回し、ゼランへの電話は1日15件にまで減った。その後、ある新聞がこの悪質ないたずらについて取り上げた。すると、投稿を誰でも読める状態で1週間放置していたAOLは、ようやく投稿を削除した。ゼランの生活は、やっと元に戻り始めた。

ゼランは名誉棄損をはじめとする数件の理由で、AOLを訴えた。そして、AOLがあのような投稿を掲示し、しかもそれが偽物であるという指摘があってからも長期にわたり放置したことで、深刻な損害を受けたと主張した。

だが、ゼランは一審判決で負け、控訴裁判所も下級裁判所の判決を支持した。投稿を掲示して、それが不正なものと指摘されても削除しないことを選んだAOLの振る舞いは、たしかに発行者としてのものだ。しかも、「カビー vs. コンピュサーブ」事件の被告とは違い、AOL は自身が何を発行していたのか正確に把握していた。だが、CDA の「よきサマリア人条項」には、AOL を法的に「発行者として扱ってはならない」ことが明確に示されている。つまり、AOL にはゼランの災難に対する法的責任はなかったというわけだ。[原注24]

ゼランに残された唯一の手段は、投稿を行ったハンドル名「ケンZZ03」なる人物を特定することだった。だが、AOL は彼に協力しようとはしなかった。誰もがゼランに同情したが、この法律があるかぎり誰も助けられなかった。

投稿者は責任を回避するためには身元を隠し続ければいいし、インターネットでは簡単にそうすることができた。そして連邦議会は、偽物だったり人に損害を与える恐れがあったりする投稿について、たとえ ISP がそう把握していたとしても、そういった投稿による結果に対して ISP に完全な免責を与えていた。「よきサマリア人条項」がもたらす影響についてじっくりと考えた者は、連邦議会に誰もいなかったのだろうか？

ラジオ局の法的責任は？

ゼランはラジオ局に対しても別途訴訟を起こしたが、こちらの裁判にも負けてしまった。彼に電話をかけてきた人たちは、ケン・ゼランが何者かすら知らなかった。つまり、ラジオ局が「ケン」のことを悪く言ってもゼラン自身の名誉が傷つけられたわけではないゆえ、たとえゼランがどんなに苦痛を受けてもこの件は名誉棄損にはあたらない、というのが裁判所の判断だった。[原注25]

予期せぬ結果をもたらす法律

CDA の「よきサマリア人条項」は言論の自由の味方であり、インターネットサービスプロバイダーにとって大きな安心だった。だがその適用は、この条項がつくられた精神とは道理上つながらなくなっていった。バックページドットコムの判決を出すにあたり、連邦地方裁判所は M.A. の母親たちの落胆の声に対して、次のとおり理解を示した。

> ここではっきりと述べておきたいのは、当裁判所はジェーン・ドウその1、ジェーン・ドウその2、ジェーン・ドウその3が語った悲劇的で苦しい状況に、決して同情していないわけではないという点だ。また、児童の性的人身売買は忌まわしい悪以外の何物でもないということも認識している。さらに、当裁判所は事情に疎いわけでもない。性的人身売買業者や、薬物からポルノにいたる違法な物品を提供する者たちが、インターネットの脆弱性を取引の道具として利用していることは、私もきちんと把握している。連邦議会が明確に示した方針に各々が同意するかどうかは別として、（中略）インターネットに関するかぎり、人身売買の抑制と表現の自由とのバランスは後者に傾くべきだというのが連邦議会の決断なのだ。[原注26]

CDAは、名誉棄損に対しても安全な場所を用意していた。シドニー・ブルーメンソールは、ビル・クリントンが大統領だった当時に補佐官を務めていた。補佐官としてのブルーメンソールの役割は、大統領の敵の悪い噂を巻き散らすことだった。1997年8月11日、保守派のオンラインコラムニストのマット・ドラッジは、「うまいこと隠しとおされているが、シドニー・ブルーメンソールは過去に配偶者を虐待していた」という記事を出した。ホワイトハウスはそれを否定し、翌日ドラッジは記事の内容を取り下げた。ブルーメンソール夫妻は、ドラッジと契約を結んでいた（しかも、より財布が大きい）AOLを訴えた。夫妻が求めた損害賠償金額は、6億3000万21ドルだった。AOLはドラッジが送った内容を編集できるため、同社もドラッジ同様に中傷に対して責任がある、というのがブルーメンソール夫妻の主張だった。AOLは掲載したくない内容に対して、ドラッジに消去を求めることさえできたはずだ、と。裁判所は

CDAの「よきサマリア人条項」を理由に、AOL側を支持する判決を下した。そして、AOLを発行者として扱うことはできないゆえ、AOLにドラッジの嘘に対する法的責任を課すことはできないのだと説明した。以上、一件落着。[原注27]

だが、通信品位法（CDA）の「よきサマリア人条項」のこうした適用によって、同法がインターネットを使った性犯罪を保護することになるという、おかしな話が起きてしまった。

1998年、ある母親と未成年の息子の仮名であるジェーン・ドウとジョン・ドウは、息子が被害に遭ったとしてAOLを訴えた。ドウ親子の主張は、息子が11歳のときに自らを撮影したポルノ画像が、AOLのチャットルームを介して販売されているというものだった。ドウ親子の話によると、1997年にリチャード・リー・ラッセルという男が息子ジョンとほか２名の男児をおびき出し、彼ら同士、そしてラッセルも交えての性行為が行われた。その後ラッセルはAOLのチャットルームを利用して、こうした性行為を撮影した写真やビデオテープを売り出したという。

ジェーン・ドウはAOLに苦情を申し立てた。そういった不適切な行為をする者に対してAOLがサービスを打ち切る権利を保持していることが、ユーザーとの契約条件のなかで明確に示されていた。それにもかかわらず、AOLはラッセルの販売行為を停止することもなければ、それをやめるよう注意することすらしなかったのだ。ドウ親子は、ジョン・ドウへの性的虐待においてAOLが果たした役割に対する損害賠償を求めた。

だが、ドウ親子は敗訴した。フロリダ州の裁判所は、「よきサマリア人条項」とゼラン判決の判例を理由に、AOLには非がないと判断した。つまり、自社の電子掲示板で児童ポルノが販売されているのを見て見ぬふりをしていたオンラインサービスプロバイダーを、児童ポルノの広告を出した発行者として扱ってはならないからだった。

ドウ親子は控訴したが、再び敗れた。フロリダ州最高裁判所で行われた多数決では、4対3でAOLが優勢という判断が下された。J. ルイス判事の反対意見の記述は、怒りに満ちているようだった。そもそも「よきサマリア人条項」とは、子どもを守ろうとする親たちの助けになる、フィルタリングやブロッキング技術開発での阻害要因を排除するためにできたものだ。「不法行為を抑制するための行動をまったく取らずに、（中略）その利用者に継続してサービスを提供して利益を得ていたとされるISPに、潜在的法的責任を負わせないようにするのがCDAの目的だと連邦議会が考えたとは、到底思えない。この法は、（中略）紛れもなく子どもに有害な内容に対して何の措置も取らないという非難されるべき目に余る失敗を犯したISPを、大目に見て責任から免除するものと化してしまった。こんなものに意味はあるのだろうか。ここ一連の判決によって、連邦議会は、ISPが利益のために『物言わぬ株主』として犯罪活動に関与するのを促し保護するための法律を制定した議会という、ありえない立場に置かれてしまうことになった」とルイスは記している。[原注28]

ルイス判事の見解どおり、問題は「ISPは発行者のようなものではない」というだけでは不十分だという点だ。ケン・ゼランが説きつけようとしたように、ISPはどちらかといえば配布者であり、しかも、配布者は配布する物に対して「一切」責任がないというわけでもないのだ。自分が児童ポルノを輸送していることを把握していて、なおかつそれによって稼ぎを得ているトラック運転手は、違法な商売の片棒を担いだことに対して「何らかの」法的責任がある。彼の役目は発行者のそれではないが、かといって何の役目もないわけでもない。ゼラン裁判で誤ったアナロジーが使われたことで、混乱が起きてしまった。その混乱の種をまいたのは、発行者のアナロジーは間違っていると言ったあとに正しいアナロジーについて何も言わなかった連邦議会だ。

これらすべてが、20年後のM.A.の母親の痛ましいほどの落胆につながった。バックページドットコムへの訴訟で、M.A.の母親側の控訴を棄却した第1巡回区控訴裁判所は、CDAは適用範囲が意図的に広められているが、もしそれを狭める必要があるとしてもそう改正するかどうかは連邦議会が判断することであり、裁判所が再解釈することではないと明言した。「連邦議会はCDAを成立させたときに何の不安も抱かずに、インターネット上の発行者をより手厚く保護することを選んだ。ウェブサイトが売春に関わるビジネスモデルを通じて運営されていることを示すだけでは、そういった保護を奪うことはできない。もし控訴人が突き止めた悪が、CDAの原動力である憲法修正第1条の価値を凌ぐと思われるのなら、その改善は訴訟ではなく法律を通じて行われなければならない[原注29]」

インターネットは雑誌販売店のようになれるものだろうか？

1997年にCDAの「わいせつな表現を規制する条項」が違憲と判断されたあと、連邦議会はアメリカの子どもたちを守ることに再び取り組んだ。1998年に成立した児童オンライン（COPA）保護法には、CDAの重要な要素が多く取り入れられていたが、CDAの憲法上の問題を避けるために適用範囲が狭められていた。この法は「営利的言論」にのみ適用され、相手が未成年者であることを知りながら「未成年者に有害な内容物」を相手に入手可能にすることは犯罪とされた。この法の目的に合わせて、「未成年者」とは17歳未満の者すべてとされた。また、この法では「わいせつではないが『未成年者に有害な』内容物」を定義するために、わいせつかどうかを判断するミラーテストを拡張して使用している。

「未成年者に有害な内容物」とは以下に当てはまる、どんな通信内

> 容をも指す。（A）平均的な人物が、自身が属している地域社会（コミュニティ）の現在の基準を当てはめてみた場合、それが未成年者対して全体として性的な興味に訴えてくるようにつくられていると思える。（B）未成年者が明らかに不快の念を起こす表現を用いて、[a] 性行為、みだらなかたちで露出された性器、思春期をすぎた女性の胸が描写または記述されている。（C）未成年者にとって、全体的に見て、文学的、芸術的、政治的、または科学的な有用性に著しく欠けている。[原注30]

COPA に対する異議申し立てがすぐさまなされ、この法律は結局発効しなかった。違憲になる可能性が高いという判断から、政府は連邦地方裁判所の判事にこの法を施行しないよう命じられた。本件は二人の大統領の任期中に、何度も裁判所を往復した。まずは「アメリカ自由人権協会（ACLU） vs. レノ」事件として始まり、一時は「ACLU vs. アシュクロフト」事件として知られるようになり、判決時には「ACLU vs. ゴンザレス」事件となった。判事たちは、見るべきではない内容から子どもたちを守るという連邦議会の意志にみな賛同した。だが、2007年3月、ついにCOPA に斧が振り落とされた。ペンシルバニア州東地区連邦地方裁判所のローウェル・A・リード・ジュニア判事は、この法は言論の制限において度を超えてしまっていることが確認されたと伝えた。

この法の問題点のひとつは、「未成年者に有害な内容物」の曖昧な定義だった。16歳と8歳の性的な興味は異なるだろうし、ティーンエイジャーにとっては文学的に有用なものでも、年齢が低い子どもには何の価値もないかもしれない。懲役になるリスクを避けるためには、ウェブデザイナーはどの基準を採用すればいいかをどう判断すべきなのだろう？

だが、さらに基本的な問題もあった。COPA の意義は、成人が所持するのは法的にまったく問題のない物から未成年者を遠ざけることだ。それは情報の配布者に対して、こうした内容物の受け手が成人であることを確認しなければならないという負担を課すことになる。COPAは、善意によって客の年齢を確認した者が起訴されないための「安全港」を提供していた。連邦議会が想定したのは雑誌販売店で、そこでは店員はカウンターの上に手が届かない子どもにいやらしい雑誌を売ることもなければ、成人か未成年者か判断しづらい見た目の客に身分証明書の提示を求める場合もある。この法律は、それと似たようなことがサイバースペースでも行われるようになるという想定のもとでつくられたのだ。

> 被告が未成年者に有害な内容物への未成年者のアクセスを以下の方法で制限していた場合、それはこの条に基づく起訴に対する積極的抗弁となる。(A) クレジットカード、デビットカード、成人のものであるアクセスコード、成人の身分証明番号の利用を求める方法。(B) 年齢を証明するデジタル証明書を確認する方法。(C) 利用可能なテクノロジーで実現できるほかの合理的手段を利用する方法。

ここでの大きな問題は、こうした方法は効果がないか、あるいは存在すらしないという点だった。すべての大人がクレジットカードを持っているわけではないし、しかもクレジットカード会社は年齢確認のために自社のデータベースを利用されるのをよしとしない。また、もしあなたが「成人の身分証明番号」や「年齢を証明するデジタル証明書」の意味がわからなくても、気にする必要はない。私たちにもそれが何かわからない。基本的に節 (B) と (C) は、遠くからでも年齢を確認できる何らかの魔法のテクノロジーを思いついてほしいという、産業界に対する連邦議会のある種の懇願だ。

だが現状は、最先端のテクノロジーをもってしても、コンピューターは通信リンクの相手側が人間なのかそれともほかのコンピューターなのかを、確実に特定することはできない。コンピューターにとってある人物が17歳以上なのかそうでないのかを判断するのは、多少の間違いが許されたとしても極めて難しいはずだ。いたずら好き15歳は、一般家庭で導入できる程度の簡単な年齢確認システムなら、どんなものでもごまかせるだろう。どう考えても、インターネットは雑誌販売店と同じにはいかないのだ。

たとえクレジットカード番号や身分証明システムで大人と子どもを区別できたとしても、そういった方法はコンピューターユーザーをおじけづかせてしまうと、リード判事は論じた。個人情報の窃盗や政府の監視への懸念から、コンピューターユーザーの多くは、「未成年者に有害」とみなされているウェブサイトを訪れる代償として質問されたり身分証明を求められたりしても拒否するはずだ。すると、この巨大な電子図書館は使用できないも同然になり、閉鎖に追い込まれるだろう。普通の図書館で児童図書コーナー以外にも思い切って乗り込もうとする者すべてが身元調査に耐えねばならないとしたら、誰も利用しなくなるのと同じに。

リード判事は、「連邦議会はこの法律が安全港になると忠告しているが、たとえそれが少しでもうまく機能すれば、インターネットでの言論を大幅に制限することになるだろう」と結論づけた。大人には見る権利のある情報が、実際には彼らにも手に入れられなくなってしまうということだ。CDAが無効になったときに言及されたフィルタリング技術は、現在は向上している。ゆえに、言論の制限が子どもを守れる唯一の手段だと政府が主張するのには無理がある。しかも、たとえ表現の自由に関する懸念が鎮められるか無視されたとしても、そしてさらに、たとえCOPAの意図するものがすべて完璧にうまくいったとしても、それでも子どもたちが手に入れられるわいせつ物は山ほどある。インターネットには国境はないが、

COPAの適用範囲はアメリカ国内のみだ。COPAは、海外から大量に流れてくる有害なビットを止めることはできないのだ。

まとめとして、リード判事は国旗焼却事件に対するケネディ連邦最高裁判所判事の次の意見を引用した。「私たちはときに、自分たちがそう望んでいない判断を下さなければならないという厳しい現実に直面させられる。なぜそんな判断を下したかというと、それが正しいからだ。つまり、法律と憲法から強制的に導かれる結果としては、私たちが考えるかぎり、それが正しい判断だからだ」。そして、リード判事は有害な通信内容から子どもたちを守るはずの法を無効にしなければならないのは残念だとしながらも、「子どもたちが成人すれば十二分に受けられる憲法修正第1条による保護を、彼らを保護するという名のもとに徐々に削り取っていくのは、結局はこの国の未成年者に損害を与えることになるのかもしれない」と締めくくった。[原注31]

指先でストーキング

性的な情報や経験を共有するニュースグループが始まったのは、1980年代初め頃だ。1990年代半ばには、どんな嗜好や傾倒に対しても、それに特化されたウェブサイトがつくられていた。それゆえ、1998年に28歳のある女性がインターネットのチャットルームに加わっても、何も不思議ではなかった。この女性には襲われたいという願望があり、彼女の電子メールを読んでいる男性に妄想を現実にしてほしいと誘った。「私の家のドアを打ち破って、私をレイプしてほしいの」と、彼女の電子メールには書かれていた。

ただ不思議だったのは、この女性が自身の名前と住所を教えたことだ。それに、彼女の自宅のセキュリティシステムを通り抜ける方法まで指示していたのだ。その後の数週間で9人の男性が彼女の誘いを受けて、たいてい夜中に玄関に現れた。女性は彼らを追いやる

と、チャットルームにさらに電子メールを送り、ああやって拒絶するのも妄想の一部なのだと説明した。[原注32]

実は、この一連の電子メールを送っていた「女性」は50歳の警備員ゲイリー・デラペンタで、彼がなりすました女性本人に寄せていた好意を、すげなく拒絶されたことが理由だった。[原注33]この恐ろしいなりすまし事件の被害女性は、コンピューターを持ってすらいなかった。デラペンタが捕まったのは、罠にかけるために送られた電子メールに、彼が直接返事をしたからだった。彼は最近カリフォルニア州で制定された「反『サイバーストーキング』法」のもとで有罪判決を受け、刑務所に入れられた。この事件が注目されたのは、この一連の出来事が珍しいからではなく、犯人が起訴されて有罪になったからだ。このような事件では、被害者の大半は裁判によって不正を正すことはできない。そのための適切な法律がある州はほとんどなかったし、それにストーカーを特定できた被害者はまずいなかったからだ。ストーカーは、被害者と面識すらない場合もある。ただサイバースペースのどこかで、被害者となる女性の連絡先を見つけたのだ。

とりわけその内容が政治的な場合、恐ろしいメッセージを含んだ言論や出版でも、アメリカでは長きにわたって憲法修正第1条の保護を受けてきた。ただし、そのメッセージが「差し迫った無法者の行為」(1969年の連邦最高裁判所の判決で使われた言葉)を駆り立てる恐れがある場合にかぎり、その言論は違法になるとされたが、活字ではそういった基準に達するものはほとんどなかった。[原注34]政府の介入にとって高いハードルになったこの基準は、1927年にルイス・ブランダイス判事が判決の意見のなかで次のように極めて雄弁に説明した、「明白かつ現在の危険」基準を土台にして築かれたものだった。

重傷を負う恐れのみでは、言論の自由の抑圧を正当化できない。（中略）懸念される害悪の発生があまりに差し迫っていて、本格的な議論の機会よりも前にそれが降りかかってくる恐れがないかぎり、言論から流れ出る危険は明白かつ現在のものとはみなされないのだ。[原注35]

裁判所は、同じ基準をウェブサイトにも適用している。ある反中絶団体が、中絶を行う医師の名前、住所、車のナンバープレートの数字を一覧にしたものを「ニュルンベルクファイル」と名づけて、ウェブサイトに掲示した。このリストでは怪我をさせられた医師の名前は灰色に変わり、そして殺された医師の名前は線を引いて消されることから、医師たちをストーキングするよう暗に促しているようだった。ウェブサイトの作成者は中絶が合法だとわかっていたし、誰も脅しているつもりではないとも主張した。ただ、将来のある時点で、これらの医師たちに「人類に対する犯罪」の責任を取らせることを願って、彼らの個人情報を集めているだけだと語った。この反中絶団体は、民事訴訟で裁判にかけられた。そして長期にわたる法的手続きののち、「同団体は怯えさせることを意図して、暴力での真の脅迫を行った」という理由で、損害賠償の責任を負うよう命じられた。

裁判所は、「ニュルンベルクファイルが脅迫的かどうか」という疑問に非常に悩まされたが、発行形式の違いによる問題の複雑化の度合いに差はなかった。実際、同団体は紙製の「指名手配」ポスターも作成していて、それも同じくらい議論の対象になっていた。ニュルンベルクファイルの内容が司法の基準に達しているかどうかについては、分別のある法の専門家たちのあいだで意見が分かれる可能性が十分あり、実際そうなった。[原注36]

だが、デラペンタの被害者や、同様の被害に遭ったほかの女性たちの状況は、それとは異なっているようだった。彼女たちを犠牲にして恨みを晴らそうとしたこれらの事件には、政治的な側面はなかった。ストーキングや嫌がらせ電話に対する法は、すでに制定されていた。ストーキングや嫌がらせ(ハラスメント)を代わりに行ってくれる人を募集するために、インターネットが利用されていた。連邦議会はカリフォルニア州などのいくつかの州のあとを追うかたちで、連邦反サイバーストーキング法を成立させた。

迷惑電話はお好き？

「2005年女性に対する暴力防止及び司法省による期限延長法[原注37]」(署名によって法制化されたのは2006年初頭）では、以下の者に刑事罰が与えられる。

> 自身の正体を明かさずに誰かに対して不快にさせる行為、虐待、脅迫、嫌がらせ(ハラスメント)を行う目的で、全部または一部がインターネットで送られるメッセージをはじめとする通信のために利用できる、(中略）いかなる機器やソフトウェアを使う者。

この法が発声投票で下院を通過し、次に上院で満場一致で通ったときには、この一節はほぼ気にも留められなかった。

市民的自由主義者たちは再び抗議のうなり声を上げたが、今回はこの法律のあるひとつの言葉が原因だった。インターネットを使った虐待、脅迫、嫌がらせを禁じるのは問題なかった。これらの用語には、何らかの法的な歴史があった。事実がこれらの用語の定義に当てはまっているのかどうかを見分けるのは必ずしも常に容易ではないが、少なくとも裁判所はこれらの言葉の意味を判断するための基準を設けていた。

だが「『不快にさせる』とは？」。誰だってウェブサイトに不快に思われることをたくさん投稿したり、チャットルームでほかの人を不快にさせる発言をたくさん書き込んだりするではないか。人を不快にさせる政治的なメッセージを匿名で投稿できる、「アノイドットコム」（訳注：「不快にさせるドットコム」）といったウェブサイトまであるのだ。インターネットで人を不快にさせる言論を、連邦議会は本気で禁じようとしたのだろうか？

連邦議会はIP電話での嫌がらせが固定電話でのものよりも手厚く保護されるべきではないという原則に基づいて、電話に関する法律もインターネットにまで範囲を広げた。しかしながら、電子通信に対して曖昧な言葉を使用したため、連邦議会はまたしてもメタファーの適切さに絡んだ一連の法的な混乱を起こしてしまった。

1934年通信法[原注38]によって、「会話があとに続いたかどうかにかかわらず、かけた先の相手を不快にさせる行為、虐待、脅迫、嫌がらせを行う目的で、正体を明かさずに電話をかける」ことは犯罪行為とされた。電話の領域では、通話は1対1のやりとりであるため、こうしたことを禁じても言論の自由は脅かされない。あなたが話しかけている人があなたの話を聞きたくなくても、あなたの言論の自由の権利は侵害されない。憲法修正第1条では、特定の誰かにあなたの話を聞かせる権利は保障されていない。それでも、あなたの電話が歓迎されなかった場合、相手を不快にさせる話を伝える別の手段は簡単に見つかる。無効になった「わいせつな表現を規制する条項」とは異なり、そのまま残されたCDAの条項のなかには、上述の電話での禁止事項をファックスや電子メールにまで範囲を拡大しているものもあるが、それらも基本的には1対1のやりとりだ。だが、この通信法のもとでは、IP電話での嫌がらせは犯罪ではなかった。電話に似たようなテクノロジーをすべて同じ枠組みで規制しようという取り組みによって、上述の電話での禁止事項はあらゆる電子通信の手段にまで拡大された。そのなかには、膨大な「電子図書館」や、インターネットそのものである「大勢による対話への最も参加しやすい形式」も含まれていた。

この法の擁護者たちは不安を抱くブロガーたちに対して、個人に対する脅迫、虐待、嫌がらせが含まれていないかぎり、「不快な」ウェブサイトが起訴されることはないと保証した。これはあくまで反サイバーストーキング条項であり、検閲のための法律ではないのだからと。それゆえ、憲法修正第1条で保護された言論の自由は、当然ながら無事だと告げた。一方、オンラインの発行者たちには、曖昧に記された法律がどう適用されるのかについて、検察官たちが上述のような判断をするとは思えなかった。また、CDAの「よきサマリア人条項」が予期せぬ突拍子もないかたちで利用されたことを考えれば、この法から解釈できる内容がサイバースペースのごく一部だけに適用が制限されると信じられる理由は、ほぼ無いに等しかった。

この法に対して、「サジェスチョンボックス」（訳注：「投書箱」）という団体が異議を申し立てた。同団体は自らの役目について、「『機密情報をメディアに知らせたい』『犯罪に関する内部情報を、法執行機関に匿名で送りたい』といった理由で匿名の電子メールを送りたい人々を支援すること」と説明していた[原注39]。この法律は、企業の会計処理に関する一連の不祥事の直後に連邦議会が促した、従業員による内部告発の類を犯罪化してしまう恐れがある、と同団体は異議申し立てのなかで訴えた。起訴されるのは「被害者に恐怖を植えつける」ことを目的とした通信のみで、単に相手を不快にさせるだけなら起訴の対象にはならないと政府が明言したことで、サジェスチョンボックスは異議申し立てを取り下げた。そうして、この法律は現在も効力を維持しているが、それでも、連邦議会がもっと厳密な言葉を使って制定してくれればよかったのにと思っている者は今も多い！

デジタル保護、デジタル検閲、そして自己検閲

政府による検閲が憲法修正第１条で禁止されたことで、アメリカ国民の安全と安心を守るという政府の取り組みは複雑になった。**個人への危害からの保護と、どこかの愚か者がみだらで口汚い言葉で罵れることのどちらを選ぶかと尋ねられたら、私たちの大半は安全を選ぶはずだ。**安全はすぐ手に入るが自由を得るのは長くかかるし、しかもたいていの人は物事を短期的に考える。安全は個人的なものとして捉えるが、国の存続を心配するのは喜んで政府にまかせようと思う人が大半だ。

だが、ある学者の言葉を借りると、憲法修正第１条が意味する最も重要な点は「自治を誓った社会においては、長期的に見れば、国民の安全が人々の自由によって脅かされることは決してない」ということだ[原注40]。インターネットを検閲するための法案が連邦議会で圧倒的多数で可決されてきたのは、国会議員たちが有権者たちの安全、とりわけその子どもたちの安全に反対票を投じたなどと、絶対に記録に残したくないからだ。一方、政治的圧力から比較的遠くにいる裁判所は、選挙で選ばれた議員たちが通過させた言論を制限する法律を何度も無効にしている。

権利章典（訳注：アメリカ憲法

インターネットにおける自由

極めて多くの団体が、発想の自由な取引の場としてのインターネットの可能性を維持するための活動に熱心に取り組んでいる。本章ですでに紹介した電子フロンティア財団のほかにも、電子プライバシー情報センター（www.epic.org）、連合体「表現の自由ネットワーク」（freeexpression.org）、アメリカ自由人権協会（www.aclu.org）、法的脅威によってウェブから削除された内容の一覧を作成しているルーメン（lumendatabase.org）、全世界のインターネット検閲を一覧にして報告書も作成しているフリーダム・ハウス（https://freedomhouse.org/report-types/freedom-net）などがある。

中の人権保障規定）において、言論の自由は、列挙されているなかでほかの自由よりも前に置かれているが、それは決して番号上だけのことではない。ある意味、言論の自由は論理的にもほかより重要な位置を占めている。連邦最高裁判所判事ベンジャミン・カードーゾは、言論の自由について「母体であり、ほかのほぼすべての自由の形式にとっての必須条件」と称している。[原注41]

ほかの多くの政府にとって、電子情報の検閲に対する国民の疑念はそこまで深くない。

中国本土では、Gmail、ユーチューブ、ピンタレスト、あるいはフェイスブックは利用できない。サウジアラビアでは、www.sex.com にアクセスできない。宗教上保守的な国の多くは、国の規範から外れた宗教を広めようとするウェブサイトを検閲している。ドイツでは、ナチスがユダヤ人を大量虐殺したホロコーストを否定するのは違法であり、そうした否定を助長するようなウェブサイトにはアクセスできない。[原注42]

アメリカと他国の情報の自由の基準についてのこうした格差は、二国間での電子商取引で対立を招く。第３章「あなたのプライバシーを所有しているのは誰？」で取り上げたとおり、中国はグーグルに対して、政府が国民に手に入れてほしくない情報を入手させないよう要求している。あなたが上海のホテルから特定のウェブサイトにアクセスしようとすると、何の説明もなく突如としてインターネット接続が切れてしまうだろう。ネットワークのどこかで障害が起きたのかとあなたは思うかもしれないが、すぐに再接続できるし、ほかのウェブサイトは問題なく見られるのだ。中国をよく訪れる人は監視を避けるために VPN 接続を利用するが、中国でインターネットに接続するのが危険な理由はほかにもある。マルウェアに感染する恐れがとても高いのだ。そのため、そこで使用するパソコン、タブレット、電話には公にしたくないデータは一切入れず、しかも帰国したらそれらの機器をすべて工場出荷時の状態に戻すことが、今やビジネスパーソンにとっての常識となっている。

インターネット企業による自己検閲も増えていて、それは一部の国においては、そこでビジネスするための代償となっている。グーグルのある役員は、検閲は同社にとっての「最大の貿易障壁」[原注43]だと語っている。機会を逸したビジネスや法廷闘争によってかかると予想される費用の莫大さがきっかけとなり、インターネット企業は積極的に発言する情報の自由主義者になったが、それでも海外の政府の要求に応えるために必要なことはこなしている。そういった問題に対して、孤立主義的なアメリカ国民が興味なさそうに肩をすくめるのは簡単だ。「アメリカですべての情報が手に入るかぎり、海外の全体主義体制国家でどんな特別仕様のグーグルやユーチューブが提供されているかなんて、どうでもいいじゃないか。それはその国が考えればいいことだ」と、彼らは思っているかもしれない。

だが、アメリカへの自由な情報の流れは、メディアの運営に対する他国の法律によって脅かされている。次のジョゼフ・グトニクと、週刊誌『バロンズ』の事例を見てみよう。

2000年10月30日、週刊の金融情報専門誌『バロンズ』は、オーストラリア人実業家ジョゼフ・グトニクが不正資金洗浄と脱税に関与していることを示唆する記事を掲載した。グトニクは『バロンズ』を発行しているダウ・ジョーンズを、名誉棄損で訴えた[原注44]。この訴訟は、オーストラリアの裁判所で起こされた。なぜならグトニクは、オーストラリアで有料で入手できる同誌のオンライン版は、実質的にはオーストラリアで発行されたものだと主張したからだ。ダウ・ジョーンズは、同誌のオンライン版が「発行された」場所は、ウェブサーバーが置かれているニュージャージー州だと反論した。それはつまり、この訴訟はアメリカの裁判所で起こされて、そこでオーストラリアに比べてメディアの言論の自由が大幅に保護されているアメリカの名誉棄損法の基準に則って審理されるべきものだという意味だった。オーストラリアの裁判所はグトニクの主張を受け入れ、そこで審理が進められた。最終的に、グトニクはダウ・ジョーンズから謝罪、損害賠償金58万ドル、そして訴訟費用を勝ち取った。[原注45]

この事例が示す意味は、圧倒されるほど大きい。アメリカ国民はアメリカの地でかなり自由に発言できるはずだと思っていたにもかかわらず、オーストラリアの裁判所の判断は、オーストラリアの地に届いたビットがもともとどこからやってこようと、世界規模のインターネットにオーストラリアの法律が適用できる、というものだったのだ。これは、境界線のないインターネットにどんな地域社会（コミュニティ）の基準を適用するかという難題を生んだアマチュアアクション事件が、世界のジャーナリズムの領域に移されたようなものだ。つまり今後は、インターネットメディアの自由は、地球上のどんな国においても最小限しか適用されないのだろうか？　あるいは、ならず者国家がメディアを名誉棄損で訴えて大金を巻き上げたり、自分たちの指導者を侮辱したという理由で記者に死刑宣告を下したりして、世界のインターネットメディアを活動不能にしてしまえるのではないだろうか？[原注46]

アメリカのメディアは真実を何らかのかたちで発行する権利のためにすぐさま懸命に戦う傾向が強いが、報道分野に参入していない世界的企業にとっては、検閲の問題は自分たちの気づかぬ間に西側の民主主義諸国に入り込んでいる。アメリカの企業にとっては、アメリカ国内でさまざまな情報を入手可能にしておくよりも、情報の自由の最小限となる「世界基準」に則るほうがやりやすい場合もある。実際、国際法や貿易協定を各国の検閲事情に合わせようとする流れは、ある意味もっともなのかもしれない。次のヤフーフランスの判例を見てみよう。

2000年5月、反ユダヤ人排斥連盟（LICRA）とフランスユダヤ人学生連盟（UEJF）は、ヤフーが「ナチス関連品をオンラインオークションに出品させないこと」「ナチス記念品の写真を掲載しないこと」「フランスで参加できる討論グループで、反ユダヤ主義のヘイトスピーチが広まるのを禁じること」を、フランスの裁判所に要求した。裁判所はナチス関連品の販売や展示が違法であるフランスの法に従って、ヤフーが行っていることは同国の「集合的記憶」を損なうものであり、刑法の第R654条に違反するものだと結論づけた。そしてヤフーに対して、同社は「国内の社会秩序」への脅威であり、絶対にそれらの品が全フランス人の目に入らないようにしなければならないと指示した。

ヤフーはそれらの品を、フランスでの通常の同社のウェブサイトyahoo.frから削除した。だがその後、LICRAとUEJFは、若干間接的な手段を使うとフランス国内から同社のアメリカのウェブサイトyahoo.comにもアクセスできることを発見した。フランスの裁判所は違法である物品、画像、文章を、アメリカのウェブサイトからも削除するよう命じた。それはまるで、あの名誉棄損裁判時のオーストラリアの裁判所が出した、大洋を飛び越えた判決を連想させるものだった。

しばらくのあいだ、ヤフーは命令に従わなかった。その理由は、同社にはビットがどこに飛んでいくのかわからないというものだったが、フランス向けに送られるウェブページにはフランス語の広告が添付されている場合が多いことから、同社の主張にはあまり信ぴょう性がなかった。その後ようやく、ヤフーはアメリカのウェブサイトの基準を大幅に見直した。ヤフーの改訂されたユーザーサービス規定ではヘイトスピーチが禁じられていて、ナチス記念品の大半が削除されていた。だが、ナチスの切手やコイン、それにヒトラーの著書『我が闘争』（1973年、角川書店）も、アメリカのオークションサイトで入手可能になっていた。『我が闘争』はフランスでは販売できない書籍であるため、フランスの裁判所は2000年11月にヤフーへの命令を再確認して再び命じた。罰金の額はどんどん積み上がっていった。

ヤフーは、アメリカの裁判所に助けを求めた。アメリカでは何の罪も犯していないのに、と同社は訴えた。フランスの法律が大西洋を越えてきて、アメリカの憲法修正第1条による保護を叩き潰してもいいのだろうか。フランスの命令が強制的に執行されたら、アメリカの言論に委縮効果を及ぼすに違いない。ある連邦地方裁判所がそれに同意し、第9巡回区控訴裁判所（カリフォルニア州北地区）での3名の判事による控訴審においても、その判断が支持された。

だが2006年、11名の判事全員による控訴審では判決は覆され、ヤフーは敗訴した。多数意見は、同社はまだ痛みを十分理解していないし、それに、憲法修正第1条による保護が適切なものであることをフランス側に訴えて彼らの考えを変えようとする努力に十分な時間をかけなかった、というものだった。反対意見は、裁判所がやろうとしているように見えることを、次のように率直に指摘していた。「外国の裁判所の命令を、憲法で保護された言論を抑え込むための影響力として利用するべきではない」と、ウィリアム・フレッチャー判事は記している。[原注47]

より多くのビットが国境を越えるにつれて、こうした対立は将来さらに頻繁に起きるだろう。今後数年間の法律、貿易協定、裁判所の判決が、将来の世界をかたちづくると言っても過言ではない。たとえば、欧州連合（EU）では「忘れられる権利」が保障されており、欧州司法裁判所はこの権利の解釈に基づいて、EU諸国の個人が「不正確、不適切、無関係、過度」だと主張する個人情報（投稿時には正しかったかもしれない情報も含む）へのリンクを削除するよう、検索エンジンやほかの第三者に求めた。たとえば、欧州司法裁判所はスペイン人のマリオ・コステハ・ゴンザレスに対して、彼がその後払い終えた借金の過去の抵当流れ物件の競売記事へのリンクを、グーグルスペインに削除してもらう権利があるという判決を出した。[原注48] それとは対照的に、アメリカでは検索エンジンや他の事実に即した情報（たとえ古くても）の発行者は、憲法修正第１条によって保護されている。

それ以来、検索エンジンに対して、忘れられる権利に基づいてリンクを削除する要求がますます増えていった。現在では、検索エンジンの多くがそうしたヨーロッパでの要求に対応しているが、ヨーロッパ諸国外での検索については、関連するリンクはそのままにしている。ヨーロッパのデータ保護委員の一部は、そうした地域内だけでの削除は不十分であり、「忘れられるべきリンク」は世界じゅうで削除されるべきだと主張している。この論争は、現在も続いている。

アメリカで何世紀にもわたって断固として守られてきた情報の自由が、21 世紀になって国内の児童保護法と世界的な金儲けの機会の合わせ技にもし奪われてしまったら、それは何とも悲しい皮肉だ。だが、ある写真保管共有ウェブサイトがシンガポール、ドイツ、香港、韓国からの命令に従って写真を削除させられたことに対して、イギリス人の評論家は次のように語っている。「もしあなたがハッカーだとしたら、自由至上主義は大変結構なことかもしれない。だが、企業は各国の要求に従ってでも、ビジネスを維持したいのだ」[原注49]

では、ソーシャルメディアは？

あなたはフェイスブックといったソーシャルメディアで、好きなように言えるだろうか？　そういったソーシャルプラットフォームは発行者、配布者のどちらなのだろう？　一方では、もしフェイスブックが発行者のように、すべてのユーザーの投稿の一語一句に責任があるとしたら、まったく機能できなくなる。フェイスブックのユーザーたちは、合計すると１日４ペタバイトのデータを毎日つくりだしている[原注50]。あまりに膨大なデータだ。それゆえ、フェイスブックは「アリスがボブについて彼が気に入らないことをフェイスブックで言っても、フェイスブックに法的責任は課せられない」を意味する、CDA 第230条によって保護されている。

そのまた一方では、フェイスブックは憲法修正第１条の言論の自由の保障を順守しなくてもいい。同社は、そこで発せられる言葉や表示される画像に対して、独自の規則をつくることができる。だが、たしかに独自の規則をつくってはいるが、それは人々がフェイスブックを使いたくなるようにするためのものだ。そこでの経験が不愉快だったら、多くのユーザーが去ってしまう。そのため、フェイスブックには規則もあれば規則の例外もあるし、例外の例外まである。

なぜ規則が複雑になるのかというと、フェイスブックの最大の使命は人々、それも大勢をつなげることであり、人はそれぞれ話したい内容や、見たい物や見せたい物がそれぞれ異なるからだ。フェイスブックは次のとおり説明している。

> ユーザーひとりひとりの声を大切にするために、異なる考え方や意見、とりわけ通常見過ごされたり無視されたりしがちな人々やコミュニティのものも受け入れた方針づくりを、細心の注意をもって行っています[原注51]。

フェイスブックでは裸体の画像を投稿するのは禁じられているが、赤ちゃんの写真では認められている。だが、その写真が児童虐待を示している場合は投稿できない。さらに、胸を露わにした画像の投稿も禁止だが、授乳している女性のものや、抗議行動として胸を出している場合は構わない。尻を出すのは一般的には論外だが、風刺の意味で有名人の画像に貼りつけて加工したものは大丈夫だ。どういった場合に暴力行為を示している画像を投稿してもいいか、容認できないヘイトスピーチとはどういうものかといったさまざまな事柄に対して、規則が定められている。そして、どの規制もその意図に対する解釈や判断が必要となる。「有名人」とは誰なのか？　容認できない「いわれのない暴力」とは、どんなものを指すのか？　公的な領域では、そうした問いは裁判所や議員たちによって解決され、しかもそうして定められる基準による制約の度合いは、憲法修正第１条によって厳しく制限される。もし、政府がフェイスブックのような規則を公布して施行したら、アメリカ国民は「検閲だ」と叫ぶだろう。一方、中国では、「調和の取れた社会」を築くための必要な措置とみなされるかもしれないが。

民間企業であるフェイスブックは、多かれ少なかれ好きなようにできる。だが、それは決して簡単なことではない。アメリカに住むおよそ半数が、フェイスブック経由でニュースを知るのだから。2016年の大統領選挙戦で、ライバルを政治的に不利な状況に追いやる「フェイクニュース」（ニュースに見えるように加工されたつくり話）の流布にフェイスブックが利用されて以来、同社はときには真実も取り締まるという任務を自らに課すことにした。同社は、たとえ内容が虚偽だとわかっていても、同社の他の基準に違反していなかぎりはおおむね削除しないとしている。だが、同社のアルゴリズムは、虚偽と判定された情報をユーザーが目にする可能性を極めて小さくするよう微調整されている。

つまり、ホロコーストを否定する内容は投稿されたままだが、ほかのユーザーが目にする可能性が低くなるよう設定されている。同じ理屈で、反ユダヤ主義者による誤った内容に基づいた悪質で猛烈な非難さえ削除処分にはならないが、その一方で、尻を出すのは禁止されている。これは修正憲法第１条の複雑さが、ソーシャルメディア企業の壁のなかで繰り返されているようなものだが、後者には根本的な原則がない。たとえば、フェイスブックでは肉体的危害につながる恐れがあるフェイクニュースは削除される。では、大統領選挙戦でのヒラリー・クリントン陣営の者が、ワシントンDCのピザレストラン「コメットピンポン」を拠点にした児童の性的人身売買に関わっているとされた、「ピザゲート」と呼ばれる陰謀論についてはどうだろうか？　この突拍子もない噂は事実無根であることが示されたが、それでもピザレストランの経営者は殺害予告を受けるはめになったし、ある男が「個人的な捜査の一環」と称してレストラン内で発砲したこともあった。これは、ピザゲートについてフェイスブックでは議論してはならないということだろうか？

こうした事例には、どんな一連の判断もすべての人を満足させることはできないという明確な事実をもってしても、非常に困惑させられる何かがある。インターネットの先駆者たちは、アメリカで民主主義が生まれた頃の公共広場を、サイバースペースで再現することを夢描いていた。「誰もが自身の信念を、たとえそれがどんなに風変わりなものであろうと、沈黙や服従を強要されるのを恐れることなくどこでも表明できる世界を、私たちはつくっている[原注52]」と、ジョン・ペリー・バーロウが語っているように。だが実際には、そうした表明はアメリカでは政府の規制を免れたかもしれないが、その大半はカリフォルニア州メンローパーク（訳注：フェイスブックの本社がある）の、ごく一部の者たちに規制されることになった。それはどう見ても、18世紀のニューイングランドで行われていた、タウンミーティングの現代版ではない。民間によるフォーラムは実のある対話を促進するが、対話の規則を設ける一部の関係者によって規制されている。一方、規制されていないフォーラムは、あまりに多くのいじめや脅しに満ちているため、参加者は通常の言論の自由を実践するには危険すぎると思ってしまう。私たちが満足できる対話の場はないのかもしれない。

コンテンツの削除

「インターネットウェブサイトのユーザーが明らかにフォーラムを性的人身売買に利用している場合、運営者は法的責任を負う」というSESTA-FOSTAの修正によって、バックページドットコムは終焉を迎えた。この修正は、CDA第230条による幅広い範囲の保障の一部を狭めるものだが、それでも「インターネットの討論フォーラムの運営者は、ユーザーが投稿した内容について法的責任を負うことはほとんどない」という基本的な構図に大きな影響を与えるものではなかった。だが、SESTA-FOSTAの一部の修正以外に、「著作権で保護された内容」という重要な例外があった。合衆国法典第17編第512条では、「ユーザーが投稿した内容がその所有者の著作権に違反していると通知された場合、ウェブサイトの運営者は同内容を削除しなければならない」と定められている。厳密に言うと、「ウェブサイトの運営者はその内容を削除するか、あるいは、その内容を投稿したのが運営者自身であるという立場を取って、その投稿を擁護する覚悟をしなければならない」ということだ。これは公平に思えるが、この場合原告側は訴えを起こすのにさほど手間も費用もかからないのに対して、ウェブサイトの運営者は第三者の投稿内容の合法性を擁護するのに莫大な法的費用を支払わなければならない恐れがあるため、第512条は内部検閲の有効なツールになる。つまり、あなたが自身の発言に対するほかの誰かの発言が気に入らない場合、あなたの発言を使用したとして彼らを著作権侵害で告訴すればいいということだ（第6章「崩れるバランス」を参照）。

インターネットにおける情報の自由は、一筋縄ではいかない。テクノロジーの変化のほうが、法的な変化よりも先に起きる。そうしたテクノロジーの変化に対して世間が不安を抱くと、議員たちは過度に範囲の広い法律で対応する。そして、いくつもの裁判所を経た異議申し立てに対する最終的な判断がなされる頃には、テクノロジーの変化の新たな周期が起こり、それについていくのに息も絶え絶えの議会は、またしても検討不十分な法律をやっとのことで世に送り出すのだ。

ラジオやテレビの技術も、法律の制定過程にまた別のかたちで難題を投げかけている。放送の分野では数々の強い商業的な力が、言論を規制する法律をこぞって支持しているが、過去のテクノロジーに基づくそうした法律は、現代の進歩にはとっくの昔にそぐわなくなっている。次は、無線の世界におけるこうした変化を見てみよう。

第8章
空中のビット
古いメタファー、新たなテクノロジー、そして言論の自由

候補者を検閲する

2016年10月8日、アメリカ大統領選挙まであとわずか1カ月ほどのこの日、『ワシントン・ポスト』が爆弾を落とした[原注1]。同紙は、当時大統領候補だったドナルド・トランプが、セックス目的で多くの女性に迫っていることを下品な言葉で自慢している動画を入手していた。新聞記事によると、トランプは次のように語っていた。

「一所懸命くどいて、やろうとした（f---）んだが。彼女は既婚者だったんだ」（中略）「まあ、有名人になると女はやらせてくれるね……何だってできるさ……あそこ（p---y）をわしづかみにして」

ここでは『ポスト』の表記どおり、特定の言葉の一部をハイフンに置き換えている。一部の文字が隠されていても、その言葉が何かは文脈からはっきりと読み取れる（訳注：隠された言葉はfuckとpussyで、それぞれ「セックス」と「女性器」の下品な言い方。通常は新聞やテレビでは使われない）。この記事は無修正の動画にリンクされていたので、インターネットに接続できる環境なら、トランプがのちに「更衣室での男同士のたわいない猥談」と称した話の一部始終を誰でも見ることができた。

一方、『ニューヨーク・タイムズ』は、それらの不快な言葉も含

めてすべてそのまま掲載する方針を取った。[原注2] ケーブルテレビ局のCNNは、動画はそのまま放送したが、記者たちは『ポスト』がハイフンを使った言葉を「Fワード」や「Pワード」（訳注：上述の言葉の婉曲的な言い方）と言い換えていた。こうした選択はあくまで編集上の判断であり、どれを選んでも間違いではない。『ポスト』の編集者マーティン・バロンは「社会規範に対する分別とわかりやすさを比較しながら、最善の判断をします」と語り、一方『タイムズ』の編集者キャロリン・ライアンは、「私たちはこれらの野卑な言葉には報道価値があると判断し、それらを省略したり別の言葉で表現したりするのは真っ当ではないと思ったのです」と説明している。

これらの報道機関は何を伝えるかについて異なる見解を持っていて、それに関する法律や政府の規制は存在しない。憲法修正第1条は、新聞社やケーブルテレビ局がこの動画について好きなように報道する権利を保障している。

だが、地上放送のテレビ放送局の場合はそうではない。現在のアメリカでは大半の人がABC、CBS、NBC（訳注：アメリカの地上放送の3大テレビネットワーク）の番組を、ケーブルテレビ用チューナーやインターネット経由で見ている。だが、巨大な送信アンテナから送られる電波信号をアンテナで受信する仕組みで番組を届ける地上放送のテレビ局は、「放送」や「地上波」という言葉によって、ほかのテレビ局とは区別されている。そして、これらの放送局は、連邦通信委員会（FCC）の規制の対象だ。子どもたちが見ている時間帯にいかがわしい言葉や冒瀆的な言葉を流すことはできないし、トランプのあの言葉はおそらく許容レベルを大きく超えていたはずだ。FCCによると、いかがわしい内容とは、ミラーテストでわいせつとは判断されない程度の性器や排泄器、性的行動の描写で、冒瀆的な内容には世間で迷惑がられている「著しく不快な言葉」も含まれている。

これらのテレビ放送局では、この動画を流したときに例の不快な言葉に「ピー」という音を入れた。それ以外の方法はなかったのだ。もしそうしていなければ、FCC に高額の罰金を払うことになるか、最悪の場合、放送免許を取り消されるかもしれないのだ。

憲法修正第1条に基づき、政府は一般的には言論を規制することはない。たとえそれが読者に入手可能な情報の範囲を広げるためであっても、編集に関する自身の判断を新聞に強要することはできない。連邦最高裁判所は、新聞記事での攻撃に対する単純な「反論権」を候補者に保障するフロリダ州の法律を、違憲として無効にした。ケーブルテレビ局はFCC による訴訟を心配する必要はないが、これまでに申し立ての例は存在している。それでも、このメディアは全般的に政府の検閲が及ばないところにある。

とはいえ2016 年において、テレビ放送局は一連邦政府機関の規定に則り、一部の言葉を放送に乗せなかった。その規定は、選挙戦真っただ中の大統領候補の発言にまで及んでいた。今の時代は子どもたちが見るかもしれない番組に対して高度に神経質になっているが、アメリカ国民は一般的には自分たちが見る番組に対して政府が世話を焼こうとするのには反対だ。なぜFCC は、放送電波で何を言っていいのかを規制できるようになったのだろう？

放送が規制されるようになった経緯とは

FCC がラジオやテレビ放送で伝える内容を規制する権限を手にしたのは、情報を配信する手段が今よりもずっと少ない頃だった。その理屈は、一般向けの周波数帯域数が少ないため、それが確実に公益のために使われていることを政府が確認しなければならないから、というものだった。ラジオとテレビが普及するにつれて、放送での言論を政府が規制するための二つ目の根拠が登場した。それは、

1978年に連邦最高裁判所が述べたように、放送メディアは「アメリカ国民すべての生活において、ほかに類を見ないほどいたるところに広まっているもの」であるゆえ、政府は無防備な国民をラジオやテレビの好ましくない内容から守ることに特別な関心を抱いている、というものだった。

通信技術の爆発的な発展により、この二つの根拠がぐらついた。**このデジタル時代においてはビットが消費者に届けられる手段がはるかに増えたため、ラジオやテレビ放送は世間に普及している唯一無二の手段ではなくなっていた。**誰でも最小限のテクノロジーを利用するだけで、自宅やスターバックスでのんびり座りながら、何十億ものウェブサイトや何千万ものブログから見たいものを選べるのだ。過激な発言が売りのディスクジョッキーであるハワード・スターンはラジオ放送から去り、FCCが彼の発言を規制する権限のない衛星ラジオへと移った。アメリカのテレビ視聴者の９割近くは、屋根のアンテナを通じたテレビ放送ではなく、衛星ラジオ同様に規制されていないケーブルや衛星を通じてテレビ信号を受信している[原注3]。RSSフィードは何百万もの活動的な携帯電話ユーザーに、最新情報を提供している。ラジオ局やテレビ局の周波数帯域は、不足しているわけでもなければ、それらのメディアだけが世間に広まっているわけでもなかった。

政府が子どもたちを、あらゆる通信媒体を介して届けられる、どんな不快な情報からも守るためには、関連機関の権限を大幅に拡大して常に最新の状況に対応できるようにしなければならない。いくつかの提案はなされたが、連邦議会はFCCの放送メディアに対するいかがわしさの規制を、衛星テレビやケーブルテレビに拡張する法律は通過させていない。ケーブルや衛星テレビで流れている内容は、視聴者や広告主が認めるものに限られているが、どんな政府機関の命令で規制されたものでもない。

だが、通信の爆発的な発展によって、さらなる選択肢が生まれた。大勢の人が受け取れる情報をほぼ誰でも送れるようになった現在、通信規制に関する政府の方針を以前より厳しくするのではなく、緩和すべきなのではないだろうか。情報が届けられる手段が十分ある現在においては、新聞に印刷される内容が政府の規制を受けないのと同様に、ラジオやテレビの内容もそうなるべきではないだろうか。つまり、その場合連邦議会は、FCCの検閲の権限を拡大するどころか完全になくすべきだ。連邦最高裁判所が、新聞の内容に対するフロリダ州の規制を無効にしたように。

ラジオの選局用ダイヤルやテレビのチャンネルの一覧のなかに自身の場所をすでに確保している一行は、「スペクトル」(訳注：無線通信用の周波数帯域)、つまり公共の電波は限られた資源であり、政府の保護を必要とすると訴えるだろう。無線スペクトルを増やすことはできないし、既存のそれらは公益のために利用されなければならないのだから、という理屈で。

だが、周囲を見回してみてほしい。たしかに、ラジオの選局用ダイヤルに示されているAM局やFM局は、現在もさほど多くない。とはいえ、何千、いや、もしかしたら何万もの無線通信が、あなたの周りの空中を通過している。アメリカの国民の大半は、双方向のラジオ（私たちが日頃「携帯電話」と呼んでいる機器）をポケットに入れて歩き回っている。厳密に言えば、私たちは携帯電話を手に握りしめて歩き回っている。たとえ電柱にぶつかるリスクを冒してでも、送られてきたテキストメッセージを数秒以内どころかすぐさま読みたいのだ。Wi-Fi接続して、ブルートゥースヘッドホンで音楽を聞きながらウェブを閲覧している場合、無線接続を二つも使っていることになる。ラジオやテレビは今よりもさらに進化すれば、放送電波を携帯電話の無線のようにもっとうまく使えるはずだ。

政府はラジオとテレビに関して憲法修正第1条を無効にしていた

が、技術開発によって規制の根拠は失われた。そうした変化した状況においては、政府が言葉の取り締まりをやめなければならないことが憲法で定められている。実際、連邦最高裁判所は、有名人たちが生放送で発した「一瞬のアドリブによるわいせつな言葉」に対してFCCが課した罰金を取り消した際、今回のこの判断の対象となる範囲は限られているが、放送全体に対する検閲の問題を検討する時期が近いかもしれないことを示唆した。

科学的な観点から言えば、スペクトルが絶対に不足しているという主張は、今や根拠が乏しい。だがこの説は、規制を受けている業界自体によって今なお強く推進されている。現在免許を取得している既存の放送局やネットワークは、スペクトル内の自身の「区域」を、自身の電波が失われるかもしれない現実または想定されるどんなリスクからも守る動機がある。既得権者たちは、技術革新を阻止すれば競争を抑えられるし、資本投資もしなくてすむ。そうして、言論の規制を正当化するために希少性をつくりだすことへの政府の関心と、競争と費用を抑制するために希少性をつくりだすことへの既得権者たちの関心とが奇妙に絡み合ったことで、今日の社会に不利益を及ぼすほど、文化的および技術的な創造性が損なわれてしまっている。

ラジオとテレビが検閲される現代の世界をつくりだした、この合流した二つの力を理解するためには、まず歴史を遡って、その技術の発明者たちについて学ばなければならない。

無線電信から無線の大混乱状態へ

虹の色である赤、橙、黄、緑、青は、すべて異なるにもかかわらず、どれも同じだ。いや、箱入りのクレヨンを持っているどんな子どもだって、それらがみな違うことはわかっているではないか。だが、これらはどれも、電磁波が私たちの目に映った結果なのだ。電磁波は、非常に素早く振動する波として伝わっていく。赤と青の物理的な違いは、赤の波は毎秒約450,000,000,000,000回振動するのに対し、青の波はそのおよそ1.5倍速く振動することだ。

可視光線のスペクトルは連続的なため、赤と青のあいだには無限の色が存在している。異なる周波数の光を混ぜると、ほかの色ができる。たとえば、青い波と赤い波を半分ずつ混ぜると、虹には現れない「マゼンタ」というピンク系の色ができる。

1860年、イギリスの物理学者ジェームズ・クラーク・マクスウェルは、光は電磁波の一種であることを発見した。そして、編み出した方程式から、人間には感じられないほかの周波数の波の存在も予測した。たしかに、そういった波は世の始めから私たちのすぐ横を通りすぎていた。それらは目には見えないが太陽や星から降り注ぎ、落雷が起きると放射された。だが、マクスウェルの方程式によって予測されるまで、そういったものが存在するなど誰も思ってもみなかった。それでも、可視光線と同じくらい高速で伝わる、異なる周波数の不可視化光線の一大スペクトルは、間違いなく存在していた。

1887年にハインリヒ・ヘルツが行った実験によって、無線時代が始まった。ヘルツは針金で輪をつくり、両端にわずかな隙間を空けておいた。そしてその1、2メートル離れた場所で大きな電気火花を起こすと、そのほぼ円状の針金の隙間に小さな火花が発生した。大きな火花が目に見えない電磁波を大量に降らせ、それが空中を伝わって針金の輪に電流を流した。あの小さな火花は、回路をつなげて完成させるための電流だった。ヘルツは世界初のアンテナをつくり、そこに電波が伝わるのを実演したのだった。ヘルツに敬意を表して、周波数の単位には彼の名前が使われている。1秒間に1回の周波数を1ヘルツといい、記号は「Hz」である。「kHz」（キロヘルツ）は1秒間に1000回、「MHz」（メガヘルツ）は1秒間に100

万回繰り返される周波数である。これらはAMやFMラジオの選局用ダイヤルの単位だ。

グリエルモ・マルコーニは、数学者でもなければ科学者でもなかった。彼は独創的な実験家だった。ヘルツが実験を行った当時はまだ13歳だったマルコーニは、よりうまく電波を発生させて、それをより遠くのアンテナで受信する方法を発見するために、その後の10年間試行錯誤を繰り返した。

1901年、マルコーニはカナダのニューファンドランド島で、イギリスから発信された1符号のモールス信号を受信した。この成功をばねにして、マルコーニ無線電信会社は船同士、または船と陸との通信を実現した。1912年にあの運命の航海に出たタイタニック号には、マルコーニの無線電信用機器が備えつけられていた。乗船していた無線通信士たちの主な仕事は、乗客の私的な伝言を送受信することだったが、向かっている先に氷山があるというほかの船からの警告も、少なくとも20件受信していた。[原注4]

マルコーニの会社名で使われている「無線電信」という言葉には、初期の無線の最大の問題点が表れていた。この技術は、2地点間通信用の機器をつくるために考え出された。無線は電信の最大の問題を解決した。災害、破壊工作、戦争のいずれにおいても、無線電信ではケーブルを切断して電信を止めることなどできなかったからだ。だが、それを相殺する欠点もあった。無線電信は誰でも盗聴できたのだ。一度に何千もの人々に届けることができるという放送の巨大な力は、最初は問題点とみなされていた。誰にでも聞かれてしまう電信を、わざわざお金を払ってまで相手に送ろうとする人などいるのだろうか、と。

無線電信が普及していくと、のちにその後のラジオとテレビの開発を方向づけることになる、新たな問題が生じた。同じ地域で数名が同時に通信を行っていると、それらの信号が混線してしまうのだった。その結果として起きる混乱が、タイタニック号沈没の大惨事で示された。タイタニック号が氷山に衝突した翌朝、アメリカの新聞各紙は「乗客は全員救出され、船は陸までえい航されている」と興奮気味に伝えた。この間違いが起きた原因は、無線通信士が二つの無関係なモールス信号を、要領を得ずにひとつにしてしまったことだった。ある船からは、「タイタニック号の乗客はみな無事なのか？」という問い合わせが入っていた。そして、まったく別の船からは、「現在タイタニック号から西に約480キロの地点。石油タンカーをハリファックスにえい航している」という報告が入っていた。[原注5] すべての船には無線電信用機器が備えつけられ、無線通信士が乗船していた。だが、それらの機器をいつどのように使うべきなのかに関する規則や約束事は、存在していなかった。

マルコーニの初期の送信機の受信者たちは、特定の通信へ「周波数を合わせる」方法がなかったため、すぐにまごついた。マルコーニは通信の範囲拡大において類まれな才能を示していたが、それでも電波の発生には、大きな火花を起こすという本質的にはヘルツと同じ方法を利用していた。火花は電磁エネルギーを、無線スペクトルのいたるところに跳ね飛ばす。このエネルギーは「トン」や「ツー」に変換するために止めたり、また入れたりできたが、ほかには何も制御できることがなかった。ある無線通信士の信号は、ほかの通信士と変わらなかった。そのため同時にいくつもの通信が行われると混乱が起きた。

可視光線の多くの色は、すべて混ぜ合わされると白く見える。カラーフィルターは特定の周波数の可視光線だけを透過させるものだ。赤のフィルターを通して見ると、赤い光しか通っていないため、すべてが淡いまたは濃い色合いの赤に見える。無線に必要なのは、無線スペクトルに対するそんなフィルターのようなものだった。つまり、単一周波数、あるいは少なくとも狭い周波数範囲の電波を発生させる方法と、そうした周波数は受信するがほかはふるいにかけて落とせる受信機が必要だった。実のところ、その技術はすでに存在していた。

1907年、リー・ド・フォレストは、ド・フォレスト無線電話会社にとって主要となる技術の特許を取得した。同社は電波で音声、さらには音楽まで送信することに打ち込んでいた。1910年1月13日、ニューヨークのメトロポリタン歌劇場でエンリコ・カルーソーが披露した『道化師』の音声をド・フォレストが放送すると、歌声は海上の船にまで届いた。ニューヨーク州やニュージャージー州では大勢のアマチュア無線家が、受信機の周りに身を寄せ合うようにして耳を傾けた。この放送の効果は驚くべきものだった。その後の数年間で、何百もの「アマチュア無線放送局」が活動を始めた。彼らは、その放送をたまたま耳にした誰かに対して好きなことを語ったり、何か音楽を流したりした。

だが、**どの周波数を使うのかについての明確な理解がなかったため、無線通信の受信はいちかばちかの世界だった。**『ニューヨーク・タイムズ』が「どこからか聞こえてくる歌の波」と称したカルーソーの放送さえ、「何が何でも」同じ350kHz周波数での放送を主張した別の局とぶつかった。そのため、ある受信者は「カルーソーのうっとりする声」を捉えることができたかと思えば、ほかの受信者は別の無線放送局からの「今ちょうどビールを飲んでる」という腹立たしいモールス信号を受け取るはめになった。[原注6]

それぞれの周波数帯域に収まる電波

こんな状態では、新たに生まれた無線業界が成長するはずはなかった。商業的関心が高まる一方で、アマチュア無線が船の通信を妨げるのではないかというアメリカ海軍の懸念は強まった。タイタニック号の悲劇は無線の不具合によるものとは言いがたいが、それでも政府が行動を起こすきっかけとなった。1912年5月12日、ウィリアム・オールデン・スミスは、上院の議場で無線の規制を提唱した。「同じ喪失感を抱えて世界じゅうが嘆き悲しんでいる今このとき」と、スミス上院議員は高らかに訴えた。「この国の国民は対立し合う言い分を捨てて、人類のためのこの新たな奉仕者を規制するという賢い策を取るべきではないでしょうか[原注7]？」

1912年無線法[原注8]（訳注：電波法ともいう）によって、放送は免許取得者に限定された。無線免許は、「商務労働省へ申請があり次第認可」された。同省は免許を認可するにあたり、「局が許可された稼働時間中に使うことが認められた、混信を避けるための」周波数を定めた。この無線法によって、長距離で最も安定した通信が実現できる200～500kHzの周波数帯域は政府専用になった。アマチュア無線は、技術的な理由で役に立たないと考えられていた1500 kHzより上の「短波」に追いやられた。周波数1000 kHzは救難信号専用で、免許を所持している局は、15分ごとに受信するよう定められた（この条項が当時あれば、タイタニック号の救助に役立ったかもしれない。近くの船の無線通信士たちはみな勤務時間外だったため、タイタニック号の救援要請に気づけなかった）。残

高い周波数

長年の技術的進歩によって、ますます高い周波数が利用できるようになっていった。初期のテレビ放送の周波数はAMラジオより高かったため、VHF（very high frequency ─非常に高い周波数）（訳注：超短波）だと考えられていた。技術はまたしても進歩し、UHF（ultra high frequency ─極めて高い周波数）（訳注：極超短波）を使用する局が増えた。今日商業利用されているなかで最も高い周波数は77GHz（77ギガヘルツ、77000 MHz）である。一般的に、高周波信号は低周波信号よりも伝わる距離が短いため、局地的に、または都市部で使用されることが多い。すべての電波は光の速度と同じ速さで伝わるため、高周波は波長が短くなる。

りのスペクトルは、商務労働省が商業用の無線局や民間企業に割り当てることができた。また、この法では「無線『通信』」としての無線の用途を強調するために、無線の通信内容を耳にした者が、その通信の本来の相手先以外に内容を漏らすのは犯罪とされた。

1912年以降、状況は大きく変わった。電波の用途は増え、スペクトルの割り当ても変更され、利用できる周波数帯域は広がった。現在のスペクトルの割り当て図は、何十年にもわたるFCCのソロモン的な裁決によって、隙間なくぎっしり詰まった規則性のないパッチワークと化している（**図8.1**参照）。それでも連邦政府は、スペクトルのどの部分がどの目的で使われるのかを、今なお定めてい

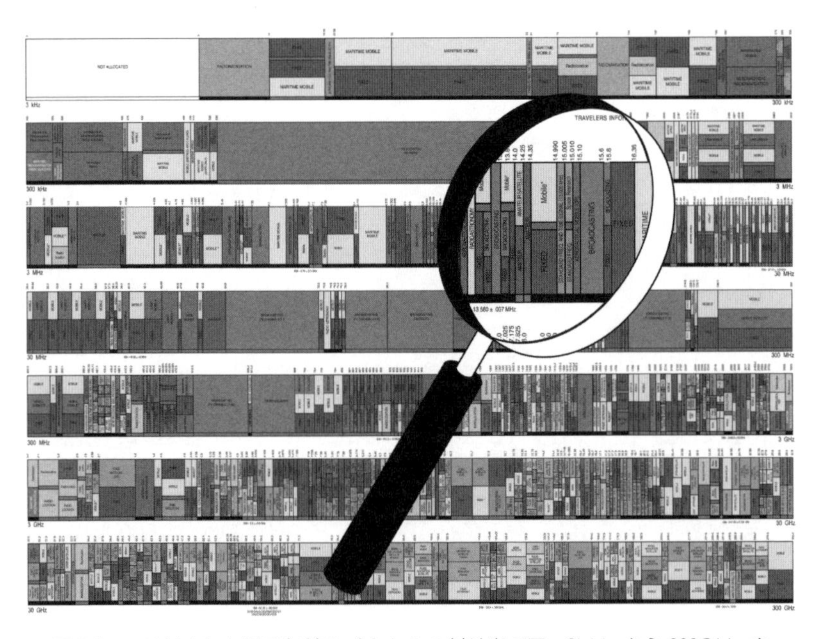

図8.1 アメリカにおける無線スペクトルの割り当て図。3kHzから300GHzまでのスペクトルが左から右へ、そして上から下へと示されている。各横列はそのすぐ上の横列よりも、密度が10倍になっている。たとえば、上から2列目の大きな枠は、約1MHz分のAMラジオ周波数帯域だ。一番下の列でそれと同じ約1MHz分を示すと、横幅は約0.005ミリ程度にしかならない[原注9]（訳注：日本の割り当て図は以下から見られる。https://www.tele.soumu.go.jp/resource/search/myuse/usecondition/wagakuni.pdf）

る。そして、使用者同士あるいは政府関連の通信と混信しないよう、使用者に対して制限内の出力で、割り当てられた周波数のみで放送するよう求めている。無線局の数がさほど多くなかったときは、「申請があり次第」免許が認可されるという1912年無線法の暗黙の約束でも、何も問題は起きなかった。うるさいアマチュア無線家たちが遠く離れた無線の領域に入り込んできたという噂があっても、商業、軍事、安全のために利用できるスペクトルは十分にあった。

だが10年もしないうちに、状況は劇的に変わった。1920年11月2日、デトロイトの無線放送局が、ウォレン・ハーディングがアメリカ大統領に当選したことを伝えた。同局は電信で受け取った選挙結果を、無線を聞いている少数に中継した。無線はもはや2地点間通信用だけのものではなかった。その翌年、ニューヨークの無線放送局が、ワールドシリーズのジャイアンツ対ヤンキースを一投ごとに伝えた。スポーツ放送は、野球場にいる新聞記者が投球のボールかストライクかを電話で連絡し、アナウンサーがその情報を退屈そうに繰り返すというかたちで始まった。[原注10]

無線の可能性に対する国民の理解も、急速に広まっていった。1921年、5つのラジオ局に、初めて放送免許が与えられた。1年もしないうちに、670局にまで増えた。[原注11] 5万台以下だったラジオ受信機数は60万台を超え、100万台に到達しそうな勢いだった。[原注12] 同じ都市で同じ周波数を使用している局は、1日の時間を分けて交代で放送した。ラジオ放送は儲かるビジネスになったが、成長がいつまでも続くわけはなかった。

1921年11月12日、インターシティラジオのニューヨーク市での放送免許が、期限切れで失効した。当時商務長官を務めていたハーバート・フーバーは、インターシティが放送で使用できる、政府や他の民間局と混信しない周波数が同市の空域にないことを理由に、更新を拒否した。インターシティは免許の再発行を求めてフーバーを訴え、そして勝った[原注13]。フーバーは周波数を選べるが、彼には免許の発行を認めない裁量権はない、と裁判所は説明した。議会の委員会が1912年無線法を提案するとき、免許制の仕組みは「約2万5000隻の商船を文書で登録するものと実質同じ」と説明した。このメタファーが意味するのは、フーバーは各局を大洋を航海する船と同じように管理すべきだということだ。つまり、どの航路を利用するかは指示できても、航海してはならないとは言えないのだ。

無線業界は懸命に秩序を求めた。フーバーは混乱が起きる前に新たな規制に対する意見をまとめたいと考え、1922年に全国無線会議を開催した。そして、「スペクトルは重要な国家資産であり、誰がどんな状況でどんな内容を放送するのかを決めるのは、最も重要な公益につながる」と語った[原注14]。さらに、「大勢の受信契約者たちは、彼らの機器から次々流れてくる、混信による雑音からの保護を必要としている。放送電波には、『放送を混信の危険にさらす厄介者』を見つけ出すための『警察官』が必要だ[原注15]」と訴えた。

フーバーはさらに多くの局をねじ込むために、スペクトルの550kHzから1350kHzを10kHzずつの帯に区切って、それらを「チャンネル」と呼んだ（名前どおり、このメタファーは船の「航路（チャンネル）」である）。放送信号が帯を超えてしまう場合があるのは避けられないため、割り当てられた帯の両側には使用されない「保護周波数帯」が残され、その結果使用可能なスペクトルが減ってしまった。それでも、説得や自主的順守によって、フーバーは混信をある限度にまで抑えた。各局は自身の立場を確立していくにつれて、フーバーのやり方に従うほうが有利になることに気づいた。だが、できたばかりの局は、なかなか帯に入り込めなかった。フーバーは、世界の終末が来ることを警告している宗教団体の代表に、自身の局をつくるよりも既存の局を時間借りするほうがいいと説得した。しかも、そのほうがお金の節約にもなるじゃないか。半年後に世界が終わったら、もう送信機の使い道はなくなるのだから、とつけくわえながら。[原注16] フーバーの効果抜群のはたらきを見た連邦議会は、楽観的になった。法律がなくても、仕組みは十分うまく回っているではないか。

だが、切り分けをさらに進めると、問題は大きくなっていった。シンシナティのWLWとWMHは、1924年まで同じ周波数で放送していたが、フーバーの仲介によって三つの局が二つの周波数を時間交代で利用することになった。ところが、結局このやり方ではうまくいかなかった。[原注17] 1925年、ゼニスラジオ放送はシカゴで930kHzの周波数を使う免許を与えられたが、それは木曜日の夜10時から真夜中までのみ、しかもデンバーのある局がその時間帯に放送を希望しない場合だけ放送できるというものだった。そこでゼニスは、あまり混雑していない910kHzの周波数で許可を得ずに放送し始めた。だが、この周波数が空いていたのは、それが条約によってカナダに譲渡されたものだったからだ。フーバーはゼニスに罰金を命じた。ゼニスは周波数帯域を規制するフーバーの権限に異議申し立てを行い、裁判で勝った。[原注18] そして、フーバー商務長官は、司法長官からさらにひどい知らせを受けた。それは、放送というものがまだ概念にさえなっていなかった頃に起草された1912年無線法はあまりに曖昧なため、フーバーにはラジオ放送に対して何ひとつ規制する権限はないと思われる、というものだった。周波数も、出力も、1日のなかの放送時間帯も。

フーバーはお手上げだった。これで誰でも開局して（免許の許可を待つ申し込みは600件あった）好きな周波数を選べたが、それは「すべて自分のリスクで進めること」を意味していた。[原注19] その結果は、フーバーが予測したとおりの「空中での大混乱」だった。1912年無線法ができる前よりも、ひどいことになった。というのも、その頃より送信機の数は大幅に増えていたし、しかも性能が向上していたからだ。次々に開設される局は、空中の空いている場所を探そうとしてスペクトルのあちこちを飛び回り、出力を最大にしてライバルたちの信号をかき消そうとした。無線は特に都市では事実上何の役にも立たなくなった。連邦議会は、ついに動かざるをえなくなった。

国有化されたスペクトル

1927年無線法[原注20]の各条項は、今日もまだ効力がある。この法律以来ずっと、無線スペクトルは政府によって管理され、希少な国有資源であるかのように扱われてきた。この法の目的は次のとおりだ。

> アメリカの無線通信のすべてのチャンネルの管理を維持し、こうしたチャンネルを連邦関連機関より許可された免許を通じて、個人、事務所、企業に対して一定の期間提供するが、所有権を与えるわけではない。

つまり、一般の者も政府に定められた条件のもとでスペクトルを使用できるが、所有することはできない。免許の審査は、新たな機関である連邦無線委員会（FRC）が行うことになった。世間は、免許を申請さえすれば許可されるだろうと、次の法理の内容から当然のように思い込んでいた。

> 免許発行機関は、それが国民の利便性、利益、必要性に役立つと判断すれば、（中略）どんな申請者にも局を運営する免許を与える。

この法では、免許の需要がスペクトルにおける供給を上回る可能性があることが想定されていた。申請者間での競争に対しては、次のように定められていた。

> 免許発行機関は、異なる州や地域社会がみな公平、効果的、公正な無線サービスを受けられるよう、免許、周波数帯域、（中略）運営時間、出力を分配する。[原注21]

「国民の利便性、利益、必要性」の件は、1922年にフーバーが演説のなかで「国家資産」や「公益」について話したことの繰り返しのようだ。また、この法律が起草されたのが、ティーポット・ドーム事件が山場を迎えようとしていた時期と一致していたのは、決して偶然ではなかった。ワイオミング州の政府保有の油田は1923年にシンクレア石油に賃貸されたが、それが実現したのは内務長官に賄賂が贈られていたからだった。数年にわたる議会調査と、連邦裁判所での何度かの裁判によって、ようやく悪事の全貌が明るみに出た。その結果、内務長官は懲役刑に処せられた。それゆえ、1927年初めにおいては、国有資源の公益となる公正な使用がアメリカ社会での大きな関心事になっていた。

> **「無線委員会」の拡張**
>
> 1934年、電話と電信の規制も対象範囲となったことで、連邦無線委員会の名称は連邦通信委員会に変更された。その後、別のスペクトルがテレビに大幅に割り当てられると、FCCは映像放送に対する権限も持つようになった。

1927年無線法が制定されたことで、無線スペクトルは政府保有の「土地」になった。それに続いて、国境付近での混信を抑えるために国際条約が結ばれた。そうして、アメリカ国内においては、ちょうどその5年前にフーバーが求めたとおり、連邦政府は誰が放送を許可され、どの電波を利用でき、さらには放送で何を言ってもいいのかさえも決める権限を手に入れた。

ヤギの生殖腺と憲法修正第1条

1927年無線法では、FRCは無線における言論の自由を奪うことはできないと、次のとおり定められていた。

> この法のいかなる内容についても、免許発行機関に検閲の力を与えるものであるという理解または解釈がされてはならない。（中略）無線通信という手段において、どんな規制も条件も言論の自由の権利を侵害してはならない。[原注22]

つまり、一方では、同委員会は免許の許可や更新を行うときに「公益であるかどうか」という基準に照らし合わさなければならない。だが、そのまた一方では、検閲は行ってはならないとされている。こうした潜在する対立を露わにする事件が起きるのは、避けられないことだ。その極めて重要な事例は、カンザス州の「ヤギ生殖腺」医師ジョン・ロミュラス・ブリンクリーの、ラジオ局KFKBの免許に関するものだ（**図8.2**参照）。2004年にCBSがジャネット・ジャックソンの胸を一瞬見せたことで激しい怒りと叱責を買ったの[原注23]も、バージニア州ロアノークのテレビ局WBDJが、2015年に性的にあからさまな画像を誤って3秒間放送してしまった事件に32万5000ドルの罰金[原注24]が科せられたのも、この有名なアメリカ人偽医者に対してFRCが取った策に由来している。

1885年生まれのブリンクリーは、カンザスシティの折衷医学大学で学位を買って、カンザス州の開業許可を得た「医師」になった。その後、食肉加工業者スウィフト・アンド・カンパニーで医師として短期間勤務した。1917年、ブリンクリーはトピーカから西に約110キロ先の小さな町ミルフォードで開業した。ある日、ひとりの男性患者が「自分はもうパンクしてぺちゃんこになったタイヤだ」と言って、衰えてきた精力について助言を求めてきた。ブリンクリーは食肉処理場で勤務していたときに見たヤギの行動を思い出しながら、「あの雄ヤギの生殖腺があなたにもあったら、そんな悩みは

PREACHES FUNDAMENTALISM PRACTICES GOAT-GLAND SCIENCE

How a Famous Surgeon Combines Old-Time Religion and New-Fangled Operations on a Strange Medico-Gospel Farm

SCIENTIST AND PROTEGE. Dr. John R. Brinkley, Eminent Surgeon and Ardent Fundamentalist, with "Billy," Now 5 Years Old, the First "Goat-Gland Baby."

WIFE AND SWISS KIDS. Mrs. Minnie Brinkley Holding Two Fine Young Specimens of Toggenberg Goats, Used in Her Husband's Delicate Organ-Graftings.

MEET the most unusual scientist - fundamentalist in the whole world, Dr. John R. Brinkley, of Milford, Kan., who saves souls with the word of God and repairs human bodies with glands from lively goats.

A surgeon of distinction, whose services have been recognized here and abroad, the doctor is today a devout and literal believer in the teachings of the Bible. This strain of faith strongly permeates Brinkley Institute, a community centre ("teaching and promoting Bible, health, citizenship, recreation and music") at Milford. But it does not detract from the fact that Dr. Brinkley began his career, in 1911, as the first goat-gland transplanting expert in the United States, some say in the world.

Today, chief surgeon and owner of the Kansas General Research Hospital, at Milford, ten miles from the stone marking the geographical centre of this country, Dr. Brinkley gained scientific distinction during the World War. At the onset of hostilities between America and the central empires, as an A. E. F. veterinary surgeon, he continued to make his daring gland transplantation experiments to renew functional powers that in men and women had been weakened or worn out.

He discovered, among other things, that certain quadrupeds' glands wouldn't do for human beings—those of the bull were "too strenuous," those of apes were too short-lived and too prone to physical decay. Finally, he came to the conclusion that goats, preferably the Toggenberg species of Switzerland, approached the ideal, since they were practically diseaseless and their glands strongly resembled those of homo sapiens.

With the war at an end, he found it possible to devote the major part of his time to the importation of the frisky Toggenbergs and the conversion of their glands into human agencies. More than 4,000 individuals of both sexes, many of them prominent people, were treated by him—and successfully.

Brinkley's signal triumphs in this newest and most delicate form of medical science were not received with a unanimous shout of approbation. Old-time surgeons got quite hot under the collar, and he was even charged with practicing under a license obtained by fraud. Dropped from the list of practitioners in Missouri, Connecticut and California, he appealed to the courts, receiving a complete vindication.

Rightfully flushed with his victory on native soil, Dr. Brinkley went abroad for study and research. The Royal University of Pavia, Italy, which had awarded degrees to Napoleon, Michael Angelo and various Italian rulers, licensed him to practice. He was the only American ever accorded such an honor. In London, later, the British Medical Association gave him similar laurels after he had passed its rigid examination.

Back in the States, Brinkley found a storm brewing in his home state, Tennessee. The great Scopes trial was in process of incubation. The returning scientist, himself a Tennessean, saw and sympathized with the mountaineers' efforts to keep their beloved religion untouched by scientific fingers. Perhaps some hidden mental echo of his boyhood in that region awoke within him the latest sparks of devotional fervor. Perhaps the white-hot oratory of the late William Jennings Bryan struck a responsive chord in his heart.

Whatever the cause, Brinkley opened his hands to fundamentalism. He converted his spacious grounds at Milford into a glorified camp-meeting ground. At the same time he reserved the hospital for continued gland transplantations. Thus soul-saving and bodily repairing went hand in hand under the keen eye of one of the best scientists and firmest "believers" on the globe.

A first-hand pen picture of this extraordinary man is supplied by a friend of long standing. "Probably," says this individual, "there never was so odd a mixture of talents and tendencies as John. He is a thirty-second degree Mason. In 1923 he erected a broadcasting station at a cost of $50,000 to put his medical lectures on the air and also to establish the Manhattan Agricultural College as 'the first college of the air.' When he first went to Italy, he sold this station at 'a total loss.' Back home, having gotten religion, he repurchased the station to broadcast fundamentalist doctrines and denounce evolutionists and 'other workers of the devil'."

Mrs. Minnie Brinkley, wife of the religious scientist and press representative of his institute, has embodied in letters to friends in the East the working pattern of the doctor's current philosophy. "You and your evolution theory are all wrong," she wrote to one New York acquaintance of the family. "You can't deny the Supreme Ruler of the universe and get away with it—with us. Remember, we are Tennessee people, not of the mountains, but the same heart, and we are a success in this world. . . . We are afraid to know anyone who blasphemes as you did in your letter. You can't refuse our God and get away with it. We are not the kind of Christians who just pray; we work."

Further insight into the workings of Dr. Brinkley's system of religious training, as exemplified in his choice of an assistant, is afforded in another of his wife's communications. "Dr. Charles Draper, of Kansas City, Fort Worth, St. Louis and Chicago, where he had done big work in representing his Almighty God, in a positive defense of the truth as seen by the miracles of Jesus Christ, was told of this project at Milford.

"Dr. Brinkley hired Dr. Draper at Dr. Draper's own price and paid for a picture machine and reels and built a picture house and bandstand for the local band and built benches in the park and a platform, and put a piano on it. Every Sunday and Wednesday nights moral and religious pictures are shown to remind people of the Greatest Man ever known."

Tennis and basketball courts, children's playgrounds, a merry-go-round and other features are a part of Dr. Draper's vision of what should be at Milford. To build up this project subscriptions are being volunteered by neighbors. Some farmers donate about $5 apiece. Dressmakers give the price they charge for one gown.

Such is the remarkable labor which Dr. Brinkley has set himself, as an international scientist, and one who, later, "following the gleam," has determined to stick by his forefathers' creeds—glands or no glands.

PREACHES GOSPEL. Dr. Charles Draper, Pastor of the Brinkley Institute, Who Doesn't Believe in Scientific Evolution.

SUNDAY SCHOOL. Children on the Playground at Milford, Kansas, Where Rigid Fundamentalism Is Taught, Despite the Adjacency of Dr. Brinkley's Gland Hospital Activities.

(New York Evening Journal, September 11, 1926. Microfilm courtesy of the Library of Congress.)

図8.2 ブリンクリー「医師」のヤギ生殖腺クリニックの宣伝目的の記事。左上の写真はブリンクリー本人で、抱いているのはヤギ生殖腺移植によって生まれた初の子ども（名前はもちろん「ビリー」（訳注：ビリーには「雄ヤギ」の意味もある）だ）

吹き飛ぶんですがね」と答えた。「じゃあ、つけてくださいよ」と患者は頼んできた。ブリンクリーは奥の部屋で移植を行い、そうして新たなビジネスが生まれた。その後、一件につき750ドルの手術料で、月に50件もの移植を行うようになった。そうするうちに、生殖能力の向上よりも性的能力の改善をうたうほうがより儲かることに、ブリンクリーは気づいた。[原注25]

若いときに電信局で働いていたブリンクリーは、通信技術の可能性をよくわかっていた。そこで1923年にカンザス州初のラジオ局

KFKBを開局した。この局名は、“Kansas First, Kansas Best” radio（「カンザス州が１番、カンザス州がベスト」ラジオ）や、ときには“Kansas Folks Know Best”（「カンザス州の者たちが一番よくわかっている」）の頭文字を取ったものだとされた。同局では、カントリー・ミュージック、キリスト教原理主義者による説教、それにブリンクリー医師本人による医療相談を取り交ぜて放送していた。リスナーたちが悩みを送ると、ブリンクリーの助言はほぼ決まって「ドクター・ブリンクリーの通信販売での売薬」の購入を薦めるものだった。この番組は、「これはティリーさんからの相談ですね」というように進むのがいつもの流れだった。

> 相談者は10年前にある問題を抱えて、手術を受けたそうです。私はその手術は不要だったと思いますよ。その後の妊娠を希望して片方の卵巣を取るのは、あまりいい考えだとは言えません。私のあなたへの助言は、「女性向け強壮剤」の50番、67番、そして61番を飲むことです。３カ月間ずっと飲み続けて、あなたのどんな希望もかなえられるとすれば、この組み合わせが最適です。[原注26]

KFKBには、大西洋の真ん中まで届くほどの、非常に強力な送信機が備えつけられていた。全国世論調査では２位の４倍もの票を得て、アメリカで最も人気のあるラジオ局に選ばれた。[原注27]大平原諸州一帯で大評判となり、ブリンクリーには毎日3000通もの手紙が届いた。多い日には、500人もがミルフォードを訪れた。だが、同じ地域のライバル局から事を知らされたアメリカ医師会は、ブリンクリーのいんちき療法に異議を唱えた。FRCは同ラジオ局の免許を更新しても、それは「国民の利便性、利益、必要性」の役に立たないだろう判断した。ブリンクリーは、免許の取り消しは検閲にほかならないと異議を申し立てた。

控訴裁判所はFRC側の主張を認めるという、画期的な判断を下した。裁判所は、「検閲は事前抑制であるため、ブリンクリーのこの裁判においては重要な点ではない」と説明した。そして、「FRCは控訴人の過去の品行に注目するという、紛れもない権利を行使したにすぎない」と指摘した。この反論として挙げておきたいのは、メディアの事前抑制について、アルバート・ギャラティンが200年以上前に語った次の言葉だ。「ある行動を罰することがその行動を取る自由のはく奪ではないという考えは、まったく馬鹿げている[原注28]」

裁判所は国有地のメタファーを用いて、次のようにFRCの行動を正当化した。

> 使用できる放送周波数は限られているため、そこで提供されるサービスの性格や質を同委員会が検討するよう求められる必然性がある。（中略）明らかに、すべての事業や学派に対して、それぞれに放送帯域を割り当てる余地はない。

「必然性がある」「明らかに」ときた。自身の論点がいかにわかりきったものであるかを高らかにうたう主張については、常に綿密に調べるのが賢明な策だ。

この裁判で示された原則について、フェリックス・フランクフルター判事は1943年の別の裁判における意見で、次のようにより明確なかたちに言い直している。その後、この意見はしばしば引用されている。

> 1927年以前の無線にとっての厳しい状況は、通信手段としての無線のある基本的な事実に起因している。それは、設備が限られているために使いたい人全員が使えるわけではないという点だ。無線スペクトルは、どうやっても全員に割り当てられるほど大きくない。

互いが混信しないよう運営できる局の数には、自然に定められた不変の限界があるのだ。[原注29]

それらの事実は、当時のテクノロジーについてのものだ。たしかに正しいが、それは技術工学の偶然的真理にすぎない。それらが物理学の普遍的な法則だとされたことは一度もないし、しかももはやテクノロジーの限界ですらない。技術革新のおかげで、放送局の数には問題になるような「自然に定められた限界」など、現実的にはないに等しい。連邦政府が放送電波を使わせない理由として「免れない帯域不足」を挙げるのは、もはや根拠に乏しい。

スペクトルをより一層限られた無線技術で利用することを正当化するために築かれた規制の大がかりな枠組みは、もはやそれが当然であるかのように、なかなか現状に即したものにならない。技術革新者たちとは違って、官僚たちは素早く動けない。FCCは資源の需要を一手に、かつあまりに早くから予測しようとする。だが、テクノロジーによって供給が突然変化したり、市場の力によって需要が突然変化したりする。中央計画はソ連同様に、FCCでもうまくいかないようだ。

さらに、古いテクノロジーの利害関係者の多くは、規則が変わらないことを喜んでいる。国有地の賃借人たちが借りていることで得られる恩恵を享受しているように、無線免許取得者たちには、自分たちが管理している「資産」を規則の変更によって返還させられ、その利用を巡って新規参入者たちと改めて競わなければならなくなる、といった事態を望む理由などない。資産が維持できれば、より大きな金額が絡めば絡むほど、見返りの大きい有益な投機になるのだから。ラジオ局の免許は当初から価値が高かったが、希少性が高くなるにつれて金額も跳ね上がった。1925年、シカゴのあるラジオ局の免許が5万ドルで売れた。広告業の発展と、局のネットワーク化が進んだことによって、取引額は100万ドルに達した。

1927年無線法制定後は、局同士の論争は訴訟、ワシントン詣で、親交のある国会議員による圧力で解決しなければならなくなったため、そういったことを実現しやすい、ほかよりも財布の大きい局のほうが有利になる。当初は大学が運営するラジオ局も多かったが、放送電波の価値が上がるにつれて、FRCは彼らに圧をかけた。大学のラジオ局は非営利のため、その地に踏ん張れなかった。やがて教育を目的とするラジオ局の大半は、民間の放送局に売られていった。ある歴史学者は、次のように指摘している。「この委員会は公益についての話をしながら、（中略）実際には民間の放送局をさらに発展させることを選んだ。それが事実だ[原注30]」

スペクトルにおける規制緩和への道

今日では、私たちはみな無線発信者であり無線受信者でもある。あなたのポケットのなかのスマートフォンは、あなたがインスタグラムに写真を投稿したり、グーグルに検索クエリを送ったり、弟にテキストメッセージを送ったりしているときに電波を利用しているし、それにもちろん、昔ながらの電話をするときは、あなたの声を無線で伝送している。だがそれ以外に、あなたは自分の身の回りで使ういくつもの機器でも電波を使っている。あなたのブルートゥースヘッドホンは、あなたのスマートフォンかiPodから送られてくる暗号化された楽曲に対して、非常に短い距離用の無線信号を使っている。また、あなたのポケットのなかのキーレスキーは、隣に駐車された車ではなくあなたの車のドアを解錠するための、ヘッドホンとはまた別の信号を利用している。私たち筆者のひとりが使っているインスリンポンプは、彼が問題を抱えている生化学調節経路に近いはたらきをするために、血糖値センサーと無線でやりとりしている。

こうした信号はどれも、スペクトルの一部を使っている。それらは、アメリカ東部初の民間ラジオ局として1921年に開局してから絶え間なく放送し続けてきたボストンのWBZのラジオ放送と、ほぼ同じ物理的法則に従っている。だが、その新たな無線放送は、WBZのものとは二つの点で大きく異なっている。まず、この新たなものは毎日何十億回も行われている。そして、WBZの送信出力が5万ワットであるのに対して、車のキーレスキーの出力は0.0002ワット以下だ。

1920年代の無線の大混乱の影響を受けて、連邦議会はすべての無線送信機に免許が必要だと定めた。政府が現在もまだそれを続けていたとしたら、電子キーをはじめとする、低出力の無線を革新的な方法で利用した数え切れないほど多くの機器は世に出なかった。この領域でのデジタル爆発は、法律と官僚によって消火されていたはずだ。

無線の領域でのデジタル爆発の裏には、別の開発技術が潜んでいた。利用可能なスペクトルをより効率的に使えるよう、テクノロジーを変化させなければならなかったのだ。デジタル化と小型化は、通信の世界を変えた。携帯電話、無線インターネット、そしてまだ想像もつかない将来の数々の便利な機器の物語は、政治、テクノロジー、そして法律による結び目でできている。それぞれの撚糸についてわかっていなければ、この結び目を理解できない。だが、将来においては、これらの撚糸は今と同じようなかたちで結ばれ続ける必要はなくなっているかもしれない。

いくつかの拡声器から、何十億ものささやきへ

40年前には、小型の携帯電話はなかった。ごく少数の企業の重役は携帯電話を使っていたが、それは大きくてかさばるし、しかも

通話料が高額だった。携帯電話が一握りの企業のお偉いさんの特権から、アメリカの全ティーンエイジャーの当然与えられるべき権利へと変化したのは、小型化によるところも大きい。だが、最も大きな進歩は無線スペクトルの割り当て、つまり無線周波数帯域の利用方法を再検討するなかで起きた。

大きくてかさばる携帯電話の時代には、無線電話会社は巨大なアンテナを設置し、一部の周波数帯を都市部で使える権利をFCCから手に入れた。重役たちの携帯電話は、通話を放送する小さなラジオ局のようなものだったのだ。この携帯電話の出力は、電話があるどんな都市の電話会社のアンテナにも届くくらい強力でなければならなかった。同時にかけられる通話は、その電話会社に割り当てられた周波数の数に制限されていた。携帯電話の技術はラジオ放送局で使われているものと同じだったが、唯一違う点はこの「携帯電話ラジオ」が双方向だったことだ。放送チャンネルの数を制限する理由として挙げられる「スペクトルの不足」は、当時は実際に携帯電話の数を制限する要因になっていた。フーバーははるか昔の1922年に、この問題をすでに把握していた。「もし、1000万人の電話加入者が空に向かって相手に大声で呼びかけるようになったら、（中略）『エーテル』は取り乱したような混乱で満たされ、どんな類の通信も不可能になる[原注31]」

携帯電話、Wi-Fi、ブルートゥース。これらの技術は、ムーアの法則を活用している。無線送信機と受信機は、速く、安く、小さくなった。たとえば、携帯電話。携帯電話の基地局同士は、せいぜい1.5キロ程度しか離れていないため、携帯電話は1.5キロ以内に信号が送れる程度の出力があればいい。基地局のアンテナが受信した信号は、「有線」（柱や地下を通る銅線や光ファイバー通信ケーブル）によって携帯電話会社まで送られる。つまり、無線スペクトルから、ひとつの基地局の範囲（セル）内の通話を扱えるだけの分を使わせてもらえれば十分だ。なぜなら、同じ周波数で同時にほかのセルの通話も扱えるからだ。通話中の電話がセルからセルへと運ばれる際に通信が切れないようにするには大量の複雑な作業が必要だが、携帯電話に入っている小さなものも含めた一連のコンピューターは、そうした再調整をこなせるほど十分速くて優秀だ。

携帯電話の技術は、無線スペクトルの使用での重大な変化を示している。それは、今日の無線通信の大半は、近距離内で行われているということだ。携帯電話の基地局と携帯電話間で伝送が行われている。オフィスで働いている人のコンピューターや無線ルーターと、休憩してコーヒーを飲んでいる人のコンピューターや無線ルーター間でも。コードレス電話の受話器と、本体間でも。幹線道路の料金所ブースと、通勤者の車のフロンガラス内側に取りつけられたトランスポンダー間でも。電子キーと、それで解錠する車とのあいだでも。ビデオゲームをしている人と、そのゲーム間でも。携帯電話とブルートゥースイヤホン間でも。

「衛星ラジオ」さえも、宇宙で軌道を周回している衛星からリスナーに直接ではなく、付近のアンテナを経てリスナーの受信機に伝送されるときもある。都市部では受信機と衛星のあいだにあまりに多くの建物があるため、互いに有線でつながっている「リピーター」というアンテナを衛星ラジオ会社が設置している。あなたが街なかで運転しながら衛星ラジオ「シリウスXM」を聞いているときは、その信号はおそらく数百メートル先のアンテナから送られてきたものだ。[原注32]

5Gの携帯電話技術は、同様の技術がさらに発展したものだ。5Gは前身の技術である4Gよりもスペクトルのより高い別の周波数帯域を使うことで、さらに速いデータ転送速度を実現した。ただし、このデータ転送速度の速い高周波数の無線の利用には、ある代償がともなう。送信機から離れていくと、信号が急速に弱くなるのだ。

そのため、5Gのセルは4Gのものより小さく、送信機となる基地局がより多く設置されなければならない。5Gが主に都市部で使われているのには、こうした事情がある。

詳しい話はさておき、無線スペクトルの主な用途は、長距離の信号送信ではもはやなくなっている。スペクトルに関する政策は、無線が主に船と陸のあいだの通信、遠く離れた場所からの遭難信号の送信、広大な地域での放送で使われていたときのものだ。身の回りで使う無線機器が全国に普及するにつれ、無線信号の大半は送信距離がわずか数メートル、あるいは長くてもせいぜい数百メートルになった。こうした変化した状況においては、スペクトルを管理するための古い規則は意味のないものになった。

この「土地」を別の方法で区切ればいいのか？

免許取得者に「割り当てられた」スペクトルの部分でさえ、実際にはほとんど活用されていないかもしれない。連邦通信委員会(FCC)報告書には、次のような記述がある。「スペクトル不足の問題は、実際には『スペクトルの活用問題』であることが多い。要は、スペクトルで使われていない場所があっても、そこは昔のテクノロジーに基づいた昔の政策によって、区切られ隔離されてしまっているのだ[原注33]」。同委員会のこの結論は、さまざまな周波数帯域の電波を実際に受信して、各帯域で何も伝送されていない状態がどれくらいあるのかを調べた結果によるものだ。サンディエゴ、アトランタ、シカゴといった人口が密集した都市部においても、スペクトルの大半は、たいていほぼ完全に未使用だった。利用されていないその周波数帯域を別の用途で使えれば、国民にとってより有益になるに違いない。

ここ20年のあいだ、FCCは「スペクトルの二次利用取引」を模索してきた。それは、スペクトルの一部を一時的に使いたい側は、その帯域を利用する権利を持ち使用料と引き換えに他者が使ってもいいと思っている側から借りてもいいというものだ。たとえば、ある大学はアメフトの大きな試合が予定されている年に数回の土曜の午後だけ、高出力で放送するためにスペクトルを利用したいとする。そこはちょうど株式市場が閉まっている時間帯なので、通常は金融関連の企業が利用しているスペクトルの一部は、さほど混んでいない。あるいは、周波数帯域の一部を緊急放送専用として常に確保しておく代わりに、国民の安全のための放送が必要なときは明け渡す（強制的に切り替わるよう送信機にプログラミングされている）という合意のもとに、娯楽用に利用可能にすることもできる。

対象品がイーベイに出す中古品であろうとスペクトルの小さな帯であろうと、コンピューター化されたオークションの利用は、物品の極めて効率的な配布を実現できることが多い。スペクトルの十分活用されていない帯の免許取得者たちが、ほかの者に一部の時間帯を売る気があるなら、スペクトルの特定部分（特定の時間や特定の地域）を効率的に使えるようになる。

だが、二次利用の取引は「周波数帯域のひとつの帯を１組ずつ利用する」という基本モデルを変えるものではない。上述のようなオークションを利用するやり方は、割り当てるという方法を変えるものではある。スペクトルの一部に対して独占権を有する免許を政府関連機関がひとつの組に静的に与えるのではなく、その帯をいくつかに分けて数組で交代しながら使えるよう取引するものだからだ。だが、こういったやり方では、「スペクトルは使いたい人たちで分割して使える土地のようなもの」という基本的な概念はそのままだ。

スペクトルを共有する

フランクフルター判事が1943年の裁判の意見で用いたアナロジーは、別の考え方への方向性を意図せずに示すものとなった。判事はスペクトル不足が避けられないことについて、「それゆえ無線の規制は、交通規制が車の発展に欠かせなかったように、その発展にとって極めて重要だ」と述べた。

スペクトルもそうだと言われているように、道路は国家資産だ。道路は連邦政府、州政府、地方自治体によって管理され、利用に関する規定が定められている。利用者は車のスピードを出しすぎてはならない。運転している車は、各道路で決められた高さと重量を超えてはならない。

だが、道路はみなが共有している。政府関連の車専用の、特別な幹線道路など存在していない。トラック会社は、特定の道路が競合他社に使えなくなるような免許を取得することなどできない。各道路における交通の許容量を、みなで共有している。[原注34]

道路は法律では「コモンズ」(訳注:共有地、共有財)(第6章『崩れるバランス』で紹介した概念)と考えられているものだ。国際漁業協定に基づいた共有資源である大洋も、コモンズだ。少なくとも理論上では、大洋はコモンズである必要性はない。大洋の海面を区切った一区画ごとに、各漁船がそれぞれ独占的な漁業権を持てるからだ。もし各領域が十分広ければ、そうした条件下での漁で豊かに暮らしていけるかもしれない。だが大洋とその資源をそんなふうに割り当てるのは、社会全体にとっては恐ろしく非効率だ。大洋をコモンズとして扱い、漁船が協定で定められた漁獲量を守りながら魚を追って進むほうが、人間のニーズをより満たせるのだ。

ヨハイ・ベンクラーのウェブサイトwww.benkler.orgでは、よく知られる"Over coming Agoraphobia"(広場恐怖症を克服するには)[原注35]といった、重要かつ読み応えのある論文が無料でダウンロードできる。そこに出てくる発想について、ベンクラーは著書*The Wealth of Networks*(豊かなネットワーク)[原注36]で、ほかの題材とともにさらに掘り下げている。

スペクトルは細かく分割しなくても、共有できる。電子通信において、すでに先例がある。インターネットは、デジタルのコモンズだ。インターネットのバックボーンである光ファイバー通信ケーブルや衛星通信回線では、すべての人のパケットが混ざり合っている。各パケットには、特定情報がつけられている。どのパケットが誰のものかは、各中継点で仕分けられる。秘密にしたい情報を暗号化することもできる。

スペクトルの政策づくりでは、二つの選択肢が考えられる。スペクトルを割り当てる方法（活用性の向上のために、取引を行う可能性を盛り込むのがいいだろう）と、より開かれたコモンズにするというインターネットのような方法だ。21世紀に入ってからの20年のあいだに無線技術が飛躍的に向上したため、連邦議会はテレビ放送に割り当てられていたスペクトルのなかの、十分に活用されていない領域を開放することで、スペクトルの利用に「免許制」と「開放性」を組み合わせる方法を取り入れた。[原注37]

どんな方法にせよ、スペクトルをうまく共有するためには、参考にしたほうがいい重要な点が二つある。ひとつ目は、周波数の帯域幅を大量に利用しても必ず混信が起きるわけではないし、しかも大量に利用すれば伝送容量を大幅に増やせるということ。そして二つ目は、無線受信機にコンピューターを内蔵すれば、スペクトルの活用度を大幅に向上できるという点だ。[原注38]

世界でも最も美しい発明家

スペクトル拡散は、いくつかの国で何度も開発されては忘れられるということを繰り返してきた。[原注39] 互いに同じ研究をしていることにほとんど気づかないまま機密研究を行ってきた企業（ITT、シルバニア、マグナボックス）、大学（特にMIT）、そして政府の研究機関はみな、現代の電気通信の主要な要素であるこの技術の誕生に貢献したことになる。

このスペクトル拡散技術の間違いなく最も優れた前身は、映画界の君主ルイス・メイヤーに「世界で最も美しい女性」と言わしめたハリウッド女優ヘディ・ラマーと、「音楽の悪童」として知られた前衛音楽作曲家ジョージ・アンタイルによる特許発明だ。

1933年、チェコ映画『春の調べ』（訳注：英語の題名はEcstasy（エクスタシー））でヌードになった19歳のラマーは、スキャンダラスな女優としてその名をヨーロッパじゅうに轟かせた。その後、ヒトラーとムッソリーニも顧客だったオーストリアの兵器製造業者、フリッツ・マンデルのトロフィーワイフになった。1937年、ラマーは女中に変装してマンデルの屋敷から抜け出すと、パリ、そしてロンドンに逃亡した。そこで出会ったメイヤーに、ハリウッドに誘われた。ラマーはスターになり、彼女の美しさはあの時代の映画界の象徴となった

(Source: ©Bettmann/CORBIS)

図8.3　ジョージ・アンタイルと共同でスペクトル拡散の開発をしていた当時のヘディ・ラマー

（図8.3参照）。

1940年、ラマーはアンタイルと会う約束を取りつけた。胸をもう少し豊かにしたかったラマーは、アンタイルならいい助言をくれるのではないかと思ったからだ。彼は女性内分泌学の自称専門家でもあり、『エスクァイア』に“The Glandbook for the Questing Male”（探求する男性のための分泌腺ガイド）といった題名の一連の記事も寄せていた[原注40]。アンタイルはラマーに、腺エキスの摂取を薦めた[原注41]。その後、二人の会話はほかの話題に移った。具体的には、魚雷による戦いについてだった。

魚雷とは爆弾にスクリューがついただけのものだが、巨大な船を沈められるほどの威力があった。第一次世界大戦末期には無線操縦式魚雷が開発されていたが、まだ大幅に信頼性に欠けていた。その魚雷への有効な対抗手段は、魚雷を制御している信号と同じ周波数で大きな電波雑音を発信して、制御信号を妨害することだった。すると魚雷は制御不能になって、標的を外した。マンデルの仕事を観察していたラマーは、魚雷がどんなもので、なぜ制御が難しいかを学んでいた。

ラマーは熱心な親米派になっていて、連合軍の戦いの役に立ちたいと願っていた。そこで彼女は、魚雷の制御信号として周波数が異なる短い信号を次々に送ることを思いついた。送られる周波数のシーケンス（訳注：送信周波数の順序と間隔からつくられるパターン）情報は、魚雷側と制御している艦船側で共有される。このシーケンスは敵側にはわからないし、たとえどの特定の周波数で電波雑音を大量に出されても制御信号は妨害されなかった。可能性のあるすべての周波数で同時に妨害しようとするのは、極めて大きな出力が必要となるため無理だった。

アンタイルの役目は、自動演奏機能つきピアノの仕組みを利用して、この「周波数ホッピング」（訳注：「跳び回る」）のシーケンスを制御することだった。アンタイルは、彼の名作『バレエ・メカニック』で複数の自動演奏機能つきピアノが同時演奏する曲も書いていたので、その分野に詳しかった。それゆえ、彼とラマーが考案した機器（実際につくられることはなかった）で送られる信号は、ピアノの鍵盤数88に合わせた88の周波数間を跳び回ることになった。艦船側と魚雷側には、同じ「自動ピアノの巻き取り譜」が搭載された。それは実質的に、発信信号を暗号化した。

1941年、ラマーとアンタイルは取得した特許（**図8.4**参照）を、海軍に譲渡した。二人の発明について「あまりに『できたてほやほや』なので、それがどういうものか自分には詳しく説明できないが、『戦争で使われる装置の無線制御に関するもの』らしい[原注42]」という軍の技術者の話が、『ニューヨーク・タイムズ』の「娯楽」欄に小さく掲載された。とはいえ、海軍はこの発明を当時はただ放っておいたようだ。そのため、ラマーは戦時国債の販売に力を入れるようになった。自分を「アメリカのための金目当ての女」と称した彼女が、国債を買ってくれたお礼にキスをして回った結果、一度の昼食会だけで450万ドルも売り上げたという[原注43]。一方、特許は10年以上放置された。1950年代半ばに海軍の請負会社で技術者として働いていたロマルド・イレネウス・シボール＝マルチョッキは、敵の潜水艦を探知する機器の開発を命じられたときに、その特許のコピーを渡されたことを覚えていた。記載されていた名前が芸名とは異なっていたため、彼は特許権者がラマーだとは気づかなかった。

以上が、ラマーとアンタイルをスペクトル拡散の発明へと導いた、予期せぬ発見、チームワーク、虚栄心、愛国心の入り混じった実に不思議ないきさつを簡単に

アンタイルとラマー、そしてスペクトル拡散の歴史における彼らの発明の位置づけについての話は、ロブ・ウォルターズの著書 *Spread Spectrum*（スペクトル拡散）[原注44]に詳しく記述されている。

UNITED STATES PATENT OFFICE

2,292,387

SECRET COMMUNICATION SYSTEM

Hedy Kiesler Markey, Los Angeles, and George Antheil, Manhattan Beach, Calif.

Application June 10, 1941, Serial No. 397,412

6 Claims. (Cl. 250—2)

This invention relates broadly to secret communication systems involving the use of carrier waves of different frequencies, and is especially useful in the remote control of dirigible craft, such as torpedoes.

An object of the invention is to provide a method of secret communication which is relatively simple and reliable in operation, but at the same time is difficult to discover or decipher.

Fig. 2 is a schematic diagram of the apparatus at a receiving station;

Fig. 3 is a schematic diagram illustrating a starting circuit for starting the motors at the 5 transmitting and receiving stations simultaneously;

Fig. 4 is a plan view of a section of a record strip that may be employed;

Fig. 5 is a detail cross section through a rec-

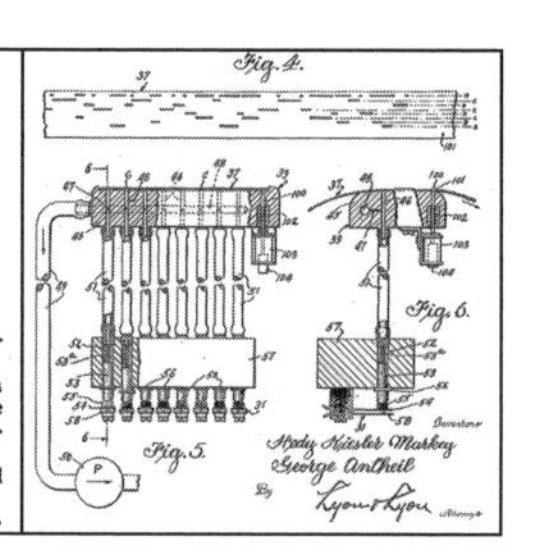

(U.S. Patent Office)

図 8.4 ヘディ・ラマー（名義として記載されている「キースラー」は旧姓、「マーキー」は6回の結婚での2番目の夫ジーン・マーキーの姓）とジョージ・アンタイルの、スペクトル拡散特許の原特許。左図は特許の最初のページの一部。右図は特許内に示された図の一部である、「自動演奏機能つきピアノ」の仕組みの説明図

まとめたものだ。この二人とスペクトル拡散の開発の結びつきは、1990年代まで知られることはなかった。その頃には、彼らの発明を前身とする技術が、さまざまな分野での極秘の軍事研究に絡むようになっていた。この新たな概念の大陸において、ヘディ・ラマーはクリストファー・コロンブスというよりは、レイフ・エリクソンなのかもしれないが（訳注：コロンブスの500年前にアメリカに上陸したとされるヨーロッパ人）、いずれにしても最も予期されなかった発見者が彼女であったことは間違いない。1997年、電子フロンティア財団（EFF）はこの発明でのラマーの功績を称えた。ラマーは喜んで賞を受け取ると、「待ちくたびれたわ」とコメントした。二つの分野での偉業について尋ねられたラマーは、「映画は、ある時代のある場所で役目を果たすもの。でも、テクノロジーは永遠に役立つもの」と答えた。

通信路容量

ラマーとアンタイルが発明した方法は「信号をスペクトルじゅうに『拡散』する」という、幅広い周波数帯域を活用するものだった。スペクトル拡散の理論的基礎は、クロード・シャノンが1940年代

後半に完成させた、数学でのすばらしい研究成果のひとつだ。当時はデジタル式の電話もラジオもまだなかったが、シャノンが導いた基本法則はそうした機器のはたらきを予測するものだった。マクスウェルの方程式が電波を予測したように、シャノン＝ハートレーの定理はスペクトル拡散を予測していた。

シャノンの研究結果（この研究は20年前のラルフ・ハートレーの研究に基づいて進められた）は、無線スペクトルにおける情報の伝送量について考えるにあたり、「混信」という概念は正しいものではないということを意味していた。つまり、同じ周波数において信号が重なることがあっても、十分に高性能な無線受信機によって重なりを完璧に引き離せるというものだった。

初期の技術者たちは、通信エラーは避けられないものだと考えていた。ビットを有線で、あるいは電波を使って空中で送ると、その一部は雑音のせいで間違って届いてしまうはずだと。技術者たちは、話し手が相手に確実に理解してもらおうとしてゆっくり話すのと同様に、データ伝送速度を遅くすれば通信路の信頼性が向上すると考えたが、たとえそうだとしても通信エラーが起きないとは保証できなかった。

シャノンは、通信路の振る舞いは実際には人間のものとは異なることを示した。どんな通信路にも、特定の「通信路容量」がある。これは、通信路が1秒間に扱えるビット数だ。もしあなたが使っているインターネット接続のビットレートが3Mbit/s（または3Mpbs、300万ビット毎秒）だと広告でうたわれていたら、その数値が、あなたとそのインターネットサービスプロバイダー間という接続での通信路容量だ（あるいは、「そのはず」だ。すべての広告が、真実を伝えているわけではないので）。もし、既存の接続が電話回線によるもので、光ファイバー通信ケーブルを使用しているサービスに乗り換えたら、通信路容量は増えるはずである。

容量の大きさにかかわらず、通信路容量にはすばらしい特性があり、それはシャノンによって証明されている。通信路における伝送速度が通信路容量を超えないかぎり、ビットを発信元から送信先まで「無視できるほど小さいエラー率」で伝送できる。つまり、通信路容量よりも速い速度でビットを押しやろうとすると、必然的にデータ損失が起きてしまうということだ。通信路に送られる前に送信元でデータが十分賢い方法で符号化された場合、伝送速度が通信路容量を超えないかぎりエラー率は本質的にゼロにもなりうる。ただし、伝送速度が通信路容量を上回った場合は、エラーは避けられなくなる。

エラーと遅延

通信エラーの可能性を起こりそうもないほど小さくすることはできるが、ゼロにすることはできない。だが、エラーが起きる確率を、たとえば、「ビットが向かっている最中に偶然起きた地震によって、受け取るはずだった人が亡くなってしまう」確率よりもはるかに低くすることは可能だ。データの正しさを保証するには、送るデータに余分なビットをつけくわえなければならない。「こわれもの」が入った郵便物が、発泡スチロールや空気入りの梱包材で保護されるのと同じように。伝送速度を「シャノン限界」に近づけるためには、ビットの事前処理が必要だ。それによって「待ち時間」、つまり「梱包」処理の始まった時間とビットが通信路に投入される時間のずれが大きくなるかもしれない。この待ち時間は、通信中の人が遅延によって不快になる、音声による通信などでは問題になる恐れがある。だが幸いにも、通話の場合はエラーのない伝送は求められていない。私たちはみな、多少の遅れには慣れているからだ。

電力、信号、雑音、そして帯域幅

無線チャンネルの容量は、内容が伝送される周波数と、伝送に使われる送信電力によって決まる。この二つの要素は別々に考えるほうがわかりやすい。

無線放送は「ひとつの周波数」で行われているわけではない。実際の音を伝えるために、周波数の領域または「帯域」を利用している。ただひとつの周波数だけで伝えられる唯一の音は、音程が不変の音だ。放送の「帯域幅」とは、周波数帯域の大きさである。つまり、帯域の一番上の周波数と一番下の周波数の差だ。たとえば、フーバーは各 AM 局に、10kHz の帯域幅を割り当てたことになる。

ある帯域幅で毎秒ある数のビットを伝送できるとすると、その倍の帯域幅では倍の数のビットを毎秒伝送できる。この二つの伝送は互いにどんな影響も及ぼさずに、隣り合って行うことができる。つまり、「通信路容量は、帯域幅に比例している」

帯域幅

通信路容量は周波数帯域幅によって決まるため、「帯域幅」という言葉は通常「1秒当たりに伝えられる情報量」という意味で使われる。だが厳密に言えば、帯域幅は電磁的な通信に関するものである。それでも、帯域幅はビットの伝送容量に影響するいくつかの要素のひとつにすぎない。

信号電力との関係は、さらに驚くべきものだ。わかりやすく説明するために簡単な数値を使おう。たとえば、1秒間に1ビット、つまり0か1を伝送できるとする。では、「使用する電力は増やせるが、時間や帯域幅は増やせない」場合、伝送できるのは何ビットだろうか?

無線通信が0と1を見分けやすいようにするための方法のひとつは、その二つの値を表す信号の信号電力を、異なるものにすることだ。引き続きわかりやすくするために数字を簡単にして、電力がゼロのときは0、それより少しだけ高い電力、たとえば1ワットが1を表すとしよう。すると、1と0を見分けるためには、無線受信機は1ワットと0ワットの差を見分けられるほどの精度が必要になる。太陽黒点から到達する電波といった制御できない雑音も、0を表す信号をゆがめて1を表す信号と間違えられかねないものにしてしまわないよう、十分弱くなければならない。

このような状況下では、４倍の信号電力があれば、１秒という時間のままで２ビットを同時に送ることができる。電力レベル０は００、１ワットは０１、２ワットは１０、３ワットは１１を表せる。あとに続く電力レベルは、信号が混同されないよう前のものと少なくとも１ワットの差がなければならない。信号同士の電力レベルが近かったら、除去できない雑音によって、それらの信号を正確に見分けられなくなるかもしれない。一度に３ビットずつ伝送するには、０から７ワットのレベルを利用して８倍の信号電力が必要になる。つまり、必要となる電力は一度に送るビットの数に従って指数関数的に増える（**図 8.5** 参照）。

つまり、シャノン＝ハートレーの定理からわかるのは、「通信路容量は帯域幅と信号電力の双方で決まるが、帯域幅のほうが信号電力よりも極めて価値が高い」ということだ。帯域幅を 10 倍にすることで増える通信路容量と同じ分だけを信号電力で増やそうとする

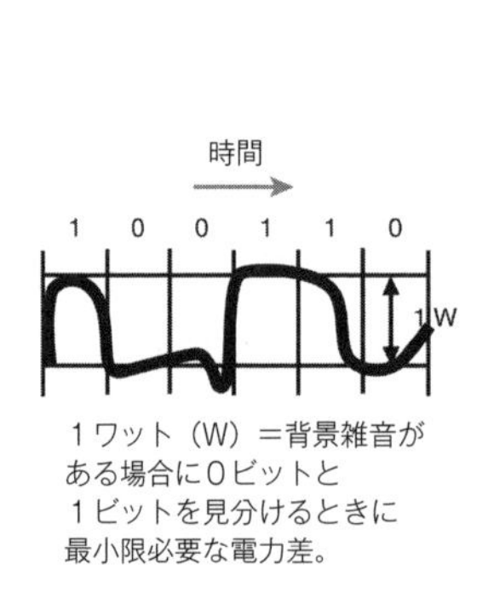

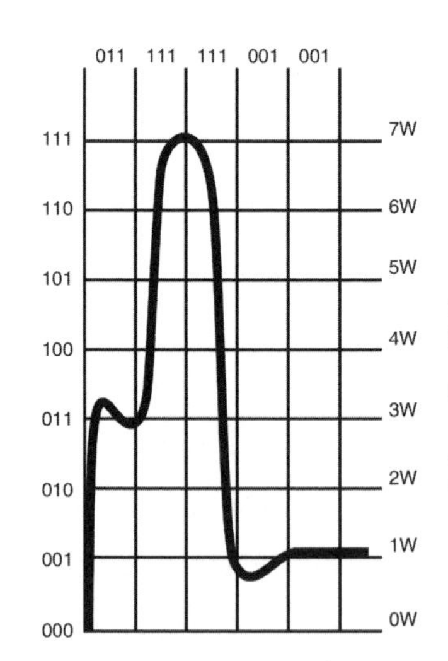

図 8.5　シャノン＝ハートレーの定理。信号レベル間は雑音によって信号にゆがみが生じても見分けられるように、十分な間隔を必要とする。ビットレートを３倍にするためには、８種類の信号電力が必要だ

と、信号電力を1000倍にしなければならないのだ（$1024 = 2^{10}$より）。帯域幅は、たしかに貴重だ。

私の信号はあなたの雑音

シャノン＝ハートレーの定理からわかった帯域幅の重要性は、驚くべきものだ。もしWBZが5万ワットの送信機でデジタル通信を行っていた場合、FCCに割り当てられた10kHzの代わりに100kHzの帯域幅を使うことができれば、薄型テレビよりも少ない電力で同じ情報量を送ることができる（距離は短くなる）。

当然ながら、どんな局も100kHzも独占的に使う許可は得られないだろう。それどころか各局へ10kHz割り当てるのさえ、スペクトルを急速に使い切ってしまうことになる。スペクトル拡散方式は、スペクトルがコモンズとみなされた場合のみうまくいく。そして、同じスペクトルのなかで多くの信号が送信されているのを見るためには、理解しておかなければならない、もうひとつの重要な点がある。

それは、無線チャンネルの容量に影響している電力レベルは実際には信号電力ではなく、「SN比」、つまり信号電力と雑音電力の比率だということだ。要は、もし雑音も10倍減らせれば、1ワットの電力で10ワットのときと同じビットレートで伝送できるということである。また、「『雑音』にはほかの人の信号も含まれている」。混信がほかの人の発信によるものであろうと、遠くの星からによるものであろうと、さほど関係ない。混信している通信同士は、同等の雑音量で共存できるかぎりは同じスペクトル帯を共有できる。

「スペクトル拡散ラジオ」

1998年、スペクトル拡散ラジオについての次の興味深い記事が掲載された。デビッド・R・ヒューズ、ドウェイン・ヘンドリックス“Spread-Spectrum Radio”（スペクトル拡散ラジオ）[原注45]。

シャノン＝ハートレーの定理から得られる驚くべき結果は、「たとえ雑音（ほかの人の信号も含む）が信号より大きかったとしても、通信路容量は多少存在する」というものだ。あなたはうるさいパーティーに出席しているとしよう。もしあなたがひとりの声を集中して聞こうとすれば、たとえそれがほかの雑音より小さな声でも、背景雑音からその話し声を聞き分けられるはずだ。だが、シャノン＝ハートレーの定理の予測は、次のようにさらに続く。「たとえ雑音が信号の何倍も強くても、通信路はゆっくりかもしれないがビットを完璧に伝送する。さらに、大量の帯域幅を使えるようになった場合、ビットレートをまったく落とさずに信号電力を大幅に削減できる（**図 8.6** を参照）」。雑音にしか聞こえないものをある周波数で注意して聞けば、実は役立つ信号が埋まっているかもしれないのだ。

シャノン＝ハートレーの定理は、数学者にとって大喜びしたくなるものだった。理論上将来何が可能かのヒントを、ちょっとだけ見せてくれるからだ。それは、一瞬だと何かわからないが、実は原子炉や原子爆弾のことをすべて教えてくれる、アインシュタインの $E = mc^2$ のように。ヘディ・ラマーの周波数ホッピングは、その後実用化されるスペクトル拡散技術の手法のひとつだが、20 世紀末には奇妙な頭字語の名前がつけられた、独創的な発明も登場するこ

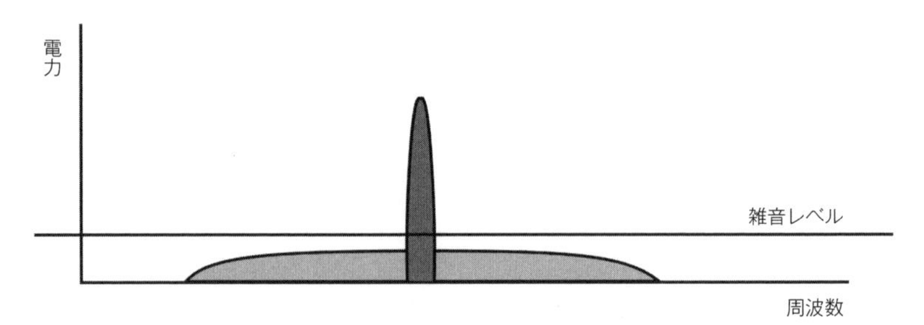

図 8.6　スペクトル拡散の原理。より多くの帯域幅を使うことで、同じビットレートをずっと低い電力で実現できる。しかも、信号電力は雑音より小さくても構わない

とになる。

シャノン＝ハートレーの定理が示す結果と実用的なスペクトル拡散機器とのあいだには、二つの大きな障害があった。まずひとつは技術工学上の問題で、高品質の音と映像を消費者に伝送するためのビットの処理には、もっと速くて処理能力の高い、しかももっと安いコンピューターが必要だった。これは、1980年代まで実現しなかった。もうひとつの問題は規制上のものだった。これは、数学的でも科学的な問題でもない。官僚たちは、自身が規制するテクノロジーよりも変化が遅いのだ。

規制緩和されるスペクトル

今日では、アメリカの一般家庭の４分の３に、Wi-Fiインターネット接続が導入されている。[原注46] ホテルの部屋やオフィスでも、無線でのインターネット接続が可能だ。建設されて20年も経っていない建物にさえ、合計すると何千キロ分にもなる「お役御免」のケーブルが存在している。これらはインターネットの利用が爆発的に増えたときにビットを運ぶ目的で設置されたが、コンピューターが無線でつながったことでもはや使われなくなったものだ。

Wi-Fiの誕生は、図８．１では幅１ミリにも満たない、スペクトルのごく薄い部分での規制が緩和されて、創造性豊かな技術者たちの実験の場として開放されたことに端を発している。これは、規制緩和がいかに産業革新を刺激するかを示す例でもあると同時に、既存のスペクトル免許取得者たちが、いかに自分たちの特権を維持する規制環境を好むかを示す例でもある。[原注47]

マイケル・マーカスは、誰も予想しなかった革命的な人物だ。MITで学んだ電気工学者のマーカスは、ベトナム戦争中に任務に就いた３年間の空軍将校時代に、地下核実験を検知する通信システムの開発に携わった。それは軍の出資によって作られた、インターネットの原型ARPANETがちょうど稼働し始めた頃だった。軍の現役勤務を終えたマーカスは国防総省のシンクタンクに移り、新たに登場してきたさまざま通信技術を軍事的に利用する可能性を模索した。

1979年夏、マーカスは電子戦争に関する陸軍の研修会に参加した。陸軍主催の会では通常座席が名前のアルファベット順に指定されていて、マーカスの隣は連邦通信委員会の首席研究員スティーブ・ルカシクだった。ルカシクはARPANET開発時に高等研究計画局の局長を務めたあと、ARPANETの先見性を持つ人物としてゼロックスに迎え入れられた。その後、一般的には技術面で大胆な策をとるとは思われていない機関であるFCCに移ったのは、連邦規制によって、革新が抑え込まれているのではないかという考えを、カーター政権の高官たちが漠然と抱いていたからだった。ルカシクはマーカスに、無線通信の発展を促進できるものは何かと尋ねた。マーカスはいくつか案を挙げ、そのひとつが「スペクトル拡散」だった。マーカスは技術者としては優れていたが、政治的な立ち回りは不得意だったようだ。彼が出したこの案は、のちに多くの人に嫌がられることになる。

陸軍は自分たちの活動内容を秘密にしたがるため、スペクトル拡散の軍事利用は一般にはほとんど知られていなかった。FCCはスペクトル拡散の民間利用を、一切禁じていた。なぜなら、それは同委員会が何十年も使ってきたモデルに照らし合わせた場合、独占使用を保証された既得権者たちのスペクトル帯域への、不法侵入になるからだ。たとえ低い電力レベルであっても、帯域幅の大量使用はFCCの規制では到底認められなかった。ルカシクはマーカスに、FCCに来てスペクトル拡散をはじめとする革新的な技術開発を促進してくれないかと依頼した。だがそうするためには、FCCで何十年にもわたって行われてきたやり方を、変えていかなければならなかった。

連邦無線委員会(FRC)の設立直後、アメリカはかつて経験したことがなかった最悪の不況へと突入した。1970年代のFCCは、国家経済対策によって自由至上資本主義が慈悲深く統制されていた、あの1930年代当時の発想に留まったままだった。一般的には、革新者は規制を嫌悪し、既存の利害関係者は既得権を守ってくれる規制を非常に好むものだ。この構図は、スペクトルが政府の管理する、数に限りある不可欠な「原料」である無線の世界では、極めて強い抑圧になりうる。[原注48]

既存のラジオやテレビ局、携帯電話会社といった既得権者は、おそらく数十年も前にFCCにスペクトルの使用権利を認められていて、しかもそれはほぼ自動的に更新されている。既得権者には、自分たちの事業を脅かすかもしれない革新者たちに、「自分の」スペクトルを使わせる理由などまったくなかった。一方、革新者たちは、規制官庁からスペクトル利用の許可が保証されないかぎりは、新たな事業を始められなかった。というのも、出資者たちは政府が使用を許可するかどうかわからない状態で、政府が管理する資源に依存する事業に資金提供する気はなかったからだ。

規制官庁は規制緩和の提案について一般に意見を求めることが多いが、そこで声を上げる一行の大半は、例の既得権者たちの関係者だ。そうした既得権者たちには、変化に対抗するロビー活動を行う団体をいくつも送り込めるだけの潤沢な資金がある。送り込まれた彼らは、規制が緩和されると大惨事が起きるはずだと訴える。実際、規制官庁が競争を排除してくれることを願う彼らが語る破滅へのシナリオは、たいてい大げさに脚色されている。やがて規制官庁は、既得権者の利益ではなく公益を優先させるという自らの最大の使命を見失ってしまう。すべてこのままにしておくほうが、ずっと楽だ。たとえそれがワシントン詣でとロビー活動の巨額な費用によってゆがめられた意見であろうと、一般の声にきちんと対応したのはまぎれもない事実なのだから。電波の混信を防ぐために使われるべき規制官庁の権限は、その代わりに結局、競争の排除に使われてしまった。

さらには、天下りの問題もあった。通信関連の仕事の大半は、民間部門でのものだった。FCCの職員は、自身の将来はスペクトルの商業利用にかかっていることをみな理解していた。近年の委員長全員も含めた何百人ものFCCの職員や役員たちは、自分たちが規制してきた企業に入るか、その代表者になった[原注49]。こうした政府関連機関から民間企業への転職自体は、政府の倫理規程には違反していなかった。そうして、FCCの役員たちは、将来の雇い主になるかもしれない大手の既得権者を怒らせるか、ちっぽけなスタートアップ企業や公益ための非営利団体を落胆させるかのどちらかを選ばざるをえない場面に直面する。FCCを去ったあとも生活していかなければならないことを、彼らが考えていたとしても不思議ではなかった。

1981年、マーカスは同僚とともに、広範囲での周波数帯域で低電力伝送を行う許可を出すことについての一般の意見を求めた[原注50]。それらの帯域を使用している既得権者たちは、当然ながら声を荒げて反対した。FCCはその案を撤回したが、規制による停滞を打ち破るために、使用しても文句がほとんど出ず、しかもほかの使用と混信が起きる可能性が低い周波数帯域を探した。そこで、「産業(I)・科学(S)・医療(M)」でしか使われていないゆえに「がらくた帯域」と呼ばれている、三つの帯域を規制緩和することを思いついた。たとえば、電子レンジは食品に2.450GHzのマイクロ波（ISMの帯域内）を当てることで調理する。この帯域なら規制を緩和しても文句は出なさそうだ。電子レンジは無線信号による「妨害」の影響は受けないし、しかも電気通信業界はこれらの帯域は使っていなかったのだ[原注51]。

とはいえ、RCAやゼネラル・エレクトリックは低電力による混信について抗議したが、彼らの反論は誇張だと判断された。[原注52] このスペクトル帯域は、利用者は周波数ホッピングなどの手法を使って混信を抑えるという条件のもとで、1985年に実験用に開放された。

マーカスにはそこで何が開発されるのかわからなかったが、技術者たちはこの機会を有効に利用しようと待ち構えていた。数カ月後、アーウィン・ジェイコブスはクアルコムを設立した。そして、1990年には、CDMAと呼ばれるスペクトル拡散技術を用いた同社の携帯電話技術が、広く利用されるようになっていた。

その後数年間にわたって、いくつかの研究グループが無線LANのプロトコル開発、つまり、数メートル以内の近距離にあるコンピューターやその他の機器同士が、新たに規制緩和されたスペクトル帯域を用いて相互通信する方法の開発に取り組んだ。自宅でワイヤレスキーボードをコンピューターにつなげるといった一般家庭などでの利用では、低消費電力が望ましい。一般消費者向けの機器は電池駆動が多いために接続に電力をあまり消費したくないし、しかも信号が届く範囲を広げすぎないほうがいい。スペクトル拡散は、低消費電力で高いビットレートを実現した。

ある無線LANのプロトコルには、「Wi-Fi」という名前が商標登録されている。だが、この名前自体にはほぼ意味はない。NCRという企業が、消費者の手に十分届く価格のWi-Fi機器の製造を始めた。スティーブ・ジョブズが、その可能性に気づいた。その結果、1997年にアップルが発表した、同社の商標登録されたAirPort(エアポート)無線ルーターには、NCRの技術が取り入れられている。FCCがIEEE 802.11規格を承認し、そのスペクトル帯域の一般利用がようやく許可された。だが、ほかのスペクトル帯域の携帯電話利用に対するオークションについては大々的に報じたメディアは、この一件にはほとんど注目しなかった。にもかかわらず、3年もしないうちにこの無線ネットワーク通信方式は急速に普及し、今日ではほぼすべてのパソコンにWi-Fi機能が搭載されている。

ブルートゥースも、スペクトル拡散を利用して数メートル程度しか離れていない機器を接続する、別の方式の低消費電力無線技術だ。無線LANが「ローカルエリアネットワーキング」であるのに対して、ブルートゥースは「パーソナルエリアネットワーキング」と称されている。無線スペクトルのほんの小さな部分（2.4 GHz周辺）の規制が緩和され、免許なしに誰でも使えるようになったことで、今日では数え切れないほど多くの種類のヘッドセット、キーボード、トラックパッド、医療機器などが、コンピューターや携帯電話に無線で接続できる。

無線スペクトルを競争のために開放しようとした試みが仇となり、マーカスはFCCで7年間「国内追放」された。クリントン政権時代になると追放処分を解かれて、再びスペクトル政策に取り組めるようになった。FCCを引退したマーカスは、その後民間企業でコンサルタントを務めている。

マイケル・マーカスのウェブサイト www.marcus-spectrum.com には、スペクトルの規制緩和やスペクトル拡散の歴史に関する、興味深い資料や意見が掲載されている。

無線の将来はどのようなものだろう？

無線通信の世界は、デジタル爆発が起きたほかのどんな分野と同じく、発展していくのはこれからだ。実際、デジタル通信技術の進歩は、コンピューター映画製作、音声認識、天気予報といった技術の進歩よりも、はるかに遅れている。というのも、コンピューターの処理能力の爆発的な向上を抑制するほど重い政府規制を受けているのは、無線分野のみだからだ。実現可能な規制緩和は、まだ始まったばかりである。

もしラジオが「スマート」だったら

スペクトル拡散は、スペクトルをよりうまく利用するための手法だ。ほかにも考えられる驚くべき手法は、「今日実現可能なコンピューターなどの技術に照らし合わせると、普通のラジオは極めて愚かだ」という認識に基づいたものだ。今日のラジオを80年前に持っていけば当時の放送を受信できるし、80年前のAMラジオは現代のラジオ放送の受信機として利用できる。そうした「過去との互換性」を実現するためには、多大なる効率性を犠牲にしなければならなかった。こうした過去との互換性が維持されているのは、今日もまだ使える80年前のラジオがたくさんあるからではない。既得権者は自身の市場シェアを維持することに「いつどんなときも」強い関心があるので、彼らはより多くの局を受信できる、もっと「スマート」なラジオの登場に反対するためのロビー活動を行っているのだ。

ラジオがこんなふうに愚かで受動的ではなくて、もっと賢くて能動的だったら、電波を通じてはるかに多くの情報が手に入っただろう。信号が遠く離れた受動的な受信機に伝わるよう高出力で放送するラジオと違って、低出力のラジオは互いに信号を送り合える。ある特定の情報へのリクエストがラジオからラジオに送られると、相手側のラジオはそれに応えて求められた情報を送ることができる。互いの情報の流れを増やすために、複数のラジオが協力し合える。あるいは、場合によっては複数の弱い送信機が協力して、長距離通信用の一本の強力な無線を発信することもできる。

そうした「協力による強化」技術は、「無線センサーネットワーク」ではすでに活用されている。それは無線を搭載した低消費電力の小型コンピューターに、温度や地震活動などを感知するセンサーがついたものだ。そうした機器を、煙がくすぶっている火山の火口の縁や、絶滅の危機に瀕した南極のペンギンの営巣地といった、遠隔地の厳しい環境下に設置する。そうすることで、人間が現地で観察するよりもはるかに安全かつ安い費用で、近くにある機器同士が情報交換を行い、最終的にはその情報をまとめたものが、1台だけある高出力の送信機に送られる。

もし業界を締めつけている規制が緩和され、技術革新への意欲が高まる動機が与えられたら、「スマート」ラジオを情報伝送の手段として使える機会が数え切れないほど出てくるはずだ。

また、ラジオは別の面でもより「スマート」になれる。ひとつの信号がほんのわずかな周波数帯域しか使えない、スペクトル割り当ての「狭帯域」モデルにおいてさえ、安い処理能力でも大きな違いをもたらせる。「混信」を防ぐのは政府の役目だという、1912年無線法以降の法律に大事に納められている考え方自体、もはや時代錯誤なのだ。

「スマート」ってどんな意味？

「インテリジェント」や「スマート」とうたわれているラジオにはさまざまな種類があり、それぞれ技術的な名称がついている。最も多く使われているのは「ソフトウェアラジオ（SDR）」と「コグニティブラジオ」である。ソフトウェアラジオは、今日では通常ハードウェア側に搭載されている機能（たとえば、AMやFMなどを認識する）を変えるための、再プログラムが可能なラジオだ。コグニティブラジオは、スペクトル利用の効率性を高めるために、人工知能を利用するラジオのことだ。「スマートラジオ」という呼び方は、AM、FM放送局以外にインターネットにもつながる受信機に対する、マーケティング用語としても使われている。

実際の電波は、混雑のなかで人々が互いの動きを妨げるような「邪魔」はしない。電波はぶつかり合って跳ね飛ばされたりはせずに、互いを通り抜ける。もし二つの異なる電波が古い愚かなラジオのアンテナを通ると、どちらの信号もはっきりとは聞こえない。

将来実現されるかもしれないことを体験するには、男性と女性にあなたの後ろに立ってもらって、同じ声の大きさで別々の本を音読してもらおう。集中しなければ、聞こえてくるのはこんがらかった意味不明の音のはずだ。だが、もしどちらかの声に集中すれば、その内容を聞き取れるし、それと同時に他方を遮断しているはずだ。今度は遮断したほうの声に集中すれば、その内容が聞き取れるようになるだろう。こうしたことができるのは、あなたの脳で高度な信号処理が行われているからだ。あなたの脳は、男性と女性の声の特徴を知っている。英語という言葉をわかっていて、今聞こえてくる音を、英語を話す人から聞こえてくるはずの言葉の音の辞書に照らし合わせる。ラジオも同じことができるようになるはずだ。それは今日はまだ無理でも、コンピューターの性能がもう少し向上した近い将来において。

だが、因果関係がはっきりしない、堂々巡りの問題がある。誰かに「スマート」ラジオを買ってもらうには、聞ける放送がなければならない。誰かに新たなかたちの放送を始めてもらうには、資金が調達できなければならない。投資家に資金を提供してもらうためには、プロジェクトが依存している、規制緩和に対するFCCの判断を確かなものにしてもらわなければならない。だが、既得権者たちは愚かなラジオとスペクトルの非効率な利用によって競争から守られているため、彼らは規制緩和に反対するロビー活動を行う。

さらに、既得権者である電気通信業界やエンターテインメント業界は、議会選挙運動の大口献金者でもあるのだ。それゆえ、国会議員たちは、公益に反してでも既得権者たちの利益を優先するようFCCに圧力をかけてくる。この問題は1930年代からすでに明らかになっていて、無線規制の初期の歴史に関するある文献で「連邦無線委員会ほど、議会の圧力の対象になった準司法機関はかつてなかった」[原注53]と記されるほどだった。その傾向は、今も変わっていない。

パソコン業界といったほかの業界のテクノロジーには、こういった堂々巡りはない。技術革新を起こしたい人は、お金を集めなければならない。投資家はテクノロジーの高度さと、想定される市場の反応を判断して資金提供に踏み切らない場合はあっても、国の規制官庁の対応で判断する必要はない。第6章で取り上げたとおり、著作権の過剰な保護によって創造性が抑圧された例はあるが、その問題の責めを負うべきは法律をつくった議会であり、FCCのような選挙で選ばれていない委員たちとは事情が異なる。

だが、私たちはデジタル爆発を本当に歓迎しているのだろうか？

テクノロジーは合流する。1971年、アントニー・オッティンガーは、コンピューター処理と通信との境界線は消えていくだろうと予測した。彼はその二つがひとつになった結果誕生する技術を、「コンピュニケーション[原注54]」と名づけた。今日のコンピューターユーザーは、自分のデータが何千キロも離れた場所に保管されているなどとは考えもしない。自身のインターネット接続に、障害が起きるまでは。以前、電話は銅線でつながっていて、テレビ局は電波を使って放送していた。だが、今日の通話の大半は空中を伝わり、そしてテレビ信号の大半はケーブルを通っている。

法律、規制、官僚の変化は、それらが支配しているテクノロジーの変化よりもはるかに遅い。FCCはいまだに組織を「無線局」と「有線局」に分けている。「放送」という言葉はもはや技術的には過去の遺物だが、それでもラジオとテレビ放送には言論に対する特別な規範がある。クラレンス・トーマス判事は2009年に署名をしたある判決において、ラジオとテレビ放送に適用されている言論に対する規範の再検討に、彼自身は前向きであると伝えた。

> テクノロジーの劇的な進歩によって、こうした判断の基本となる一般的な仮定は骨抜きになった。40年前に比べると、放送スペクトルはさほど不足していないようだ。（中略）本連邦最高裁判所が修正憲法第1条のもとで放送事業者たちだけを冷遇する根拠となった今なお残っている要因は、今日ここには存在していない。[原注55]

法体系の縦割り組織によって、今日の階層的テクノロジーにおける技術革新が阻まれている。コンテンツ層に対する規制は、物理層への技術的な限界に対する古い理解に基づいて行われるべきではない。物理層の開発への投資が、投資をした企業によるコンテンツ層の支配につながってはならない。公益は、技術革新と効率性にある。古い技術の保持や、規制官庁から規制された業界の既得権者への天下りから得られるものではない。

だが、もしスペクトルが完全に自由化されて、今よりもはるかに効率的に利用され、革新的な無線関連の発明に利用できるようになり、しかも「放送」チャンネルがますます増えたとしたら、私たちはその結果を歓迎するのだろうか？

無線技術分野での技術革新によって、経済も社会も全般的な利益を得ることができる。車の電子キー、ゲーム機のXbox、幹線道路の通行料支払用トランスポンダーは人名救助にはつながらないが、無線火災感知器や全地球測位（GPS）システム機器はそうした役目を果たす。Wi-Fiの事例は、予期せぬテクノロジーがいかに急速にビジネスや生活インフラの欠かせない一部になるかを示している。

だが、テレビやラジオはどうだろう？　100万ものチャンネルがある生活は、1950年代の13チャンネルのテレビや、今日の数百チャンネルの衛星テレビやケーブルテレビがある暮らしよりずっとよくなったと、私たちは本当に思えるのだろうか？　これほど多くの局があると、全体的にコンテンツの質の低下や、事実上の公式情報を提供するチャンネルがなくなったことによる社会の分裂が起きるのではないだろうか？　さらに、少数の見る権利によって、ほとんどの人が見たくないわいせつな内容を締め出すのが不可能になるのではないだろうか？　私たちは、インターネットがそうなってしまった規律の乱れた乱雑な寄せ集めの状態に、電波もなってほしいと本当に思っているのだろうか？

だが、これには別の見方もある。社会全体として、私たちはラジオとテレビに対する自身の考え方が間違っているという現実に、どうしても向き合わなければならない。この考え方は、何十年にもわたる不足性の議論によってかたちづくられたものだ。この議論はすでに脳死しているが、言論統制を正当化することで利益を得ている機関につけられた生命維持装置によって、呼吸し続けているようなものだ。不足性の議論がなければ、テレビやラジオ局は国有地を借りている民間企業でもなければ、航路でさえなくなる。どちらかといえば……本に近くなる。

テレビが図書館に近いものだという再認識が社会に浸透するまで、一定の時間がかかるだろう。だが、出版されている文献の種類が圧倒されるほど、あるいは恐ろしくなるほど多くても、それが図書館をなくす理由にはならない。たしかに、巨額の国家投資だった旧式のテレビを引退させて100万チャンネル用の新たなテレビに変えるために必要な社会的費用を、できるだけ少なくするための確固たる努力が必要だ。だが、私たちはそういったことのやり方をよく知っている。新しいテクノロジーが登場すると、因果関係がはっきりしない堂々巡りの問題が常に起きるものだ。FMラジオでもパソコンでもそうだったように。

放送される内容が市場の力によって支配されると、いくらチャンネルが多くても、私たちはその結果を不満に思うかもしれない。だが、もし人々が求めるものが見たくないものに対する保証だとすれば、市場は下品な言葉や卑猥な言葉が使われないチャンネルをつくるだろうし、そしてテクノロジーによってほかのチャンネルを締め出すことができるようになるだろう。一方、現在のシステムはそのまま残るだろう。なぜなら、既得権者たちの資金面や政治面への影響は計り知れないほど大きいし、しかも政府は言論統制を好むからだ。

政府による規制は、どの程度必要なのか？

もちろん、何が起きるかわからない社会において、人々は政府の保護が必要になる。「ドクター・ブリンクリー」は医師免許をはく奪された。これは当時において正しい判断だったし、たとえ現在でも正しい判断と言えるはずだ。

新しい無線の世界では、政府はスペクトル共有の規定づくりを実施しなければならない。この共有のための技術は、電力と帯域幅の制限をみなが尊重しないとうまくはたらかないからだ。政府は、製造された機器が規定に従うものであり、ならず者たちが違反していないかどうかを確認しなければならない。さらに、政府は「スマート」ラジオの規格策定と承認に協力しなければならない。自動運転車同士の無線通信、または自動運転車がセンサーで感知して信号を送る先となる各種交通規制装置との無線通信といった分野は、明らかに政府が注目すべきものだろう。

また、新たなテクノロジーがもたらすリスクに関する既得権者からの切迫した警告が科学的に妥当であるかどうか、そしてもし妥当であれば、そのテクノロジーの進歩を阻止することが社会にとって極めて重要なことかどうかを、最終的に判断する責任が政府にはある。注意すべき典型的な例は、2007年秋に全米放送事業者協会が行った全国宣伝活動だ。その目的は、テレビが利用しているスペクトル帯域の使われていない部分を探して、そこをインターネットサービスが利用できるようにするための新技術の開発を中止させることだった。「親愛なるインテル、グーグル、そしてマイクロソフトのみなさんは、システムエラー、コンピューターの誤作動、あるいは突然切れる電話が気にならないのかもしれませんが、我々放送局は気になるんです」[原注56]。混信に関する科学的な疑問は科学によって解決されるべきであって、こういった宣伝活動や、あるいは議会の干渉で解決しようとすべきものではない。こうした判断を論理的に、そして公益のために行える、FCCのような独立した機関は常に必要だ。

もし科学に主導権を握らせたら、不足問題は消え去るはずだ。そして、その時点において、政府はコンテンツに対する権限を、新聞や本といったほかの不足問題がないメディアに対するものと同等になるよう抑えるべきである（それどころか、憲法上「そうしなければならない」）。わいせつ法や名誉棄損法は、他のメディアと同様に無線通信においてもそのまま適用される。国の安全などの理由で連邦議会が新たに制定する、法規制についても同様だ。

放送される言葉や画像に関するその他の規制は、撤廃するべきだ。新たにつくられた情報の世界では、そうした規制の法的根拠はもはやないに等しいからだ。私たちに情報が届けられる手段は、あまりに多い。私たちは自分が見るもの、そして自身の子どもたちに何を見せていいかに対して、責任を負わなければならない。そして情報があふれているこの世界で生きる術を、子どもたちに学ばせなければならない。

チャンネルが増えれば、政府は放送局の編集的判断をあとでとやかく言う必要も、または権限もなくなる。つくられたスペクトル不足によって「政権に次ぐ政権が、浅ましいまたは慈悲深い目的をかなえるために、テレビやラジオを弄んだ」と、ウィリアム・O・ダグラス判事は指摘している[原注57]。携帯電話やインターネットに私たちのメディア生活が支配される以前の1973年に示されたこの見解は、今日においてもなお真実を告げている。フランクフルター判事の「すべての事業や学派に対して、それぞれに放送帯域を割り当てる余地はない」という意見は、今は正しくない。

映画、給与支払名簿、罵り言葉、あるいは詩。何を表していようと、ビットはビットだ。銅線内を電子として、ガラスファイバー内を光パルスとして、あるいは電波を変調して移動する。どんなかたちで移動しようと、ビットはビットだ。巨大なデータウェアハウスに、256GBのメモリーを備えた携帯電話に、あるいはキーホルダーにつけたフラッシュドライブに保存する。どこに保存しようと、ビットはビットだ。ラジオやテレビ放送での言論の自由に対する規制は、テクノロジーにおける歴史的偶然が社会に及ぼした影響が、今なお尾を引いていることを示す一例にすぎない。ほかにも電話通信をはじめ、こういった例はたくさんある。情報を規制する法律や政策は、その情報の入れ物をつくるテクノロジーを対象に定められてきた。

デジタル爆発によって、すべての情報が0と1のシーケンスという共通の最小単位に分割された。今では情報の世界規模のネットワークにおけるすべての分岐合流点で、種類が異なるものを接続するアダプターがある。通話、個人的な内容の手紙、テレビ番組はすべて、さまざまな通信媒体が混ざったなかを同じように通ってあなたに届く。ビットは無線アンテナ、光ファイバー通信ケーブル、ルーター、電話線といった経路を何度も変えてあなたに伝わる。

ビットの普遍性によって、人類はまたとない機会を手に入れた。私たちは、情報を包括的に見て判断できるようになったのだ。歴史的偶発性によってではなく、科学の基本法則によって未来を築けるようになった。アメリカでは、憲法修正第1条を無効にしていたテクノロジーの覆いは、デジタル爆発によってほぼすべて吹き飛ばされてしまった。情報はすべてビットにすぎないという事実を知った今、すべての社会が次の極めて難しい問いに直面するだろう。情報はどこで公開され、どこで規制され、そしてどこで禁じられるべきなのだろうか？

第9章

次の未開拓分野へ

AIと将来のデジタル化(ビットワールド)された世界

第１章「デジタル爆発」では、ニコレットの事例を紹介した。彼女はコンピュータープログラムによって行われた一次面接の結果、二次面接に進めなかった。落とされた理由がよくわからないというニコレットのいら立ちは、人工知能(AI)の存在そのものと人工知能を利用することへの懸念から起きる、ごく一般的な反応だ。過去においても、多くの思想家たちが知能を持つ機器の可能性を予測し、その行動指針として利用できる一般的な原則をつくった。1950年、SF作家アイザック・アシモフは、次の「ロボット工学の基本原則」を提唱した。

> 第一原則　ロボットは、人間に危害を加えてはならない。また、自身が何もしなかったことが原因で人間が危害を受けたというような事態を起こしてはならない。
>
> 第二原則　ロボットは、その命令が第一原則に反する場合を除き、人間の命令に従わなければならない。
>
> 第三原則　ロボットはその行為が第一原則や第二原則に反する場合を除き、自分の身を守らなければならない。[原注1]

こうした単純な原則も、特にフィクションの大御所の手にかかると、人間とのやりとりのなかで驚くべき展開をもたらす。だが、世界は起きることを想像する段階から、それを経験する段階に移っている。

このビットワールドを訪ねる私たちの旅の最後に、驚異的ではあるがまだ一部しか成功していないテクノロジーがもたらす、ジレンマとチャンスがどんなものかを見てみよう。

思いもよらない交通違反

中国東部の寧波市の電光掲示板に、同国最大手のエアコンメーカー会長の董明珠、別名「鉄の女[原注2]」の顔写真が映し出された。「法律違反者」という字幕とともに。中国の大都市の交差点付近には、通常いくつものLED電光掲示板が立てられている。その大半は広告用だが、最新の交通取り締まりシステムで使われているものもある。その方法は、現場で撮影された写真と顔認識ソフトウェアを組み合わせ、赤信号で横断歩道を渡っている者たちの顔と名前を表示することで、彼らに恥をかかせるというものだった。だが、董明珠は違反者ではなかった。それどころか、当時その場にさえいなかった。掲示板に表示されていた写真は、たしかに彼女が交差点を横切る顔

を捉えている。だが、それはバスの車体広告に掲載されていた写真だったのだ。[原注3]

董明珠のこの一件は笑い話ですんだが、それは彼女が一般からの支持も厚い有名人だったからだ。そうでない普通の者が「賢い知能を持つ」システムのエラーに巻き込まれたら、事態はもっと深刻になる恐れがある。この小さな出来事から、人工知能の現状、そのリスクと可能性についての多くのことが読み取れる。この出来事は、さまざまな機械が思考して判断する能力のみならず、人間による監視や制御なしに行動する能力まで身につけているという未来を示している。私たちはここまでの旅で、デジタル爆発が持つ意味やその影響を理解したと思っていたが、ここでまったく新たな世界に入り込もうとしていることに気づいてしまった。

この一件はなぜ起きたのだろう？　基本的には、董明珠を捉えたシステムは、そう設計されたとおりのことを正確にこなしたまでだ。交差点に向けて設置されたカメラが、横断歩道の信号が赤なのに渡っている人物の写真を撮り、それを膨大なデータベースに照らし合わせて違反者を全世界に向けて映し出す。リアルタイムで。これには掘り下げるべき点が、たくさんある。この「システム」は周囲の環境と直にやりとりしていて、交差点内で何か起きているかを監視し、信号が赤なのか青なのかを把握し、人間の存在（あるいは少なくとも、誤って人間に思えたものの存在）を検知し、撮った写真を自身が把握している画像と比べ合わせ、次にどうすればいいかを判断して行動に出たのだ。

この長くても１秒ほどの瞬間で、人工知能、アルゴリズム的意思決定、プライバシー、倫理、誤りを犯す可能性、固有バイアス、透明性、そして説明責任という数々の面が捉えられている。本章では、こういったさまざまな点を掘り下げていく。まずはそれらすべてを結び合わせている、基本というべき人工知能、機械学習とその同系統の深層学習、そしてアルゴリズム的意思決定から見ていこう。

人工知能の賢さとは？

技術開発に携わる者たちにとって、学習できて、そのうえ最終的には作り手であるプログラマーを超える機械をつくるのは、長年の夢だった。およそ2800年前のホメロスさえ、鍛冶の神ヘパイストスにロボットが奉仕する姿を思い描いていた。

> 世話係たちは、主人に仕えるために動き回った。それらは金色で、若い女性の姿をしている。内部には知性が詰まっているそれらは、話すこともできれば、強さも備えていたし、そして不死の神々からやるべきことを教えられていた。そうして、主人に奉仕するために、きびきびと動いた。[原注4]

一般的に、AIの概念をつくったのは、イギリスの偉大な数学者アラン・チューリングだと言われている。チューリングが1948年に発表した知能機械に関する論文では、ゲーム、言語学習、暗号学、数学といったさまざまな分野で、人間の振る舞いを模倣できる機械の展望が描かれていた。そして、1950年の“Computing Machinery and Intelligence”（計算する機械と知性[原注5]）という題の論文で、チューリングは機械が「知性的」であるかどうかを判断する手段として、「イミテーションゲーム」（現在では「チューリングテスト」と呼ばれている）という方法を示した。

チューリングの予知的な展望から70年後、そうした振る舞いをするAIが当たり前のものになった。6歳の子どもは、自分が「アレクサ、ダース・ベイダーの映画を見せて」と呼びかければ、その機器が声の主を把握し、頼まれたことを理解し、適切なペアレンタルコントロール（訳注：子どもが見る内容を親が制限するための機能）をかけてビデオを見せてくれることを知っている。私たちがちょっと前までは想像すらしていなかった言語理解技術は、今ではすっかり当然のものになっている。私たちの電話、車、テレビのリモコンは連続音声を聞き取ってその内容を把握し、適切な行動を取る。

音声を認識する、言語を理解する、チューリングテストさえ合格

チューリングテスト

イギリスの計算機科学者アラン・チューリングは、知能機械に対する次のようなテストを提唱した。人間の審査員が２名の参加者に質問する。参加者のひとりは人間、もう一方はコンピューターで、審査員と参加者は書かれた内容のみでやりとりする。審査員が人間とコンピューターを見分けられなかったら、コンピューターはテストに「合格」したとみなされる。このチューリングテストは思考実験として記されたものだったが、長期にわたる議論のきっかけとなり、実際に大会も行われた。少なくとも現時点では、人間の審査員の大半をだませたコンピューターは存在していない。

チューリングのこうした発想によって、人間と文字でやりとりするプログラム「チャットボット」がつくられるようになった。その種類は実にさまざまだ。1965年にジョセフ・ワイゼンバウムが開発した世界初のチャットボット「Eliza（イライザ）」[原注6]は、心理療法士の役割を務めた。Elizaには「相手の質問文を利用して返す」「それができないときは、与えられている規則のどれかに従って返す」という単純なアルゴリズムが使われていたにもかかわらず、Elizaが人間だと思っているユーザーもいた。一例を紹介しよう。

（人間の相談者）男って、みな同じね。
（Eliza）どんなふうに？
（相談者）いつも何かイライラさせられるようなことしてくるの。
（Eliza）具体例を挙げてもらえるかしら？
（相談者）私のボーイフレンドに、ここに来るように言われたの。
（Eliza）あなたのボーイフレンドに、ここに来るように言われたのね。
（相談者）彼は、私がいつも落ち込んでるって言うの。
（Eliza）あなたは落ち込んでいるのね。心配だわ。

するといった、人間の振る舞いを模倣する機械のことを「AI 1.0」

という。チューリングの最も初期の発想は「AI 2.0」、つまり機械学習の土台を築いた。知能機械に関する1948年の論文で、チューリングは人間のように経験から学んで自ら修正できる機械の概念について探求している。

機械学習——私が解決します

プログラマーはプログラムを書いて、やるべきことをコンピューターに命令する。少なくとも、これまではそうだった。コンピューター科学の歴史の大半は、コンピューター自体をより速く安くしようとする取り組みと並行して、コンピューターにより複雑かつ役立つ作業をさせるための新たなアルゴリズム開発に費やされてきた。機械学習が、それを変えた。

機械学習では、プログラマーはコンピューターに何かをさせるためのプログラムを書くのではなく、コンピューターが学習するためのプログラムを書く。それは、極めて難しいものだ。機械学習以前は、コンピュータープログラムがなぜこの答えを出したのかを、論理的に辿ることができた。だが、このすばらしい新世界では、それは無理だ。機械学習でプログラマーが書くプログラムは、枠組みを与えるものだ。そうしてつくられたソフトウェアに、手持ちのタスクを行う方法を「学習する」ためのデータが与えられる。そうしたタスクの例は、「ロシア語を英語に翻訳する」「懲役4年、あるいは懲役8年に処されるべきかを判断する」「ある株が売りか買いかを見極める」「自動車事故を防ぐために、ブレーキをかける」といったものだ。そうして学習したコンピューターソフトウェアの大半は、決定的な結果を出せるようになる。あなたの昨年の所得情報をすべて与えれば、支払うべき税金額を教えてくれる。機械学習プログラムは、過去に見たものを基本にして、見たことがないものについての最善の予測を立てる。

要は、機械学習システムとは、観察して予測するためのプログラムだ。この電子メールは、迷惑メールだろうか？　この写真に写っているのは、ネコかイヌのどちらだろう？　融資を申し込みに来たこの人物の信用リスクは、問題ないだろうか？　信号が赤なのに渡っている、あの人物は誰だろう？　プログラマーたちは数理モデルをつくり、答えがわかっているデータでそれを訓練し、そして最終的には答えがわからないデータを与える。機械学習の秘訣は、毎回ゼロから始めるのではなく、あとでより具体的な入力フィルターを与えて新たな種類の問題解決の訓練を行えるような、全般的なモデルとして利用できる人工ニューラルネットワークをまず構築することだ。

機械学習による問題解決システムの開発者は、それぞれの新たなタスク（「電子メールが迷惑メールかどうかを判断する」「ニュースがフェイクニュースかどうか判断する」など）について、どんな情報が重要かを検討する。迷惑メールの場合、送信者のメールアドレスや、件名、キーワード（「手っ取り早く儲ける」「素早い育毛法」など）のリスト、有名な迷惑メール作成者のリストといったものが必要になるだろう。次に、事前に分類された入力データセット（「問題のない電子メール」「迷惑メールである電子メール」などの大量のデータ）を、システムに処理させることで学習させる。システムのソフトウェアは、検討する特性の重要性を示す「重み」を調整する。この学習の過程は、システムが実用化されたあとも、間違った判断をしたとユーザーから言われるたびに繰り返されることが多い。

これが最も単純なかたちの機械学習だ。プログラマーが基本的なルールをつくり、ソフトウェアは十分多くのサンプルデータを見たあとで、判別用の重みを調整する。これは考える分には簡単だが、実際にはかなり高性能のコンピューターと、極めて膨大な訓練用データセットが必要になる。チューリングが初めて機械学習を思いついてから、実用化までにこれほど長くかかったのは、主にこうした性能や規模の問題が大きかったからだ。

機械学習システムは、構造化データによって機能する。これらのシステムは、訓練でも実際のタスクが与えられたときでも、構造化データが入力されることを前提としている。これは迷惑メールを見分けるといったタスクではうまく機能するが、自動運転車ではうまくいかない。機械学習から、さらに極めて重要な進歩を遂げたのが深層学習だ。

チューリングの知能機械の論文から5年遡った1943年、ウォーレン・マカロックとウォルター・ピッツは、ニューロンのネットワークに基づいた論理的意思決定方法を構築する可能性についての論文[原注7]を発表した。それぞれのニューロンは入力と、設定された閾値と重みによって出力を生み出す。この独創的な研究は、60年後に実現した、分類と意思決定のためのニューラルネットワークにつながった。ニューラルネットワークは、ノードの複数の層のあいだでフィードバックを行うことで、異なるいくつかのレベルの規則を「学習」する。重要なのは、もっと単純な機械学習システムとは異なり、ニューラルネットワークは構造化データを必要としないことだ。

図9.1は、このモデルが提示された1958年の論文からの例だ[原注8]。それぞれの円は、「ノード」を示している。ノードとは相互接続しているニューロンの集合体で、そこで処理された情報は右側のノードに送られる。一番右のノードの場合、処理した情報をひとつ前の層に返す。先述のとおり、ニューラルネットワークはノードの複数の層同士でフィードバックを行って、異なるいくつかのレベルの規則を「学習」する。各人工ニューロンは入力を受け取ると、それを特定の活性化条件に基づいて処理し、可能な範囲で修正された出力を次の層に送るか、前の層に返す。

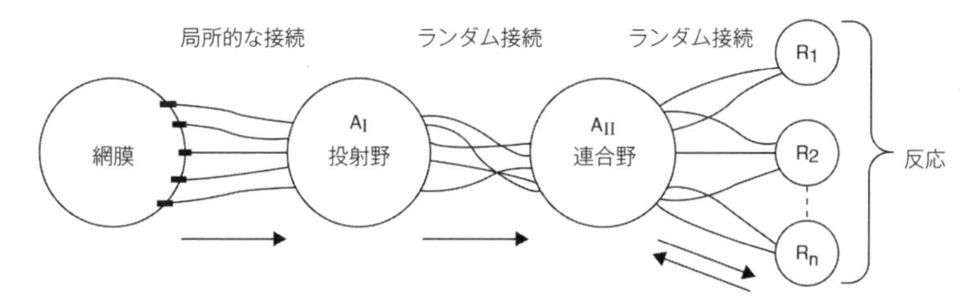

図 9.1 網膜から脳への信号処理をモデル化した人工ニューラルネットワーク

人工ニューラルネットワークプラットフォーム上に構築されている深層学習システムは、従来の機械学習よりもさらにいっそう計算集約的なため、リアルタイムで結果を出すには、特殊用途のプロセッサーが高い頻度で必要になる。テスラによると、同社のある車で（2019年の時点で）使われているAIプロセッサーは、毎秒144兆回もの演算を行える。これはおおまかには、パソコン1000台分の処理能力に等しい。

言語翻訳は、深層学習のすごさを示す好例だ。初期の機械翻訳（たとえばロシア語から英語など）では、文法と単語の論理的モデルの構築に力が入れられた。こうした言語モデルはたしかに興味深いが、結局言語翻訳の手段としては失敗だった。実はすでに初期の頃から、何らかの方法の機械学習のほうがうまくいくのではないかと指摘されていた。たしかに、そうかもしれない。実際、私たちもそれと似たような方法で、母語を身につけるのだから。あなたも、２歳児に動詞の活用は教えないはずだ。その子に話しかけて、間違いを直してあげるのが普通ではないだろうか。そして、その子が6歳になって二つ目の言語を覚えようとするとき、いきなり構文を学ぶことはない。母語のときと、同じやり方を繰り返すはずだ。

ニューラル翻訳を実現するためには、アルゴリズム開発技術やコンピューター処理能力の向上のみならず、さまざまな言語の膨大な文書データも必要だった。後者の問題はインターネットの発展によって解決し、そしてついに、グーグル翻訳が実現した。同サービスは現在、アルファベット順でアフリカーンス語からズールー語までの、100以上の言語に対応している。

機械学習は、魔法ではない。処理能力の高いコンピューターと、膨大な数の訓練データによって初めて実現するものだ。だがそれが魔法に思えるのは、人間にとって時間がかかったり大変だったりするタスクを、手早くこなせてしまうからだ。そして、計算後に出てきた結果は、たいていの場合、数値、パーセント、点数といったもののみで、何の説明もついてこない。つまり、「二次面接に進めるか進めないか」「再犯率が高いか低いか」しかわからないのだ。

機械学習と訓練データ

複雑な環境を機械用にモデル化するためには、「それが何を意味しているのかの説明がつけられた、たくさんの道路標識と交通信号の写真」「良性の場合と危険な症状を見分けるためのラベルがつけられた、たくさんの医学的症状」「文字に起こされて注釈がつけられた、たくさんの会話」といった、ラベルづけされた訓練データが大量に必要だ。つまり、機械が自分で答えを出せるようになるには、人間側で膨大な手間がかかる。さらに、データの収集においては、訓練用データセットのデータ内容のプライバシー、ラベルづけする人々の労働条件、ビッグデータの必要性から起きると思われる競争といった、数々の問題がある。

プライバシー

技術と自由の擁護のための活動家であるジリアン・ヨークは、休暇中に友人から連絡をもらい、「有名人の画像」というオンラインデータベースに自分の顔が出ているのを知っているかどうか尋ねられた。[原注9] 何も知らなかったヨークは、早速調べたそのデータのなかに、友人たちが撮ってくれた何年分もの写真や、動画から切り取られた静止画が含まれていることがわかって驚いた。これらの画像は情報高等研究プロジェクト活動（IARPA）の「ヤヌスベンチマーク－C」データセットに含まれていた。このデータセットは、連邦政府関連機関のアメリカ国立標準技術研究所（NIST）が、「自然な状態の顔の画像」に対する最先端の顔認識技術精度を向上させるための、一般への挑戦課題の一部として公開したものだった。この課題の目的は、「顔の検知、照合、識別、顔画像クラスタリング分野での研究開発を推進する」ことだった。[原注10]

ヨークは自分の普段の写真が収集、ラベルづけされていたことに困惑したが、NISTとIARPAはまさにそういった画像を集めたかったのだ。「自然な状態」とは、さまざまなポーズや背景、場所で撮られた写真の顔を認識する訓練やテストを行うために必要な条件を意味していて、オンラインに投稿されたそういう画像のなかから、複製を認めるクリエイティブ・コモンズのライセンスがついたものが集められたというわけだった。だが、その著作権の許諾は、自分が写っている写真が顔認識用の名前つきデータベースに掲載されることまで許可しているものではないはずだ。深層学習が膨大な量のデータを必要としていなければ、このプライバシー問題は起こらなかっただろう。

ラベルづけ作業

AIシステムを訓練するには、「この画像は『一時停止の標識』で、これは『赤信号』を示すもの」「これは『正常な上皮細胞』で、こっちは『悪性』の画像」というように、人間がデータセットのラベルづけ作業を行わなければならない。一部の企業は、こうした新たに発生した作業を、アマゾンの業務委託サービス「メカニカルターク」を通じて依頼している。あるいは、ラベルをつける作業員と契約する企業もある。そして作業員たちは、コールセンターのように小さく区切られた一画で、結腸内視鏡検査画像でポリープ疑いのある箇所を丸印で囲む、といった作業に専念する。

こういった仕事の契約をしていなくても、もしあなたがあるウェブサイトに新規にログインするときに、「横断歩道が含まれている写真はどれですか？」といったそこに出てくる画像についての質問に答えていたら、あなたも訓練データセットの作成に貢献した可能性がある。「自動音声アシスタント」サービスの多くでプライバシーポリシーが変更され、「システム性能向上のため、人間があなたの会話を聞くかもしれない」という内容が追加されるという事態が生じたことで、密かに行われるかもしれない作業の存在が明るみに出る場合もある。

そしてさらに、本人たちにまったく知らされないまま、システムが私たちの言動を観察して、人間同士のやりとりから学習しているときもある。企業が客を無給の労働力として利用するのは、正しいことなのだろうか？

競争

大量の訓練データが必要だということは、データ処理には規模の経済性があることを意味している。つまり、大量のデータを集められる企業ほどそこからより多くを学んでサービス向上に活用でき、サービスが向上すれば、そのサービスの利用者からさらに多くのデータを集められるというわけだ。グーグル検索の結果を、検索した人がクリックするたびに、「検索者の役に立つだろうとグーグルが判断したウェブページに、検索者が訪れる」という効果が生まれ、それと同時に「そのウェブページが検索者のリクエストに応えるものだったことを、グーグルが学習する」という副産物も生じる。ビットの世界では、規模は極めて重要であり、圧倒的に有利な競争優位性をもたらす可能性を秘めている。

走行中のテスラ車のほぼ全車が、自動運転性能の向上に活用できるデータをテスラに送っている。ドライバーが軌道修正のためにハンドルを操作するたびに、それがデータとして捉えられ、分析のためにテスラに送られる。テスラ車のオートパイロット機能による総走行距離は、2020年半ばに30億マイル（約50億キロ）を超えた。[原注11] 走行距離、自動車線変更、ドライバーの介入はすべてデータとなってテスラに送られ、ソフトウェアの改善に活用される。ほかのどんな自動車メーカーのデータも、販売した車からこれほどまで詳しく収集されるテスラのデータには遠く及ばない。

「テスラ車を購入された方は、運転するたびに弊社のシステムを訓練して向上させてくださっています。これに匹敵するものは、ほかにはないのではないでしょうか」

——イーロン・マスク

アルゴリズム的判断——
これは人間にしかできないと思っていたのに

たいていの場合、コンピューターは入力されたものを処理して出力するために使われる。だが、意思決定が必要とされるタスクで、コンピューターが人間に取って代わる例も増えてきた。そのなかには、判断される側に大きな影響を及ぼさないものもあれば、「この患者をホスピスケアに切り替えるべきか」[原注12]「この腎臓は誰に移植されるべきか」[原注13]「誰を二次面接に進ませるか」「この受刑者は再犯の恐れが高いか」[原注14]といった、その人の人生を変えてしまう恐れがあるものまである。アルゴリズムに基づいたすべての判断システムで、何らかの機械学習が使われているわけではないが、使われている割合はかなり高い。そして、こうしたシステム自体に対して多くの懸念が生じている。

コンピューターが下した判断だからといって、それが正しかったとはかぎらない。そうした結果には笑えるものあったが、悲惨な例もあったのだ。

そのショウジョウバエの生態本を2300万ドルでいただくわ

博士課程修了後の研究者が、ミバエの生態に関するある有名な文献 *The Making of a Fly*（ハエの構造）を買おうとしてインターネットで探したところ、アマゾンでの価格は100万ドルを超えていた（厳密には173万45ドル91セントで、プラス送料が3ドル99セントだった）。1992年に発売されたこの本（定価は70ドル）がそこまで値上がりしているなど、とうてい信じられなかった。発売されてから19年後の現在、一番安い中古本なら35ドル54セントで買えるというのに。だが、翌日以降も価格はさらに上がっていき、数日後のある業者の販売価格は、ついに2369万8655ドル93セント[原注15]を記録していた。

いったいどうなってるんだ？　この現象を見つけた、カリフォルニア大学バークレー校の研究生物学者マイケル・アイゼンが調べたところ、件の本の新品を出品しているのは二つの販売業者だけだった。そこで1週間以上かけて価格を追跡すると、両業者間でアルゴリズムのいたちごっこが起きていることがわかった。どちらも、同じ戦略を使っていた。つまり、相手が値上げしたことがわかると、自分も価格を上げた。だが、販売価格が微妙に異なるのは、値づけの方針の差が理由のようだった。ボーディーブックは常に最高価格をつけ、もう一方のプロフナスは、最高価格を若干下回る値づけをしていた。この本の価格が上がっているのを検知したボーディーブックのボットは、自社の販売価格をプロフナスの価格の1.27059倍に値上げした。すると、アマゾンでの価格が上がったのを察知したプロフナスが、自社の販売価格をボーディーブックの99.83パーセントに再設定したが、それでも同社の以前の価格よりはかなりの値上げになった。そして、プロフナスの値上げに気づいたボーディーブックはさらに値上げをする、といったことが繰り返された。この一連の価格決定アルゴリズムは、合間に人間が価格を確認する設定ではなかったために二つのボットが暴走し、ついに、たとえショウジョウバエの成長についてのどんなに優れた本（アマゾンでの評価は、星4.1だ）であろうと、誰も手が出ない価格にまで引き上げられてしまったのだった。

ボットが暴走する恐れのある市場サイトは、別にアマゾンだけではない。イーベイのオークションやクレイグリストの販売ページでは、アルゴリズムを利用した価格決定モデルがシステムコンサルタントによって導入されている。ウーバーやリフトといったライドシェアサービスでは、需要が供給を上回ったことがコンピューターで検知されると自動的に「運賃急騰」モードになり、自然災害や緊急時の便乗値上げを止めるためには、人間がシステムに介入するか、新たな制限条件が必要になる[原注16]。株取引でも、アルゴリズム取引が大幅に利用されている。他社のアルゴリズムに後れを取らずに競争優位性を得られるよう、トレーダーたちは人間の監視なしに高頻度で株取引を行うプログラムを自身のコンピューターに組む。だが、自動株取引には、「株価の瞬間暴落（フラッシュクラッシュ）」という不安要素がある。それは、入力エラーや接続障害によって株価が瞬間的に暴落し、その結果自動的な「売り」注文が殺到して、広範囲にわたる経済的な混乱がミスによって起きてしまうかもしれないという不安だ。

自動化にはこうした問題点があるが、私たちは複合的な問題が起きるリスクを承知の上で、速さと効率性を求めがちだ。アルゴリズムが原因のこうしたエラーに対する私たちのリスク許容度は、対象分野によって異なる。誰かが気づいて正常な価格に戻すまで、希少本の価格が急騰するのは許容範囲かもしれない。だが、同じことが主要品や株取引で起きた場合はそうではなく、価格上昇速度の抑制と人間による監視を義務づける規制を求めるだろう。

アルゴリズム正義同盟

ジョイ・ブォロムウィニはMITメディアラボの研究者で、人工知能、なかでも顔認識の研究に携わっている。だが、この分野の研究を始めてまず気づいたのは、自分の顔が顔として検知されない場合があるということだった[原注17]。研究中に自分の顔をシステムに検知させるためには、マスクをしなければならなかったのだ。ジョイは黒人で、彼女がテストしていたプログラムは、白人の顔のデータセットで訓練されていた。カメラが彼女の顔を検知しなかったのは、このプログラムが人間の見た目の多様さに十分対応できるようにつくられていなかったからだった。

ジョイはただマスクを用意する代わりに、偏ったデータセット問題への関心を喚起するための、「アルゴリズム正義同盟(ジャスティスリーグ)」を設立した。彼女が調査したアルゴリズムのなかには、元ファーストレディのミシェル・オバマや連邦議会の女性議員たちに対する誤認識率が、白人男性議員たちの場合よりもずっと高かったものもあった。たとえ人種差別的な意図や性差別的な偏向を一切抜きにしてアルゴリズムを設計できたとしても、訓練で白人男性の顔ばかりを見せられたら、そうした偏りが顔認識システムに影響を及ぼすことになる。

残念ながら、こうしたデータバイアスはただ存在しているのみならず、実社会ですでに利用されているシステムに影響を及ぼしている。人口の大半が黒人であるデトロイト市では、犯罪抑止プログラム「青信号プロジェクト[原注18]」の一環として、顔認識機能つきのビデオカメラが何千台も設置された。だが、そこで使われている市販のアルゴリズムは、白人の顔の誤認率が1万人にひとりに対して、黒人の顔の場合は1000人にひとりであることが判明した。つまり、黒い顔のほうが白い顔よりも5倍多いこの都市では、市の人口のなかから無作為に選んでカメラの前を歩いてもらうと、白人1名の誤認識につき50名の黒人が誤認識されるということだ。州の運転免許証データベースや市の記録に写真がある人は、顔認識を使った警察の捜査に巻き込まれてしまう恐れが高くなる。そうした誤った疑いをかけられてしまうのは、過去にあった「黒人差別の交通取り締まり」の現代版なのだろうか？

2018年の夏、アメリカ自由人権協会はアマゾンの顔認識アプリケーション「Rekognition」を使って、連邦議会の現職議員たちと、犯罪容疑者の顔写真データベースを照らし合わせた。するとRekognitionは、そのうちの28名が犯罪容疑者の写真と一致するという結果を出した[原注19]（議員たちの行動内容に思うところがある方もいるかもしれないが、ACLUデータベースで一般公開されている2万5000人分の犯罪容疑者の顔写真のなかに、この現職議員たちのものはひとつもなかった）。「誤った検出は有色人種に大きく偏っていて、連邦議会黒人幹部会の6名もそのなかに含まれていました。公民権運動の伝説的な存在であるジョン・ルイス下院議員（ジョージア州選出）も、そのひとりでした」という説明どおり、ここでも誤認識率は一様ではなかった。アマゾンは、基準値を（初期設定のものを使わずに）高くすれば、そうしたエラーは減らせると答えた[原注20]。要するに、アマゾンはソフトウェアに問題はなく、使い方が間違っていたとやんわりと指摘したのだ。誤検出（一致していない写真同士を一致しているとみなすこと）を問題視するのであれば、ACLUは件の調査で求める確信度を上げるべき（たとえば、確信度を75パーセントではなく99パーセントにする）だったのだと。だが、この回答が「Rekognitionは明らかに黒人を誤認識する傾向が高い」という点についての説明にはなっていないのは、言うまでもないだろう。

こうしたシステムによるエラーが理由で、サンフランシスコ市は警察などでの顔認識技術の利用を禁じる条例を成立させた（この件では「顔監視技術の利用禁止」とするほうがいいかもしれない。自分の携帯電話のロックを外すのに顔認識技術を使うのは、誰も反対しないはずだから）。市民権団体やその支持者たちが、この技術の潜在的有用性の高さよりも、差別や誤認識の危険性の高さのほうが上回るという懸念について市議会にはたらきかけて説得した結果、市議会は賛成８、反対１で条例案を可決した。

ブラックボックス化した司法

司法制度では、刑事裁判の被告人の保釈を認めるか、あるいは裁判まで勾留するかどうかの判断に、アルゴリズムが活用されている。さらに、有罪を認めた場合の刑期を決めるためにも使われている。

調査ジャーナリストのジュリア・アングウィンは、非営利報道機関プロパブリカ在籍当時、それぞれが別の事件で80ドル相当の窃盗容疑にかけられた、２名の容疑者に対するAIの利用についての比較調査を行った[原注21]。18歳のブリッシャ・ボーデンは、友人と歩いていたときに道路脇にあった、子ども用の自転車とキックボードを拝借してしばらく乗り回したあと、元の場所に返した。41歳のバーノン・プラーターは、ホーム・デポで86ドル53セント相当の工具を万引きして捕まった。両者とも刑務所に収容されることになり、コンピュータープログラムが彼らの再犯率を計算した。すると、未成年軽犯罪記録があった黒人女性のボーデンに対しては高い再犯率が、そして武装強盗での有罪記録と係争中の訴えがある白人男性のプラーターに対しては低い再犯率が示された。

この再犯率を出したコンピュータープログラムは、被告人たちの経歴についていくつか尋ねたあと、数値を出力した。だが、その後の展開は、計算された予測とは異なっていた。再犯率が低いとコンピューターに示された白人男性のプラーターは、大がかりな電子機器窃盗で再逮捕され、懲役８年に処せられて刑務所に入っている。再犯率が高いとされたボーデンは、あれ以来法的な問題を起こしていない。だが、ともに逮捕された友人によると、ボーデンはあのときの逮捕の影響で仕事を見つけるのが難しいそうだ。

ノースポイントのCOMPAS（コンパス）をはじめとするプログラムは、裁判官が刑期の判断を行うときや保釈査問会において、全国で利用されている。こうしたプログラムは、それ自体が不明瞭だ。一連のデータを入力すると数値を出力するが、その値を導き出した論理についての説明もなければ、その値についてのフィードバックを与えることもできない。プログラムが出した答えが間違っているのではないかと訴える依頼人を支援するために、被告側弁護士がより詳しい情報を入手しようとしても、プログラムは販売元の企業秘密であるから詳細は明かせないと断られてしまう。

大規模な分析によって、プログラムの判断には一貫性がないことが判明した。プロパブリカでのアングウィンの分析によると、COMPASはアフリカ系アメリカ人を不当に不利に扱うシステムになっていて、それゆえ人種以外は状況が似ている白人の被告人よりも、黒人に対して高い再犯率が示されていた。こうしたバイアスがプログラミングの段階で意図的に組み込まれたのか、システムの訓練に使われたデータに含まれていたのか、それともデータパターンから生じて、それが疑わしい未来予測につながったのかを知るには、さらなる調査が必要だ。このプログラム自体が、ブラックボックスなのだ。私たちが見ることができるのは入力と出力だけで、なかで何が起きているかはわからない。それにもかかわらず、こうしたシステムは司法制度に組み込まれつつある。それによって時間の節約にもなるし、より確かな意思決定に役立つという納入者のうたい文句は、心から信じられるものかもしれないからだ。だがそれでも、厳しい決断を迫られた場合、後日「あれは私が決めたことではなく、コンピューターの指示だ」と言って責任を回避するために利用される恐れもある。

不明瞭さは、深層学習に基づいた意思決定システムの基本的な特徴だ。こうしたシステムは経験から学習し、それによって独自の決定規則を編み出す。そしてたいていの場合、出した結論にどうやって辿り着いたのかを説明する仕組みを持っていない。

AIシステムは、それ自体がまさにブラックボックスだ。そこで出される結論、行われる分類、下される決断は、人間が定義して実装したアルゴリズムによるものではなく、観察を通じて得られた知識の積み重ねによるものだ。不明瞭な過程は、被告人にとってもそれを観察している世間にとっても公正には見えない。筋の通った判断であるなら、被告人も世間もそれを法に違反しないための指針にできるが、このシステムの場合はそうできない。開発者さえ自分がつくったアルゴリズムがなぜその結論に至ったのか、どの要因によって結果を変えることができるのかを説明できないにもかかわらず、その完成品は裁判手続きで重要な役目を与えられ、アルゴリズムによる結果に異議申し立てをしようとする者たちは適正手続きを拒否される。

次に来るもの

深層学習を利用するAI 2.0問題解決システムは、私たちがデジタル爆発ですでに目にしたものを上回る変革を起こす可能性を秘めている。とはいえ、複雑な情報を統合してリアルタイムで判断を下せる能力は、チャンスとリスクの両刃の剣をつくりだす。次の数年間で、突き詰めなければならない問題は山ほどある。

責任はどこにある？

2018年のある日曜の真っ暗な夜、アリゾナ州テンピの道路を自転車を押しながら歩いていたエレーヌ・ハーツバーグが、ウーバーの自動運転車にひき殺された。この事故は、アメリカ国民が自動運転車にひかれて亡くなった最初の報告例となった[原注22]。その後数日にわたって、ウーバーの技術者と法執行機関の捜査官たちがデータを詳しく調べて、何が原因だったのかを突き止めようとした。自動運転車は衝突を避けるように設計されていたが、ここではそれに失敗し、しかも死亡事故という結果を招いてしまった。原因はソフトウェア、あるいはハードウェアだったのだろうか？　センサー、コンピュータービジョン、データ処理、あるいは動作反応に問題があったのだろうか？　そして責任はどこにあるのだろう。ソフトウェア開発会社、自動車メーカー、それとも車の所有者だろうか？

この自動車のパーツの多くではデータが記録されていて、航空機のブラックボックスフライトレコーダーと同じように、データの入力と出力が残されていた。これらの記録を辿れば、センサーが物体を検知していたか、ブレーキをかけるよう命令が出されていたかがわかる。ところが、途中の段階になると、よくわからない問題が出てきた。もしこの車が物体を「見た」けれど、それが（たとえ急ブレーキを踏まなければならなくても）停車すべき人間であることを認識できなかった場合、どこで認識を間違えたのだろうか[原注23]？　この自動車のソフトウェア動作の大半は、非連続だった。つまり、二つの非常によく似た光景もAIには大幅に異なって見え、そのためテスト段階と実世界の状況の違いによって、劇的な結果が生じる恐れがある。だが、テスト段階ですべての可能性に対応することや、あるいは事後検証用に十分な情報を記録するのは非常に難しい。

国家運輸安全委員会（NTSB）によるウーバー車とハーツバーグ被害者との衝突事故の捜査の結果、緊急ブレーキシステム機能が停止していて、人間の「バックアップドライバー」の対応が車を止めるのに間に合わなかったことが判明した。

この車の自動運転システムから入手されたデータによると、システムは衝突の約６秒前に、レーダーとLIDAR（ライダー）による歩行者の観測を新たに記録していた。このときの車の走行速度は、時速約70キロだった。車と歩行者の距離が近くなると、自動運転システムのソフトウェアは歩行者を未知の物体、次に車、そして自転車と分類し、それがその後取ると思われる進路の予測を次々に変化させた。衝突の1.3秒前、自動運転システムは、衝突の衝撃を軽減するためには緊急ブレーキ作動が必要だと判断した。ウーバーによると、この自動車では車体が不規則な動きをする可能性を減らすために、コンピューターによる制御中は緊急ブレーキ機能がはたらかない設定になっていた。人間のドライバーが介入して行動するよう任されていたのだ。だが、システムにはドライバーに危険を知らせる機能は搭載されていなかった。[原注24]

この自動車のコンピュータービジョンシステムは動いている物体を捉えたが、それが何の物体かよくわからず、それ、つまり彼女が、車の進路に入ってくるであろうことが自信を持って予測できなかった。その物体が自転車を押して歩いている歩行者であり、車が彼女をはねるであろうことにシステムが気づいた時点で残された唯一の修正手段は、機能が停止されていた。システムがこの窮地に陥ったのは、明らかにこのシステム設計者たちの過去の判断によるものだった。たとえば、車がいかなる危険を察知した場合でも速度を落とす指示を出すシステムにすることもできたが、そうすると目的地に着くのが遅くなる。あるいは、突然ブレーキをかけると、後ろから衝突されるリスクを大きく高める恐れがある。

人間にうまく対応させるには？

人工知能システムを設計する場合、どんなパラメーターを設定するか、そしてどんなリスクを取るかという選択に迫られる。逆説的に思えるが、システムの性能が向上すればするほど、その選択はより厳しくなる場合もある。人間のドライバーが、運転中に道路に飛び出してきた物体に本能的な反応を取ってしまった（あるいは何の反応できなかった）とする。自動運転車はそうした物体の動きを予測して、次のようないくつかの不完全な代替手段から選ぶようプログラミングされていなければならない。そのなかには「（乗客と後続車をある程度の危険にさらす覚悟で）急ブレーキを踏む」「（乗客と反対車線の車を危険にさらす覚悟で）反対車線へそれる」「人通りが多い歩道にそれる」といった選択肢も含まれるだろう。リスクと相手に与える潜在的危害を計算することは、必要だと思えると同時に不当にも思える。人間の命の重さを比べてもいいものなのだろうか？

透明性――あなたはなぜそうしたのか？

さて、コンピューターによる面接で採用されなかったニコレット

トロッコ問題

哲学者フィリッパ・フットは1967年のある記事で、「トロッコ問題」（訳注：「トロリー問題」ともいう）を提起した[原注25]。そこで次のような事態に直面した場合の選択について、考えるよう求めている。「暴走しているこのトロッコの運転手は、細い線路の分岐でどちらに進むかを選ぶ以外の操作はできない。一方の線路では5人、もう一方ではひとりの作業員が働いている。トロッコが走る線路上にいる人間は、死んでしまうのは避けられない」。このトロッコが5人のいるほうに向かっていて、運転手はブレーキをかける余地はないが、ひとりしか作業していない線路に入るスイッチを入れることはできる。運転手はスイッチを入れるべきだろうか？　スイッチを入れなければならないのだろうか？

この思考実験や、これによく似たさまざまな恐ろしい選択肢（「電車を止めるために、この太った男性を陸橋から突き落とすべきだろうか？」「ある人物の臓器が５人の病人を生かせるのなら、その人を殺すべきだろうか？」）は、私たちが「公平さ」について考えるときに入り込んでいる要因を明らかにするために役立ち、問題の本質ではない部分がさらに絡んで複雑になってしまったときに、公平の原則とは無関係なはずのものによって、直感的な判断が曇ってしまう恐れがあることに気づかせてくれる。

当然ながら、このトロッコ問題は、「スイッチを入れる前の」自動運転車がどの代替手段を選択しても危害を与えしまうという、困難な状況について考えている人々を引きつける。車はその乗客ひとりを守るべきか、それとも乗客が二人いる別の車を守るべきか？　乗客か歩行者のどちらを選ぶべきなのか？　車を損傷させてほかを助けるより、車の所有者の修理費を気にするべきだろうか？　こうした問題に携わってきた専門家のなかには、このような決断をしなければならない事態は長期的な一連の出来事の最終段階としてしか登場しないと指摘し、運転のパラメーターを変えることでトロリー問題の枠組みから抜け出すべきではないかと主張する人もいる。たとえば、工事中のときはトロリーが絶対にその線路に入れないような連動スイッチを導入する。自動運転車を人間が運転する車と同じ道路を走らせるのではなく専用道路をつくり、自動運転車だけの流れを整理するソフトウェアを開発する。とはいえ、そうした案は、システムの設計と正義の問題を、次の別の観点から見ることになるだけだ。「誰の利益が優先的に考慮されて、誰のものが見過ごされるべきなのだろうか？」

の話に戻ろう。それと似たような事例はたくさんある。そんな私たちがアルゴリズムに基づいたシステムを理解しやすくなれるように、クリスチャン・サンドビックとカリー・カラハリオスはそういうシステムの検証を行っている。たとえば、フェイスブックで若干異なるプロフィールをいくつか作成して、そこに表示される広告を比べようとしたこともある[原注26]。子どもがいないシングル女性という設定の人物には、幼い我が子について熱心に語るという設定の人物と同じ住宅広告が表示されるのだろうか？　男性という設定ではどうだろう？

ブラックボックス化したAIや、仕組みが不明瞭な一切開示されないアルゴリズムさえも、検証を行うことでそのはたらきが理解しやすくなることもある。事後検証とは、個々のデータ点を抜き出して入力と出力を調べ、結果を集めて異常や予期せぬ振る舞いがないかを確認することだ。

ところが、サンドビックとカラハリオスのこうした検証では、コンピューターシステムとやりとりするために「虚偽の可能性がある」、あるいは敵対的な情報をつくりださなければならないため、そういった「偽のプロフィール」が彼らの検証したいプラットフォームのサービス利用規約に違反している場合、二人はコンピューター犯罪取締法のもとで異議を申し立てられる恐れがある。ブラックボックスには、その仕組みを検証されないための規則がある。二人の検証者たちは、「これは借りる気もないアパートに入ってきて調べるようなものであり、不法侵入だ」と、「家主」たちから訴えられた（とはいえ、家主たちは訴訟に負けた）。コンピューターが差別を行っている可能性を調べるために、すでに稼働中のシステムで検証を行う権利の行使のために戦っているサンドビックとカラハリオスは、デジタル環境の評価に対しても同様の保護が正式に与えられるよう取り組んでいる。システムのバイアスを調べる権利が、システム管理者がアクセス制限できる権利よりも重視されるようになるのは、はたしていつのことだろう？

「よりよくなった」で十分なのか？

エレーヌ・ハーツバーグの死は、悲劇的な出来事だった。テンピ警察は不可避の事故だったと断定したが[原注27]、ウーバーはこの事故以降の自動運転車走行テストを打ち切った[原注28]。これは当然とも言えるだろう。それが個人の死へのごく当たり前の対応だし、それにたとえ死亡事故でなくても、事故があれば自動運転車の全体的な安全性への不安が広まる。とはいえ、統計上の優位性については、どう捉えればいいのだろう？　オートパイロット機能が使われているときの、テスラ車の次の調査結果について考えてみてほしい。

> 第1四半期におきましては、オートパイロット機能が使われていた場合、事故が起きた割合は走行距離468万マイル（約750万キロ）ごとに1回でした。また、オートパイロット機能は使われていなかったが、アクティブセイフティ機能は使われていた場合に事故が起きた割合は、走行距離199万マイル（約320万キロ）ごとに1回でした。さらに、オートパイロット機能もアクティブセイフティ機能も使われていなかった場合の事故が起きた割合は、走行距離142万マイル（約230万キロ）ごとに1回でした。ちなみに、アメリカ運輸省道路交通安全局（NHTSA）の最新データによりますと、アメリカでは走行距離47万9000マイル（約77万キロ）ごとに1回、自動車衝突事故が起きています。[原注29]

同様に、ハイアービューの自動適任審査システムの開発者も、同社のこのシステムはそれまで面接を行ってきた人間よりも、よりよい評価ができると主張している。ハイアービューは自社のシステムが下した決定に何の説明もないことは問題ないとしながら、次のように訴えた。

> 何十年もの調査の結果、従来の面接は暗黙または露骨なバイアスに満ちていて、しかも極めて一貫性に乏しいことが判明しています。弊社ハイアービューのこの手法は、応募者の職場での適性を、人間の面接官よりも明らかにより正確に予測できることが証明されていて、しかも応募者に不利な影響がないよう検証、テスト、再訓練、再検証が行われています。[原注30]

結局、バイアスはあるのか、それともないのだろうか？　私たちは、たとえ結果について詳しく尋ねられなくても、バイアスについては検証できるシステムを使うほうが、基本的に前よりも状況がよりよくなるということなのだろうか？

仕事の未来

デジタル爆発が生産性に多大な影響をもたらしたことは、私たちもすでによくわかっている。企業にはタイプライターが並んだ部屋はもうないし、旅行代理店は絶滅寸前だ。テクノロジーがすでにさまざまなタスクを行うようになったことで、経理部門は以前に比べて社内で占める面積がずいぶん狭くなった。

物的世界を感知、把握、そしてそれとの相互作用が可能な機械学習システム AI 2.0 が誕生するまでは、コンピューターに取って代わられた仕事は、主に情報集約的なタスクに限られていた。だがそれは、学習や自己改善ができ、しかも複雑に見える判断をリアルタイムで下すこともできるコンピューターが登場してきたことで、変わりつつある。

アメリカで最も労働人口が多い仕事はトラック、バス、タクシー、トラクター、フォークリフト、ウーバー、リフトといった「運転手」だ。あとどれくらいで、こうした仕事が何らかの自動運転の乗り物に取って代わられるのだろう？　さらには、税金の確定申告書類を作成する、レントゲン写真を読み取る、カスタマーサービスを担当するといった、ほかのさまざまな職もどうなるのだろうか？

規制の役割

AI 全般、なかでも不明瞭な判断を下す深層学習システムに対しては、その知的活動に対する規制が今すぐ必要だ。

アシモフのロボット工学の基本原則がきっかけとなって、1000もの代替案や子孫が登場した。アルゴリズムにおける公正さと透明性にだけに関する基準さえ、数多く存在している。アメリカ計算機協会は、出発点として次のような原則を提唱している。[原注31]

1. 自覚――分析システムの所有者、設計者、開発者、ユーザー、およびその他の関係者は、その設計、実装、使用時にバイアスが入り込む恐れがあることや、そうしたバイアスの個人や社会への潜在的有害性を自覚すること。

2. 情報提供と救済――規制官庁は、情報に基づくアルゴリズムを用いた判断で不利な影響を受けた個人や団体がそれについて質問でき、さらに彼らを救済できる仕組みの導入を促進すること。

3. 説明責任――各機関は、たとえ利用しているアルゴリズムが出した結果について詳しく説明するのが無理だとしても、そのアルゴリズムが下した判断について責任を負うべきである。

4. 解説――アルゴリズム的意思決定を利用しているシステムや機関に対しては、アルゴリズムが結果を出すまでに辿った過程や、具体的に下した判断についての解説を提供するよう強く求める。これは公共政策に関するものについては、とりわけ重要だ。

5. データ起源――アルゴリズムの開発者は、訓練データの収集方法および、人間またはアルゴリズムによるデータ取得過程で誘発された可能性があるバイアスについての調査結果を、保管しておかなければならない。データを公開審査することで、修正のための最大限の機会が得られる。だが、プライバシーや企業秘密の保護に関する懸念や、分析内容を開示することで悪意ある者にシステムが乱用される恐れがある場合、それは資格と権限を持つ個人に対してのみアクセスを許可する正当な理由になる。

6. 検証性――モデル、アルゴリズム、データ、下される判断は、被害をもたらす恐れがある場合に検証できるよう記録しておかなければならない。

7. 妥当性確認とテスト――各機関は厳格な方法でモデルの妥当性を確認し、その方法と結果を正式な文書として残しておかなければならない。特に、同モデルが差別的な被害をもたらしていないかを、定期的にテストを行って評価、判断すべきである。各機関には、こうしたテストの結果を公開するよう強く求める。

とはいえ、現在においては、利益、市場シェア、革新、あるいは純粋な楽しみといった動機による需要が作り手全員への圧力となっていて、「新たな手段を最大限に利用すると我々はどうなるのかを、我々の想像力を最大限にはたらかせて調べる」（サイバネティックスの父ノーバート・ウィーナーの言葉[原注32]）ことなくつくられた製品が、一直線に市場に出されてしまっている。こうした状況のなか、どうすれば、政策立案者、設計者、技術者、そして消費者にも、上述の原則を真剣に受け止めてもらえるのだろうか？

未来に対する楽観

特有のリスクや複雑さはあるが、それでもAIや機械学習にはよい目的に利用するうえで極めて大きな可能性があることも、私たちはきちんと認識すべきだ。医薬開発の迅速化、穀物生産高の増加、自動車事故による負傷数や死亡数の減少、医療費の低下、不正や犯罪の検挙数の増加、そして、製造における効率性の向上。これらは現在開発中の、AIによる解決策だ。

AI全般、なかでも機械学習は、デジタルシステムの能力を指数関数的に高められる可能性を秘めている。なぜなら、学習して自らを向上できるからだ。私たち人間が、何千年ものあいだそうしてきたように。

ビットが世界じゅうに明かりを灯す

では、デジタル爆発後は、いったいどうなるのだろうか？　念のために言っておくと、今日の私たちは、爆発した「あと」の世界には、まだほど遠いところにいる。かつてないほど大量のビットが、今なお生成、分析、保管され、さらにはビットを消費してますます多くのビットを生み出すシステムの訓練データとして使われている。私たちはまだ、爆発の始まりに近いところにいるのだ。だが、それを全体として捉えようとするのに、早すぎることはない。

ギリシャ神話のプロメテウスはゼウスの火を盗んで、ほかにも役立つ文明の利器とともにオリンポス山から地上に届けた。プロメテウスの策略にはまったゼウスは、報復として人類に病や悪をもたらして苦しめた。それ以来、私たち人間はどんなものも最大限に有効活用しようとしてきた。

プロメテウスの神話は、テクノロジーを意味している。テクノロジーは火と同様に、善でも悪でもなく、その価値は私たちの使い方によって決まる。そして、あるテクノロジーを使い出すと、社会自体が変化する。ウィリアム・イェイツが、「何もかもが変わった。完全に変わった。そして、かつてないほどの美しさが生まれた」と記したように[原注33]。

情報技術は特別な種類の火を起こす。ビットは情報の炎の、原子の粒だ。私たちは情報のツールを使って、その助けがなければできなかった、いいことも悪いこともできる。よくも悪くも、こうしたテクノロジーは、私たちがそれまで決してできなかったやり方での、思考、推察、創造、表現、議論、和解、学習、指導を可能にした。物理的な空間で、人々を二人同士や集団のなかでつなげた。私たちの声が届く範囲や、耳が聞こえる範囲を広げた。そして、私たちが他人を怯えさせたり、嫌がらせをしたり、憎んだり、自分のことを相手に偽って伝えたりする力を増幅させた。さらには、こうしたテクノロジーによって、どこにも行かずにお金を稼いだり使ったりできるようになり、おまけに自宅でくつろぎながらお金を盗めるようにもなった。

人類に火をもたらしたプロメテウスは、ギリシャ神話では人類の創造の中心的存在であり、それゆえのちに改めて語られた話のなかでは、彼が人類を創造したことになっている。10年後、または20年後、進行中のデジタル爆発が信じられないほどの力を手にしたとき、情報技術は社会にどんな変化をもたらすのだろうか？

もちろん、それはまだわからない。だが、現在のような変化がこの先も続くのだとすれば、人間の文化に関する次の三つの特徴的な面は、劇的に変化するだろう。それは「個人とプライバシーに対する意識」「言論の自由の許容度」、そして、「人類の発展の推進力となる創造性」だ。

プライバシーと個人

デジタル爆発が始まろうとしていた頃、プライバシーをめぐる争いは、まるで戦争のようだった。個人はみな、侵略的な力から自分を守ろうとした。企業、政府のどちらの機関も、個人が明かしたくない情報から利益を得ようとした。戦いの場では「私たち vs. あちら」「善 vs. 悪」「個人 vs. 機関」という構図になっていた。

デジタル爆発では、テクノロジーが向上してデータの収集がより簡単になり、集められる側もイライラさせられなくなった。人々は細(ささ)やかな見返りに引き寄せられ、たいていの場合、何を犠牲にしているのか理解する前に、自身のプライバシーと交換した。今日では、自分が購入した物を店側が記録していることを不安に思う人は比較的少ない。たとえお得意様カードがなくても、レジでスキャンされた商品のバーコードと読み取り機に通されたクレジットカードの情報を合わせれば、その客の名前と好みのキャンディやコンドームのブランドが結びつく。プライバシーを守るためには多くの利便性を手放さなければならないゆえ、大半の人は結局利便性を選ぶ。

次の世代は、プライバシーを失うことが犠牲だと思いもよらないかもしれない。「吟味されざる人生に、生きる価値はない」とはソクラテスの言葉だが、ソーシャルネットワークのなかで育った世代は、自身の生活が世間にさらされるのはごく普通だと思っているのではないだろうか。サン・マイクロシステムズの CEO スコット・マクネリの「どうせプライバシーなど、これっぽっちもないんだから。そのうち慣れるさ」というジョークのように。

だが、私たちの世代は、コンピューターのディスプレイ越しに行われる人とのやりとりに、なかなか慣れることができない。人との関わりの大半が直接会うか電話だったときは、私たちは「銀行の者です」と言ってきた人は信用しなかったし、互いによく知り合ったと思える人を信用した。だが、電子の世界では、真逆のことが起きている。私たちは大金を預けている銀行のウェブサイトを信用するし、インターネット上で親しくしている友人は実は詐欺師かもしれないから気をつけろと、自分に言い聞かせなければならないのだ。子どもたちにとって、個人と公の境目はどこなんだろう？　私たちには、偽りの友情を取り締まる法律が必要なのだろうか？

電子プライバシーがビットの雲のなかで失われ、用心するよりもソーシャルネットワークでのつきあいのほうが重要になりつつある現在、どの社会構造が打ち破られるのだろうか？　何が進化して、それに取って代わるのだろう？　私たちが知っている社会とは、自分の行動にそれぞれが責任を持てる人同士の、信頼し合える関係で築かれたつながりによって機能している。個人のアイデンティティに意味がなくなってしまったら、それに取って代わるものは何なのだろうか？　プライバシーと個人というこの二つの概念は、デジタル爆発によって滅ぼされてしまうのだろうか？

私たちはどこまで話せるのだろう？　そして、それを聞いているのは誰？

デジタル爆発は人間のコミュニケーションに革命を起こす。文書、発話、画像を発信するための以前のテクノロジーも世界を変えたが、みなそれぞれ限界があった。あなたの本を100万人に読んでもらうためには、まず出版されるしかなかった。政権を揺るがすような大スキャンダルを発見しても、それを新聞に載せてもらえなければ世間に知らせられなかった。ラジオ局を好きにできなければ、あなたの演説は100万人の耳には届かなかった。

発言者たちはもはや、拡声器や印刷機を操る者たちの気まぐれに縛られなくてもよくなった。アメリカでは、教会や国の許可なく誰でもどんな発言をすることができ、しかもその声を何百万もの人々に届けられる。それを聞く義務は誰にもないが、何百万もの人が聞けるようなかたちでメッセージを届けやすくなった。

だが、それには代償がともなう。それは金銭的なものではない。いずれにせよ、電子メール、ツイッター、フェイスブック、またはユーチューブで発言を広めるのは、ほぼ無料だ。払わなければならない代償は、発言者はメッセージを届けるのにいくつもの仲介機能に頼らなければならないため、覗き見、盗聴、フィルタリング、検閲のリスクが大きい。しかも、あなたに送られてくる情報の発信元と信頼度を知ってしまうことへのジレンマもある。限界は消えたわけではなく、増えて拡散しただけだった。

また、コミュニケーション革命を起こしたものとまったく同じテクノロジーの奇跡は、ビッグブラザー革命も生み出した。中国では顔認識技術と携帯電話信号を利用した、自動化された大規模な監視が行われている。[原注34]一方、アメリカの法執行機関も、クリアビューの顔認識技術を同じくらい熱烈に歓迎して活用している。[原注35]音声認識技術や言語理解技術がめでたく開発された現在、私たちが電話やインターネットを介して行っている音声によるすべてのコミュニケーションは、人間の聞き手と同等の能力を備えたテクノロジーを使った手段によって監視されてもおかしくないと、覚悟しておかなければならない。機械は誰かが「間違ったこと」を言うのを、注意深く待っている。その「間違ったこと」が何なのかは、私たちにはわからないが。

昔の情報革命

ヴィクトル・ユーゴーは『ノートルダム・ド・パリ』（2016年、岩波書店）（訳注：『ノートルダムのせむし男』でも知られている）の出版について、次のように語った。「これは革命の先駆けだ。まったく新たなかたちの、人間性の表現だ。これはひとりの人間から思考の一部をはがして、別の誰かに渡すようなものだ。これはアダムの時代から知性の象徴だったヘビが、これまでとは明らかにまったく異なる、新たな皮をまとったようなものなのだ」

政府は国の安全や公衆道徳を守るためや、政治的敵対勢力を監視するために盗聴する。通信会社は、最も利益の出るかたちでサービスを提供できるよう、自分たちのネットワークがどんなふうに使われているのか覗いてみる。そうして、不要に思われる通信は遅くしたり値上げをしたりするので、これは企業によるある種の緩やかな検閲だ。サービスプロバイダーは、届けるコンテンツに適切な広告をつけられるよう盗聴する。

この四半世紀で通信がさまざまなかたちで驚くほど広まったにもかかわらず、司法は「将来における言論は、より自由になるのか、それともならないのか」をいまだに議論している。不屈の憲法修正第1条がある、アメリカにおいてもだ。そもそも、森林のなかで木が倒れても耳を澄まさなければ誰にも聞こえないのと同様に、誰も聞いていなければ言論の自由などあってもなくても同じではないか。情報の発信源が劇的に増えたことで、みな自分と異なる意見の人からは何も学ぼうとしない社会になる恐れがある。今日では、自分が聞きたい意見だけを選んで聞いて、あとは無視するということがいとも簡単にできてしまうのだ。デジタル爆発は、手に入る情報を実質的には狭めてしまったのだろうか？

創造的な爆発なのか法的な爆発なのか？

トーマス・ジェファーソンは第1章で紹介した手紙で、次のように記している。「私からアイデアをもらった人は、私のひらめきを減らすことなく、ひらめきを得るだろう。その人が私のろうそくから自分のろうそくに火をつけて明るくしても、私のろうそくが暗くならないのと同じように」。デジタル爆発は、私たちの世界を啓発するために使われるのか、それとも、私たちから真実を隠すための幻想を生み出すために使われるのだろうか？

今日のインターネットのソーシャルネットワークで、デマがたちまち広まった事態を知ったら、ジェファーソンは何と言っただろうか？　2016年のアメリカ大統領選挙から4年後の現在、ソーシャルメディア企業も、それに各国の政府も、「面白そうな嘘はすぐに広まり、退屈そうな真実は明らかになるまで、長い時間と大変な労力を必要とする」という現実のなかで、政治的見解を表明する権利のバランスをうまく取れる簡単な方法を、まだ見つけられないでいる。

しかもデマは政治的、商業的なものだけではない。感染症が急速に広まると、根も葉もない陰謀説がすっかり根づいて、信頼できる情報はなかなか浸透しない恐れが出てくる。2019年に始まった新型コロナウイルスの感染拡大では、初回のワクチン臨床試験が始まる前から、ワクチン接種反対派支持のデマが広がっていた。そのわずか1年前、小さな島国のサモアではワクチン接種反対派の運動によって、ワクチン接種率が34パーセント[原注36]にまで下がった。その結果、接種さえしていれば完全に防げたはずの麻疹による死者が、83名も出てしまった。その大半は、幼い子どもだった。

テクノロジーの進歩で可能になった情報統制は、発言の操作だけではない。アメリカでは、特許法と著作権法は、社会の進歩のために個人の創造性を促進する目的でつくられた。こうした法律によって、創作者に金銭的な見返りが入ることと、世間が社会的恩恵を受けられることのバランスがうまく取れるようになった。芸術家や発明家が自身の制作物に対する独占的な権利を維持できる期間は、金銭的な見返りが得られる程度に長く、しかもさらなる創造性を生み出すための新たな動機をもたらせる程度には短くなるよう設定されていた。しかも、保護の対象になるものに求められる基準が高かったため、この法律のシステムはあくまで芸術や技術分野における創造性の発揮を促進するものであり、弁護士が訴訟の材料を思いつくためのものにはならなかった。

工作機械が情報処理ツールに取って代わられ、あらゆる種類の著作物、音楽、芸術がデジタル化されると、ゲームのルールが変わってしまった。今日最も手厚い保護を受けているのは、作品の制作者でもなければ、最終的に利用する消費者でもなく、大手企業だ。情報技術によって仲介機能が排除されるとうたわれたこともあったが、そうした仲介者たちは弱くなるどころか、ますます強力になっている。

言論の自由を制約するどんな規制においても、予期せぬ（しかも意図的ではない）結果が出てくる場合もある。新型コロナウイルスの感染拡大の最中、著作権保護のために情報記事のウェブページを検索結果から削除するよう求める通知が、グーグルに送られてきた。グーグルは、ベトナムを訪れた二人の旅行者が現地で病気になったというニュース記事へのリンクを削除した。これは読んだ人が自分も感染している恐れがあることを知るうえで、役立つ情報だった。同記事はベトナム政府傘下のニュースウェブサイトに掲載されていて、二人が訪ねたホテル、バー、レストランが実名で掲載され、読者のなかに同じ場所を利用した人がいたら注意するようにという内容だった。この記事を検索結果から削除させようとした誰かが、同様の情報を載せたブログページを古い日付で投稿し、例のニュース記事にブログの著作権を侵害されたと申し立てたのだった。ブログ投稿の日付は旅行者たちがベトナムを訪問した４カ月も前だったが、グーグルは検索結果から元の記事へのリンクを削除した。偽投稿を行ったブログには７件しか投稿がなく、そのどれもがグーグルに著作権違反の申し立てをするためのものばかりだった。[原注37]

新たなテクノロジーによって創作者が直接消費者とやりとりできるようになった頃から、大手仲介者の経済的利益を守ろうとする法的な力が強くなっていった。

同様の緊張は、発明の世界にも存在している。電波への新規参入者を排除しようとする、ラジオやテレビ放送業界の既得権者としての力は、無線通信を規制して、役立つ機器を市場から遠ざけることで、言論や発明を抑え込んでいる。グーグルが支配的な情報検索分野や、フェイスブックが世界の大半で圧倒的優位を誇るソーシャルネットワーク分野を見れば、同じパターンが繰り返されているのではないかと疑問に思うのは当然だ。

アメリカが向かっているのは情報民主主義、それとも情報寡頭制だろうか？　将来、私たちがビットを生み出して使用する方法を規制する権限は、いったい誰の手に握られているのだろう？

ビットが示す結論

世界規模のビット爆発は、世界を明るく照らしている（**図9.2**参照）[原注38]。明るく光っているのは主にヨーロッパと北アメリカだが、ほかのほぼどの地域も次第に明るさを増している。これ以上明るくなれない、物理的な理由はない。ビットは石油や石炭とは違う。それをつくりだすには原料はほとんど必要なく、わずかな電力さえあれば大丈夫だ。驚くほどの数のビットがガラスファイバーのなかを流れ、そして長い距離であろうと短い距離であろうと、空中に放射されて飛んでいく。私たちはカメラやコンピューターを使って思いのままにビットを年々つくりだしていて、年間の総量はもはや想像を超えている。北朝鮮といった真っ暗な場所は、しばらくのあいだは

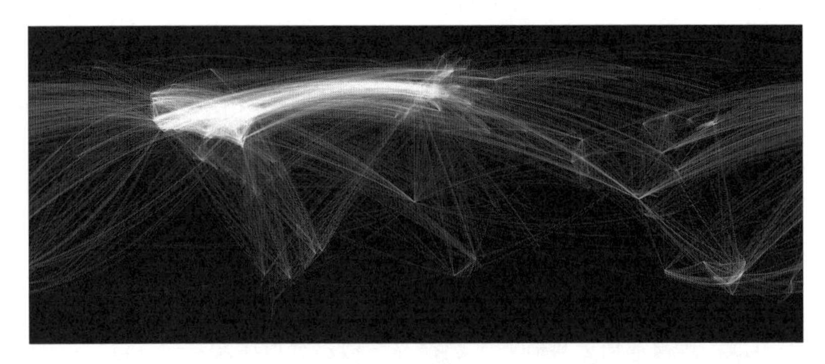

図9.2　ルーター間のインターネット接続件数を表した世界地図。現時点では、アメリカとヨーロッパ間の結びつきが極めて強い。ちなみに、データ伝送量に基づいた地図（その場合は、たとえば混雑したインターネットカフェが多い地域が優勢になる）では、アフリカ、アジア、南アメリカがより明るく照らされるはずだ

暗いままかもしれないが、そうした地域さえやがて明るく照らされていくだろう。私たちはこうしたすべてのデータとそこに詰め込まれた発想、つまりこの光の原子を、すべて捉えて永久に電子的に保存することができる。

この爆発は政治的、経済的自由に支えられた、発明や技術開発によって起きた。印刷機を発明したグーテンベルクが土台をつくり、モールスの電報、ベルの電話、そしてエジソンの蓄音機は爆発の先駆けとなった。クロード・シャノンは、ビットのプロメテウスだ。第二次世界大戦後、シャノンは自身の数学的知見によって、情報通信の火を灯した。その炎は、今ではビットとして地球を照らしている。

ビットの爆発はまだ終わっていない。私たちはその渦中にいる。だが、この爆発が破壊をもたらすのか、それとも啓発となるのかはまだわからない。この爆発を誰が制御するのかを決めるための時間は、あとわずかかもしれない。ビットは今なお新しいものであり、それを規制する法の枠組みや、企業の所有については勝負がどうなるかまだわからない、新たな天然資源だ。ビットのみならず、ビットに依存するものすべてに対して今日行われている法的、経済的な判断は、私たちの子孫がどう生きるかを決定づける。ビットにかたちづくられる人類の未来は、ビットが世界をどのように照らすのか、あるいはどうゆがめてしまうかによって、大きく変わっていく。

原書注釈

第1章

1. Drew Harwell, "A Face-Scanning Algorithm Increasingly Decides Whether You Deserve the Job," *Washington Post*, November 6, 2019, https://www.washingtonpost.com/technology/2019/10/22/ai-hiring-face-scanningalgorithm-increasingly-decides-whether-you-deserve-job/.
2. Scott Mayer McKinney et al., "International Evaluation of an AI System for Breast Cancer Screening," *Nature* 577, no. 7788 (January 2020): 89–94, https://doi.org/10.1038/s41586-019-1799-6.
3. Julia Angwin et al., "Machine Bias," ProPublica, May 23, 2016, https://www.propublica.org/article/machine-bias-risk-assessments-in-criminal-sentencing.
4. Elizabeth Fernandez, "Will Machine Learning Algorithms Erase the Progress of the Fair Housing Act?" *Forbes*, November 17, 2019, https://www.forbes.com/sites/fernandezelizabeth/2019/11/17/will-machine-learning-algorithms-erase-theprogress-of-the-fair-housing-act/.
5. Claudia Goldin and Cecilia Rouse, "Orchestrating Impartiality: The Impact of 'Blind' Auditions on Female Musicians," *The American Economic Review* 90, no. 4 (September 2000), https://pubs.aeaweb.org/doi/pdfplus/10.1257/aer.90.4.715.
6. "Algorithmic Transparency: End Secret Profiling," Electronic Privacy Information Center, March 1, 2020, https://epic.org/algorithmic-transparency/.
7. Benjamin Zhang, "The Boeing 737 Max Is Likely to Be the Last Version of the Best-Selling Airliner of All Time," *Business Insider*, March 19, 2019, https://www.businessinsider.com/boeing-737-max-design-pushed-to-limit-2019-3.
8. Rosie Spinks, "Confused About How to Use Strava Safely? You Are Not Alone," *Quartz*, January 29, 2018, https://qz.com/1191431/strava-privacy-concerns-hereis-how-to-safely-use-the-app/.
9. Kashmir Hill, "The Secretive Company That Might End Privacy as We Know It," *The New York Times*, January 18, 2020, https://www.nytimes.com/2020/01/18/technology/clearview-privacy-facial-recognition.html.
10. J. Clement, "Hours of Video Uploaded to YouTube Every Minute, 2007–2019," *Statista*, August 9, 2019, https://www.statista.com/statistics/259477/hours-ofvideo-uploaded-to-youtube-every-minute/.
11. Adam Liptak, "Verizon Blocks Messages of Abortion Rights Group," *The New York Times*, September 27, 2007, https://www.nytimes.com/2007/09/27/us/27verizon.html.
12. "Article 1, Section 8, Clause 8: Thomas Jefferson to Isaac McPherson," in Andrew A. Lipscomb and Albert Ellery Bergh, eds., *The Writings of Thomas Jefferson* (Thomas Jefferson Memorial Association, 1905), http://press-pubs.uchicago.edu/founders/documents/a1_8_8s12.html.
13. Robin McKie and Vanessa Thorpe, "Digital Domesday Book lasts 15 years not1000," *Guardian Unlimited*, March 3, 2002.
14. G. E. Moore, "Cramming More Components onto Integrated Circuits," *Proceedings of the IEEE* 86, no. 1 (January 1998): 82–85, https://doi.org/10.1109/JPROC.1998.658762.
15. Steven Sanche et al., "High Contagiousness and Rapid Spread of Severe Acute Respiratory Syndrome Coronavirus 2," *Emerging Infectious Diseases* 26, no. 7 (July 2020): 1470–1477, https://dx.doi.org/10.3201/eid2607.200282.

16. "Kodak, GE, Digital Report Strong Quarterly Results," *Atlanta Constitution*, January 17, 1997.
17. Claudia H. Deutsch, "Shrinking Pains at Kodak," *The New York Times*, February 9, 2007.
18. Harry R. Lewis, "A Science Is Born," *Harvard Magazine*, September-October 2020: 42, https://harvardmagazine.com/2020/09/features-a-science-is-born/
19. Lily Kuo, "Hong Kong's Digital Battle: Tech That Helped Protesters Now Used Against Them," *The Guardian*, June 14, 2019, https://www.theguardian.com/world/2019/jun/14/hong-kongs-digital-battle-technology-that-helped-protestersnow-used-against-them.
20. Billy Perrigo, "India's Supreme Court Orders Review of Internet Shutdown in Kashmir. But for Now, It Continues," *Time*, January 10, 2020, https://time.com/5762751/internet-kashmir-supreme-court/.
21. Samuel Woodhams and Simon Migliano, "The Global Cost of Internet Shutdowns in 2019," Top10VPN, January 7, 2020, https://www.top10vpn.com/cost-of-internet-shutdowns/.
22. "Mum-of-Three Uncovered her Cheating Fiance's Double Life After His Wife Came Up as a Friend Suggestion on Facebook," *The Sun*, September 7, 2017, https://www.thesun.co.uk/fabulous/4411305/mum-of-three-uncovered-her-cheatingfiances-double-life-after-his-wife-came-up-as-a-friend-suggestion-on-facebook/.
23. Julia Jones, "Girlfriend Charged in Boston College Student's Death After Telling Him 'Hundreds of Times' to Kill Himself, prosecutors say," CNN, October 29,2019, https://www.cnn.com/2019/10/28/us/boston-college-student-suicidecharges/index.html.

第2章

1. Sopan Deb and Natasha Singer, "Taylor Swift Keeping An Eye Out For Stalkers," *New York Times*, December 15, 2018, C6, https://www.nytimes.com/2018/12/13/arts/music/taylor-swift-facial-recognition.html.
2. George Orwell, *1984* (Signet Classic, 1977), p. 2.（翻訳版はジョージ・オーウェル『一九八四年』2009年、早川書房など）
3. Silkie Carlo, "Britain Has More Surveillance Cameras per Person Than Any Country Except China. That's a Massive Risk to Our Free Society," *Time*, May 17, 2019, https://news.yahoo.com/britain – more-surveillance – camerasper – 151641361.html.
4. Lee Rainie, "Americans' Complicated Feelings About Social Media in an Era of Privacy Concerns," Pew Research Center, March 27, 2018, https://www.pewresearch.org/fact – tank/2018/03/27/americans-complicated – feelingsabout – social – media – in – an – era – of – privacy – concerns/.
5. Lee Raine, Americans' complicated feelings about social media in an era of privacy concerns, Pew Research Center, March 27, 2018, https://www.pewresearch.org/fact – tank/2018/03/27/americans-complicated – feelingsabout – social – media – in – an – era – of – privacy – concerns/.
6. Edward Snowden, *Permanent Record* (Metropolitan Books, 2019).（翻訳版はエドワード・スノーデン『スノーデン独白――消せない記録』2019年、河出書房新社）
7. https://www.washingtonpost.com/investigations/us – intelligence – mining – datafrom – nine – us-internet – companies – in – broad – secret – program/2013/06/06/3a0c0da8 – cebf – 11e2 – 8845 – d970ccb04497_story.html.
8. Kevin Bankston, "EFF Analysis of the Provisions of the USA PATRIOT Act," Electronic Frontier Foundation, October 27, 2003, https://www.eff.org/deeplinks/2003/10/eff – analysis – provisions – usa-patriot – act.
9. Glenn Greenwald, "NSA Collecting Phone Records of Millions of Verizon Customers Daily," *The Guardian*, June 6, 2013, https://www.theguardian.com/world/2013/jun/06/nsa – phone – records – verizon-court – order.
10. Micah Lee et al., "A Look at the Inner Workings of NSA's XKEYSCORE," *The Intercept*, July 2, 2015, https://theintercept.com/2015/07/02/look – under – hoodxkeyscore/.

11. Tom Bowman, "Why Does the NSA Keep an EGOTISTICALGIRAFFE? It's Top Secret," NPR, November 10, 2003, https://www.npr.org/2013/11/10/244240199/why – does – the – nsa – keep – an – egotisticalgiraffeits – top – secret.
12. David Cole, "We Kill People Based on Metadata," *The New York Review of Books*, May 10, 2014, https://www.nybooks.com/daily/2014/05/10/we – kill – peoplebased – metadata/.
13. Stephen Farrell and Hannes Tschofenig, "Pervasive Monitoring Is an Attack," Internet Engineering Task Force, RFC 7258, May 2014, https://tools.ietf.org/html/rfc7258.
14. "HTTPS Encryption on the Web," Google Transparency Report, accessed May 18, 2020, https://transparencyreport.google.com/https/overview;%20https:=.
15. *Olmstead v. United States*, 277 U.S. 438 (1928), https://supreme.justia.com/cases/federal/us/277/438/.
16. *Katz v. United States*, 389 U.S. 347 (1967), https://supreme.justia.com/cases/federal/us/389/347/.
17. Eric Sandy, "Supreme Court Case Has Roots in Radio Shack Robberies in Michigan and Ohio," *Detroit Metro Times*, November 28, 2017, https://www.metrotimes.com/news-hits/archives/2017/11/28/supreme – court – case – has – roots – in – radio – shackrobberies – in – michigan – and-ohio.
18. *Carpenter v. United States*, 138 S. Ct. 2206 (2018), https://www.oyez.org/cases/2017/16 – 402.
19. Ellen Messmer, "Black Hat: Researcher Claims Hack of Processor Used to Secure Xbox 360, Other Products," *Network World*, February 2, 2010, https://www.networkworld.com/article/2243700/black-hat – – researcher – claims – hackof – processor – used – to – secure – xbox – 360 – – other – products.html.
20. *People v. Christmann*, 861 N.W.2d 18 (2015), https://caselaw.findlaw.com/ny-justice-court/1143124.html.
21. Taylor Hatmaker, "California Malls Are Sharing License Plate Tracking Data with an ICE – Linked Database," TechCrunch, July 10, 2018, https://social.techcrunch.com/2018/07/10/alpr – license – plate-recognition – ice – irvine – company/.
22. Thomas Brewster, "Why Strava's Fitness Tracking Should Really Worry You," *Forbes*, January 29, 2018, https://www.forbes.com/sites/thomasbrewster/2018/01/29/strava – fitness – data – location – privacys-care/#46e488aa55c3.
23. James Quarles, "A Letter to the Strava Community," Strava, January 29, 2018 https://blog.strava.com/press/a – letter – to – the – strava – community/.
24. Chris Buckley and Paul Mozur, "How China Uses High – Tech Surveillance to Subdue Minorities," *The New York Times*, May 22, 2019, https://www.nytimes.com/2019/05/22/world/asia/china – surveillance-xinjiang. html.
25. Ellen Nakashima, "FBI Prepares Vast Database of Biometrics," *The Washington Post*, December 22, 2007, http://www.washingtonpost.com/wp – dyn/content/article/2007/12/21/AR2007122102544.html.
26. Kate Conger et al., "San Francisco Bans Facial Recognition Technology," *The New York Times*, May 14, 2019, https://www.nytimes.com/2019/05/14/us/facial – recognition – ban – san – francisco.html.
27. Susie Cagle, "This ID Scanner Company Is Collecting Sensitive Data on Millions of Bargoers," Medium, May 29, 2019, https://onezero.medium.com/id – at – the – doormeet – the – security – company-building – an – international – database – of – banned – barpatrons – 7c6d4b236fc3.
28. "The 2019 Federal Reserve Payments Study," Board of Governors of the Federal Reserve System, January 6, 2020, https://www.federalreserve.gov/paymentsystems/2019 – December – The – Federal – Reserve – Payments – Study.htm.
29. GAO, U.S. Government Accountability Office, https://www.gao.gov/products/GAO – 04 – 548.

30. "Equifax to Pay $575 Million as Part of Settlement with FTC, CFPB, and States Related to 2017 Data Breach," Federal Trade Commission, July 22, 2019, https://www.ftc.gov/news－events/press-releases/2019/07/equifax－pay－575－million－partsettlement－ftc－cfpb－states－related.
31. "Equifax Data Breach Settlement," Federal Trade Commission, July 11, 2019, https://www.ftc.gov/enforcement/cases－proceedings/refunds/equifax－databreach－settlement.
32. OPM.GOV, Cybersecurity Resource Center, https://www.opm.gov/cybersecurity/cybersecurity-incidents/
33. Michael Lasalandra, "Panel told releases of med records hurt privacy," *Boston Herald*, March 20, 1997.
34. Manos Antonakakis et al., "Understanding the Mirai Botnet," *Proceedings of 26th USENIX Security Symposium*, April 16, 2017; "Mirai IoT Botnet Co－Authors Plead Guilty," Krebs on Security, December 13, 2017, https://krebsonsecurity.com/2017/12/mirai－iot－botnet－co－authors－plead－guilty/.
35. Scott Hilton, "Dyn Analysis Summary of Friday October 21 Attack," Oracle, 2016. http://dyn.com/blog/dyn－analysis-summary－of－friday－october－21－attack/.
36. C. J. Hughes, "The Latest in Apartment Technology: Fridge Cams and Robotic Valets," *The New York Times*, December 15, 2017, https://www.nytimes.com/2017/12/15/realestate/apartment－technology-fridge－cams－robotic－valets.html.
37. Patrick Olsen, "Tesla Model 3 Falls Short of a CR Recommendation," *Consumer Reports*, May 30, 2018, https://www.consumerreports.org/hybrids－evs/tesla－model－3－review－falls－short－of－consumer-reports－recommendation/.
38. Patrick Olsen, "Tesla Model 3 Gets CR Recommendation After Braking Update," *Consumer Reports*, May 30, 2018, https://www.consumerreports.org/car－safety/tesla－model－3－gets－cr－recommendation-after－braking－update/.
39. Andrew Liptak, "Tesla Extended the Range of Some Florida Vehicles for Drivers to Escape Hurricane Irma," *The Verge*, September 10, 2017, https://www.theverge.com/2017/9/10/16283330/tesla-hurricane－irma－update－florida－extend－range－model－s－x－60－60d.
40. Bruce Schneier, *Click Here to Kill Everybody: Security and Survival in a Hyper－Connected World* (WW Norton & Company, 2018).
41. Alfred Ng, "Tenants Win as Settlement Orders Landlords Give Physical Keys over Smart Locks," CNET, May 7, 2019, https://www.cnet.com/news/tenants－win－rights－to－physical－keys－over－smart－locks-from－landlords/.
42. Rob Gillies, Google Affiliate scraps plan for Toronto Smart City Project, *US News and World Report*, May 7, 2020, https://www.usnews.com/news/business/articles/2020－05－07/google－affiliate－scraps-plan－for－toronto－smart－city－project. Shoshana Zuboff, *The Age of Surveillance Capitalism*, PublicAffairs, 2019.（翻訳版はショシャナ・ズボフ『監視資本主義――人類の未来を賭けた闘い』2021年、東洋経済新報社）

第3章

1. Matthew Rosenberg, Nicholas Confessore, and Carole Cadwalladr, "Firm That Assisted Trump Exploited Data of Millions," *New York Times*, March 18, 2018: A1, https://www.nytimes.com/2018/03/17/us/politics/cambridge-analyticatrump-campaign.html.
2. Samuel A. Warren and Louis D. Brandeis, "The Right to Privacy," *Harvard Law Review* 4, no. 5 (December 15, 1890), https://groups.csail.mit.edu/mac/classes/6.805/articles/privacy/Privacy_brand_warr2.html.
3. Robert Fano, "Review of Alan Westin's *Privacy and Freedom*," *Scientific American* (May 1968): 148–152.
4. Alan F. Westin, *Privacy and Freedom* (Atheneum, 1967).

5. 同上
6. Helen Nissenbaum, *Privacy in Context: Technology, Policy, and the Integrity of Social Life* (Stanford Law Books, 2009).
7. "Judge Sides with University Against Student-Teacher with 'Drunken Pirate' Photo," *The Chronicle of Higher Education*, December 4, 2008, https://www.chronicle.com/article/Judge-Sides-With-University/42066.
8. Taylor Lorenz, "Unidentified Plane-Bae Woman's Statement Confirms the Worst," *The Atlantic*, July 13, 2018, https://www.theatlantic.com/technology/archive/2018/07/unidentified-plane-bae-womansstatement-confirms-the-worst/565139/.
9. Emil Venere, "Printer Forensics to Aid Homeland Security, Tracing Counterfeiters," Purdue University, October 12, 2004, https://www.purdue.edu/uns/html4ever/2004/041011.Delp.forensics.html.
10. Michael M. Grynbaum and John Koblin, "Journalists Fear Effects of Arrest," *New York Times*, June 7, 2017: A19, https://www.nytimes.com/2017/06/06/business/media/intercept-reality-winner-russia-trump-leak.html.
11. Jake Swearingen, "Did the Intercept Betray Its NSA Source?", New York Magazine, June 6, 2017. https://nymag.com/intelligencer/2017/06/intercept-nsa-leakerreality-winner.html.
12. "Web Privacy—Arvind Narayanan," accessed May 18, 2020, https://www.cs.princeton.edu/~arvindn/web-privacy/.
13. Charles Duhugg, "How Companies Learn Your Secrets," *The New York Times*, February 16, 2012, https://www.nytimes.com/2012/02/19/magazine/shoppinghabits.html.
14. "Amazon Alexa Can Accidentally Record and Share Your Conversations," *Vanity Fair*, May 24, 2018, https://www.vanityfair.com/news/2018/05/yes-amazonsalexa-can-secretly-record-and-share-conversations.
15. Katie Collins, "That Smart Doll Could be a Spy. Parents, Smash!", *CNET*, February 17, 2018, https://www.cnet.com/news/parents-told-to-destroyconnected-dolls-over-hacking-fears/.
16. Ben Gilbert, "There's a simple reason your new smart TV was so affordable: It's collecting and selling your data, and serving you ads," *Business Insider*, April 5, 2019, https://www.businessinsider.com/smart-tv-data-collectionadvertising-2019-1.
17. Hang Do Thi Duc, Public By Default, Venmo Stories of 2017, HYPERLINK /h https://publicbydefault.fyi/.
18. Avi Selk, "The ingenious and 'dystopian' DNA technique police used to hunt the 'Golden State Killer' suspect," *Washington Post*, April 28, 2018, https://www.washingtonpost.com/news/true-crime/wp/2018/04/27/golden-statekiller-dna-website-gedmatch-was-used-to-identify-joseph-deangelo-assuspect-police-say/.
19. "Fact Sheet: Overview of the EU-U.S. Privacy Shield Framework for Interested Participants," U.S. Department of Commerce, July 12, 2016, https://2014-2017.commerce.gov/sites/commerce.gov/files/media/files/2016/fact_sheet-_eu-us_privacy_shield_7-16_sc_cmts.pdf.
20. Court of Justice of the European Union, Press Release No 91/20, Luxembourg, July 16, 2020, Judgment in Case C-311/18: Data Protection Commissioner v Facebook Ireland and Maximillian Schrems. https://curia.europa.eu/jcms/upload/docs/application/pdf/2020-07/cp200091en.pdf.
21. "Privacy Rule Slows Scientific Discovery and Adds Cost To Research, Scientists Say," University of Pittsburgh Schools of the Health Sciences. https://www.sciencedaily.com/releases/2007/11/071113165648.htm. Roberta B. Ness, MD, MPH, "Influence of the HIPAA Privacy Rule on Health Research," JAMA. 2007;298(18):2164-2170. doi:10.1001/jama.298.18.2164
22. Fred H. Cate, "The failure of Fair Information Practice Principles," in Jane K. Winn, ed., *Consumer Protection in the Age of the "Information Economy"* (Ashgate, 2006).
23. https://www.nielsen.com/us/en/insights/report/2019/nielsen-local-watch-reportthe-evolving-

ota-home/
24. Daniel. J. Weitzner, "Beyond Secrecy: New Privacy Protection Strategies for Open Information Spaces," in *IEEE Internet Computing* 11, no. 5 (September–October 2007): 96–95, https://dl.acm.org/doi/10.1109/MIC.2007.101
25. Paul Ohm, "Broken Promises of Privacy: Responding to the Surprising Failure of Anonymization," SSRN Scholarly Paper (Social Science Research Network, August 13, 2009), https://papers.ssrn.com/abstract=1450006.

第4章

1. Ian Austen, "A Canadian Telecom's Labor Dispute Leads to Blocked Web Sites and Questions of Censorship," *The New York Times*, August 1, 2005, https://www.nytimes.com/2005/08/01/business/worldbusiness/a-canadian-telecomslabor-dispute-leads-to-blocked.html.
2. Tripp Mickle et al., "Apple, Google Pull Hong Kong Protest Apps Amid China Uproar," *Wall Street Journal*, October 10, 2019, https://www.wsj.com/articles/apple-pulls-hong-kong-cop-tracking-map-app-after-china-uproar-11570681464.
3. Jim Rutenberg, "Netflix's Bow to Saudi Censors Comes at a Cost to Free Speech," *The New York Times*, January 6, 2019, https://www.nytimes.com/2019/01/06/business/media/netflix-saudi-arabia-censorship-hasan-minhaj.html.
4. Steve Kroft, "How Did Google Get so Big?" CBS News, May 21, 2018, https://www.cbsnews.com/news/how-did-google-get-so-big/.
5. "Internet Providers in Browning, Montana," Broadband Now, accessed April 27,2020, https://broadbandnow.com/Montana/Browning.
6. "Browning, MT," Data USA, accessed April 27, 2020, https://datausa.io/profile/geo/browning-mt/.
7. Paul Baran, "On Distributed Communications Networks," (RAND Corporation, Santa Monica, CA, September 1962), Reprinted with permission. https://www.rand.org/pubs/papers/P2626.html.
8. Vinton G. Cerf and Robert E Kahn, "A Protocol for Packet Network Intercommunication," *IEEE Transactions on Communications*, no. 5 (1974): 13.
9. Pete Resnick, "On Consensus and Humming in the IETF," Internet Engineering Task Force, June 2014, https://tools.ietf.org/html/rfc7282.
10. Harald Tveit Alvestrand, "A Mission Statement for the IETF," Internet Engineering Task Force, October 2004, https://tools.ietf.org/html/rfc3935.
11. インターネットプロトコルパケットが開発されたのは、大幅な小型化が行われる前、しかもコンピューターメモリーの容量がまだ小さくて価格も高い時代だった。当時はインターネットに40億台以上のコンピューターをつなげる需要が出てくるとは誰も想像していなかったため、アドレスの部分には32桁のビットしか用意されていなかった。だが、腕時計や冷蔵庫までそれぞれのIPアドレスを持っている現在においては、つながっているコンピューターの数が32桁のビットで表せる番号を超えてしまった。そのため、さまざまな次善策が検討され、アドレスを128桁のビットで表せる新しいプロトコルIPv6が徐々に普及している。
12. Jonathan Zittrain, *The Future of the Internet—and How to Stop It* (Yale University Press, 2008).（翻訳版はジョナサン・ジットレイン『インターネットが死ぬ日』2009年、早川書房）
13. 光ファイバーに関する詳細は、次を参照のこと。Susan Crawford, Fiber: *The Coming Tech Revolution—and Why America Might Miss It*, Yale University Press, 2018.
14. Jon Brodkin, "US Broadband: Still No ISP Choice for Many, Especially at Higher Speeds," *Ars Technica*, August 10, 2016, https://arstechnica.com/informationtechnology/2016/08/us-broadband-still-no-isp-choice-for-many-especially-athigher-speeds/.
15. Kendra Chamberlain, "Municipal Broadband Is Roadblocked or Outlawed in25 States," *Broadband Now*, May 13, 2020, https://broadbandnow.com/report/municipal-broadband-

roadblocks/.

16. "Government Competition with Private Internet Services Providers Prohibited—Exceptions," Montana Code Annotated 2019, https://leg.mt.gov/bills/mca/title_0020/chapter_0170/part_0060/section_0030/0020-0170-0060-0030.html.
17. Paul Baran, "Full Text of 'The Computer and Invasion of Privacy,'" July 26, 1966, https://archive.org/stream/U.S.House1966TheComputerAndInvasionOfPrivacy/U.S.%20House%20%281966%29%20-%20The%20Computer%20and%20Invasion%20of%20Privacy_djvu.txt.
18. Scott Bradner, "The Internet: Unblocking Pipes," Network World, March 14, 2005, https://www.networkworld.com/article/2319666/the-internet--unblockingpipes.html.
19. Eva Wolchover, "Web Reconnects Cousins Cut off by Iron Curtain," *Boston Herald*, December 18, 2007.
20. "Search Engine Market Share Worldwide 2019," Statista, accessed April 27,2020, https://www.statista.com/statistics/216573/worldwide-market-share-ofsearch-engines/.
21. Nathaniel Popper, "A Feisty Google Adversary Tests How Much People Care About Privacy," *The New York Times*, July 15, 2019, https://www.nytimes.com/2019/07/15/technology/duckduckgo-private-search. html.
22. Vannevar Bush, "As We May Think," *The Atlantic*, July 1, 1945, https://www.theatlantic.com/magazine/archive/1945/07/as-we-may-think/303881/.（翻訳版はヴァネヴァー・ブッシュ「われわれが思考するごとく」【西垣通編著訳『思想としてのパソコン』1997年、NTT出版の第一章に掲載】）
23. H. G. Wells, *World Brain* (Methuen, 1938), pp. 60–61.（翻訳版はH. G. ウェルズ『世界の頭脳――人間回復をめざす教育構想』1987年、思索社）
24. "Shady Web Searches in Missing Girl Case," CBS News, November 26, 2008, https://www.cbsnews.com/news/shady-web-searches-in-missing-girl-case/.
25. Tony Pipitone, "Cops, Prosecutors Botched Casey Anthony Evidence," WKMG, November 28, 2012, https://www.clickorlando.com/news/2012/11/28/cops-prosecutors-botched-casey-anthony-evidence/.
26. K. C. Jones, "Ex-Computer Consultant Convicted in 'Google Murder' Trial," *InformationWeek*, November 30, 2005, https://www.informationweek.com/ex-computer-consultant-convicted-ingoog/174403074.
27. *People v. Zirko*, 2012 IL App (1st) 092158.
28. George Knapp and Matt Adams, "I-Team: Details the Night Attorney Susan Winters Died," 8NewsNow, February 10, 2017, https://www.8newsnow.com/news/i-team-details-the-night-attorney-susan-winters-died/.
29. "Requests for User Information," Google Transparency Report, accessed April 27,2020, https://transparencyreport.google.com/user-data/overview.
30. "US Judge Asks Reports of Google Searches," SEL, accessed April 27, 2020, https://searchenginelaw.net/security/103-us-judge-asks-reports-of-google-searches.
31. Douglas MacMillan, "Tech's 'Dirty Secret': The App Developers Sifting Through Your Gmail," *Wall Street Journal*, July 2, 2018, https://www.wsj.com/articles/techs-dirty-secret-the-app-developers-sifting-through-your-gmail-1530544442.
32. https://support.earny.co/hc/en-us/articles/218609757-Privacy-Policy#:~:text=We%2C%20at%20Earny%20Inc.%2C,save%20money%20in%20multiple%20ways.
33. John D. McKinnon and Douglas MacMillan, "Google Says It Continues to Allow Apps to Scan Data from Gmail Accounts," *Wall Street Journal*, September 20, 2018, https://www.wsj.com/articles/google-says-it-continues-to-allow-apps-toscan-data-from-gmail-accounts-1537459989.
34. Peter H. Lewis, "Digital Equipment Offers Web Browsers Its 'Super Spider,'" *The New York Times*, December 18, 1995, https://www.nytimes.com/1995/12/18/business/digital-equipment-offers-web-browsers-its-super-spider.html.
35. Sergey Brin and Lawrence Page, "The Anatomy of a Large-Scale Hypertextual Web Search

Engine," *Computer Networks and ISDN Systems* 30, no. 1-7 (April 1998): 107-117, https://snap.stanford.edu/class/cs224w-readings/Brin98Anatomy.pdf.
36. Mark Scott, "Google Fined Record $2.7 Billion in E.U. Antitrust Ruling," *The New York Times*, June 27, 2017, https://www.nytimes.com/2017/06/27/technology/eu-google-fine.html.
37. Danah M Boyd and Nicole B. Ellison, "Social Network Sites: Definition, History, and Scholarship," *Journal of Computer-Mediated Communication* 13, no. 1 (October 1, 2007): 210-30, https://doi.org/10.1111/j.1083-6101.2007.00393.x.
38. "Friendster," June 11, 2004, https://web.archive.org/web/20040611192459/http://www.friendster.com/index.jsp.
39. Pete Cashmore, "MySpace, America's Number One," Mashable, July 11, 2006, https://mashable.com/2006/07/11/myspace-americas-number-one/.
40. "Company Info," *About Facebook*, accessed April 28, 2020, https://about.fb.com/company-info/.
41. thefacebook, "Privacy Policy," January 7, 2005, https://web.archive.org/web/20050107221705/http:/www.thefacebook.com/policy.php.
42. Bill Goodwin and Sebastian Klovig Skelton, "Facebook's Privacy Game—How Zuckerberg Backtracked on Promises to Protect Personal Data," ComputerWeekly.com, July 1, 2019, https://www.computerweekly.com/feature/Facebooks-privacy-U-turn-how-Zuckerberg-backtracked-on-promises-toprotect-personal-data.
43. Facebook, "Thoughts on Beacon," December 5, 2007, https://www.facebook.com/notes/facebook/thoughts-on-beacon/7584397130/.
44. "Facebook Asks More Than 350 Million Users Around the World to Personalize Their Privacy," *About Facebook*, December 10, 2009, https://about.fb.com/news/2009/12/facebook-asks-more-than-350-million-users-around-the-worldto-personalize-their-privacy/.
45. Kurt Opsahl, "Facebook's Eroding Privacy Policy: A Timeline," Electronic Frontier Foundation, April 28, 2010, https://www.eff.org/deeplinks/2010/04/facebook-timeline.
46. Carter Jernigan and Behram F. T. Mistree, "Gaydar: Facebook Friendships Expose Sexual Orientation," *First Monday*, September 25, 2009, https://doi.org/10.5210/fm.v14i10.2611.
47. Kashmir Hill, "Either Mark Zuckerberg Got a Whole Lot Less Private or Facebook's CEO Doesn't Understand the Company's New Privacy Settings," *Forbes*, December 10, 2009, https://www.forbes.com/sites/kashmirhill/2009/12/10/either-mark-zuckerberg-got-a-whole-lot-less-private-or-facebooks-ceodoesnt-understand-the-companys-new-privacy-settings/.
48. Julia Angwin, "How Facebook Is Making Friending Obsolete," *The Wall Street Journal*, December 15, 2009, https://www.wsj.com/articles/SB126084637203791583.
49. Politico Staff, "Senators' Letter to Facebook," Politico, April 27, 2010, https://www.politico.com/news/stories/0410/36406.html.
50. "Facebook Redesigns Privacy," *About Facebook*, May 26, 2010, https://about.fb.com/news/2010/05/facebook-redesigns-privacy/.
51. Jennifer Valentino-DeVries and Gabriel J. X. Dance, "Facebook Encryption Eyed in Fight Against Online Child Sex Abuse," *The New York Times*, October 2, 2019, https://www.nytimes.com/2019/10/02/technology/encryption-online-child-sexabuse.html.
52. Priti Patel et al., "Open Letter to Facebook," October 4, 2019, https://www.justice.gov/opa/press-release/file/1207081/download.
53. Cecilia Kang, "Facebook's Hands-off Approach to Political Speech Gets Impeachment Test," *The New York Times*, October 8, 2019, https://www.nytimes.com/2019/10/08/technology/facebook-trump-biden-ad.html.

第5章

1. Barton Gellman and Ashkan Soltani, "NSA Infiltrates Links to Yahoo, Google Data Centers Worldwide, Snowden Documents Say," *Washington Post*, October30, 2013, https://www.

washingtonpost.com/world/national - security/nsainfiltrates - links - to - yahoo - google - data-centers - worldwide - snowden - documentssay/2013/10/30/e51d661e - 4166 - 11e3 - 8b74 - d89d714ca4dd_story.html.
2. Barton Gellman, "NSA Broke Privacy Rules Thousands of Times per Year, Audit Finds," *Washington Post*, August 15, 2013, https://www.washingtonpost.com/world/national - security/nsa - broke - privacy-rules - thousands - of - times - per - yearaudit - finds/2013/08/15/3310e554 - 05ca - 11e3 - a07f - 49ddc7417125_story.html.
3. Kimberly Dozier, "Senators: Limit NSA Snooping into US Phone Records," Associated Press, September 27, 2013, https://web.archive.org/web/20131029003314/http://bigstory.ap.org/article/senators - limit - nsa-snooping - usphone - records.
4. David Goldman, "Apps Claim They Can Keep Phone Records Secure," CNNMoney, June 6, 2013, https://money.cnn.com/2013/06/06/technology/security/verizoncall - logs/index.html.
5. Matthew Green, "The Daunting Challenge of Secure E - Mail," *The New Yorker*, accessed November 8, 2013, https://www.newyorker.com/tech/annals - oftechnology/the - daunting - challenge - of - secure - email.
6. "Email Encryption in Transit," Google Transparency Report, accessed April 28,2020, https://transparencyreport.google.com/safer - email/overview?hl=en.
7. Ellen Nakashima, "FBI Chief Calls Encryption a 'Major Public Safety Issue,'" *The Washington Post*, January 9, 2018, https://www.washingtonpost.com/world/national - security/fbi - chief - calls - encryption - a-major - public - safety - issue/2018/01/09/29a04166 - f555 - 11e7 - b34a - b85626af34ef_story.html.
8. Devlin Barrett and Ellen Nakashima, "FBI Repeatedly Overstated Encryption Threat Figures to Congress, Public," *The Washington Post*, May 22, 2018, https://www.washingtonpost.com/world/national - security/fbi - repeatedly - overstatedencryption-threat - figures - to - congress - public/2018/05/22/5b68ae90 - 5dce - 11e8 - a4a4 - c070ef53f315_story.html.
9. "Deputy Attorney General Rod J. Rosenstein Delivers Remarks on Encryption at the United States Naval Academy," October 10, 2017, https://www.justice.gov/opa/speech/deputy - attorney - general - rodj - rosenstein - delivers - remarks - encryptionunited - states - naval.
10. "Departments of Commerce, Justice, and State, the Judiciary, and Related Agencies Appropriations Act, 2002," *Congressional Record* 147, no. 119 (September 13, 2001), https://www.congress.gov/congressional - record/2001/9/13/senate - section/article/S9354 - 2.
11. John Schwartz, "Disputes on Electronic Message Encryption Take On New Urgency," *The New York Times*, September 25, 2001, https://www.nytimes.com/2001/09/25/business/disputes - on - electronic-message - encryption - take - on - new - urgency.html.
12. Schwartz.
13. "How to Address the Threat That Confronts Us Today," Federation of American Scientists, September 19, 2001, https://fas.org/irp/congress/2001_cr/s091901.html.
14. Schwartz, "Disputes on Electronic Message Encryption Take On New Urgency."
15. "Senator Backs Off Backdoors," *Wired*, October 17, 2001, https://www.wired.com/2001/10/senator - backs - off - backdoors/.
16. "Summary of H.R. 695 (105th): Security and Freedom Through Encryption (SAFE) Act," GovTrack.us, September 29, 1997, https://www.govtrack.us/congress/bills/105/hr695/summary.
17. Louis Freeh, "Encryption," Federation of American Scientists, July 8, 1997, https://fas.org/irp/congress/1997_hr/s970709f.htm.
18. Ron Rivest, "MIT Press Forum on Encryption," April 7, 1998.
19. 厳密には、ローマ時代にはJ、U、Wの文字は使われていなかったので、カエサルは元の文字を除いた22文字しか利用できなかった。

20. "Peterhouse MS 75.1, Folio 30" (n.d.); Geoffrey Chaucer et al., *The Equatorie of the Planetis* (Cambridge University Press, 1955); Kari Anne Rand, *The Authorship of the Equatorie of the Planetis*, Chaucer Studies 19 (DSBrewer, 1993).
21. *The Equatorie of the Planetis*, (MS Peterhouse 75.I), https://cudl.lib.cam.ac.uk/view/MS-PETERHOUSE-00075-00001.
22. David Kahn, *The Codebreakers: The Story of Secret Writing* [Rev. ed.] (Scribner,1996).（翻訳版はデイヴィッド・カーン『暗号戦争』1978年、早川書房）
23. Simon Singh, *The Code Book: The Evolution of Secrecy from Mary, Queen of Scots, to Quantum Cryptography* (Doubleday, 1999).（翻訳版はサイモン・シン『暗号解読――ロゼッタストーンから量子暗号まで』2001年、新潮社）
24. C. E. Shannon, "Communication Theory of Secrecy Systems," *Bell System Technical Journal* 28, no. 4 (1949): 656–715, https://ieeexplore.ieee.org/document/6769090.
25. Robert Louis Benson, *The Venona Story* (National Security Agency, Center for Cryptologic History, 2001).
26. "Language Log: The Provenzano Code," April 21, 2006, http://itre.cis.upenn.edu/~myl/languagelog/archives/003049.html.
27. "A New Cipher Code," *Scientific American* 83, no. 2143 supp (1917): 61, https://doi.org/10.1038/scientificamerican01271917 – 61csupp.
28. Charlie Kaufman, *Network Security: Private Communication in a Public World*, 2nd ed. (Prentice Hall PTR, 2002).（翻訳版はチャーリー・カウフマン『ネットワークセキュリティ』2000年、ピアソン・エデュケーション）
29. Xiaoyun Wang and Hongbo Yu, "How to Break MD5 and Other Hash Functions," in *Advances in Cryptology – EUROCRYPT 2005*, ed. Ronald Cramer, vol. 3494, Lecture Notes in Computer Science (Springer Berlin Heidelberg, 2005), 19–35, https://doi.org/10.1007/11426639_2.
30. Dan Goodin, "Crypto Breakthrough Shows Flame Was Designed by World – Class Scientists," *Ars Technica*, June 7, 2012, https://arstechnica.com/informationtechnology/2012/06/flame – cryptobreakthrough/.
31. Nikita Borisov, Ian Goldberg, and David Wagner, "Intercepting Mobile Communications: The Insecurity of 802.11," MobiCom '01 (ACM, 2001),180–189, https://doi.org/10.1145/381677.381695.
32. Jaikumar Vijayan, "Canadian Probe Finds TJX Breach Followed Wireless Hack," *Computerworld*, September 25, 2007, https://www.computerworld.com/article/2541162/canadian – probe – finds – tjx-breach – followed – wireless – hack.html.
33. "ImperialViolet: Apple's SSL/TLS Bug," February 22, 2014, https://www.imperialviolet.org/2014/02/22/applebug.html.
34. Aug (Auguste) Kerckhoffs, *La cryptographie militaire ou Des chiffres usitesen temps de guerre avec un nouveau procede de dechiffrement applicable aux systemes a double clef*, Extrait du Journal des sciences militaires (Librairie militaire de LBaudoin et Cie, 1883), https://journals.openedition.org/bibnum/555.
35. Shannon, "Communication Theory of Secrecy Systems," 662.
36. J. A. Bloom et al., "Copy Protection for DVD Video," *Proceedings of the IEEE* 87, no. 7 (1999): 1267–1276, https://doi.org/10.1109/5.771077.
37. Andy Patrizio, "Why the DVD Hack Was a Cinch," *Wired*, November 2, 1999, https://www.wired.com/1999/11/why – the – dvd – hack – was – a – cinch/.
38. Morris J. Dworkin et al., "Advanced Encryption Standard (AES)," November 26, 2001, https://www.nist.gov/publications/advanced – encryption – standard – aes.
39. W. Diffie and M. Hellman, "New Directions in Cryptography," *IEEE Transactions on Information Theory* 22, no. 6 (1976): 644–654, https://doi.org/10.1109/TIT.1976.1055638.
40. J. H. Ellis, "The History of Non – Secret Encryption," *Cryptologia* 23, no. 3 (July 1, 1999): 267–

273, https://www.tandfonline.com/doi/abs/10.1080/0161-119991887919.
41. Shannon, Claude. "Communication Theory of Secrecy Systems," *Bell System Technical Journal*, vol. 28(4), page 670, 1949.
42. R. Rivest, A. Shamir, and L. Adleman, "A Method for Obtaining Digital Signatures and Public – Key Cryptosystems," *Communications of the ACM* 21, no.2 (1978): 120–126, https://doi.org/10.1145/359340.359342.
43. 次の MIT の理学士学位論文を参考にしている。Loren M Kohnfelder, "Towards a Practical Public – Key Cryptosystem" (Massachusetts Institute of Technology,1978), https://groups.csail.mit.edu/cis/theses/kohnfelder – bs.pdf.
44. Singh, *The Code Book*, 273.（翻訳版は原注 23 参照）
45. "Testimony of Philip Zimmermann to Subcommittee for Economic Policy, Trade, and the Environment US House of Representatives 12 Oct 1993," Federation of American Scientists, October 12, 1993, https://fas.org/irp/congress/1993_hr/931012_zimmerman.htm.
46. Joseph R. Biden, "S.266 - Comprehensive Counter-Terrorism Act of 1991," https://www.congress.gov/bill/102nd-congress/senate-bill/266.
47. Mitch McConnell, "S.1927 – Protect America Act of 2007," August 5, 2007, https://www.congress.gov/bill/110th – congress/senate – bill/1927.
48. Patricia J. Williams, "The Protect Alberto Gonzales Act of 2007," *Nation*, https://www.thenation.com/article/archive/protect – alberto – gonzales – act – 2007/.

第 6 章

1. Ben Conarck, "Florida Prisoners Could Form Class Action to Demand Refund on Confiscated Media Players and Files," *The Florida Times-Union*, accessed February 19, 2019, https://www.jacksonville.com/news/20190219/floridaprisoners-could-form-class-action-to-demand-refund-on-confiscated-mediaplayers-and-files.
2. Ashbel S. Green, "Music Goliath Unloads on Wrong David," *ORian* (Portland, OR), 2007.
3. Nationwide Class Action Allegation, US District Court, Portland OR. https://www.wired.com/images_blogs/threatlevel/files/andersenclassaction.pdf.
4. David Silverman, "Why the Recording Industry Really Stopped Suing Its Customers," *Harvard Business Review*, December 22, 2008.
5. "Recording Industry vs. The People" (blog), "RIAA Sues Stroke Victim in Michigan," March 13, 2008. http://recordingindustryvspeople.blogspot.com/2007/03/riaa-sues-stroke-victim-in-michigan.html.
6. Eric Bangeman, "'I Sue Dead People…,'" *Ars Technica*, February 4, 2005, https://arstechnica.com/uncategorized/2005/02/4587-2/.
7. AfterDawn, "RIAA Lawsuit Hits Family with No Computer or Internet Access," https://www.afterdawn.com/news/article.cfm/2006/04/25/riaa_lawsuit_hits_family_with_no_computer_or_internet_access.
8. Boing, Boing, "RIAA's Lawsuit Against Homeless Man Not Going Entirely Smoothly," April 18, 2008. https://boingboing.net/2008/04/18/riaas-lawsuitagains.html.
9. "17 U.S. Code § 504. Remedies for Infringement: Damages and Profits," Legal Information Institute, accessed April 30, 2020, https://www.law.cornell.edu/uscode/text/17/504.
10. David Kravets, "RIAA Jury Finds Minnesota Woman Liable for Piracy, Awards $222,000," *Wired*, October 4, 2007, https://www.wired.com/2007/10/riaa-jury-finds/.
11. Lydia Pallas Loren, "Digitization, Commodification, Criminalization: The Evolution of Criminal Copyright Infringement and the Importance of the Willfulness Requirement," *Washington University Law Review* 77, no. 3 (January1, 1999): 835–899.
12. Josh Hartmann, "Student Indicted on Piracy Charges," *The Tech* 114, no. 19 (April 8, 1994), http://tech.mit.edu/V114/N19/piracy.19n.html.
13. *United States v. LaMacchia*, 871 F. Supp. 535 (D. Mass. 1994), https://law.justia.com/cases/

federal/district-courts/FSupp/871/535/1685837/.
14. "Departments of Commerce, Justice, and State, the Judiciary, and Related Agencies Appropriations Act, 2002," Congressional Record 114, no. 119 (September 13, 2001), https://www.congress.gov/congressional-record/2001/9/13/senate-section/article/S9354-2.
15. S. Crocker, "Host Software," Internet Engineering Task Force, April 7, 1961, https://tools.ietf.org/html/rfc1.
16. Dale Dougherty et al., *2001 P2P Networking Overview: The Emergent P2P Platform of Presence, Identity, and Edge Resources* (O'Reilly Media, 2001).
17. I. Balakrishnan et al., "Looking Up Data in P2P Systems," *Communications of the ACM* 46, no. 2 (2003): 43–48.
18. *Metro-Goldwyn-Mayer Studios, Inc. v. Grokster, Ltd.*, 259 F. Supp. 2d1029 (C.D. Cal. 2003), https://law.justia.com/cases/federal/district-courts/FSupp2/259/1029/2362925/.
19. *Sony Corporation of America v. Universal City Studios, Inc.*, 464 U.S. 417 (1984). https://www.oyez.org/cases/1982/81-1687.
20. "Jack Valenti Testimony at 1982 House Hearing on Home Recording of Copyrighted Works," May 30, 2002, https://cryptome.org/hrcw-hear.htm.
21. *Sony Corp. v. Universal City Studios*, 464 U.S. 417 (1984), https://supreme.justia.com/cases/federal/us/464/417/.
22. *Metro-Goldwyn-Mayer Studios, Inc. v. Grokster, Ltd.*, 259 F. Supp. 2d 1029 (C.D. Cal. 2003).
23. "Statement from the RIAA on File-Sharing," *Wall Street Journal*, June 25, 2003, https://www.wsj.com/articles/SB105656559944720700.
24. *Metro-Goldwyn-Mayer Studios, Inc.; et al., Plaintiffs-Appellants, v. Consumer Empowerment Bv, Aka Fasttrack; et al., Defendants-Appellees*, 380 F.3d1154 (9th Cir. 2004), https://law.justia.com/cases/federal/appellate-courts/F3/380/1154/533557/.
25. *Metro-Goldwyn-Mayer Studios Inc. v. Grokster, Ltd.* (Syllabus), 545 U.S. 913 (U.S. Supreme Court 2005). https://www.oyez.org/cases/2004/04-480.
26. Michael Eisner, "Protecting Content in a Digital Age," § U.S. Senate Committee on Commerve, Science, and Transportation (2002).
27. F. Von Lohmann and W. Seltzer, "Death by DMCA," *IEEE Spectrum* 43, no. 6 (2006): 24–30, https://doi.org/10.1109/MSPEC.2006.1638041.
28. Staci D Kramer, "Content's King," *Cableworld*, April 29, 2002, https://www.2600.com/news/050102-files/jamie-kellner.txt.
29. *Mai Systems Corp. v. Peak Computer, Inc.*, 991 F.2d 511 (9th Cir. 1993), https://h2o.law.harvard.edu/collages/34140.
30. Bruce A. Lehman, "Intellectual Property and the National Information Infrastructure, The Report of the Working Group on Intellectual Property Rights," 1995, https://eric.ed.gov/?id=ED387135.
31. Microsoft, "PlayReady DRM," February 8, 2017, https://docs.microsoft.com/en-us/windows/uwp/audio-video-camera/playready-client-sdk.
32. "Microsoft Windows Media Copy Protection Broken," *Informitv*, September 12,2006, https://informitv.com/2006/09/12/microsoft-windows-media-copyprotection-broken/.
33. Stephen Thomas Kent, "Protecting Externally Supplied Software in Small Computers," doctoral thesis (Massachusetts Institute of Technology, 1980), http://www.dtic.mil/docs/citations/ADA104678.
34. "Welcome to Trusted Computing Group," Trusted Computing Group, accessed April 30, 2020, https://trustedcomputinggroup.org.
35. Bryan Alexander, "The State of Digital Rights Management," Mindjack, March21, 2003, http://mindjack.com/feature/drm.html.
36. Jonathan Zittrain, *The Future of the Internet—and How to Stop It* (Yale University Press, 2008).（翻訳版はジョナサン・ジットレイン『インターネットが死ぬ日』2009年、早川書房）

37. "Crypto-Gram," Schneier on Security, May 15, 2001, https://www.schneier.com/cryptogram/archives/2001/0515.html.
38. "Law School Case Brief: Universal City Studios v. Corley - 273 F.3d 429 (2dCir. 2001)," accessed April 30, 2020, https://www.lexisnexis.com/community/casebrief/p/casebrief-universal-city-studios-v-corley.
39. John Ashcroft, "S.1146 - Digital Copyright Clarification and Technology Education Act of 1997," 105th Congress (1997–1998), September 3, 1997, https://www.congress.gov/bill/105th-congress/senate-bill/1146.
40. U.S. Rep. Barney Frank, "Letter to Hal Abelson," July 6, 1998.
41. Matt Blaze, "Cryptology and Physical Security: Rights Amplification in Master-Keyed Mechanical Locks," October 22, 2002, http://eprint.iacr.org/2002/160.
42. "Exemption to Prohibition on Circumvention of Copyright Protection Systems for Access Control Technologies," *Federal Register* 71, no. 227 (November 27, 2006) https://www.copyright.gov/fedreg/2006/71fr68472.html.
43. David Kravets, "Unlocking Your IPhone Is Legal; Distributing the Hack, Maybe Not," *Wired*, August 27, 2007, https://www.wired.com/2007/08/to-unlock-the-i/.
44. "Chamberlain Group Inc. v. Skylink Technologies Inc.," Electronic Frontier Foundation, July 1, 2011, https://www.eff.org/cases/chamberlain-group-inc-vskylink-technologies-inc.
45. *Lexmark Int'l, Inc. v. Static Control Components, Inc.*, 572 U.S. 118 (2014), https://supreme.justia.com/cases/federal/us/572/118/.
46. William Curtis Bryson, *Storage Technology Corp. v. Custom Hardware Engineering & Consulting, Inc.*, Wikisource, August 24, 2005.
47. Franklin D. Elia, (2009-10-17), "DVD Copy Control Association v. Kaleidescape, Inc.," Case H031631. Court of Appeal of the State of California, Sixth Appellate District, https://caselaw.findlaw.com/ca-court-of-appeal/1385010.html.
48. Rick Merritt, "Judge Rules Against DVD Consortium," *EETimes*, March 29, 2007, https://www.eetimes.com/judge-rules-against-dvd-consortium/.
49. Ernest F. Hollings, "S.2048 - Consumer Broadband and Digital Television Promotion Act," 107th Congress (2001–2002):, March 21, 2002, https://www.congress.gov/bill/107th-congress/senate-bill/2048.
50. "Circumventing Competition: The Perverse Consequences of the Digital Millennium Copyright Act," Cato Institute, March 21, 2006, https://www.cato.org/publications/policy-analysis/circumventing-competition-perverseconsequences-digital-millennium-copyright-act.
51. "Koyaanisqatsi: Life out of Balance," http://www.koyaanisqatsi.org/films/koyaanisqatsi.php.（邦題は『コヤニスカッツィ』）。皮肉なことに、この映画は著作権の問題で1980年代の大半において見ることができなかった。
52. Jessica Litman, *Digital Copyright* (Prometheus Books, 2001).
53. "Copyright Law of the United States," U.S. Copyright Office," accessed May 1, 2020, https://www.copyright.gov/title17/.
54. John Gilmore, "What's Wrong with Copy Protection," The Ethical Spectacle,2001, http://www.spectacle.org/0501/gilmore.html.
55. Simon Avery, "Cuban Backs Grokster," *The Globe and Mail*, March 29, 2005, https://www.theglobeandmail.com/report-on-business/cuban-backs-grokster/article1116498/.
56. "Steve Jobs's Statement on DRM," *The Wall Street Journal*, February 6, 2007, https://www.wsj.com/articles/SB117079254216799934.
57. Andrew Edgecliffe-Johnson, "Anti-Piracy Moves 'Hurt Sales,'" *FT.Com*, 2007.
58. Ken Fisher, "Universal to Track DRM-Free Music Online via Watermarking," *Ars Technica*," August 15, 2007, https://arstechnica.com/uncategorized/2007/08/universal-to-track-drm-free-music-online-via-watermarking/.
59. Daniel J. Weitzner et al., "Information Accountability," *Communications of the ACM* 51, no. 6

(June 1, 2008): 82–87, https://doi.org/10.1145/1349026.1349043.
60. Eliot Van Buskirk, "Some of Amazon's MP3 Tracks Contain Watermarks," *Wired*, September 25, 2007, https://www.wired.com/2007/09/some-of-amazons/.
61. Gregg Keizer, "Warner Chief Calls Jobs' DRM Fight 'Without Logic,'" *Computerworld*, February 9 2007, https://www.computerworld.com/article/2543284/warner-chief-calls-jobs--drm-fight--without-logic-.html.
62. Peter Sayer, "Warner to Offer Music via Amazon without DRM," *Computerworld*, December 28, 2007, https://www.computerworld.com/article/2538422/warnerto-offer-music-via-amazon-without-drm.html.
63. Jessica Mintz, "Warner Music Group in Deal with Amazon.Com to Sell Songs Online Free of Copy Protection," *The Seattle Times*, December 27, 2007, https://www.seattletimes.com/business/warner-music-group-in-deal-with-amazoncomto-sell-songs-online-free-of-copy-protection/.
64. Peter Burrows, "Universal Music Takes on iTunes," *Bloomberg Businessweek*, 2007.
65. https://www.nielsen.com/wp-content/uploads/sites/3/2019/06/nielsen-us-musicmid-year-report-2019.pdf.
66. コモンズのとりわけデジタル環境との関連性についての詳しい議論は、次を参照のこと。Yochai Benkler, *The Wealth of Networks: How Social Production Transforms Markets and Freedom* (Yale University Press, 2006).
67. Lawrence Lessig, *Free Culture: How Big Media Uses Technology and the Law to Lock Down Culture and Control Creativity* (Penguin, 2004).（翻訳版はローレンス・レッシグ『Free Culture――いかに巨大メディアが法をつかって創造性や文化をコントロールするか』2004年、翔泳社）
68. 1923年には、すべての著作権は一定期間に対して認められていて、その後期間は95年に延長された。1976年著作権法では、著作者の没年が著作権の切れる時期を定める基準となった。
69. https://www.prnewswire.com/news-releases/publishers-and-google-reachagreement-172650721.html.
70. Matt Enis, Publishers' Lawsuit Against Internet Archive Continues Despite Early Closure of Emergency Library, *Library Journal*, August 17, 2020, https://www.libraryjournal.com/?detailStory=publishers-lawsuit-against-internetarchive-continues-despite-early-closure-of-emergency-library.
71. *Field v. Google, Inc.*, 412 F.Supp. 2d 1106 (D. Nev. 2006).
72. *Perfect 10, Inc. v. Amazon.com, Inc.*, 508 F.3d 1146 (9th Cir. 2007).

第7章

1. この事例はドキュメンタリー映画*I Am Jane Doe*（私はジェーン・ドウ）【訳注：本名を明かしたくない場合に使われる女性名】に基づいている。https://www.iamjanedoefilm.com.
2. National Center for Missing and Exploited Children, "NCMEC Data," https://www.missingkids.org/ourwork/ncmecdata, accessed May 1, 2020.
3. Jack Bouboushian, "Backpage.com Wins Injunction Against Sheriff," Courthouse News Service, December 1, 2015, https://www.courthousenews.com/backpagecom-wins-injunction-against-sheriff/.
4. Tessa Weinberg, "Backpage.Com Lawsuit Against Cook County Sheriff Dismissed," *Chicago Tribune*, June 1, 2018, https://www.chicagotribune.com/news/breaking/ct-met-backpage-lawsuit-against-sheriff-dismissed-20180601-story.html.
5. Ann Wagner, "H.R.1865 - Allow States and Victims to Fight Online Sex Trafficking Act of 2017," 115th Congress (2017–2018), April 11, 2018, https://www.congress.gov/bill/115th-congress/house-bill/1865/text.
6. Lux Alptraum, "Congress Is Forcing Sex Workers to Revert Back to a More Dangerous, Pre-Internet Era," *The Verge*, May 1, 2018, https://www.theverge.com/2018/5/1/17306486/sex-

work-online-fosta-backpage-communicationsdecency-act; Samantha Cole, "Pimps Are Preying on Sex Workers Pushed Off the Web Because of FOSTA-SESTA," *Vice*, April 30, 2018, https://www.vice.com/en_us/article/bjpqvz/fosta-sesta-sex-work-and-trafficking.

7. John Perry Barlow, "The Economy of Ideas," *Wired*, March 1, 1994, https://www.wired.com/1994/03/economy-ideas/.
8. Tristan Lejeune, "Trump Says He'll Take a 'Strong Look' at Libel Laws in Response to Book," TheHill, January 10, 2018, https://thehill.com/homenews/administration/368309-trump-says-hell-take-a-strong-look-at-libel-laws-inresponse-to-book.
9. *New York Times Co. v. Sullivan*, 376 U.S. 254 (1964), https://supreme.justia.com/cases/federal/us/376/254/.
10. Anthony Lewis, *Make No Law: The Sullivan Case and the First Amendment* (Vintage Books, 1992).
11. Anthony Lewis, *Freedom for the Thought That We Hate: A Biography of the First Amendment* (Basic Books, 2007).（翻訳版はアンソニー・ルイス『敵対する思想の自由――アメリカ最高裁判事と修正第一条の物語』2012 年、慶應義塾大学出版会）
12. *Cubby, Inc. v. CompuServe Inc.*, 776 F. Supp. 135 (S.D.N.Y. 1991), https://law.justia.com/cases/federal/district-courts/FSupp/776/135/2340509/.
13. "The Law: Chilled Prodigy," *Reason.com*, August 1, 1995, https://reason.com/1995/08/01/chilled-prodigy/.
14. *Stratton Oakmont, Inc. v. Prodigy Services Co.*, accessed May 1, 2020, https://h2o.law.harvard.edu/cases/4540.
15. *Miller v. California*, 413 U.S. 15 (1973), https://supreme.justia.com/cases/federal/us/413/15/.
16. David Loundy, "Whose Standards? Whose Community?" Chicago Daily Law Bulletin," August 1, 1994, http://www.loundy.com/CDLB/AABBS.html.
17. *United States v. Robert Alan Thomas (94-6648) and Carleen Thomas (94-6649)*,74 F.3d 701, https://www.courtlistener.com/opinion/711150/united-states-vrobert-alan-thomas-94-6648-and-carleen-thomas-94-6649/.
18. Philip Elmer-Dewitt, "Online Erotica: On a Screen Near You," *Time*, July 3, 1995, http://content.time.com/time/magazine/article/0,9171,983116,00.html.
19. John Perry Barlow, "A Declaration of the Independence of Cyberspace," Electronic Frontier Foundation, February 8, 1996, https://www.eff.org/cyberspace-independence.
20. "*ACLU v. Reno*," February 15, 1996, https://www.epic.org/free_speech/censorship/lawsuit/TRO.html.
21. "Dirty Business at CMU," *Internet World*, October 1995, https://www.tnl.net/who/bibliography/dirty-business-cmu/.
22. "47 U.S. Code § 230 - Protection for Private Blocking and Screening of Offensive Material," Legal Information Institute, accessed May 1, 2020, https://www.law.cornell.edu/uscode/text/47/230.
23. *Fair Housing Council of San Fernando Valley v. Roommate.com*, 489 F.3d 921 (9th Cir. 2007), Nos. 04-56916, 04-57173. https://caselaw.findlaw.com/us-9th-circuit/1466388.html.
24. *Zeran v. America Online, Inc.*, 958 F. Supp. 1124 (E.D. Va. 1997), https://law.justia.com/cases/federal/district-courts/FSupp/958/1124/1881560/.
25. *Zeran v. Diamond Broadcasting, Inc.*, 203 F.3d 714 (2000), https://www.quimbee.com/cases/zeran-v-diamond-broadcasting-inc
26. *Doe No. 1 v. Backpage.com, LLC*, No. 15-1724 (1st Cir. 2016), https://law.justia.com/cases/federal/appellate-courts/ca1/15-1724/15-1724-2016-03-14.html.
27. *Blumenthal v. Drudge*, 992 F. Supp. 44 (D.D.C. 1998), https://www.lexisnexis.com/community/casebrief/p/casebrief-blumenthal-v-drudge.
28. *Jane Doe v. America Online, Inc.*, 783 So.2d 1010 (Fla. S.C. 2001), https://www.eff.org/issues/cda230/cases/jane-doe-v-america-online-inc.

29. *Jane Doe No. 1 v. Backpage.Com, LLC*, 817 F.3d 12 (1st Cir. 2016), https://casetext.com/case/doe-v-backpagecom-llc-1.
30. Michael G. Oxley, "H.R.3783 - Child Online Protection Act," 105th Congress (1997–1998), October 8, 1998, https://www.congress.gov/bill/105th-congress/house-bill/3783.
31. *American Civil Liberties Union v. Gonzales*, 237 F.R.D. 120 (2006), https://cite.case.law/frd/237/120/.
32. Greg Miller and Davan Maharaj, "N. Hollywood Man Charged in 1st Cyber-Stalking Case," *Los Angeles Times*, January 22, 1999, https://www.latimes.com/archives/la-xpm-1999-jan-22-mn-523-story.html.
33. The Associated Press, "Computer Stalking Case a First for California," *The New York Times*, January 25, 1999, https://www.nytimes.com/1999/01/25/us/national-news-briefs-computer-stalking-case-a-first-for-california.html; Valerie Alvord, "Cyberstalkers Must Beware of the E-Law," *USA Today*, November 8,1999.
34. *Brandenburg v. Ohio*, 395 U.S. 444 (1969), https://supreme.justia.com/cases/federal/us/395/444/.
35. *Whitney v. California*, 274 U.S. 357 (1927), https://supreme.justia.com/cases/federal/us/274/357/.
36. Planned Parenthood of the Columbia/Willamette, Inc. v. American Coalition of Life Activists, 290 F.3d 1058 (9th Cir. 2002), https://casetext.com/case/plannedparenthood-v-amer-coalition-of-life; Rene Sanchez, "Abortion Foes' Internet Site on Trial," *The Washington Post*, January 15, 1999.
37. "H.R.3402 - Violence Against Women and Department of Justice Reauthorization Act of 2005," 109th Congress (2005–2006), January 5, 2006, https://www.congress.gov/bill/109th-congress/house-bill/3402.
38. Communications Act of 1934 (1934), https://transition.fcc.gov/Reports/1934new.pdf.
39. "Free Anonymous Email and Private Email, Private Label Email," TheAnonymousEmail.Com, October 5, 2007, https://web.archive.org/web/20071005080638/http://www.theanonymousemail.com/.
40. Alexander Meiklejohn, "Meaning of the First Amendment," § Senate Judiciary Committee on Constitutional Rights (1955).
41. Palko v. Connecticut, 302 U.S. 319 (1937). https://supreme.justia.com/cases/federal/us/302/319/.
42. "OpenNet Initiative," accessed May 3, 2020, https://opennet.net.
43. Associated Press, "Google Joins Lobby Against Censors," *Daily News*, June 24, 2007, https://www.dailynews.com/2007/06/24/google-joins-lobby-against-censors/.
44. *Dow Jones & Company Inc. v Gutnick*, December 10, 2002, https://en.wikisource.org/wiki/Dow_Jones_%26_Company_Inc._v_Gutnick.
45. "Dow Jones Settles Defamation Suit," *The Wall Street Journal*, November 12, 2004, https://www.wsj.com/articles/SB110029740775772893.
46. Felicity Barringer, "THE MEDIA BUSINESS; Internet Makes Dow Jones Open to Suit in Australia," *The New York Times*, December 11, 2002, https://www.nytimes.com/2002/12/11/business/the-media-business-internet-makesdow-jones-open-to-suit-in-australia.html.
47. *Yahoo! Inc., a Delaware Corporation, Plaintiff-appellee, v. La Ligue Contre Le Racisme et L'antisemitisme, a French Association; L'union Des Etudiants Juifs De France, a French Association, Defendants-appellants*, 433 F.3d1199 (9th Cir. 2006), https://law.justia.com/cases/federal/appellate-courts/F3/433/1199/546158/.
48. BBC News, "EU court backs 'right to be forgotten' in Google case," 13 May 2014, https://www.bbc.com/news/world-europe-27388289.
49. John Naughton, "The Germans Get Their Flickrs in a Twist over 'Censorship,'" *The*

Observer, June 17, 2007, https://www.theguardian.com/media/2007/jun/17/newmedia.business.

50. https://research.fb.com/blog/2014/10/facebook-s-top-open-data-problems/.
51. "Community Standards," accessed May 3, 2020, https://www.facebook.com/communitystandards/introduction.
52. John Perry Barlow, "A Declaration of the Independence of Cyberspace," Electronic Frontier Foundation, February 8, 1996, https://www.eff.org/cyberspace-independence.

第8章

1. David A. Fahrenthold, "Trump Recorded Having Extremely Lewd Conversation About Women in 2005," *The Washington Post*, October 8, 2016, https://www.washingtonpost.com/politics/trump-recorded-having-extremely-lewdconversation-about-women-in-2005/2016/10/07/3b9ce776-8cb4-11e6-bf8a-3d26847eeed4_story.html.
2. Alexander Burns et al., "Donald Trump Apology Caps Day of Outrage over Lewd Tape," *The New York Times*, October 7, 2016, https://www.nytimes.com/2016/10/08/us/politics/donald-trump-women.html; Al Tompkins, "As Profanity-Laced Video Leaks, Outlets Grapple with Trump's Language," Poynter, October 7, 2016, https://www.poynter.org/reporting-editing/2016/as-profanity-laced-videoleaks-outlets-grapple-with-trumps-language/.
3. "Rise in Broadband Only Television Homes," Informitv, July 12, 2017, https://informitv.com/2017/07/12/rise-in-broadband-only-television-homes/.
4. knjazmilos, "The Ice Warnings Received By Titanic," *Titanic-Titanic.Com*, June 17,2019, http://www.titanic-titanic.com/tag/ice/.
5. Karl Baarslag, *S O S to the Rescue* (Oxford University Press, 1935), p. 72.
6. "Wireless Melody Jarred," *New York Times*, January 14, 1910
7. William Alden Smith, "United States Senate Inquiry Report," Titanic Inquiry Project, May 28, 1912, https://www.titanicinquiry.org/USInq/USReport/AmInqRepSmith01.php.
8. "An Act to Regulate Radio Communication," August 13, 1912, http://earlyradiohistory.us/1912act.htm.
9. "United States Frequency Allocation Chart," National Telecommunications and Information Administration, 2003, https://www.ntia.doc.gov/files/ntia/publications/2003-allochrt.pdf.
10. Erik Barnouw, *A Tower in Babel* (Oxford University Press, 1966), 69.
11. Barnouw, 91.
12. "Asks Radio Experts to Chart the Ether," *New York Times*, February 28, 1922.
13. *Hoover, Secretary of Commerce, v. Intercity Radio Co, Inc.*, Decision No. 3766 (52 App. D.C.339, 286 Fed. 1003).
14. Herbert Hoover, *Memoirs*, vol. 2 (The Macmillan Company, 1952), p. 140, https://heinonline-org.ezpprod1.hul.harvard.edu/HOL/Index?index=presidents%2Fmherbhv&collection=presidents.
15. "Asks Radio Experts to Chart the Ether."
16. *The Reminiscences of Herbert Clark Hoover*, vol. Radio Unit, Oral History Research Project, 1951, 12.
17. "End Cincinnati Radio Row," *The New York Times*, February 15, 1925.
18. *United States v. Zenith Radio Corporation*, 12 F.2d 614 (N.D. Ill. 1926), https://law.justia.com/cases/federal/district-courts/F2/12/614/1490149/.
19. "Hoover Asks Help to Avoid Air Chaos," *The New York Times*, July 19, 1926.
20. Radio Act of 1927, Pub. L. No. HR 9971 (1927), https://www.fcc.gov/document/radio-act-1927-established-federal-radio-commission.
21. Radio Act of 1927, 1.
22. Radio Act of 1927, 29.
23. Cecilia Kang, "Court Knocks Down FCC's Fine for Janet Jackson's 'Wardrobe Malfunction,'"

The Washington Post, November 2, 2011, https://www.washingtonpost.com/business/economy/court-knocks-down-fccs-fine-forjanet-jacksons-wardrobe-malfunction/2011/11/02/gIQA98BpgM_story.html.

24. Ralph Berrier, "FCC Hits WDBJ with Proposed $325,000 Indecency Fine," *Roanoke Times*, March 23, 2015, https://www.roanoke.com/news/local/fcc-hitswdbj-with-proposed-325-000-indecency-fine/article_f9c2a1b6-0f9a-50a9-8f9bd02c0f2079ac.html.

25. Barnouw, *A Tower in Babel*, p. 169; Gerald Carson, *The Roguish World of Doctor Brinkley* (Rinehart, 1960), p. 33; Pope Brock, *Charlatan: America's Most Dangerous Huckster, the Man Who Pursued Him, and the Age of Flimflam* (Crown Publishers, 2008).

26. *KFKB Broadcasting Association v. Federal Radio Commission* (D.C. Cir. 1930), http://archive.org/details/dc_circ_1930_5240_kfkb_broad_assn_v_fed_radio_commn.

27. Carson, *The Roguish World of Doctor Brinkley*, p. 143.

28. Anthony Lewis, *Make No Law: The Sullivan Case and the First Amendment* (Vintage Books, 1992), p. 60.

29. *National Broadcasting Co., Inc. v. United States*, 319 U.S. 190 (1943), https://supreme.justia.com/cases/federal/us/319/190/.

30. E. Herring, "Politics and Radio Regulation," *Harvard Business Review* 13 (1935):167–178.

31. "Asks Radio Experts to Chart the Ether."

32. Mark Lloyd, "The Strange Case of Satellite Radio," Center for American Progress, February 8, 2006, https://www.americanprogress.org/issues/democracy/news/2006/02/08/1829/the-strange-case-of-satellite-radio/.

33. "Report of the Spectrum Efficiency Working Group," Federal Communications Commission, Spectrum Policy Task Force, November 15, 2002, https://transition.fcc.gov/sptf/files/SEWGFinalReport_1.pdf.

34. Eli Noam, "Taking the Next Step Beyond Spectrum Auctions: Open Spectrum Access," 1995, http://www.columbia.edu/dlc/wp/citi/citinoam21.html.

35. Yochai Benkler, "Overcoming Agoraphobia: Building the Commons of the Digitally Networked Environment," *Harvard Journal of Law and Technology* 11(1998), http://www.benkler.org/agoraphobia.pdf.

36. Yochai Benkler, *The Wealth of Networks* (Yale University Press, 2007).

37. Yochai Benkler, "Open Wireless vs. Licensed Spectrum: Evidence from Market Adoption," SSRN Scholarly Paper, November 7, 2012, https://papers.ssrn.com/abstract=2211680; Middle Class Tax Relief and Job Creation Act of 2012, Pub. L. No. 112–96 (n.d.), https://www.govinfo.gov/content/pkg/PLAW-112publ96/pdf/PLAW-112publ96.pdf.

38. Kevin Werbach, "Open Spectrum: The New Wireless Paradigm," October 2002, http://werbach.com/docs/new_wireless_paradigm.htm.

39. R. A. Scholtz, "The Origins of Spread-Spectrum Communications," *IEEE Transactions on Communications* 30, no. 5 (1982): 822–854, https://doi.org/10.1109/TCOM.1982.1095547; R. Scholtz, "Notes on Spread-Spectrum History," *IEEE Transactions on Communications* 31, no. 1 (1983): 82–84, https://doi.org/10.1109/TCOM.1983.1095718; R. Price, "Further Notes and Anecdotes on Spread-Spectrum Origins," *IEEE Transactions on Communications* 31, no. 1(1983): 85–97, https://doi.org/10.1109/TCOM.1983.1095725; Rob Walters, *Spread Spectrum* (Book surge LLC, 2005).

40. George Antheil, "Glands on a Hobby Horse," *Esquire*, April 1936; George Antheil, "Glandbook for the Questing Male," *Esquire*, May 1936; George Antheil, "The Glandbook in Practical Use," *Esquire*, June 1936.

41. George Antheil, *Bad Boy of Music* (Doubleday, Doran & Co., 1945), 327.

42. "Hedy Lamarr Inventor," *The New York Times*, October 1, 1941.

43. "$4,547,000 Bonds," *The New York Times*, September 2, 1942; "Hollywood Putson a Show," *Time*, October 12, 1942.

44. Walters, *Spread Spectrum*.
45. David R. Hughes and DeWayne Hendricks, "Spread-Spectrum Radio," *Scientific American*, April 1998.
46. Parks Associates, ">75% of U.S. Households Use WiFi for In Home Connectivity," IEEE Communications Society, June 12, 2017, http://techblog.comsoc.org/2017/06/02/parks-associates-75-of-u-s-households-use-wifi-for-in-home-connectivity/
47. "Early Civil Spread Spectrum History," Marcus Spectrum Solutions LLC, accessed May 7, 2020, http://www.marcus-spectrum.com/page4/SSHist.html.
48. Debora L. Spar, *Ruling the Waves: Cycles of Discovery, Chaos, and Wealth from the Compass to the Internet* (Harcourt, 2001).
49. John Dunbar et al., "Networks of Influence," Center for Public Integrity, February 2, 2006, https://publicintegrity.org/inequality-poverty-opportunity/networks-of-influence/.
50. "Early Civil Spread Spectrum History."
51. "A Brief History of Wi-Fi," *The Economist*, June 12, 2004, https://www.economist.com/technology-quarterly/2004/06/12/a-brief-history-of-wi-fi.
52. "Amendment of the Rules to Authorize Spread Spectrum and Other Wideband Emissions; Development of Appropriate Test Procedures to Determine Extent of Harmful Interference," Federal Communications Commission, December 3,2018, https://www.fcc.gov/document/amendment-rules-authorize-spreadspectrum-and-other-wideband-1.
53. Laurence F. Schmeckebier, *The Federal Radio Commission* (The Brookings Institution, 1932), p. 55, https://babel.hathitrust.org/cgi/pt?id=uc1.$b99479&view=1up&seq=7.
54. Martin Greenberger et al., *Computers, Communications, and the Public Interest* (Johns Hopkins Press, 1971).（翻訳版はマーティン・グリーンバーガー『コンピュータ・通信――その未来と課題』1976年、東京創元社）
55. *FCC v. Fox TV Stations, Inc.*, 556 U.S. 502, 129 S. Ct. 1800 (2009), https://www.law.cornell.edu/supct/html/07-582.ZC.html.
56. Adario Strange, "NAB Launches Campaign Against 'White Space Devices,'" *Wired*, September 11, 2007, https://www.wired.com/2007/09/nab-launches-ca/.
57. *CBS v. Democratic Nat'l Committee*, 412 U.S. 94 (1973), https://supreme.justia.com/cases/federal/us/412/94/.

第9章

1. Isaac Asimov, *I, Robot* (Gnome Press, 1950).（翻訳版はアイザック・アシモフ『わたしはロボット』1976年、東京創元社など）
2. Russell Flannery, "2017 Forbes China 100 Top Businesswomen List," *Forbes*, February 6, 2017.
3. Xinmei Shen, "Facial Recognition Camera Catches Top Businesswoman 'Jaywalking' Because Her Face Was on a Bus," *Abacus*, November 22, 2018, https://www.abacusnews.com/digital-life/facial-recognition-camera-catches-top-businesswomanjaywalking-because-her-face-was-bus/article/2174508.
4. Homer, *The Iliad of Homer* (University of Chicago Press, 2011).（翻訳版はホメロス『イリアス』（上下）1992年、岩波書店など）
5. A. M. Turing, "Computing Machinery and Intelligence," *Mind* 49, no. 236(October 1950): 433–460.
6. Weizenbaum, Joseph. "ELIZA-a Computer Program for the Study of Natural Language Communication between Man and Machine." *Communications of the ACM* 9, no. 1 (1966): 36–45. https://doi.org/10.1145/365153.365168.
7. Warren McCulloch and Walter Pitts, "A Logical Calculus of the Ideas Immanent in Nervous Activity," *Bulletin of Mathematical Biophysics* 5, no. 4 (1943):115–133, https://link.springer.com/article/10.1007/BF02478259

8. Frank Rosenblatt, "The Perceptron," *Psychological Review* 65, no. 6 (1958).
9. Max Harlow and Madhumita Murgia, "Who's Using Your Face? The Ugly Truth About Facial Recognition," April 19, 2019, https://www.ft.com/content/cf19b956-60a2-11e9-b285-3acd5d43599e.
10. "Face Challenges," National Institute of Science and Technology, June 10, 2015, https://www.nist.gov/programs-projects/face-challenges.
11. Karpathy, Andrej, Presentation at Scaled Machine Learning Conference, April 2020, https://youtu.be/hx7BXih7zx8
12. Kris Newby, "Compassionate Intelligence: Can Machine Learning Bring More Humanity to Health Care?" Stanford Medicine, Summer 2018, https://stanmed.stanford.edu/2018summer/artificial-intelligence-puts-humanityhealth-care.html.
13. Loren Larsen, "HireVue Assessments and Preventing Algorithm Bias," HireVue, June 22, 2018, https://www.hirevue.com/blog/hirevue-assessments-andpreventing-algorithmic-bias.
14. Noel L. Hillman, "The Use of Artificial Intelligence in Gauging Risk of Recidivism," *The Judges' Journal*, January 1, 2019, https://www.americanbar.org/groups/judicial/publications/judges_journal/2019/winter/the-use-artificial-intelligencegauging-risk-recidivism/.
15. Michael Eisen, "Amazon's $23,698,655.93 Book About Flies," It Is Not Junk, April 22, 2011, http://www.michaeleisen.org/blog/?p=358; John D. Sutter, "Amazon Seller Lists Book at $23,698,655.93 -- plus Shipping," CNN, April 25,2011, http://www.cnn.com/2011/TECH/web/04/25/amazon.price.algorithm/index.html.
16. Victor Lyckerson, "Uber Agrees to Limit Surge Pricing During Emergencies, Disasters," *Time*, July 8, 2014, https://time.com/2967490/uber-agrees-to-limitsurge-pricing-during-emergencies-disasters/; Mike Isaac, "Uber Reaches Deal with New York on Surge Pricing in Emergencies," *Bits Blog*, July 8, 2014, https://bits.blogs.nytimes.com/2014/07/08/uber-reaches-agreement-with-n-yon-surge-pricing-during-emergencies/.
17. Steve Lohr, "Facial Recognition Is Accurate, If You're a White Guy," *The New York Times*, February 9, 2018, https://www.nytimes.com/2018/02/09/technology/facial-recognition-race-artificial-intelligence.html.
18. Amy Harmon, "As Cameras Track Detroit's Residents, a Debate Ensues Over Racial Bias," *The New York Times*, July 8, 2019, https://www.nytimes.com/2019/07/08/us/detroit-facial-recognition-cameras.html.
19. Jacob Snow, "Amazon's Face Recognition Falsely Matched 28 Members of Congress with Mugshots," American Civil Liberties Union, July 26, 2018, https://www.aclu.org/blog/privacy-technology/surveillance-technologies/amazonsface-recognition-falsely-matched-28.
20. Ry Crist, "Amazon's Rekognition Software Lets Cops Track Faces: Here's What You Need to Know," CNET, March 19, 2019, https://www.cnet.com/news/what-is-amazon-rekognition-facial-recognition-software/.
21. Julia Angwin et al., "Machine Bias," ProPublica, May 23, 2016, https://www.propublica.org/article/machine-bias-risk-assessments-in-criminal-sentencing.
22. Daisuke Wakabayashi, "Self-Driving Uber Car Kills Pedestrian in Arizona, Where Robots Roam," *The New York Times*, March 19, 2018, https://www.nytimes.com/2018/03/19/technology/uber-driver-lessfatality.html.
23. Aarian Marshall and Alex Davies, "Uber's Self-Driving Car Didn't Know Pedestrians Could Jaywalk," *Wired*, November 5, 2019, https://www.wired.com/story/ubersself-driving-car-didnt-know-pedestrians-could-jaywalk/.
24. "Preliminary Report, Highway HWY18MH010," National Traffic Safety Board, accessed August 25, 2020, https://www.ntsb.gov/investigations/AccidentReports/Reports/HWY18MH010-prelim.pdf.
25. Philippa Foot, "The Problem of Abortion and the Doctrine of the Double Effect," *Oxford Review*, no. 5 (1967): 5–15.

26. Christian Sandvig et al., "Auditing Algorithms: Research Methods for Detecting Discrimination on Internet Platforms," paper presented to "Data and Discrimination: Converting Critical Concerns into Productive Inquiry," a preconference at the 64th Annual Meeting of the International Communication Association, May 22, 2014, Seattle, WA, https://www.semanticscholar.org/paper/Auditing-Algorithms-%3A-Research-Methods-for-on-Sandvig-Hamilton/b7227cbd34766655dea10d0437ab10df3a127396?p2df.
27. Uriel J. Garcia and Katrina Bland, "Tempe Police Chief: Fatal Uber Crash Likely 'Unavoidable' for Any Kind Of Driver," *The Arizona Republic*, March 20, 2018.
28. Carolyn Said, "Uber Puts the Brakes on Testing Robot Cars in California After Arizona Fatality," *San Francisco Chronicle*, March 27, 2018. https://www.sfchronicle.com/business/article/Uber-pulls-out-of-all-self-driving-cartesting-in-12785490.php#:~:text=Uber%20plans%20to%20end%20all,Motor%20Vehicles%20to%20the%20company.&text=Uber's%20permit%20will%20expire%20Saturday%2C%20the%20letter%20said.
29. Tesla Motors, "Tesla Vehicle Safety Report," https://www.tesla.com/VehicleSafetyReport.
30. Loren Larsen, "HireVue Assessments and Preventing Algorithm Bias,"
31. Statement on Algorithmic Transparency and Accountability," Association for Computing Machinery, U.S. Public Policy Council, January 12, 2017, https://www.acm.org/binaries/content/assets/public-policy/2017_usacm_statement_algorithms.pdf.
32. *Science* 06 May 1960: Vol. 131, Issue 3410, pp. 1355-1358. https://science.sciencemag.org/content/131/3410/1355.
33. William Butler Yeats, "Easter 1916," https://www.poetryfoundation.org/poems/43289/easter-1916.
34. Paul Mozur and Aaron Krolik, "A Surveillance Net Blankets China's Cities, Giving Police Vast Powers," - *The New York Times*," accessed May 14, 2020, https://www.nytimes.com/2019/12/17/technology/china-surveillance.html.
35. Kashmir Hill, "The Secretive Company That Might End Privacy as We Know It," *The New York Times*, December 17, 2019, https://www.nytimes.com/2020/01/18/technology/clearview-privacy-facialrecognition.html.
36. Renee DiResta, "Health Experts Don't Understand How Information Moves," *The Atlantic*, May 6, 2020, https://www.theatlantic.com/ideas/archive/2020/05/health-experts-dont-understand-how-information-moves/611218/.
37. Andrea Fuller et al., "Google Hides News, Tricked by Fake Claims," *Wall Street Journal*, May 15, 2020, https://www.wsj.com/articles/google-dmca-copyrightclaims-takedown-online-reputation-11589557001.
38. Chris Harrison, Human–Computer Interaction Institute, Carnegie Mellon University, www.chrisharrison.net/projects/InternetMap/high/worldBlack.png.

謝辞

本書のなかの間違いはすべて私たちの責任だが、もし読者のみなさんがこの本から何らかの知見を得たのだとしたら、それは私たちを支えてくれた多くの方々のおかげだ。彼らに深くお礼申し上げる。特に、次の方々は本書の原稿を読んで意見をくださったり、ほかにもさまざまなかたちで手伝ってくださったりと、とてもありがたかった。リン・アベルソン、メグ・オースマン、スコット・ブラッドナー、アート・ブロドスキー、マイク・キャロル、マーカス・コーン、フランク・コーネリアス、アレックス・カーティス、ナターシャ・デヴロエ、デビッド・ファーレントホルド、ロバート・ファリス、ヨハン＝クリストフ・フライターク、ウェンディ・ゴードン、トム・ヘムネス、ブライアン・ラマッキア、マーシャル・ラーナー、アン・ルイス、エリザベス・ルイス、ジェシカ・リットマン、ローリー・リーベック、フレッド・フォン・ローマン、マリリン・マクグラス、マイケル・マーカス、マイケル・ミッツェンマッハー、スティーブ・パパ、ジョナサン・ピアース、ブラッドリー・ペル、レス・ペレルマン、トーマス・レースラー、パメラ・サミュエルソン、ジェフ・シラー、ケイティ・スルダー、ギジ・ソーン、デボラ・スパー、レネ・シュタイン、アレックス・チベッツ、スザンナ・トビン、サリル・ヴァッドハン、デビッド・ウォルシュ、ダニエル・ヴァイツナー、マット・ウェルッシュ。

解説　デジタル文明論

村井　純

歴史的背景

COVID-19が起こしたインパクトはさまざまな形で歴史的な経験を人類にもたらした。多くの国で移動が妨げられ、生活や就労の仕方がインターネットを利用したものへと半ば強制的に移行した。少なくとも次の2点が世界全体で発生している。ひとつはデジタルテクノロジーに対する認識が広がったこと。もうひとつは世界の潮流となっていたデジタルトランスフォーメーション（DX）の5年10年、場合によっては20年と大きく前倒しが起こったことである。

インターネットの歴史をふりかえると、1969年に起源のあるUNIXとARPANETの研究開発の開始、1982年にこの二つがカリフォルニア大学バークレー校で融合、1989年の欧州CERNでのワールド・ワイド・ウェブの開発、ここまでで技術の基礎の研究開発はほぼ揃っていた。そして、1990年から急激に展開するインターネットは1995年に発売されたMicrosoft Windows 95にInternet Explorerがバンドルされて商品として誰でもインターネットを使えるようになったことで社会的な認知はほぼ完成した。（ちなみに我が国ではそれにさきがけて、同年1月の阪神淡路大震災が知名度としての「インターネット」を知らしめる事象となっていた。）社会としてインターネットの普及をリスクと抱き合わせて真剣に受け止めるきっかけになったのは、2000年のY2K問題だ。西暦を下2桁で扱っていたソフトウェアが少なくなかった時代に、1999から2000になることで誤動作をするものが見つかっていた。社会に大きな被害が出ることが懸念された。各国のソフトウェア業界やインターネット運用組織は検証準備に追われた。今でこそY2K問題を記憶している人は少なくなった。しかしこのとき世界のコンピューター技術者は二つの大きな教訓を胸にした。一つは、セキュリティ・バイ・デフォルト。コンピューターシステムの設計は可能な限りの誤動作や安全に対する設計を徹底しなければならないこと。そして、もう一つは、Y2K問題のために世界の技術者が連携して検証したことの結果により、インターネットやコンピューターへの社会や経済の依存度は、技術者たちが思い描いていた範囲をはるかに超えているという愕然とした事実に気がついたことだった。

その意識が芽生えた1年半後、2001年にアメリカ同時多発テロが起こる。このときに私たちインターネット技術者はアメリカ政府と多くの議論をした。政府はテロから守るためにいろいろな法律を作り、安全保障としてのインフラのなかでインターネットがどのような意味を持つのかの検証が私たちにも要求された。検証の一つの結果として、インターネットが停止したらすでに当時のアメリカの経済は成立しないという事実が明らかになった。一部の専門家にはわかっていたこととはいえ、このときから政治家、企業家、社会学者によって極めて真剣にインターネットのリスクや、さまざまかつデリケートな問題への関連性の研究が熱心に議論され始めた。

デジタル文明

サイエンスとテクノロジーが人類の文明を形成する。数学、物理学、天文学、自然科学を背景に人間は道具を生み出し、家や建築物を作り、都市を作り、社会を形成する。第4次産業革命は、数学とその計算をする機械であるコンピューターの登場によって生まれた。それに対し、わが国のSociety 5.0はインターネット等でデジタルデータを使うという、いわばデジタル文明を示しているといえる。

ここで大事なことは、それまでの人類が作ってきた技術の多くは人間が生きていくうえで必要な筋肉や身体能力をどう拡張するかということで作られ、交通規則などそのためのルールを社会に整備してきた。しかし数学とコンピューターのデジタル文明は、筋肉に代わって人間の脳を拡張する技術とも考えることができる。計算をすること、その結果を伝えること。これは、コンピューターとネットワークが新しく人の脳の能力と人の対話を拡張することになる。これが今までの産業革命や文明との違いだとすれば人の感性や感情、思想、愛憎などを考慮した全く新しい方法によるテクノロジーの発展や、それを活用する社会を作り出す必要があることになる。

デジタルという言葉は本書でも解説されているように、私たちの五感を含め、できるだけ物やその状態を数字に置き換えた表現のことだ。ひとたび、数字になってしまえばとんでもない速さで分析したり、処理したり、計算をする、しかも毎年信じられないほど高速化して安くなる計算する機械、コンピューターでそのデジタルデータをどう扱うかという技術革新が情報革命だ。世界じゅうのコンピューターをあり得ない速度で全部、そう、全部つないでしまうのがインターネットだ。これ全体をひっくるめて、私たちの社会に完全に溶け込んでしまった社会をデジタル社会と呼ぶ。

デジタルは今、なぜこれだけ大きな意味を持つのか。1982年SF作家のウィリアム・ギブスンは「サイバースペース」として、インターネットでつながるコンピューターの空間を表現し、その新しさに夢中になる読者を引っ張った。実際にインターネットの発展は、この概念、すなわち、現実空間とサイバー空間の二重性を楽しみながら発展してきた。しかし、今や違う。CPS（Cyber Physical System）という専門用語から、「デジタルツイン」という社会科学用語が示すように、ほとんどの人類社会は、インターネットやコンピューターと完全に共存、そして同化していて、生まれてくる子どもは、「デジタルネイティブ」、つまり、デジタル社会で生まれてくる子どもだ。現代は、デジタル社会からひとつの文明を創造する歴史的な出発点に立っていることになる。

自由と規制の限りないバランス

本書の初版（原著の第1版）は2010年に書かれた。前に述べた2000年の大きな変革と、2007年のスマートフォンの出現により、生活とインターネットが合体したという歴史観のなかで最初の版が書かれた。インターネット以前のアメリカにおいて次々と生まれてくるテクノロジー産業に対してどのような抵抗をして、どのようなルールを作り、調整したり戦ってきたかという歴史と、そのメタファーに対比して、すでに明らかになっていたインターネット以後のデジタル社会の難しさを、生まれてきた技術やその原理を丁寧に、しかも網羅的に解説した、他にはない本となっていた。

さらに、それにその後の10年の課題が増補されて作られたのが、本書（原著の第2版）である。この10年の増補分の意味は、極めて重要な新たな経験に基づいている。技術はもちろん急速に発展し続ける。GAFAMがついに世界の経済のトップに君臨する。彼らが主導するAIに対する恩恵とともに社会不安や社会混乱が膨らんできた。インターネット上のメディアで力をつけた、従来と全く違う人や集団の政治活動もあった。10年後の改訂が原著の意味を全く失っていない、それどころか意味が倍増している理由は、科学と技術の正確な把握と解説に基づいた警鐘や議論が全く正しかったことに根ざしている。ジョージ・オーウェルが『一九八四年』という小説を書き、ビッグ・ブラザーの監視社会のなかで、人類はどう生きていくのかという警鐘へのリスクは新しいかたちで深まっている。監視と自由、アメリカはこれを何度も議論し、訴訟し、対立しつつもこの中間点を探っていた。

本書はそういったアメリカの自由主義社会の形成と、同国内での安全保障を含む政府の役割のふたつの対立軸の双方が、どのような調整を図り形成してきたかをデジタルサービスの技術の解説、関連アナログサービスからのメタファー、それぞれの判例をもって教えてくれる。テクノロジーはこうして発展するということを、法治国家、裁判、立法そして市民の自由と権利とプライバシーのなかでどう調整を図りアメリカで推移したかが網羅的にわかる大変貴重な書になっている。ただし これはアメリカの判例での議論なので、アメリカでの文化や背景事情を同時に理解する必要がある。翻訳者がこの点を理解して極めて丁寧に訳注として補完していることは高く評価できる。

我が国の状況と歩むべき道

優れた、ゆえにインパクトの強いテクノロジーであればあるほど広く使われる。テクノロジーは一般に適正な利用（proper use）を想定して創造される。インターネットは誕生したときは一部の人たちのものだった。人間そのものの知や感性やその礎になる学習や対話を「拡張」できるその不思議な力に魅了され、急速に普及が進んだ。社会での利用も進み、今ほぼすべての人類がインターネットを自然に使えることを目指さざるを得なくなっている。

厄介な問題は優れたテクノロジーであるがゆえに、濫用や悪用（abuse）が発生することだ。もちろん、人類はテクノロジーの濫用や悪用への対処の経験を果てしなく積み上げてきている。ただ、デジタルテクノロジーは、その発展そのものが目で見えにくく、発展の速度が今までの経験で測れないほど速い。そのインパクトが、人の対話と感性に直結した領域に及ぶために、人と社会そのものの日常に踏み込んできている。本書が題材とするこのテーマは、具体的にはアメリカやヨーロッパが舞台だ。日本はアメリカやヨーロッパとは異なる個人民主主義あるいは政府の検閲の経験を持つ。故に、このグローバルな空間のなかで日本が何を目指すのかということをまずしっかり考える必要がある。高齢化社会や自然災害とともに生きる私たちが本書から何を学び、どのように未来を考えるのか。そのためには日本独自のアプローチもある。それを元に世界と協調し、世界に貢献することができる。私自身は、このような我が国のデジタル社会の形成に希望と期待を大きく抱いている。本書から学び、我が国の課題に取り組み未来を創造する。これが日本の役割なのだと思う。

索引

人名

タ行

ナ行

ハ行

マ行

ヤ行

ラ行

数字・A-Z

あ - わ

あ行

か行

さ行

た行

な行

は行

ま行

や行

ら行

わ行

筆者

ハル・アベルソン (Hal Abelson)

マサチューセッツ工科大学コンピューター科学・電気工学科教授で、IEEE フェロー。MIT オープンコースウェアといった革新的技術教育イニシアチブの推進支援、クリエイティブ・コモンズやパブリック・ナレッジの共同設立に尽力し、フリーソフトウェア財団設立時から理事を務めた。

ケン・リーディン (Ken Ledeen)

ニーヴォーテクノロジーズ会長兼 CEO。数々の企業を創立し、多くのテクノロジー企業の取締役を務めてきた。

ハリー・ルイス (Harry Lewis)

元ハーバード大学教養学部長、元ハーバード大学工学・応用科学部長で、現在はハーバード大学ゴードン・マッケイ記念コンピューター科学教授兼バークマンセンター準教授。Excellence Without a Soul: Does Liberal Education Have a Future?（魂のない卓越性——教養教育には未来があるのか？）の著者であり、Ideas that Created the Future: Classic Papers of Computer Science（未来を創造した発想——コンピューター科学における著名な論文集）では編集に携わっている。

ウェンディ・セルツァー (Wendy Seltzer)

MIT に本拠地を置くワールド・ワイド・ウェブ・コンソーシアム（W3C）の弁護士兼戦略リーダー。オンラインコンテンツ削除に関する透明性レポートを提供する先駆的なプロジェクト「ルーメンデータベース」の設立者でもある。

解説

村井純（むらいじゅん）

慶應義塾大学教授。工学博士。1984 年日本初のネットワーク間接続「JUNET」を設立。1988 年 WIDE プロジェクトを発足させ、インターネット網の整備、普及に尽力。初期インターネットを、日本語をはじめとする多言語対応へと導く。内閣官房参与、デジタル庁顧問、他各省庁委員会主査等を多数務め、国際学会等でも活動。2013 年 ISOC の選ぶ「インターネットの殿堂（パイオニア部門）」入りを果たす。「日本のインターネットの父」として知られる。

訳者

尼丁千津子（あまちょうちづこ）

英語翻訳者。神戸大学理学部数学科卒。訳書に『教養としての AI 講義』、『パワー・オブ・クリエイティビティ』（以上、日経 BP）、『馬のこころ』（パンローリング）、『「ユーザーフレンドリー」全史』（双葉社）などがある。